여러분의 합격을 응원하는
해커스공무원 혜택

KB084133

FREE 공무원 행정학 **특강**

해커스공무원(gosi.Hackers.com) 접속 후 로그인 ▶ 상단의 [무료강좌] 클릭 ▶ [교재 무료특강] 클릭 후 이용

 해커스공무원 온라인 단과강의 **20% 할인쿠폰**

3FD52695A5FB49RX

해커스공무원(gosi.Hackers.com) 접속 후 로그인 ▶ 상단의 [나의 강의실] 클릭 ▶
좌측의 [쿠폰등록] 클릭 ▶ 위 쿠폰번호 입력 후 이용

* 등록 후 7일간 사용 가능(ID당 1회에 한해 등록 가능)

합격예측 **온라인 모의고사 응시권 + 해설강의 수강권**

F2E69EADC699DD5D

해커스공무원(gosi.Hackers.com) 접속 후 로그인 ▶ 상단의 [나의 강의실] 클릭 ▶
좌측의 [쿠폰등록] 클릭 ▶ 위 쿠폰번호 입력 후 이용

* ID당 1회에 한해 등록 가능

쿠폰 이용 관련 문의 **1588-4055**

단기 합격을 위한
해커스공무원 커리큘럼

입문

▼

기본+심화

▼

**기출+예상
문제풀이**

▼

동형문제풀이

▼

최종 마무리

▼

PASS

탄탄한 기본기와 핵심 개념 완성!

누구나 이해하기 쉬운 개념 설명과 풍부한 예시로 부담없이 쌩기초 다지기

TIP 베이스가 있다면 **기본 단계**부터!

필수 개념 학습으로 이론 완성!

반드시 알아야 할 기본 개념과 문제풀이 전략을 학습하고
심화 개념 학습으로 고득점을 위한 응용력 다지기

문제풀이로 집중 학습하고 실력 업그레이드!

기출문제의 유형과 출제 의도를 이해하고 최신 출제 경향을 반영한
예상문제를 풀어보며 본인의 취약영역을 파악 및 보완하기

동형모의고사로 실전력 강화!

실제 시험과 같은 형태의 실전모의고사를 풀어보며 실전감각 극대화

시험 직전 실전 시뮬레이션!

각 과목별 시험에 출제되는 내용들을 최종 점검하며 실전 완성

**단계별 교재 확인 및
수강신청은 여기서!**

gosi.Hackers.com

* 커리큘럼 및 세부 일정은 상이할 수 있으며,
자세한 사항은 해커스공무원 사이트에서 확인하세요.

해커스공무원

명품 행정학

기본서 | 1권

해커스공무원

승리는 가장 끈기 있는 자에게 돌아간다.

많은 수험생 여러분들이 행정학 과목의 방대한 양에 막연한 두려움을 느끼곤 합니다. 더불어 2022년부터 9급 행정학개론이 일반행정직의 필수과목으로 변경되면서, 과목의 중요성이 높아졌습니다. 이에 『해커스공무원 명품 행정학 기본서』는 수험생 여러분들이 행정학 과목을 보다 쉽게 이해하고 효율적으로 학습할 수 있도록 내용을 구성하였습니다.

『해커스공무원 명품 행정학 기본서』는 다음과 같은 특징이 있습니다.

행정학의 핵심 내용만을 체계적으로 구성한 본 교재는 본인의 학습 과정 및 수준 등에 맞추어 수험 생활 전반에 두루 활용할 수 있도록 다음과 같은 특징을 가졌습니다.

첫째, 본문에 수록된 '핵심정리', '개념PLUS' 등 다양한 학습장치를 통해 행정학의 기초부터 심화이론까지 꼼꼼하게 학습할 수 있습니다.

둘째, 중요한 기출문제를 엄선하여 수록한 CHAPTER별 '학습 점검 문제'를 통해 본문에서 학습한 내용을 다시 한번 확인하고 문제 응용력을 키울 수 있습니다.

셋째, 각 PART 도입부에 수록된 '10초 만에 파악하는 5개년 기출 경향'을 통해 최근 5개년 공무원 행정학 기출문제의 출제 비중을 파악할 수 있으며, 혼자 학습하는 경우에도 학습의 강도를 조절할 수 있도록 도와줍니다.

그 밖의 자세한 책의 구성 및 특징은 '이 책의 활용법(p.8~9)'을 참고하시기 바랍니다.

행정학 학습은 어떻게 해야 할까요?

행정학은 낯선 용어들과 방대한 범위로 많은 수험생들이 부담을 가지고 시작하는 과목입니다. 그러나 우리에게 중요한 것은 학문으로서의 행정학 완성이 아닌, 시험에 출제되는 행정학 이론만을 효율적으로 학습하는 것입니다.

빠른 시간 내에 고득점을 하기 위해서는 먼저 기본 개념부터 차근차근 익히는 것이 가장 중요합니다. 기본개념을 정확하게 이해해야 응용문제가 출제되어도 대처할 수 있는 능력을 키울 수 있습니다. 기본적인 개념과 이론을 어느 정도 학습한 후에는 전체의 흐름을 잡으며 학습을 심화시켜야 합니다. 이 때 이론과 기출문제를 연계하여 학습하면 기출 개념과 지문들을 숙지할 수 있고, 문제풀이 감각을 함께 배양할 수 있습니다. 그 후 실전동형모의고사를 통해 실전 감각을 익히면서 핵심이론 정리부터 마무리까지 체계적으로 학습해야 합니다.

더불어, 공무원 시험 전문 사이트 해커스공무원(gosi.Hackers.com)에서 교재 학습 중 궁금한 점을 나누고, 다양한 무료 학습 자료를 함께 이용하여 학습 효과를 극대화할 수 있습니다. 부디 『해커스공무원 **명품 행정학** 기본서』와 함께 공무원 행정학 시험 고득점을 달성하고 합격을 향해 한걸음 더 나아가시기를 바랍니다.

2024년 7월

송상호, 해커스 공무원시험 연구소

목차

목차

이 책의 활용법

만점이 보이는 이론 구성

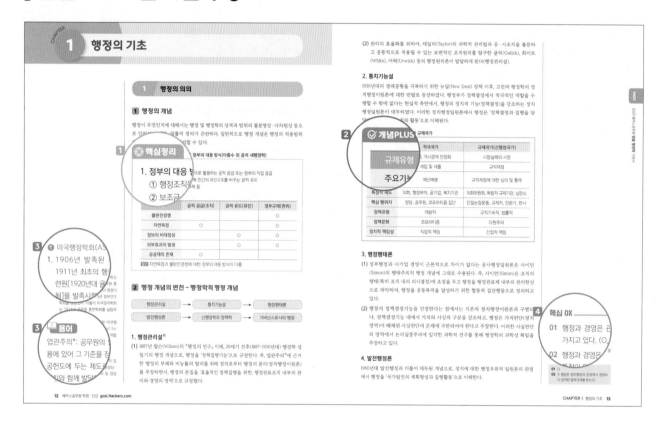

1 핵심 정리

출제 가능성이 가장 높은 개념들을 요약·정리하여 방대한 행정학 이론의 핵심 내용을 한눈에 파악할 수 있습니다.

2 개념PLUS

공무원 행정학 시험을 준비한다면 한 번은 반드시 확인하여 학습해야 할 개념을 수록하여 출제 가능성이 있는 개념들을 빠짐없이 학습할 수 있습니다.

3 용어 및 참고

어렵고 생소한 행정학 용어를 상세히 풀이하고, 관련 개념이나 법령 등에 번호를 매겨 정리하였습니다. 이를 통해 어려운 용어를 쉽게 이해할 수 있고, 기본 개념에 대한 이해를 확장시켜 세부적인 내용까지 함께 학습할 수 있습니다.

4 핵심 OX

본문 이론을 OX문제로 수록하여 학습한 내용을 잘 이해하였는지 바로 점검해볼 수 있습니다.

▌합격이 보이는 교재 활용

1. 출제 경향 분석

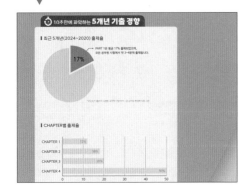

학습의 우선순위와 방향을 설정할 수 있는 출제 경향 제시

1. PART별 출제 비중을 그래프로 제시하여, 해당 PART의 중요도를 한눈에 파악할 수 있습니다.

2. PART 내 CHAPTER별 출제 비중을 그래프로 제시하여, 어떤 CHAPTER를 더 중점적으로 학습하여야 할지 쉽게 파악할 수 있습니다.

2. 학습 점검 문제

문제 응용력을 키울 수 있는 기출문제 및 상세한 해설

1. 공무원 행정학 기출문제 중 다시 출제될 가능성이 높은 문제들을 수록하여, 실제 시험에 출제되는 문제의 유형을 확인하고 문제에 대한 응용력을 키울 수 있습니다.

2. 상세한 해설과 더불어 관련 이론 및 법령을 함께 정리하여, 학습한 내용을 점검할 수 있고 이를 통해 반복학습 효과를 누릴 수 있습니다.

3. 찾아보기

주요 개념의 위치를 쉽게 파악할 수 있는 찾아보기 수록

1. 본문에서 중요한 개념 및 이론 등이 있는 위치를 수록하여 쉽게 찾아볼 수 있습니다.

2. 기출문제나 실전동형모의고사 등의 문제풀이를 할 때, 더 알아보고 싶은 개념이나 이론 등의 위치를 쉽게 파악할 수 있어 기본서와 문제집을 연계하여 학습할 수 있습니다.

⏱ 10초만에 파악하는 **5개년 기출 경향**

■ 최근 5개년(2024~2020) 출제율

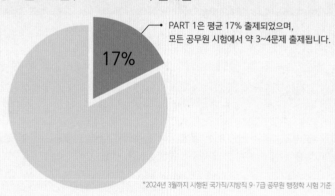

PART 1은 평균 17% 출제되었으며,
모든 공무원 시험에서 약 3~4문제 출제됩니다.

17%

*2024년 3월까지 시행된 국가직/지방직 9·7급 공무원 행정학 시험 기준

■ CHAPTER별 출제율

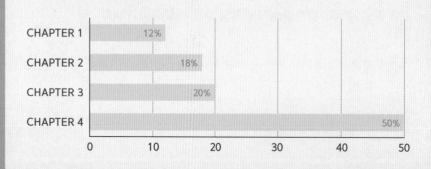

CHAPTER 1	12%
CHAPTER 2	18%
CHAPTER 3	20%
CHAPTER 4	50%

0   10   20   30   40   50

PART 1

행정학 총설

1 행정의 의의

1 행정의 개념 ❶

행정이 무엇인지에 대해서는 행정 및 행정학의 성격과 범위의 불분명성·다차원성 등으로 인하여 보편적·일률적 정의가 곤란하다. 일반적으로 행정 개념은 행정의 적용범위와 관련하여 세 가지로 정리할 수 있다.

1. 일반적·광의의 행정

'조직의 목적 달성을 위한 협동적 노력'으로 정의한다. 이런 의미의 행정은 공사(公私)부문의 구별 없이 모든 형태의 조직에 적용될 수 있는 개념이다.

2. 협의의 행정

'정부관료제를 중심으로 이루어지는 활동'으로 정의한다.

3. 최근에 강조되는 행정

최근 거버넌스(governance)로서의 행정 개념이 강조되고 있다. 거버넌스로서의 행정이란, '공공문제해결을 위한 국가 - 시장 - 시민사회 공동체로 구성된 연결망을 통한 집합적 노력'이라고 할 수 있다. 이러한 거버넌스 개념에서는 공공부문과 민간부문의 업무가 명백히 구분된다고 보지 않는다.

2 행정 개념의 변천 – 행정학적 행정 개념

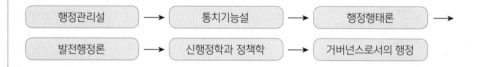

행정관리설 → 통치기능설 → 행정행태론 →

발전행정론 → 신행정학과 정책학 → 거버넌스로서의 행정

1. 행정관리설

(1) 1887년 윌슨(Wilson)의 『행정의 연구』 이래, 20세기 전후(1887~1930년대) 행정학 성립기의 행정 개념으로, 행정을 '정책집행기능'으로 규정한다. 즉, 엽관주의*에 근거한 행정의 부패와 비능률의 탈피를 위해 정치로부터 행정의 분리(정치행정이원론)를 주장하면서, 행정의 본질을 '효율적인 정책집행을 위한, 행정관료조직 내부의 관리와 경영의 영역'으로 규정했다.

---

❶ 미국행정학회(ASPA)

1. 1906년 발족된 뉴욕시정연구회는 1911년 최초의 행정학교인 공무원 훈련원[1920년대 귤릭(Gulick)이 원장이 됨]을 발족시켰으며, 1915년 정부연구학회를 창설했다. 아울러 미국정치학회는 1914년 공무원 훈련학회를 설립하기에 이르렀다.

2. 이 두 학회가 1939년 창설된 미국행정학회(American Society of for Public Administration)의 모태 역할을 수행하였다.

🔖용어

엽관주의*: 공무원의 인사관리나 공직 임용에 있어 그 기준을 정당에 대한 충성심·공헌도에 두는 제도로, 민주주의 및 정당정치와 함께 발달한 제도

(2) 관리의 효율화를 위하여, 테일러(Taylor)의 과학적 관리법과 공·사조직을 불문하고 공통적으로 적용될 수 있는 보편적인 조직원리를 탐구한 귤릭(Gulick), 화이트(White), 어윅(Urwick) 등의 행정원리론이 발달하게 된다(행정관리설).

2. 통치기능설

1930년대의 경제공황을 극복하기 위한 뉴딜(New Deal) 정책 이후, 고전파 행정학의 정치행정이원론에 대한 반발로 등장하였다. 행정부가 정책결정에서 적극적인 역할을 수행할 수 밖에 없다는 현실적 측면에서, 행정의 정치적 기능(정책결정)을 강조하는 정치행정일원론이 대두하였다. 이러한 정치행정일원론에서 행정은 '정책결정과 집행을 담당하는 행정관료조직의 활동'으로 이해된다.

3. 행정행태론

(1) 정부행정과 사기업 경영이 근본적으로 차이가 없다는 공사행정일원론은 사이먼(Simon)의 행태주의적 행정 개념에 그대로 수용된다. 즉, 사이먼(Simon)은 조직의 행태(특히 조직 내의 의사결정)에 초점을 두고 행정을 행정관료제 내부의 관리현상으로 파악하여, 행정을 공동목적을 달성하기 위한 협동적 집단행동으로 정의하고 있다.

(2) 행정의 정책결정기능을 인정한다는 점에서는 기존의 정치행정이원론과 구별되나, 정책결정기능 내에서 가치와 사실의 구분을 강조하고, 행정은 가치판단(정치 영역)이 배제된 사실판단의 문제에 국한되어야 한다고 주장한다.❶ 이러한 사실판단의 영역에서 논리실증주의에 입각한 과학적 연구를 통해 행정학의 과학성 확립을 주장하고 있다.

4. 발전행정론

1960년대 발전행정과 더불어 대두된 개념으로, 정치에 대한 행정우위적 일원론의 관점에서 행정을 '국가발전의 계획형성과 집행활동'으로 이해한다.

5. 신행정학과 정책학

(1) 1960년대 말부터 등장한 신행정학에서는 행정을 '적극적 정책결정, 사회적 형평성 실현, 시민의 행정참여가 이루어지는 과정'으로 파악한다.

(2) 정책학의 등장과 함께 행정은 '행정부의 관료조직이 정책결정이나 정책집행만이 아니라, 정책평가와 정책의제설정 활동까지 수행하는 것'으로 확대된다.

6. 거버넌스(governance)로서의 행정

'정부(government)의 행정'에 초점을 두는 전통적 행정 개념과 달리, '공공행정(public administration)에서 공공성(publicness)'을 중시한다. 거버넌스(governance)로서의 행정은 정부 이전에 존재하는 공공문제에서의 공공성(publicness) 개념을 전제로 하며, 일반적으로 거버넌스(governance)란 '공공(public)문제 해결을 위한, 국가 – 시장 – 시민사회 공동체로 구성된 연결망(network)을 통한 집합적 노력'을 의미한다.

❶ 사실판단과 가치판단
1. **사실판단**: 객관적 사실의 진위 여부로 증명되는 판단을 의미한다.
2. **가치판단**: 어떤 대상의 의의나 중요성·값어치에 대한 판단을 의미한다.

3 행정의 3대 변수

(1) 행정변수란 행정현상을 야기하거나 결정하는 요인을 의미한다.

(2) 3대 행정변수로는 ① 인간, ② 구조, ③ 환경이 있다.

행정인 (인간)	· 정부관료제를 구성하는 행정관료 · 행정관료의 가치관·태도·능력·지식·행태에 초점을 둠
행정구조 (구조)	· 구성원들 간의 유형화된 상호작용 · 구성원들의 행위를 제약하는 권한과 책임·법규·절차·의사전달 등에 관한 공식적 제도 일반에 초점을 둠
행정환경 (환경)	정치·경제·사회·문화 등 행정체제 외부에서 행정과 상호작용하는 일체의 요소

4 행정과정

행정과정이란 행정이 구체적으로 이루어지는 일련의 과정으로, 행정이 담당하는 역할이나 기능에 따라 행정과정은 달라진다.

1. 전통적 행정과정

(1) 의의

① 전통적인 정치행정이원론이나 행정관리론에서의 행정과정으로, 귤릭(Gulick)의 POSDCoRB로 표현된다. POSDCoRB란 최고관리자의 기능으로, 기획(Planning), 조직화(Organizing), 인사(Staffing), 지휘(Directing), 조정(Coordinating), 보고(Reporting), 예산(Budgeting)을 의미한다.[1]

② 전통적인 행정과정은 '계획 → 조직화 → 실시 → 통제'의 단계로 이루어진다.

(2) 특징

① 행정을 환경과의 상호작용이 결여된 폐쇄체제로 인식하고 있다.

② 행정과정 내의 기능 각각을 정태적(static)으로 파악한다.

③ 기획이 포함은 되어 있으나, 정치 영역에서 설정된 목표달성을 위해 최적의 수단을 선택하는 '조작적 기획'으로 한정(행정과정에서 목표설정기능 제외)된다.

2. 현대적 행정과정

(1) 의의

① 현대 행정국가 시대, 특히 정치행정일원론이나 발전행정론에서의 행정과정이다.

② 현대적 행정과정은 '목표설정 → 정책결정 → 기획 → 조직화 → 동작화·동기부여 → 평가 → 환류'의 단계로 이루어진다.

(2) 특징

① 행정과 환경과의 상호작용 및 환류를 중시하는 개방체제적 관점이다.

② 행정과정 내의 기능들을 동태적으로 파악한다.

③ 정치행정일원론적 특징을 지닌다.

[1] 폴랜드(Poland)의 POSDCoRB
폴랜드(Poland)는 귤릭(Gulick)이 제안하여 행정관리자들이 수행해야 할 기본적인 기능으로 알려진 POSDCoRB에 Evaluation의 첫 문자인 E를 포함시켜 POSDECoRB로 만들 것을 제창하였다.

2 행정과 정치

1 의의

1. 정치와 행정의 차이

(1) 정치

국민들의 의사를 수렴하는 가치개입적 행위, 국민 또는 국민의 대표에 의한 정책결정 과정으로, 정치는 본질적으로 민주성을 확보하는 과정이다.

(2) 행정

수렴된 국민의 의사를 실행하는 가치중립적 행위(정책집행) 과정으로, 행정은 목표달성과정에서의 능률성을 확보하는 과정이다.

2. 정치와 행정의 구분의 상대성

위 1.과 같은 정치와 행정의 개념적 구분에도 불구하고, 현실적으로 행정은 불가피하게 정치와 연계되어 있어 정치와의 구별이 곤란하다.

2 정치 - 행정 관계에 대한 이론의 변천

1. 정치행정이원론

행정에 대해 정치가 우위를 차지하였던 엽관주의 시대의 병폐를 극복하기 위해 정치로부터 행정의 분리를 주장하였다. 또한 행정을 정책의 효율적 집행을 위한 관리의 영역으로 파악하였다.

(1) 윌슨(Wilson), 『The Study of Administration(1887)』

행정학의 아버지로서 행정은 사무의 분야(business field)라고 주장하였다.

(2) 굿노(Goodnow), 『Politics and Administration(1900)』

'정치는 국가의사 결정이고, 행정은 국가의사의 집행작용'이라고 주장하며, 정치행정이원론을 체계화하고 시정개혁운동에 크게 기여하였다.

(3) 귤릭(Gulick), 어윅(Urwick) 등도 대표적인 정치행정이원론자이다.

2. 정치행정일원론

1930년대 경제공황과 2차 대전을 겪으면서, 행정의 전문화·신속한 정책결정의 필요성이 대두되었다. 이로 인해 행정부가 정책결정에서 적극적인 역할을 수행할 수밖에 없다는 논거로 정치와 행정이 밀접·불가분의 관계에 있다는 정치행정일원론이 주장되었다.

(1) 디목(Dimock), 『Mordern Politics and Administration(1937)』

기계적 능률성에서 사회적 능률성 개념을 분리하였으며, 정책형성과 정책집행을 모두 포함하는 개념으로 보아 두 과정은 배타적이라기보다는 협조적인 연속선상에 있다고 주장하였다.

(2) 애플비(Appleby), 『Politics and Administration(1949)』

　　정치와 행정의 과정은 연속적 · 순환적 과정이므로 결합관계를 중요시하여야 한다고 주장(정치행정융합론)하였다.

3. 정치 – 행정 관계의 변천

시대	이론	특징	행정이론
1880~1930년대	정치행정 이원론	· 엽관주의의 폐단극복을 위함 · 정치(정당정치)로부터 행정의 분리를 주장 · 행정을 정책의 효율적 집행을 위한 관리의 영역으로 파악	· 행정관리론 · 기술적 행정학
1930년대	정치행정 일원론	· 1930년대 경제공황 극복을 위함 · 행정의 정책결정(정치영역) 기능을 강조	· 통치기능설 · 기능적 행정학
1940~1950년대	새이원론	· 논리실증주의에 입각한 과학적 행정학 수립을 위함 · 행정의 연구대상을 가치판단(정치) 영역이 배제된 사실판단 영역으로 국한	행정행태론
1960~1970년대	새일원론	· 국가발전을 위한 발전목표수립을 강조(발전행정론) · 현실의 사회문제 해결을 위한 적실성과 실천을 강조하는 가치지향성을 강조(신행정학)	· 발전행정론 · 신행정론
1980년대	신정치행정 이원론	행정의 경영화, 시장화	· 신공공관리론 · governance
1990년대	신정치행정 일원론	· 시민의 정치적 참여 중시 · 조정과 타협 중시	· 신국정관리론 · new governance

---

3　행정과 경영(공행정과 사행정)

1 의의

1. 행정(공행정)

정치권력을 배경으로 공공기관이 특정목표를 달성하기 위하여 행하는 활동이다.

2. 경영(사행정)

사기업이나 민간단체가 조직목표 달성을 위하여 행하는 활동이다.

② 행정과 경영의 차이점⁰ 및 유사점

1. 차이점

행정과 경영의 차이점이 발생하는 근본적인 원인은 행정의 목적이나 행정이 지니고 있는 공공성과 정치권력성 등의 특징 때문이다.

(1) 목적

행정은 그 목적으로 공익을 추구하는 반면, 경영은 사적 이윤의 극대화를 목적으로 한다.

(2) 법적 규제

근대국가의 법치행정 원리의 측면에서 행정은 경영보다 엄격한 법적 규제를 받는다.

(3) 정치성, 권력성, 독점성, 평등성

행정은 경영과 달리, 국민·정당·이익단체 등의 투입정치에 의한 정치성, 정치권력 행사를 토대로 하는 권력성, 활동에 있어서 경쟁상대가 존재하지 않는 독점성, 서비스 공급에 있어서 평등성을 지닌다.

2. 유사점

(1) 수단성

행정이나 경영은 모두 실현하고자 하는 목표의 성격은 다르지만, 목표를 달성하기 위한 수단이라는 점에서 유사하다.

(2) 관료제적 성격

관료제를 대규모의 복잡한 조직구조라 할 때, 행정과 경영의 조직은 모두 관료제적 성격을 지니고 있다.

(3) 관리적 성격

비록 공공조직은 상대적으로 권력적인 측면이 강하게 나타나기도 하지만, 관리적 성격도 중요한 요소를 구성하고 있다. 특히 두 조직은 모두 목표달성 과정에서 능률성을 강조하므로, 여기에 적용되는 관리기술 또한 동일한 경우가 많다.

(4) 집단적 협동행위

공동 목표를 달성하기 위한 협동적인 인간의 합리적 집단행동이라는 점에서, 행정과 경영은 동일하다. 이는 모든 인간 조직에서 협동이 가장 핵심적인 요소이기 때문이다.

(5) 의사결정

능률적·합리적인 기준에 따라 여러 대안 중 최적대안을 선택·결정하는 과정이다.

---

❶ 행정과 경영의 차이점

구분	행정	경영
주체	정부	기업
목적	공익	사익
법적 제한	강함	약함
정치성	강함	약함
권력성	강함	약함
독점성	강함	약함
평등성	강함	약함
공개성	강함	약함

3 행정과 경영의 관계에 대한 이론

1. 공사행정일원론(공통점을 강조)

공사행정일원론은 행정과 경영은 수단적 측면에서 '관리'를 토대로 하고, 관리의 효율성을 목적으로 한다는 점에서 행정과 경영의 유사성을 주장한다.

2. 공사행정이원론(차이점을 강조)

공사행정이원론은 경영에 대한 행정의 특수성을 강조하는 측면에서 행정과 경영의 차이점 및 행정과 정치의 불가분성을 주장한다.

4 현대적 의미에 있어서 행정과 경영의 관계 (행정과 경영 구별의 상대화)

오늘날 공사행정의 구별은 절대적·질적 차이가 아니라, 상대적·양적 차이에 근거한다고 본다. 이러한 구별의 상대화를 초래하는 원인은 다음과 같다.

1. 기업경영적 측면

(1) 규모면에서 행정 못지않게 사기업이 거대화되고 있다.

(2) 사기업의 사회적 영향력이나 정치성이 증대되고 있다.

(3) 사기업의 사회적 책임성이 강조되고 있다.

2. 정부행정의 측면

행정의 경영화를 시도하고 기업가적 정부론을 강조한다.

3. 양자의 공통된 측면❶

(1) 준정부조직(QUANGO)이 대두되었다.

(2) NGO가 등장하였다.

(3) 정책공동체(policy community)가 활성화되었다.

(4) 최근 정부 - 준정부 - 비영리민간 - 영리민간 부문으로 구성된 행정서비스 생산을 위한 연계망(network)을 강조하는 거버넌스(governance)론이 대두되고 있다.

---

❶ 준정부조직, 비정부조직, 정책공동체
1. **준정부조직(QUANGO):** 법적으로 민간부문의 조직형태를 취하면서 공공부문에 해당하는 공적인 기능을 수행하는 기관을 의미한다.
2. **비정부조직, NGO(Non-Governmental Organization):** 기본적으로 '비정부성과 비영리성·자발성'이라는 공통점이 있다.
3. **정책공동체(policy community):** 특정한 정책분야의 전문가로 구성된 일종의 공동체로, 특정 정책분야에 대해 전문지식이 있는 사람들이 공식적·비공식적으로 접촉하면서 형성된 하나의 공동체를 의미한다.

핵심 OX

01 행정과 경영은 관료제라는 공통점을 가지고 있다. (O, X)

02 행정과 경영은 법적 규제의 정도에 공통점이 있다. (O, X)

01 O
02 X 행정은 법치행정의 관점에서 경영보다 엄격한 법적규제를 받는다.

학습 점검 문제

01 다음 중 행정에 대한 개념으로 올바르지 않은 것은? 2009년 서울시 9급

① 넓은 의미의 행정은 협동적 인간 노력의 형태로서 정부조직을 포함한 대규모 조직에서 보편적으로 나타난다.

② 최근의 행정 개념은 공공문제 해결을 위해 정부 외 공·사조직들 간의 연결네트워크, 즉 거버넌스(governance)를 강조하는 경향이 있다.

③ 좁은 의미의 행정은 정부조직이 행하는 공공목적 달성을 위한 제반 노력을 의미한다.

④ 행정은 정치과정과는 분리된 정부활동으로 공공서비스의 생산 및 공급과 분배에 관련된 모든 활동을 의미한다.

⑤ 행정과 경영은 비교적 유사한 활동이라고 할 수 있으나 그 목적하는 바가 다르다.

정답 및 해설

01 행정은 정치권력이 배경이므로, 시장과 달리 국민에 대한 권리 제한과 의무 부과가 가능하다. 즉, 행정은 국민의 지지와 권한의 위임에 기반한 다양한 국민의 의사가 집약되는 정치와 분리될 수 없다.

| 오답체크 |
① 행정과 경영의 유사점을 강조하는 행정의 개념이다.
② 최근의 거버넌스(governance)적 시각이며, 국가 - 시민사회 단체 - 시장의 협력을 강조하는 개념으로 옳은 지문이다.
③ 좁은 의미의 행정 개념인 정부 관료제가 하는 활동으로 옳은 지문이다.

❶ 행정과 경영의 비교

구분	행정	경영
주체	정부	기업
목적	공익	사익
정치성	강함	약함
권력성	강함	약함
법적 제한	강함	약함
평등성	강함	약함
독점성	강함	약함
공개성	강함	약함

정답 01 ④

02 정치행정일원론에 대한 설명으로 옳은 것은? 2021년 지방직 9급

① 행정국가의 등장과 연관성이 깊다.

② 윌슨(Wilson)의 『행정연구』가 공헌하였다.

③ 정치는 의사결정의 영역이고, 행정은 결정된 내용을 집행한다고 보았다.

④ 행정은 경영과 비슷해야 하며, 행정이 지향하는 가치로 절약과 능률을 강조하였다.

03 행정과 경영의 유사점에 대한 설명으로 가장 옳지 않은 것은? 2021년 군무원 9급

① 행정과 경영은 어느 정도 관료제적 성격을 지니고 있다.

② 행정과 경영은 관리기술이 유사하다.

③ 행정과 경영은 목표는 다르지만 목표달성을 위한 수단으로 작동한다.

④ 행정과 경영은 비슷한 수준의 법적 규제를 받는다.

04 다음 중 귤릭(L. H. Gulick)이 제시하는 POSDCoRB에 대한 설명으로 가장 옳지 않은 것은? 2016년 서울시 9급

① P는 기획(Planning)을 의미한다.

② O는 조직화(Organizing)를 의미한다.

③ Co는 협동(Cooperation)을 의미한다.

④ B는 예산(Budgeting)을 의미한다.

05 1930년대 귤릭(Gulick)이 제시한 기본행정이론의 시대적 요구에 따라 1970년대 폴랜드(Poland)가 추가시킨 이론 분야는? 2023년 군무원 7급

① 기획(Planning)　　　　　　　　　② 조직(Organizing)

③ 평가(Evaluating)　　　　　　　　④ 인사(Staffing)

06 정치행정이원론에 대한 설명으로 옳지 않은 것은?

① 행정과 경영이 차이가 없음을 강조하는 공사행정일원론의 입장을 취한다.

② 의사결정 역할을 하는 정치와 결정된 의사를 집행하는 행정의 역할을 엄격하게 구분할 것을 주장하였다.

③ 윌슨(Wilson)은 행정을 전문적·기술적 영역으로 규정하고, 정부는 효율성과 전문성을 갖추어야 한다고 주장하였다.

④ 대공황 이후 각종 사회문제를 해결하기 위해서 행정의 정책결정·형성 및 준입법적 기능수행을 정당화하였다.

정답 및 해설

02 정치행정일원론은 행정국가의 등장과 연관성이 깊다.

| 오답체크 |
② 윌슨(Wilson)은 정치행정이원론의 관점에서 행정학 성립에 공헌한 학자이다.
③ 정치가 결정하고 행정이 집행한다고 보는 것이 정치·행정 이원론이다.
④ 행정과 경영이 유사하다고 보는 이론은 정치·행정 이원론이다.

03 법치행정 원리의 측면에서 행정은 경영보다 엄격한 법적 규제를 받는다.

| 오답체크 |
① 관료제적 성격은 행정과 경영의 유사점이다.
② 행정과 경영은 모두 목표달성 과정에서 능률성을 강조하므로, 여기에 적용되는 관리기술 또한 동일한 경우가 많다.
③ 행정과 경영이 실현하고자 하는 목표의 성격은 다르지만, 양자 모두 목표를 달성하기 위한 수단으로 작동한다는 점에서는 유사하다.

04 Co는 조정(Coordinating)을 의미한다.

🕛 **POSDCoRB**

> POSDCoRB란 최고관리자의 기능으로 다음을 의미한다.
> · 기획(Planning)
> · 조직화(Organizing)
> · 인사(Staffing)
> · 지휘(Directing)
> · 조정(Coordinating)
> · 보고(Reporting)
> · 예산(Budgeting)

05 폴랜드(Poland)는 귤릭(Gulick)이 제안하여 행정관리자들이 수행해야 할 기본적인 기능으로 알려진 POSDCoRB에 Evaluation의 첫 문자인 E를 포함시켜 POSDECoRB로 만들 것을 제창하였다.

06 행정의 정책결정·형성 및 준입법적 기능수행을 정당화하는 것은 행정의 정책결정기능을 중시하는 정치행정일원론이다.

| 오답체크 |
① 정치행정이원론은 행정과 경영이 유사하다고 보는 공사행정일원론의 입장이다.
② 정치행정이원론은 정치와 행정을 엄격하게 분리하는 입장이다.
③ 윌슨(Wilson)은 정치행정이원론의 입장으로, 행정의 능률성을 강조한다.

정답 02 ① 03 ④ 04 ③ 05 ③ 06 ④

1 19세기 근대 입법국가

1. 자원배분 장치

'경제주체 간의 자율적·분산적 경쟁(보이지 않는 손: 가격기제)에 의한 자원배분'을 특징으로 하는 '시장'을 강조한다.

2. 정부의 역할 또는 기능

자원배분 및 사회문제는 개인들의 자율적·경쟁적 노력에 의해 효율적 해결에 도달하므로, 정부의 역할은 최소한의 질서유지 영역으로 국한되어야 한다는 '소극정부론'을 강조한다.

(1) 최소의 행정이 최선의 행정이다.

(2) 국가 기능은 국방·치안 등 최소한의 질서유지 영역으로 국한되어야 한다.

2 20세기 초 행정국가시대❶

1. 자원배분 장치

산업화로 나타난 독점이나 대공황이라는 '시장실패'에 대한 대안으로, '계서적 통제에 의한 자원배분'을 특징으로 하는 '국가·정부'를 강조한다.

2. 정부의 역할 또는 기능

시장실패 교정을 위해 사회의 집합적 행위자인 정부의 적극적 역할을 강조하는 '적극정부론'을 주장한다.

(1) 서구에서 경제안정화국가론(시장실패의 교정)과 복지국가론(자원의 재분배·복지 기능을 수행)이 등장하였다.

(2) 제3세계에서 발전국가론(정부가 경제발전기능까지 수행)이 등장하였다.

3. 행정국가의 특징

(1) 양적 측면

　① **행정기능의 확대:** 시장실패 등을 교정하기 위한 다양한 정부기능이 확대되었다.

　② **행정기구의 확대:** 행정기능·역할의 확대와 업무량의 증가에 따라, 모든 국가에서 공통적으로 행정기구와 기관이 확대되었다.

❶ 케인즈(Keynes)의 개입주의, 유효수요이론

1. 영국의 경제학자 케인즈는 불황의 원인이 유효수요의 부족에 있다고 판단하였다.

2. 유효수요는 소비·투자·정부지출·순수출로 구성이 되는데, 불황기에는 소비자의 구매력이 떨어져서 소비가 늘어날 수가 없고, 물건이 팔리지 않아서 재고가 쌓이는 상황이므로, 기업들도 투자를 하려고 하지 않는다. 결국에는 정부가 적극적으로 지출을 늘리는 방법으로 유효수요를 늘릴 수가 있다고 한 것이 케인즈의 유효수요이론이다.

3. 즉, 경제를 시장에만 맡겨서는 안 되고, 정부가 개입하여 해결해야 한다는 것이 케인즈주의의 핵심이다.

③ **공무원 수의 증가**: 행정기능이나 행정기구의 확대와 더불어 국가마다 공무원 수가 급증하였다.

④ **예산규모의 팽창**: 다양한 행정업무의 수행을 위해서 재정지출의 규모가 확대되었다.

(2) 질적 측면

① **행정의 전문화 · 기술화**: 현대사회의 급격한 변동과 기능적 분화에 따라 행정도 전문화 · 기술화되고 있다.

② **기획기능의 강화**: 1930년대 경제대공황, 세계대전, 개발도상국 경제발전 과정에서 행정계획의 중요성이 인식되어 각종 경제 · 사회 기획이 추진되고 있다.

③ **동태적 조직의 출현**: 조직의 경직화를 막기 위하여 계층제에 구애되지 않으면서 당면과제를 수행할 수 있는 동태적 조직(adhocracy)을 활용하려는 경향이 있다.

④ **예산제도의 변화**: 전통적인 통제중심 · 전년도답습 예산제도(품목별 예산제도; LIBS)를 탈피하고 정부사업의 효율성을 높이기 위하여 다양한 예산관리기법이 개발 · 추진되었다.

⑤ **행정의 광역화와 신중앙집권화**: 교통통신기술의 발달로 효율적이고 통일된 행정서비스 제공을 위해 지방행정단위가 광역화되고 신중앙집권화가 대두되있다.

3 20세기 말 이후 신행정국가시대

1. 자원배분장치

복지국가의 복지병, 경제안정화국가의 스태그플레이션(stagflation) 등 적극국가론에서 나타난 '정부실패'를 극복하기 위해 다시 '시장'이 강조되고 있다.

2. 정부의 역할 또는 기능

정부기능의 축소 · 민영화 · 규제완화 등을 내용으로 하는 작은 정부론과 기업가적 정부론이 주장되고 있다.

3. 최근의 governance(network) 시대

(1) 자원배분장치

최근에는 자원배분기제로서 시장과 국가의 불완전성(시장실패와 정부실패)을 모두 인식하는 전제하에, 제3의 대안으로서 네트워크(network)에 의한 자원배분이 제기되고 있다. 이는 거버넌스(governance) 관점과 일치하는 것으로, '시장과 정부의 상호 협력과 보완'에 근거한 자원배분장치이다.

(2) 정부의 역할 또는 기능

새로운 자원배분장치로서의 네트워크에서는 공공서비스의 직접적 생산자 · 공급자로서가 아닌, '공공문제 해결을 위한 연계망(network)의 조정 · 관리자'로서의 정부 역할을 강조한다.

핵심 OX

01 행정기능의 확대는 현대행정의 질적 특징이다. (O, X)

01 X 행정기능의 확대는 행정의 양적 특징이다.

시장의 조건	시장실패의 원인	정부개입 형태
완전경쟁 (다수의 공급자· 수요자) ⟺	· 불완전경쟁 – 독과점 · 규모의 경제(전기·가스·수도 등) → 자연독점	· 독과점 규제 · 직접 공급(공기업) · 가격규제
완전정보 ⟺	· 정보의 비대칭성(역선택과 도덕적 해이)	정보정책(허위광고규제, 표준설정, 성능표시의무화 등)
시장내부에서 거래 성립 ⟺	· 외부효과 ┌ 외부불경제 효과 → 과다생산 　　　　 └ 외부경제 효과 → 과소생산	· 조세·부담금·벌금 부과 · 보조금 지급
⇩ 효율적 자원배분 [파레토(Pareto) 최적]❶	· 공공재 → 비배제성·비경합성 → 시장에서 공급 곤란	정부의 직접공급
	· 소득분배의 불공평	소득재분배정책
	· 경기불안정과 경제성장 둔화(실업과 인플레이션)	경기안정화 및 경제성장정책

❶ 파레토(Pareto) 최적
1. 이탈리아 경제학자 파레토(Pareto)가 제시한 자원배분이 가장 효율적인 상태이다.
2. 파레토 최적은 완전경쟁시장에서 달성되며, 자원배분에만 관여하고 소득분배에 대해서는 고려하지 않는다.

1 시장실패의 개념

시장실패란 시장에 의한 자원배분이 효율성과 형평성을 달성하지 못하는 현상을 의미한다.

2 시장실패의 원인과 시장실패에 대한 정부개입

시장실패 교정을 위해 경제와 사회에 대한 다양한 정부개입이 이루어지고 있다.

1. 독점 등 불완전경쟁의 존재

(1) 의의

현실의 경제에서는 자연독점과 기타 불완전경쟁 상황이 광범위하게 존재하여 자원배분의 효율성이 달성되지 못하고 있다.

(2) 독점 등 불완전경쟁에 대한 정부개입

① 일반적인 불완전경쟁에 대한 정부개입은 '시장경쟁의 형성을 위한 규제자로서의 정부'로 나타난다. 즉, 독점 발생의 원인인 진입장벽이나 진입규제를 철폐하거나 독점금지법을 통한 독점기업의 규제 등이 있다.
　　㉴ 가격규제, 담합규제 등

② 자연독점은 규모의 경제*라는 기술적 속성으로 독점의 발생이 불가피하므로, 정부개입이 직접공급·공기업을 통한 공급·가격규제로 나타나기도 한다.

📖용어
규모의 경제*: 생산규모를 늘릴수록 평균비용은 줄고, 평균수익은 늘어나는 현상

2. 공공재의 존재

(1) 의의

① 일반적으로 재화(goods)는 경합성과 배제가능성을 기준으로, ㉠ 공공재, ㉡ 민간재, ㉢ 공유재, ㉣ 요금재의 4가지로 구분된다.

② 시장거래의 전형이 되는 민간재(private goods)란 경합성과 배제가능성을 모두 갖는 재화이며, 반면 공공재(public goods)란 비경합성과 배제불가능성을 모두 지니는 재화를 의미한다.

(2) 공공재의 존재로 인한 시장실패 발생 원인

공공재는 특히 배제불가능성으로 인해 사회구성원들이 타인에 의해 생산된 공공재에 무임승차(free-riding)하려는 경향이 강하다. 따라서 공공재는 사회적으로 필요함에도 불구하고, 수익이 보장되지 않기 때문에 시장에 의해 전혀 생산되지 않는 비효율성을 지닌다.

(3) 공공재에 대한 정부개입

정부의 개입은 '공공재의 직접적 생산자로서의 정부'로 나타난다. 따라서 국방·치안 등의 공공재의 생산·공급은 전형적인 공공문제로 인식되어, 행정이 수행하여야 하는 것으로 파악되어 왔다.

◎ 핵심정리 재화의 유형과 공유지의 비극

1. 재화의 유형 구분

구분	비배제성(평등성·무임승차성)	배제성(차별성·수익자부담·應益性)
비경합성 **(공동 소비성, 비분할성)**	(순수)공공재·집합재(collective goods) ㉾ 국방, 외교, 치안서비스, 등대 등	요금재·유료재(toll goods) ㉾ 전기, 가스, 수도 등
	· **공급상 문제점**: 무임승차 ⇨ 시장에서 공급 곤란 · **정부개입**: 공급문제 해결을 위해 정부가 직접 공급(무료)하며 공급비용은 세금 등 강제적 수단으로 징수	· **공급상 문제점**: 규모의 경제와 자연독점 우려 · **정부개입** – 직접 공급 – 공기업을 통한 공급 – 민간의 참여로 공급
경합성 **(개별 소비성, 분할 가능성)**	공유재(commonpool goods) ㉾ 자연자원(산, 강, 바다, 개울가 수석), 예산 등	사적재(私的財)·민간재(private goods)❶ ㉾ 일상생활의 재화(냉장고, 세탁기, 자동차 등)
	· **공급상 문제점**: 과다사용과 자원손실(공유지의 비극), 비배제성에 따른 비용 회피 · **정부개입**: 사유재산권을 설정하는 방법(원칙)과 사용량을 제한하는 규제(보충적, 최후적)	· **공급상 문제점**: 별로 없음 · **정부개입**: 원칙적으로 민간기업이 생산하도록 자율성을 보장

---

❶ 가치재
1. **개념**: 최소한 일정 수준 이상을 소비하는 것이 바람직한 재화나 서비스를 의미한다.
2. **종류**: 의료서비스, 교육서비스, 문화서비스가 있다.
3. **특징**
   · 민간재에 속한다.
   · 온정적 간섭주의로 소비자 주권이 침해된다.

① **경합성**: 어떤 재화에 있어서 한사람의 소비 증가는 그 재화에 대한 타인의 소비가능성을 감소시키는 성질로, 시장에서 거래되는 대부분의 재화는 경합성을 지닌다. 반면, 국방서비스는 한 사람을 더 소비에 참여시킨다 해도 그 재화에 대한 타인의 소비가능성을 감소시키지 않는다는 측면에서 비경합성을 지닌다.

② **배제성**: 재화소비에서 그 대가를 지불하지 않은 자를 배제시킬 수 있는 성질을 의미한다. 공공재의 전형인 경찰서비스나 공유재인 강과 바다 등의 천연자원은 대가 미지불자를 그 소비로부터 배제하는 것이 불가능하므로, 양의 가격을 매겨 받으려 해도 받을 수 없는 배제불가능성을 지닌다.

2. 공유지의 비극(tragedy of the commons)❶

① 공유재는 재화의 유형에서 볼 때, 경합성과 배제불가능성을 지닌 재화이다. 공유재의 비배제성으로 인해, 합리적이고 이기적인 개인들은 자신의 이익극대화를 위해 공유지를 무분별하게 사용한다. 그러나 개인들의 공유지에 대한 무분별한 사용은 결국 공유지의 자원의 고갈이라는 '공유지의 비극'을 발생시켜 사회적으로는 바람직하지 않은 결과를 초래하게 된다.

② 공유지의 비극은 '개인적 차원에서의 최적 행동이 사회적으로 비최적의 결과를 야기하는 현상'을 설명하는 개념이다. 이는 아담 스미스(Smith)의 주장(개인들의 자유로운 최적화 행위는 가격의 신호기능을 통해 자동적으로 사회적 공익을 달성)과 달리, 시장실패를 설명하는 대표적인 사례로 언급된다.

3. 외부효과의 존재

(1) 의의

외부효과란 가격기구(시장거래; 대가의 교환)를 통하지 않고 한 경제주체가 다른 경제주체에게 경제적 이익이나 불이익을 미치는 현상으로, 외부경제 효과와 외부불경제 효과가 있다.

(2) 외부효과로 인한 시장실패 발생 원인

① 외부효과는 비용(비용부담자)과 편익(수혜자)의 불일치 문제를 야기시켜 사회적 최적 수준보다 과소 또는 과다 공급되는 문제가 발생하게 된다.

② 외부적 비용이나 외부적 편익이 경제주체의 의사결정에 기초가 되는 개인적 비용이나 편익에 포함되지 못하여, 결국 시장 가격에 반영되지 않기 때문이다.

③ 개인의 비용과 편익, 사회의 비용과 편익 사이에 괴리가 발생한다.

(3) 외부경제와 외부불경제의 비교

구분	외부경제	외부불경제·외부비경제
	긍정적 외부효과, 정(正; ⊕)의 외부효과	부정적 외부효과, 부(負; ⊖)의 외부효과
의미	어떤 사람의 행동이 제3자에게 의도하지 않은 편익·이득을 주면서도 대가를 받지 않는 경우	어떤 사람의 행동이 제3자에게 의도되지 않은 손해·불이익을 주면서도 보상을 하지 않는 경우
예	· 과수원과 양봉업자 · 지역개발사업 실시와 인근지역 지가 상승	· 화학공장과 인근주민 · 도로건설에 따른 인근주민의 소음 피해
문제 (시장실패)	자유로운 시장기구에 맡겼을 경우 사회적 최적수준보다 과소 생산	자유로운 시장기구에 맡겼을 경우 사회적 최적수준보다 과다 생산
정부개입	보조금 지급	조세·부담금(피구세)·벌금 부과
	사회적 최적수준을 달성하기 위한 정부개입이 정당화됨	

❶ 오스트롬(Ostrom)
공유재의 비극을 막기 위한 보편적 제도는 없으며, 사유화나 정부규제보다는 구성원 간의 자발적 합의나 규칙을 통하여 해결하는 것이 바람직하다고 주장하였다.

핵심 OX

01 공공재는 저장이 가능한 축적성을 가진다. (O, X)

02 시장이 요금재를 제공할 경우 자연독점의 문제가 발생할 수 있다. (O, X)

03 긍정적 외부효과는 시장실패가 아니다. (O, X)

01 X 공공재는 저장이 불가능하다.
02 O
03 X 바람직한 수준보다 과소 생산되는 것으로 시장실패이다.

◎ 핵심정리 　**코즈①의 정리(Coase theorem)**

1. **의의**
   전통적 시각인 피구세②(Pigouvian tax)와 달리 현대적 시각에서 제시된 내용으로 ① 소유권·재산권(property rights)이 잘 정의되어 있고, ② 민간 경제주체 간 거래비용(transaction cost) 없이 자원배분에 관한 협상이 가능하다면, 외부효과로 인해 초래되는 비효율성을 정부개입 없이 시장에서 그들 스스로 해결하고 자원이 효율적으로 배분되게 된다는 것이다.

2. **재산권**
   전통적인 재산권을 의미하는 것이 아니면서 청정권·혐연권 같은 재산권과 유사성을 지닌 권리를 말한다.

3. **거래비용③**
   교환에 있어 가격을 제외한 거래의 모든 수반비용으로, ① 탐색비용, ② 조직화 비용, ③ 협상비용으로 구성된다.

4. **한계**
   실질적으로 재산권 설정이 곤란하고, 거래비용이 발생하므로 현실적인 적용상 한계가 있다.

❶ 코즈(Coase)
1. 정부의 개입을 반대한다.
2. **규칙 정립**: 재산권을 명확화한다.

❷ 피구(Pigouvian)
1. 정부의 개입을 찬성한다.
2. 조세, 부담금, 벌금을 부과한다.

❸ 거래비용
1. 거래비용은 교환에 있어 가격을 제외한 거래의 모든 수반비용이다.
2. 거래비용의 발생으로 인해 시장실패가 발생한다고 본다.

4. 불완전한 정보❹

(1) 의의

현실의 경제활동에서는 상품에 대한 정보나 거래상대방의 성질 등에 대한 정보가 불완전하거나, 거래의 일방 당사자만이 정보를 지닌 비대칭적 상황이 광범위하게 존재한다. 이러한 상황에서 정보를 지닌 당사자의 기회주의적 행동으로 인해, 정보를 갖지 못한 당사자가 불리한 상품을 선택하는 '역선택'과 정보를 지닌 대리인이 정보를 갖지 못한 주인의 이익실현보다는 자신의 이익실현을 도모하는 '도덕적 해이'가 발생한다. 이는 결국 자원배분의 비효율성을 초래한다.

(2) 불완전한 정보 – 정보의 불확실성, 정보의 비대칭성, 정보의 편재(偏在)

① **역선택**: 계약 성립 전에 발생하는 것으로, 부적격자를 대리인으로 잘못 선임하는 것을 말한다.

② **도덕적 해이**: 계약 성립 후에 발생하는 것으로, 대리인이 자신의 이익을 추구하거나 계으름을 피우는 것을 말한다.

❹ 청지기 이론
1. 청지기 이론(사회심리학적 관점)은 인간형을 이타적인 존재로 가정하여 대리인 모형(경제학적 관점)에서의 이기적 인간모형과 상이한 성격을 가진다.
2. 청지기 이론은 주인과 대리인의 이해가 제휴할 수 있는 원인을 설명하려고 한다. 즉, 구성원이 개인의 이기적 목적에 의하여 동화되지 않고, 주인의 목적과 제휴되는 상황을 찾는다는 것이다.

5. 소득분배의 불공평성

(1) 의의

시장의 이상적인 조건을 갖춘 경우에도, 시장에 의한 자원배분은 공평한 소득분배를 보장하지 못한다.

(2) 소득분배의 불공평성에 대한 정부개입

정부의 개입은 소득재분배 정책(누진세·사회보장정책)으로 나타난다.

6. 거시적 시장실패로서 경기불안정 – 실업과 인플레이션

고용과 물가가 불안정해져 인플레이션 등이 발생하기 쉽다.

1. 정부의 대응 방식
　① 행정조직을 시장개입의 수단으로 활용하는 공적 공급 또는 정부의 직접 공급
　② 보조금 등 금전적 수단을 통해 민간의 유인구조를 바꾸는 공적 유도
　③ 법적 권위에 기초한 정부규제 등

2. 원인별 대응 방식

구분	공적 공급(조직)	공적 유도(유인)	정부규제(권위)
불완전경쟁			○
자연독점	○		○
정보의 비대칭성		○	○
외부효과의 발생		○	○
공공재의 존재	○		

참고 불완전경쟁과 자연독점에 대한 정부의 대응 방식이 다름

3　행정국가와 정부규제

1 정부규제의 의의

정부규제란 시장의 자원배분의 효율성 실패에 대한 교정, 시장의 소득분배의 형평성 실패에 대한 교정을 통해 바람직한 사회·경제 질서를 구현하기 위하여 정부가 시장에 개입하는 것이다.

2 정부규제의 유형

1. 영역별 분류 - 경제적 규제와 사회적 규제

(1) 경제적 규제
　① 개념: 기업 등 민간경제 주체의 자유로운 판단에 의한 경제활동에 정부가 개입하여 사회적으로 바람직한 방향에 부합되도록 하는 인위적 제한이다.
　　㉠ 협의의 경제적 규제: 기업의 본원적 활동에 대한 전통적 규제로, 생산자 보호를 목적으로 경쟁을 제한하는 규제이다.
　　㉡ 독과점 규제: 자원배분의 효율성을 위하여 경쟁을 촉진시키는 규제이다.
　② 유형
　　㉠ 진입규제: 어떤 산업 또는 직종에 참여하여 사업을 할 수 있는 영역의 자유를 제한하는 규제이다.
　　㉡ 가격규제: 기업이 생산하는 제품이나 서비스의 가격을 규제하는 것이다.

© **독과점 및 불공정거래에 대한 규제**: 시장에서의 독과점적인 위치를 확보하여 불공정거래 행위를 함으로써 공정한 경쟁질서를 해치고 경제력 집중을 초래할 가능성이 있을 때, 이를 방지 · 시정하기 위해 이루어지는 규제이다.

(2) 사회적 규제

① **개념**: 시장에서 적절하게 취급받지 못하는 이익이나 가치를 보호하기 위해 개인이나 기업의 행위를 통제하는 것으로, 산업보건 및 안전 · 환경보호 · 소비자 보호 등을 목표로 한다.

② **유형**

    ○ **소비자 보호규제**: 기업의 부당행위로부터 사회직 · 경제직 약자인 소비자를 보호하기 위하여 불공정거래 행위를 막는 것을 말한다.

    ○ **환경규제**: 환경오염을 방지하기 위한 규제로, 부담금 부과와 같은 소극적 규제도 있지만 보조금 지원과 같은 적극적 규제도 있다.

    ○ **작업안전 및 보건규제**: 안전하고 건강한 작업조건에서 일할 수 있도록 하는 규제이다.

    ② **사회적 차별에 대한 규제**: 고용기회나 임금에서의 차별에 대한 규제이다.

(3) 경제적 규제와 사회적 규제의 비교

구분	경제적 규제(광의)		사회적 규제
	경제적 규제(협의)	독과점 규제	
개념	· 기업의 본원적 활동에 대한 정부규제 · 경제적 규제는 동일산업에 속한 기업 간의 자유로운 경쟁을 제약한다는 공통점이 있음	· 독과점 및 불공정 거래에 대한 규제는 기업의 본원적 활동에 대한 정부규제 · 시장경쟁을 제약하기보다는 시장경쟁을 창달하는 규제	· 기업의 사회적 행동에 대한 규제 또는 기업의 사회적 횡포를 막기 위한 규제 · 인간의 생명과 건강에 대한 각종 위험이 증가되고 있는 데 대응하여 최근에 중시됨(현대적 규제)
종류	· 가격규제: 최고가격규제, 최저가격규제, 가격구조규제 · 진입규제: 사업 인허가, 희소자원의 분배, 직업면허, 특허, 수입규제 등 · 퇴거규제: 퇴출규제 · **기타**: 품질, 생산량, 공급대상, 조건, 방법 등에 대한 규제	· 시장지배적 지위의 남용 금지 · **부당한 공동행위의 제한** · **불공정거래 행위의 금지** · **경제력 집중의 억제**: 상호출자 및 지급보증 제한	· 공해규제와 환경보전 · 소비자보호규제: 의약품규제, 식품안전규제, 자동차안전규제, 소비자보호시책의 종합적 추진 등 · 작업장 안전과 보건규제: 산업재해보상, 산업안전보건 · **사회적 차별에 대한 규제**: 고용 · 임금 등의 남녀차별, 장애자에 대한 고용차별, 학력이나 출신지역에 따른 차별 등에 대한 규제

용어

교차보조*: 동일산업 내에서 한 부문의 결손을 다른 부문에서 나오는 이익금으로 충당하는 것

규제목적	• **과다경쟁 방지**: 최저가격 설정 및 진입규제 • **자원보존의 필요성**: 자원고갈 방지 ⑩ 유정(油井) 간의 간격제와 생산량 규제 • **산업의 육성**: 규모의 경제 추구 및 유치산업의 육성 • **교차보조*의 필요성**: 흑자노선 진입 및 적자노선 퇴출(퇴거)규제	• **독과점적 횡포의 방지**: 특히 자연독점산업의 최고가격설정 및 독점적 지위의 남용 방지 • **폭리·부당이익 방지** • **불공정한 가격차등 방지**: 거래에 따른 가격차등 금지(요금 구조 규제)	• 삶의 질 확보 • 인간의 기본적 권리의 신장 • 경제적 약자의 보호와 사회적 형평 확보
규제대상	특정 개별 산업 (차별적 규제)	모든 산업 (비차별적 규제)	모든 산업 (비차별적 규제)
시장경쟁	시장경쟁 제한	시장경쟁 촉진·창달	시장경쟁과 직접적 관련 없음
규제 기관의 재량성	재량적 규제 (규제기관의 재량권 큼)	비재량적 규제	비재량적 규제
정치 경제학적 속성	지대추구 및 포획현상 (규제기관이 피규제산업의 요구에 호응)	대립현상(규제기관과 피규제산업 간 대립)	• 대립현상(규제기관과 피규제기관 간 대립), 포획은 거의 없음 • 공익집단의 역할 중요
규제개혁 방향	완화	유지 또는 강화	유지 또는 강화

2. 규제수단에 따른 분류 – 직접적 규제와 간접적 규제❶

(1) 직접적 규제 – 명령·지시적 규제

① 직접적 규제는 강제수단에 의한 강력한 규제로, '국가가 규제를 위한 규칙·기준을 설정하여 형성·발생되어야 할 행위는 의무화시키고, 금지·위축·방지·제한되어야 할 행위는 구체적으로 규정하여 억제하는 것'을 말한다.

② 직접적 규제는 최소한에 그치는 것이 바람직하다.

③ **직접적 규제수단**

㉠ 직접 법령에 의한 규제를 시행한다.

㉡ 행정처분에 의한 규제(하명·허가·인가·특허 등)를 실시한다.

㉢ 기준설정에 의한 규제를 시행한다.

④ 사회적 규제의 경우 규제 목적의 달성 측면에서 보면, 명령·지시적 규제가 시장유인적 규제보다 효과적이라고 보는 것이 일반적이다. 이는 사회적 규제가 일반인들이 이해하기 쉽고 사회정의의 구현 차원에서 정치적 호소력과 직관적 설득력이 강하다고 보기 때문이다.

---

❶ 직접적 규제와 간접적 규제

직접적 규제 = 명령·지시적 규제	간접적 규제 = 시장유인적 규제
• 법령에 의한 규제 • 행정처분(허가 등) • 기준설정에 의한 규제	• 재정적 유인(보조금이나 벌금 등) • 시장의 선택(가공식품의 성분표시) • 공해배출권

(2) 간접적 규제 - 시장유인적 규제

① 간접적 규제는 강제수단에 의하지 않고 인센티브에 의하여 간접적·우회적으로 영향을 미치는 방법이다.

    ⓔ 외부경제에 대해서는 혜택을, 외부불경제에 대해서는 불이익을 주는 방식

② 간접적 규제수단

    ㉠ 공해배출권❶ 제도를 시행한다.

    ㉡ 행정지도와 행정계획을 이용한다.

    ㉢ 각종 재정적 유인책(보조금이나 금융지원, 부담금의 부과, 세제의 감면이나 중과세 등)을 사용한다.

    ㉣ 시장의 선택에 의한 방식(가공식품의 성분 표시)을 이용한다.

3. 규제의 대상 - 수단규제, 성과규제, 관리규제(새행정학 2.0)

규제는 동일한 사회문제 해결에 대해 해결할 수단·관리방식·최종 성과를 대상으로 설계될 수 있는데, 이들을 각각 수단규제·관리규제·성과규제로 일컫는다.

수단규제 (투입규제)	개념	정부의 목표를 달성하기 위해 필요한 기술이나 행위에 대해 사전적으로 규제하는 것 ⓔ 환경오염을 방지하기 위해 기업에 특정한 유형의 환경통제 기술을 사용할 것을 요구하는 것, 작업장 안전을 확보하기 위해 안전장비를 착용하게 하는 것 등
	특징	정부의 규제 정도와 피규제자의 순응 정도를 파악하는 데 용이함
성과규제 (산출규제)	개념	정부가 특정한 사회문제 해결에 대한 목표달성 수준을 정하고 피규제자에게 이를 달성할 것을 요구하는 것으로, 규제가 의도한 최종 산출물을 강조함 ⓔ 대기오염 방지를 위해 공기 중 이산화탄소 농도를 일정 수준으로 유지하라는 것, 인체 건강을 위해 개발된 신약에 허용 가능한 부작용 발생 수준을 요구하는 것 등
	특징	· 정부가 제시한 성과 기준만 충족하면, 수단과 방법은 피규제자가 자유롭게 선택함 · 사회경제적으로 바람직한 최적의 성과 수준을 찾기 어려움
관리규제	개념	수단과 성과가 아닌 과정을 규제하는 것으로, 정부는 피규제자가 만든 규제목표 달성계획의 타당성을 평가하고 그 이행을 요구함 ⓔ 식품안전을 위해 그 효용이 부각되는 식품위해요소중점관리기준(Hazard Analysis Critical Control Points: HACCP) 등
	특징	· 수단규제와 성과규제가 갖는 단점을 극복할 수 있는 규제 방식 · 수단규제보다 피규제자에게 자율성을 주어 피규제자 스스로 비용면에서 효과적인 규제를 유연하게 설계하도록 함 · 성과달성 정도를 정하고 이를 확인해야 하는 성과규제를 적용하기 어려울 때 적합함

❶ 공해배출권
1. 개념: 공해물질을 배출할 수 있는 권리를 기업들 간에 사고 팔 수 있도록 하는 제도를 의미한다.
2. 구체적 예
· 정부가 탄소 방출목표를 100t으로 정한다.
· 기업에게 10t씩 나누어준 후 자유롭게 거래를 허용한다.
· 각 기업은 정화비용과 배출권 구입비용을 고려하여 선택한다.

4. 규제의 수행주체 – 직접규제, 자율규제, 공동규제(새행정학 2.0)

규제의 주체는 정부가 일반적이지만 민간기관이 수행하는 경우도 있다.

(1) 정부의 규제 수행을 직접규제라고 한다.

(2) 민간기관에 의한 규제는 자율규제와 공동규제가 있다.

직접규제	정부의 규제 수행
자율규제	개인과 기업 등 피규제자가 합의된 규범을 만들고, 이를 구성원들에게 적용하는 형태의 규제 방식
공동규제	정부로부터 위임받은 민간집단에 의해 이루어지는 규제로, 자율규제와 직접규제의 중간 성격을 띰

3 정부규제의 폐단

1. 기회의 불평등 야기

인·허가 등의 규제는 신규 사업자의 사업 참여기회를 박탈·제약하여 경제주체 간에 기회의 불평등을 야기한다.

2. 포획(capture)과 관료부패 가능성

정부의 인·허가는 그 자체로 하나의 이권이 되므로, 이를 둘러싸고 규제기관이 어느 한 이익집단에 포획되기 쉽고 관료부패가 발생하기 쉽다.

3. 경쟁의 결여와 기술개혁에의 소홀

(1) 정부의 인·허가 등 규제는 시장에서의 진입장벽 구축과 독점적 지위 부여를 통해 경쟁을 저해한다.

(2) 기술개발과 경쟁에 의한 생존보다는 규제로부터 비롯되는 독점적 지위에 획득에 의한 이득, 즉 지대추구(rent seeking)를 통해 경제적 비효율을 증가시킨다.

4. 정부조직의 팽창

규제의 신설·강화는 규제담당기구와 인력을 팽창시킨다.

5. 규제의 역설(regulatory paradox)

불합리한 규제는 민간의 행동을 비효율적으로 유도하고, 사회적 자원의 왜곡을 가져오는 부작용을 초래한다.

(1) 과도한 규제는 과소한 규제가 됨

특정한 규제를 무리하게 설정하면 실제로는 규제가 전혀 이루어지지 않는 효과가 발생할 수 있다.

> ⑩ '오염이 없는 세상의 실현'과 같은 고도로 강화된 규제지침을 설정해 놓으면, 집행자원이 한정된 정부는 오히려 규제를 거의 못하게 되는 현상

(2) 새로운 위험만 규제하면 사회의 전체 위험 수준은 증가

새로운 위험규제에만 치중하는 경우, 이전 위험 요인에 대해서는 간과할 수 있다.

예 신형차에만 공기정화장치를 의무화시키면, 소비자는 이러한 규제로 비싸진 새 차를 구매하지 않고 매연을 많이 배출하는 낡은 차동차를 선호하는 현상

(3) 최고의 기술을 요구하는 규제는 기술 개발을 지연시킴
정부가 최선의 기술을 사용하도록 규제하면 기존 기업이나 기술을 보유한 업체가 강한 진입장벽을 칠 수 있는 기회를 주는 것과 같다.

(4) 소득재분배를 위한 규제가 오히려 사회적 약자에게 해가 됨
소득재분배를 목적으로 규제가 도입될 경우, 보호하려 애쓴 계층 순서로 피해를 입을 수 있다.

예 최저임금이 강화될수록 사업주는 노동을 자본으로 대체하여 고용한 노동자의 수가 오히려 줄어드는 현상

(5) 기업에게 상품에 대한 정보공개를 의무화할수록 소비자들의 실질적인 정보량은 감소
정보공개를 엄격하게 할수록 기업의 입장에서는 광고 인센티브가 사라지고, 그 결과 시장에서의 정보가 오히려 줄어들게 된다.

6. 끈끈이 인형 효과(tar baby effect)❶
끈끈이 인형 효과는 해리스(Harries)의 소설에서 나온 것으로, 토끼 인형에 끈끈이 칠을 해 놓아두면 토끼들이 자기 동료인 줄 알고 계속 모여 든다는 것이다. 이는 하나의 규제가 만들어지면 또 다른 규제가 발생한다는 '규제의 악순환 현상'을 의미한다.

4 규제완화

1. 의의
규제완화(de-regulation)란 규제목적이 경제적 현실에 비추어 더 이상 부합하지 않거나 규제가 오히려 경제의 효율성을 저해하고 있다고 판단되는 경우, 규제를 폐지·축소하는 것이다.

2. 배경 및 요인
(1) 경제의 효율성 및 경쟁력 저하
정부규제가 자율적인 경제의 효율성 및 경쟁력을 저해한다는 인식이 확산되고 있다.

(2) 정부부문의 비효율성
정부규제는 필연적으로 정부부문의 팽창과 비효율을 증대시킨다.

3. 우리나라의 규제완화 – 「행정규제기본법」❷
(1) 규제법정주의
규제는 법률에 근거하여야 한다.

(2) 규제 최소한의 원칙
규제는 국민의 자유와 창의를 존중하고, 그 본질적 내용을 침해하지 않도록 하고, 규제의 목적달성에 필요한 최소한의 범위에 국한되어야 한다.

---

❶ 끈끈이 효과(flypaper effect)
1. 중앙정부가 지방정부에 제공하는 정액교부금이 지방정부의 지출에 미치는 효과가 지방정부 주민의 소득 증가가 지방정부 지출에 미치는 효과보다 크다는 것을 의미한다.
2. 우리나라에서는 지방정부의 지출을 연구할 때, 소득 증가에 의한 지출 증가 속도보다 국고보조금 증가에 의한 지출 증가 속도가 빠른지 여부를 검증할 때 주로 사용하는 방법이다.

❷ 「행정규제기본법」의 내용
제3조【적용 범위】② 다음 각 호의 어느 하나에 해당하는 사항에 대하여는 이 법을 적용하지 아니한다.
1. 국회, 법원, 헌법재판소, 선거관리위원회 및 감사원이 하는 사무
제25조【구성 등】① 위원회는 위원장 2명을 포함한 20명 이상 25명 이하의 위원으로 구성한다.
② 위원장은 국무총리와 학식과 경험이 풍부한 사람 중에서 대통령이 위촉하는 사람이 된다.

(3) 규제의 등록 및 공표

규제개혁위원회에 규제의 명칭, 내용, 근거, 처리기관 등을 등록하고 공표해야 한다.

(4) 규제영향분석과 심사제

규제 신설·강화 시, 중앙행정기관의 장은 사전에 규제영향분석서를 작성해야 한다.

(5) 규제일몰법 도입

규제의 존속기한(최소한의 기간으로 하되, 5년 초과 불가)을 설정하여 해당 법령에 명시하도록 하고 있다.

(6) 부처별 규제의 총량 규제❶

한 부처에서 현재 규제하고 있는 규제의 총량을 정한 뒤, 그 상한선을 유지하도록 하고 있다. 부처별 총량 규제는 「행정규제기본법」이 아닌 개별법(⑩ 「수도권정비계획법」 등)에 규정되어 있다.

(7) 규제개혁의 담당기구

대통령 소속하에 규제개혁위원회를 설치한다.

4. 규제완화 또는 규제 개혁의 방향

(1) 경제적 규제의 완화와 사회적 규제의 강화

경제적 규제는 국민의 자율성과 창의성 침해를 해소하도록 대폭 완화되어야 한다. 그러나 경제적 규제 중 독과점 규제와 사회적 규제는 오히려 강화되어야 한다.

(2) 규제방식❷

① 원칙금지·예외허용 체제[포지티브(positive) 규제]에서 원칙허용·예외금지 체제[네거티브(negative) 규제]로 전환할 필요가 있다.

② 네거티브(negative) 규제와 포지티브(positive) 규제

　㉠ 네거티브(negative) 규제

　　ⓐ 원칙 허용·예외 금지를 의미하는 것으로, '~할 수 없다' 혹은 '~가 아니다'의 형식을 띤다.

　　ⓑ 명시적으로 금지하는 것 이외에는 모든 것을 자유로이 할 수 있는 규제방식이다.

　㉡ 포지티브(positive) 규제

　　ⓐ 원칙 금지·예외 허용을 의미하는 것으로, '~할 수 있다' 혹은 '~이다'의 형식을 띤다.

　　ⓑ 명시적으로 허용하는 것 이외에는 원칙적으로 모든 행위가 금지되는 규제방식이다.

> **✓ 개념PLUS**　**네거티브 규제방식의 일유형으로 규제샌드박스**
>
> **1. 개념**
> 규제샌드박스는 기존 규제로 인해 신기술이나 신제품의 시장 출시가 지연되고 있는 경우, 기존 규제의 개선 이전에도 우선 시장에 출시할 수 있도록 해 주는 임시적인 조치를 포괄하고 있다.
> 규제샌드박스의 시행을 위해 2019년 3월에 정보통신융합법, 산업융합촉진법, 지역특구법, 금융혁신법 등 4법체계가 완성되었고 같은 해 4월 16일에 행정규제기본법 개정안이 공포되었다.

2. 유형

규제 신속 확인	시장 행위자가 제품 출시 등에 직면하여 발생하는 규제의 불확실성을 제거해 주기 위해 신기술 신산업 관련 규제 존재 여부와 내용을 문의하면 30일 이내 에 회신받을 수 있도록 하는 것
임시 허가	• 혁신적인 신제품이 시장 출시를 앞두고 관련 규제가 해당 신기술이나 신서 비스가 적용된 제품에 적용하는 것이 곤란하거나 맞지 않는 경우, 또는 해 당 신기술이나 신서비스가 적용된 제품에 대해 명확히 규정되어 있지 않아 어려움을 겪는 경우에 임시 허가를 통해 제품 출시를 허용하고 2년 이내에 법령 정비를 의무화한 제도 • 만약 2년 이내에 관련 법령 정비가 완결되지 않을 때에는 2년을 연장할 수 있도록 하여 최대 4년 이내에 법령 정비를 완료하여 정식 허가를 취득하도 록 함
실증특례	• 관련 법령의 모호성이나 불합리성 혹은 금지규정의 존재로 인해 신제품이 나 신서비스의 사업화가 제한적일 경우 일정한 조건하에서 기존 규제의 적 용을 배제한 실증 테스트가 가능하도록 한 제도 • 이 제도의 경우에도 임시 허가와 같은 방식으로 최대 4년 이내에 법령 정비 를 통해 정식허가를 통한 시장 출시를 의무화하고 있으며 만약 법령 정비가 그 이상 지연될 경우 임시 허가를 통한 시장 출시도 가능하도록 하고 있음

(3) 규제개혁

일반적으로 규제완화 → 규제품질관리 → 규제관리 순으로 진행된다.

① **규제완화**: 규제총량을 감소시키는 것이다.

② **규제품질관리**: 개별규제의 질적 관리(규제영향분석)를 말한다.

③ **규제관리**: 규제 간 상충 등을 제거하여 전체 규제체계를 거시적으로 설계하는 것
을 말한다.

(4) 윌슨(Wilson)의 규제정치이론

① 정치적 상황은 정부규제로부터 각각의 이익집단이 감지하는 비용과 편익의 분
포에 따라 네 가지로 분류된다.

② 정치적 행동은 비용과 편익이 대규모의 이질적인 집단에게 분산되어 있을 때보
다 소수의 동질적인 집단에 집중되어 있는 경우 더 쉽게 일어난다.

구분		감지된 편익	
		넓게 분산	좁게 집중
감지된 비용	넓게 분산	대중적 정치 (majoriarian politics)	고객정치 (client politics)
	좁게 집중	기업가적 정치 (entrepreneurial politics)	이익집단정치 (interest group politics)

ⓐ **고객정치**: 수혜자의 강력한 영향력, 경쟁제한과 높은 진입장벽, 은밀하고 조용
한 정책결정 등의 특징을 가지고 있다. 반면에 다수의 비용부담 집단에서는
집단행동의 딜레마가 발생한다.

ⓔ 수입규제, 직업면허, 농산물 최저가격 규제, 택시사업 인가 등

핵심 OX

01 포지티브(positive) 규제가 네거티브
(negative) 규제보다 바람직하다.
(O, X)

01 X 규제는 원칙 허용·예외 금지인 네거
티브(negative) 규제가 바람직하다.

ⓛ **기업가적 정치:** 비용부담 집단들은 비용부담을 최소화하기 위하여 정치적으로 막강한 영향력을 발휘하는 반면, 다수의 수혜집단에서는 집단행동의 딜레마가 발생하여 활동이 미약하다.

　　ⓔ 환경오염규제, 안전규제(원자력 안전규제, 자동차 안전규제 등) 등

ⓒ **이익집단정치:** 대립되는 집단들 간의 타협의 산물로서 규제가 이루어지며, 정부는 중립적 심판자로서의 역할을 하게 된다.

　　ⓔ 의약분업 정책에 있어서 의사와 약사의 대립, 노사규제, 중소기업 간 영역규제 등

ⓓ **대중적 정치:** 비용과 편익이 모두 불특정 다수에게 분산되어 있어 쌍방이 집단행동의 딜레마에 빠지게 되므로, 공익집단의 역할과 사회적 이슈화가 요구된다.

　　ⓔ 음란물 규제, 낙태 규제, 사회적 차별 규제, 종교활동 규제, 차량 10부제 등

> ✓ **개념PLUS** ｜ 지대추구와 포획(capture)현상
>
> **1. 지대와 지대추구**
> ① 의의
> 　ⓐ 지대
> 　　ⓐ 기회비용을 초과하여 발생하는 수입으로, 정부가 시장에 개입하여 경쟁을 제한하거나 독점적 상황을 만들 경우 시장에서 발생하는 반사이익을 말한다.
> 　　ⓑ 경쟁체제에서는 초기에 지대가 발생하더라도 다른 기업의 참가에 의한 생산증가 및 가격하락으로 곧 소멸하지만, 비경쟁체제하에서는 정부규제로 인하여 경쟁 압력이 없으므로 지대가 소멸하지 않고 지속적으로 존재하게 된다.
> 　ⓑ 지대추구
> 　　ⓐ 지대를 발생시키는 독점적 상황을 유지하기 위하여 정부에 로비활동을 벌이는 것을 말한다.
> 　　ⓑ 기업들이 비경쟁체제하에서 독점적 이익(지대)을 지속적으로 향유하기 위하여 경쟁체제에서라면 기술개발 등 건전한 활동에 투입하여야 할 자원을 비생산적·낭비적 비용(향응·뇌물 등)으로 지출하는 것을 의미한다.
> ② 문제점
> 　ⓐ 경쟁체제라면 기술개발 등에 투자하였을 자금을 정부에의 로비 등 비생산적인 용도에 사용하게 되어, 낭비와 사회적 손실이 발생할 수 있다.
> 　ⓑ 지대추구는 자원의 비효율적 배분을 가져와 사회적 후생을 감소시키며, 공무원 부패와 포획 현상을 초래한다.
>
> **2. 포획(capture)현상**
> ① 포획이란 사로잡힌다는 뜻으로, 포획현상은 '규제주체(규제기관)가 규제객체(이익집단)에 포섭되어 기업이나 이익집단의 포로가 됨으로써 그들의 요구나 주장에 동조하고 호응하는 것'을 의미한다.
> ② 포획으로 규제실패가 발생할 수 있으며, 개혁을 추진할 때 방해요인이 되기도 한다.
>
> **3. 지대추구와 포획**
> ① 지대추구현상은 피규제기업의 역할에 초점을 둔 개념이고, 포획현상은 규제기관인 공무원의 역할에 초점을 둔 개념이다.
> ② 부(富)의 이전을 꾀하는 로비활동 자체는 지대추구 행위와 관련되고, 개인이나 기업이 이익집단을 형성하여 정부에 대해 로비를 함으로써 자신이 필요로 하는 장벽을 획득하였다면 포획현상이 발생한 것이다.
> ③ 로비활동과 같은 지대추구 행위가 포획으로 연결될 수도, 연결되지 않을 수도 있다.

⊘ 개념PLUS 집단행동의 딜레마

1. 의의
   ① 집단행동의 딜레마(collective action dilemma)란 '수많은 기업 또는 수많은 사람으로 구성되는 집단이 공통의 이해관계가 걸려 있는 문제를 스스로의 노력으로 해결하지 못하는 현상'을 말한다.
   ② 집단행동의 딜레마가 나타나는 이유는 대규모 집단에서 나타나는 무임승차 성향 때문인데, 흔히 N · N-1로 설명될 수 있다.

2. 해결방안
   ① 정부규제론(government regulation)
      ㉠ 정부의 직접적인 개입 및 규제를 통한 문제해결을 추구하는 것이다.
      ㉡ 전통적인 행정국가시대에는 정부의 직접적인 개입이나 규제를 통하여 문제를 해결할 수 있는 것으로 보았다.
      ㉢ 다원화되지 못하고 사회의 자율성이 약한 국가에서는 정부가 공공재를 공급하는 방식으로 개입하거나 규제를 통하여 문제를 해결할 수 밖에 없다.
   ② 사회자본론(social capital)
      ㉠ 사회자본론은 집단행동의 딜레마이론의 전제와는 달리, 사회구성원들이 이득만 취하고 아무런 행동을 하지 않는 것이 아니라, 사회공동의 문제를 해결히는데 적극적으로 참여하는 사회적 조건 또는 특징을 중시한다.
      ㉡ 현대 시민사회에서는 구성원 간의 신뢰와 자발적인 협력을 중시하는 '사회자본론'이 유력한 대안으로 등장하고 있다.

4 정부실패(government failure): 작은 정부론의 논거

1 정부실패의 개념

(1) 정부실패란 시장실패를 교정하기 위해 진행된 정부개입이 시장실패의 교정에도 실패하고, 오히려 새로운 비효율과 불공정성을 창출하는 현상을 의미한다.

(2) 정부실패 현상은 1960년대 이후 복지병으로 대표되는 복지국가의 위기와 스태그플레이션으로 인한 경제안정화정책의 실패 · 재정적자의 격증으로 인한 정부부문의 낭비와 비효율성에 대한 인식으로부터 출발한다. 또한 정부실패는 사회에 대해 넓고 깊게 관여하는 행정국가의 비대응성 · 비민주성의 측면에서 파악되기도 한다.

2 정부실패의 이론적 근거

1. 애로우(Arrow)의 불가능성 정리
– 합리적이면서 동시에 민주적 · 집단적 선택의 불가능

애로우(Arrow)는 합리성 조건을 만족하는 집단적 선호체계는 민주성 조건에 위배될 수밖에 없다는 '불가능성 정리(impossibility theorem)'를 주장하고 있다.

(1) 합리성 조건
 ① 파레토 최적: 모두가 A보다 B를 원하면 사회적 선택도 B가 되어야 한다.
 ② 선호의 완비성과 이행성: 개인은 어떠한 선호체계도 가질 수 있어야 되며, 그 선호체계는 합리적이어야 한다.
 ③ 제3의 대안으로부터 독립성: 관련없는 선택 대상으로부터 영향을 받지 않고 결정되어야 한다.

(2) 민주성 조건(비독재성)
 합리적 조건을 갖추면 민주성 조건을 위배한다고 보아 민주적 정부는 합리적일 수 없다는 것이다.

2. 대리인의 도덕적 해이(moral hazard)로 인한 대표의 실패

행정국가의 대의제는 국민의 직접통치가 아닌 국민의 대표가 통치를 담당하는 체제이다. 그러나 주인(국민)의 대리인(정치인이나 관료)에 대한 통제가 불완전하여, 대리인이 주인의 이익(공익)이 아닌 대리인 자신의 이익(사익)을 추구하는 '도덕적 해이'로 인해 대표의 실패라는 비민주성을 발생시키고 있다.

3. 관료제의 자율성 증가와 정치적 비대응성

현대 행정국가에서 행정관료제는 행정의 전문화·기술화로 인하여, 정치권력의 통제로부터 벗어나 관료제 자신의 이익이나 논리에 따라 움직이는 자율성을 확보함에 따라, 정치적 비대응성이라는 비민주성을 야기하고 있다.

3 경제적 비효율성 측면의 정부실패 원인

정부산출물의 수요적·공급적 특징으로부터 도출되는 정부실패 원인들은 다음과 같다.

1. 비용과 수입 간의 단절

시장산출물이 가격을 통해 수입과 비용이 연결된 것과 달리, 정부산출물은 조세를 일률적으로 징수하여 그 재원으로 사용하기 때문에 수입과 비용이 단절되어 있다. 어떤 활동에 있어서 수입이 비용과 연결되어 있지 않으면, 이윤(=수입 - 비용) 개념이 부재하여 비효율이 발생할 수밖에 없다.

2. 내부성(조직의 내부 목표추구로 인한 사회목표와의 괴리)
 - 사적 목표의 설정

정부조직은 대개 추상적·궁극적인 사회적 목표보다 현실적·구체적인 활동지침이 되는 내부적 목표를 설정하고, 이를 기준으로 활동이 이루어진다. 이에 따라 관료들이 사회적 목표보다 내부적 목표를 중시함으로써 양자 간의 괴리가 발생하는데, 이를 내부성(internality)이라고 한다. 공공관료제 내에서 발생하는 이러한 내부성은 '관료이익 극대화'를 통해 정부실패를 야기한다.

(1) 니스카넨(Niskanen)의 예산극대화 모형

공공기관은 내부적으로 자신의 관할하에 있는 예산이나 인력규모의 극대화를 통해, 관료이익과 영향력의 확대를 도모한다.

(2) 파킨슨(Parkinson) 법칙(상승하는 피라미드 법칙)

① **개념**: '공무원의 수는 해야 할 업무의 경중이나 양에 관계없이 증가한다'는 법칙으로, '부하배증의 법칙'과 '업무배증의 법칙'에서 야기되는 것으로 본다.

② **법칙의 구성**

㉠ **부하배증의 법칙**: 공무원은 과중한 업무에 허덕일 때 자신의 동료의 보충을 받아 업무를 배분하기를 원치 않고, 자신을 보조해 줄 부하를 보충받기를 원한다. 즉, 부하를 증가시킴으로써 위신을 높이려는 심리적 경향이 있다는 것이다.

㉡ **업무배증의 법칙**: 부하가 배증됨으로써 지시·보고수령·승인·감독 등의 파생적 업무가 창조되어, 본질적 업무의 증가 없이 업무량의 배증 현상이 나타난다.

③ **비판**

㉠ 국가위기 시 본질적 업무가 증가할 때, 공무원 숫자가 증가하는 것을 설명하지 못한다.

㉡ 공무원의 심리적 측면을 지나치게 강조하고 있다.

(3) 정보의 획득과 통제

관료들은 정보를 취득하고 통제함으로써 자신의 영향력과 권력을 확대해 나가려고 한다.

(4) 최신기술에의 집착

관료들은 비용을 감안하지 않은 채 무조건 새로운 것에 집착하여, 쓰지도 못할 최첨단 기술이나 장비를 구입하고자 한다.

3. 파생적 외부성

시장실패를 교정하려는 정부의 개입이 예상하지 못한 결과를 야기하는 현상이다. 즉, 정부정책의 부작용을 의미한다.

4. 권력과 특혜에 따른 분배적 불공평성

정부개입 그 자체가 특정인이나 집단에 대해 권력과 특혜를 야기하여 새로운 불공평성을 발생시킨다.

5. X - 비효율성

(1) 의미

① 레이번슈타인(Leibenstein)이 제시한 개념으로, 정부나 기업이 방만하고 나태한 경영으로 인하여 경영상의 효율성을 추구하기 위한 노력이나 유인(incentives)이 감소되어 나타나는 비효율성으로서, 법적·제도적 요인이 아닌 심리적·행태적 요인(사명감·직업의식의 부족)에 의해 나타나는 관리상·경영상 비효율성을 의미한다.

㉐ 무사안일한 근무성향, 소극적인 근무태도, 시간 때우기식 근무태도 등

핵심 OX

01 공공조직의 내부성은 정부실패의 요인이다. (O, X)

01 O

② 자원배분의 비효율성과는 구별되는 개념으로, 경제학에서는 평균비용곡선보다 높은 비용을 생산하는 비효율성을 말한다. X-비효율성이 지속되면 기업의 경우 조직퇴출(폐업)로 이어지지만, 정부부문은 퇴출이 불가능하므로 더 큰 비효율이 초래된다.

③ 책임소재의 명확성이 결여되거나 인센티브 제도가 잘 정립되어 있지 않고 도덕적 해이가 가능한 상황일수록 X-비효율성은 증가하며, 노동자뿐만 아니라 경영자 측에서도 발생할 수 있다.

(2) 공공부문에서 X - 비효율성이 나타나는 원인

① 세밀성이 없는 불완전한 노동계약으로 인해 조직의 공식목표와 괴리되어 어느 정도 자신의 목적을 추구하는 재량적 의사결정이 이루어질 때 나타난다.

② 생산함수나 생산기술의 불명확성으로 인해 조직에서 투입과 산출의 관계가 불명확할 경우 나타난다.

③ 정부의 독점성이 경쟁을 하지 않기 때문에 나타난다.

핵심정리 · 정부실패를 야기하는 정부산출물의 수요와 공급의 특징

1. 정부산출물의 수요적 차원의 특징

① **시장실패에 대한 일반인들의 인식고조 및 행정수요의 팽창, 그리고 왜곡:** 시장실패와 관련한 다양한 현상에 대한 일반인들의 인식이 고조되면서, 일반인들이 환경문제나 독점 등 시장실패에 대한 정부개입을 당연하게 요구하였다. 그 결과 행정수요와 정부기능은 지속적으로 팽창했으며, 시장실패에 대한 일반인들의 인식이 언론·이익집단·독점기업 등의 선전활동 등에 의해 확대·축소되어, 행정수요가 왜곡되는 측면이 있다.

② **정치적 보상구조의 왜곡:** 사회문제에 대한 정부활동 과정에서 정치인이나 관료에 대한 정치적 평가와 보상이 실질적인 성과보다 상징적이고 현시적인 결과(사회문제의 해악강조나 문제해결의 당위성 강조, 추상적인 입법화)에 의존하여 이루어지는 왜곡성을 지니고 있다. 그 결과 정치인들이나 공무원들은 소위 '한건주의'나 '인기관리'에 치중한 문제 제기와 행정수요 제기에 따라, 무책임하고 현실성 없는 정부활동이 확대되는 경향을 지닌다.

③ **정치행위자들의 높은 시간 할인율*:** 정치인들의 짧은 임기에 따른 단기적·근시안적 사고방식이 장기적 시계에서 결정·추진되어야 하는 정책을 비효율적으로 추진하여 국가적 낭비를 초래하는 측면을 지닌다. 즉, 정치인들은 짧은 임기 때문에 높은 시간 할인율을 가지며, 이는 단기적인 편익과 비용을 높게 보고, 장기적인 비용과 편익을 낮게 보기 때문이다.

④ **편익과 비용 간의 절연:** 정부 정책에서는 정책의 비용부담 집단과 편익수혜 집단이 서로 다르게 되는 절연(decoupling)❶이 존재한다. 이러한 편익과 비용 간의 절연으로 인해 정책수혜 집단은 정치적 조직화나 로비를 통해 과도한 정부개입을 창출하려고 시도하며, 정책 비용부담 집단은 정부의 비개입을 창출하려고 시도한다. 이러한 진정한 정책수요보다 과다·과소한 정부개입은 경제적 차원에서 비효율적일 수 밖에 없다.

2. 정부산출물의 공급적 차원의 특징

① **정부산출물의 정의와 측정의 곤란성:** 정부가 생산하는 산출물은 각종 규제 등과 같이 서비스적 성질이 강해 명확한 정의와 양적 측정·질적 평가가 곤란하고, 그 성과를 판단하기가 어렵다.

② **독점생산(경쟁의 부재):** 정부의 산출물은 정부기관별로 독점적 관할권이 법적으로 인정되어 있고, 그 결과 공급과정에서 경쟁이 존재하지 않는다. 독점은 '경쟁의 편익(자원배분의 효율성, 창의성, 고객지향주의, X-효율성 등)'을 박탈하는 결과를 야기한다.

용어

할인율*: 미래의 이익을 현재가치로 환산해주는 교환비율

❶ 절연의 종류

구분	미시적 절연	거시적 절연
수혜자 (이익)	소수	다수
부담자 (비용)	다수	소수
관련 개념	고객의 정치	기업가적 정치

핵심 OX

01 정치인은 높은 시간 할인율을 가지기 때문에 단기적인 편익과 비용을 낮게 본다. (O, X)

01 X 높은 시간 할인율은 단기적인 편익과 비용을 높게 본다.

③ 불확실한 생산기술(생산함수의 부재): 정부산출물은 민간기업의 산출물과는 달리, 생산기술이 불확실하고 생산함수가 존재하지 않고 있다. 이로 인해 생산과정에 대한 경영적 통제가 곤란하고, 관료들은 비효율적인 생산방법을 채택함으로써 자신들의 사익을 추구하려는 유인을 갖게 되어 결국 정부실패가 발생할 수 있다.

④ 종결 메커니즘의 결여: 정부산출물은 시장산출물에서 적용되는 손익계산서와 같은 업적평가에 의한 종결 메커니즘이 없다. 따라서 비효과적인 정책도 정치적 고려 등에 의해 그대로 유지되는 경우가 많아 일단 한번 정책으로 설정되면 폐지가 어렵다. 이러한 종결 메커니즘의 결여는 기본적으로 정부부문에서 비용의식이 결여되어 있기 때문이다.

4 정부실패에의 대응[1]

1. 대응방식의 의의

신자유주의와 신공공관리론을 이론적 기초로 하며, 그 주요내용은 민영화·감축관리·규제완화 등이다.

(1) 민영화

정부기능 일부를 민간에게 넘기는 것이다.

(2) 정부보조(지원) 삭감(감축관리)

보조금과 같은 정부관여의 축소를 통하여 재정의존의 체제를 개선하고, 민간활동의 기반 구축에 기여하는 것이다.

(3) 규제 완화

민간활동에 대한 정부활동을 폐지하거나 재화나 서비스의 공급을 민간영역에도 공급할 수 있도록 허용함으로써 경쟁이 가능하도록 하는 것이다.

2. 원인별 대응방식(이종수 외 공저 새행정학)

구분	민영화	정부보조 삭감	규제 완화
사적 목표 설정	○		
X-비효율·비용체증	○	○	○
파생적 외부효과		○	○
권력의 편재	○		○

(1) 민영화로만 가능

사적 목표 설정(관료들이 사회적 목표보다 내부적 목표를 중시함으로써 발생)

(2) 민영화로는 불가능

파생적 외부효과(정부정책의 부작용)

[1] 시장실패와 정부실패의 원인 비교

시장실패의 원인	정부실패의 원인
· 공공재의 존재	· 내부성(사적 목표)
· 외부효과(외부성)	· 파생적 외부효과
· 독점의 존재	· 비용과 수익 절연
· 수익 증가와 비용 감소(과도한 규모의 경제)	· X-비효율성 · 경쟁의 결여 (독점성)
· 정보의 격차(편재)	· 권력의 편재에 의한 분배의 불공평
· 소득분배의 불공평	

공공재의 적정 공급규모

공공재가 적정규모로 공급되고 있는가의 문제는 정부규모의 적정성 상실에 의한 정부실패 판단과 관련하여 매우 중요하다. 공공재가 적정규모보다 과소공급된다는 입장과 과다공급된다는 입장이 대립되고 있다.

1 과소공급설

1. 갈브레이드(Galbraith)의 의존효과

민간의 사적재는 각종 선전에 의해 소비자들의 욕구를 촉발하는 반면, 공공재에 대해서는 선전이 이루어지지 않으므로 공적 욕구를 자극시키지 못한다고 주장한다.

2. 듀젠베리(Duesenberry)의 과시효과

소비는 과시욕에 의존하는데, 공공재는 체면유지를 위한 과시효과가 작은 관계로 소비가 자극되지 않아 과소소비한다.

3. 머스그레이브(Musgrave)의 조세저항

국민들의 조세저항이 공공재의 과소공급을 유도하며, 공공재의 경우 자신이 부담한 것에 비해 적게 편익을 누린다는 재정착각에 빠지기 때문에 조세저항을 하게 된다.

4. 다운스(Downs)의 합리적 무지

합리적 개인은 사적 이익을 추구하며, 정보수집에 따른 비용과 이에 따른 편익을 고려하여 정보수집 여부를 판단하게 된다. 이들은 공공서비스의 공급에 대해 정확하게 평가하지 못하고, 공공서비스의 확대에 대해 저항하게 된다.

2 과다공급설

1. 와그너(Wagner)의 경비팽창의 법칙

공공재의 수요는 소득탄력적이기 때문에 소득수준 향상 및 도시화의 진전과 국민소득의 증대, 사회의 상호의존관계 심화가 정부성장 요인이 되었다는 것이다.

2. 피콕(Peacock)과 와이즈맨(Wiseman)의 전위효과 및 대체효과

(1) 전위효과

전쟁 등의 위기 시에 국민의 조세부담 증대에 대한 허용 수준이 높아진다. 즉, 위기 시에는 공적 지출이 사적 지출을 대신하게 된다는 논리이다.

(2) 대체효과

위기 시에 한번 늘어난 재정수준은 경제가 정상으로 회복되어 지출요인이 사라진 뒤에도, 잉여재원이 다른 새로운 사업을 추진하는 데 이용됨으로써 원상태로 돌아오지 않는다.

3. 보몰(Baumol)병(病)

정부부문이 노동집약적인 성격을 띠고 있기 때문에 민간부문에 비해 생산성 증가가 더디며, 과도한 규모의 경제와는 반대로 고정비용보다 변동비용이 더 많은 비중을 차지하여 비용절감이 힘들고 생산비용이 빨리 증가하므로, 정부지출의 규모가 점차 커질 수밖에 없다는 것이다.

4. 니스카넨(Niskanen)의 예산극대화 모형

관료는 자신의 이익을 극대화하고자 적정규모를 초과하여 과다지출을 하게 된다.

5. 뷰캐넌(Buchanan)의 다수결 투표와 리바이어던 가설

대의민주주의하에서 다수결 투표는 투표의 거래에 의해 과다지출을 초래한다.

6. 지출 한도의 부재

정부의 프로그램은 경직성이 강하여 한번 지출이 이루어지면 좀처럼 없어지지 않는 자생력을 가지고 있다.

7. 양출제입의 원리

지출을 먼저 결정하고 지출규모에 맞추어 세입을 계획하기 때문에 확대된다.

8. 간접세 위주의 국가재정구조

간접세는 납세의무자와 담세자가 달라 조세저항이 회피되어 재정팽창이 가능하다.

---

6 | 감축관리

1 개념 및 대두요인

1. 개념

(1) 감축관리(cutback management)는 역기능적이거나 불필요·과다한 기능이나 조직, 정책을 정비 또는 종결하는 행위이다. 이러한 감축관리는 1970년대 석유파동 등으로 자원난 시대가 도래함에 따라, 행정의 전반적인 효율성을 높이기 위해 추진된 행정개혁의 한 형태이다.

(2) 감축관리는 단순한 정책이나 조직의 폐지가 아니라, 조직 전반의 전체적인 효과성을 높이기 위한 정비운동이다.

2. 감축관리의 대두요인

(1) 자원의 희소성에 대한 인식 증대

감축관리를 촉진시키는 가장 중요한 요인은 자원의 희소성이다. 특히 1970년대에 두 차례의 석유파동과 경기침체로 재정압박과 재정적자가 발생하면서, 감축관리의 필요성이 대두되었다.

(2) 정부실패론 대두

1970년대 석유파동으로 촉발된 감축관리론은 정부실패론과 신자유주의의 영향을 받아 등장한 '작은 정부론'의 대두와 함께 강화되고 있다.

(3) 사회변동에 따른 정책 유효성의 변화

환경의 변화에 따라 기존 정책의 실효성이 약화되면서 해당 정책이나 조직의 폐지가 요구되었다.

(4) 정치적 취약성과 환경적 쇠퇴

조직의 정치적 취약성이 존재하거나 조직의 존립 목적이 되는 환경적 세력이 쇠퇴하는 경우, 당해 조직에 대한 감축을 촉진하게 된다.

2 감축관리의 방법

1. 정책종결(policy termination)

기술변화·행정수요의 변화로 필요성이 감소된 업무를 폐지한다. 이러한 정책종결의 방법으로 일몰법(sunset law)이 있는데, 이는 정책이나 사업이 일정기간이 지나면 자동적으로 종결되도록 하고, 존속시키려면 의회의 승인을 거치도록 하는 것이다.

2. 정부기능의 민간 이전

정부의 사업이나 공기업을 민간에 이전시키는 방법이다.

3. 예산의 감축

영기준예산제도나 일몰법의 적용이 대표적이다.

4. 조직과 정원의 정비

필요 이상으로 확장된 조직이나 정원을 축소·정리함으로써 감축관리를 시도한다.

5. 기타 감축관리 방법(오석홍)

업무나 조직의 폐지, 공무원 정원 동결, 임시직 해고, 사업시행의 보류, 자료의 구매가격과 서비스 수준의 하향조정, 예산의 획일적 감축, 감독과 규제의 폐지, 자발적 조직에 대한 공익사업 이관, 공기업화 또는 민영화, 조직 내 구조와 과정의 개선에 의한 비용절감 등이 있다.

3 감축관리의 저해요인

1. 조직의 생존본능과 동태적 보수주의

모든 조직은 다른 생물체와 마찬가지로 강한 생존본능을 지니고 있으며, 조직의 존립 목적인 목표가 달성 또는 달성 불가능한 경우, 새로운 목표를 추구하거나 환경의 변동을 시도하여 조직의 생존을 지속시키려고 한다. 즉, 조직은 '동태적 보수주의'를 갖는다.

2. 심리적 저항과 정치적 압력

감축관리는 기득권자의 이해관계에 따른 반대나 기존 정책결정자의 반대를 유발할 수 있다. 즉, 정책이나 사업을 시작하기는 쉬워도 종결이나 감축은 어렵다는 것이다.

3. 과다한 비용 · 손실

감축관리에는 고위 책임자나 이해관계 당사자의 정치적인 대가나 손실이 수반될 수 있다. 또한 적지 않은 로비활동 자금이 필요하며 대체안의 개발비용이 있어야 한다.

4. 법적 제약성

정책과 조직의 정비는 관련 법규의 개폐 · 예산상의 조치 등이 필요한데, 그 절차가 복잡한 경우 감축의 장애요인이 될 수 있다.

4 감축관리의 기본방향

1. 행정의 총효과성 극대화

부분적 · 소극적인 절약논리가 아니라 목표달성도나 행정의 전체적인 효율성(총효과성)을 극대화하려는 것이 감축관리의 기본목표가 되어야 한다.

2. 행정의 변동관리능력 확보

환경변동을 적극적으로 유도하고 발전목표의 달성에 능동적으로 대응한다는 관점에서 파악해야 한다.

3. 조직 · 정책의 쇄신적 재형성 지향

조직 · 정책의 단순한 정비 · 종결이 아닌, 바람직 · 합리적인 새로운 조직 · 정책을 추구한다.

4. 구성원의 사기 고려

기구축소 등에 의한 신분불안 조성으로 구성원 사기를 저하시키거나, 국민의 증대되는 행정수요를 외면한 채 합리적 기준 없이 일률적 · 획일적 · 기계적인 추진은 곤란하다.

5. 가외성과의 조화

감축관리는 행정기능의 중첩 · 반복의 배제도 고려해야 하지만, 행정수요가 최대치에 달하였을 때 행정의 중복분이나 남는 부분이 행정체제의 신축성과 적응성을 높여 줄 수 있다는 가외성과의 조화가 필요하다. 즉, 감축관리를 가외성과 상반되거나 충돌되는 개념으로 이해하는 것이 아니라 상호 보완적인 관계로 인식하는 것이 필요하다.

1 정부기능 재분배

(1) 지금까지 정부 담당으로 당연시되었던 기능과 역할을 지방정부와 민간부문 그리고 제3섹터와의 역학관계 속에서 가장 능률적으로 수행되도록 기존의 정부기능을 재배정하는 것을 의미한다.

(2) 영국의 Next Steps Program에서 사용한 시장성 테스트(market testing)를 통하여 정책결정 기능과 정책집행 기능을 분리한다. 이때 정책결정 기능에 대하여는 핵심 행정부가, 정책집행 기능에 대해서는 지방정부 또는 민간부문, 제3섹터(그림자 정부)가 담당하도록 한다.

❶ 외부민영화 vs 내부민영화
1. **외부민영화:** 민간부문으로 넘길 수 있는 것은 넘겨주는 것을 의미한다.
2. **내부민영화:** 넘기기 곤란한 것은 민간 방식을 도입하는 것을 의미한다.

❷ 공공서비스 생산방식의 유형
1. **일반행정형:** 정부가 직접 공급·생산해야 하는 공익 우선의 기본적인 일반행정사무를 말한다.
2. **책임경영형:** 정부가 시장 논리에 따라 공급·생산하는 방식(공기업이나 책임운영기관 등)을 말한다.
3. **민간위탁형:** 공급의 책임은 정부에 귀속되지만 생산은 민간이 수행하는 방식을 말한다.
4. **민영화형:** 민간이 공급과 생산을 담당할 충분한 시장탄력성을 가진 경우를 말한다.

2 민영화❶

1. 민영화(privatization)의 개념

(1) 민영화(광의의 민영화; privatization)란, 정부가 그 기능의 일부를 민간에 넘기는 것을 의미한다. 즉, 공공서비스❷의 공급주체가 공공부문에서 민간부문으로 이동함을 의미한다.

(2) 민영화(광의의 민영화)는 크게 ① 공기업이나 국영기업 민영화로 대표되는 협의의 민영화, ② 민간위탁, ③ 정부규제 완화 등이 있다.

2. 민영화의 추진 배경

(1) 이론적 측면

① **신공공관리론:** 이념적으로 정부불신과 시장신뢰(시장주의)를 주장하는 신자유주의에 기초하고, 방법론적으로 신제도주의 경제학에 기초한 신공공관리론(NPM)은 영국의 대처(Thatcher) 정부나 미국의 레이건(Reagan) 정부에서 볼 수 있듯이 정부축소를 통한 '작고 효율적인 정부', 즉 민영화를 추구한다.

② **재산권 이론:** 재산권이 사소유권으로 설정된 시장과 달리 공공부문은 공소유권이 설정되어 있기 때문에 '주인 없는 경영'으로 인한 비효율을 유발한다.

③ **주인-대리인 이론:** 공공부문의 경우 진정한 주인인 국민과 대리인인 정부부문 사이에 정보의 비대칭성이 존재하기 때문에 대리인인 정부부문의 도덕적 해이(moral hazard)가 발생한다. 특히 공기업의 경우에는 '중첩대리의 문제'로 인해 효율적인 경영이 이루어지지 못한다.

(2) 실제적 측면

① 1970년대 자원난 시대와 서구의 복지국가들이 직면한 재정위기의 확대(정부실패)로 민영화의 필요성이 대두되었다.

② 정치와 행정에 대한 불신이 누적되어 폭발하였다.

③ 세계화와 경쟁 심화에 따른 국가경쟁력을 제고하기 위한 시도의 일환이다.

3. 민영화의 방식

(1) 외부 민영화

① **정부기능의 민간 이양**: 정부기능을 완전히 민간으로 이양하여 시장이 완전하게 재화를 생산·공급하는 방식이다.

② **주식·자산의 매각(load-shedding)**: 정부보유 주식이나 자산을 민간에 매각하거나 소유권을 이전하는 방식으로, 이를 공동부담·매각방식이라고도 한다.

③ **독점판매권의 부여(franchise)**: 정부가 특정 재화나 서비스의 생산·공급에 대해서 일방적으로 민간에게 독점권을 부여(허가)하고, 소비자가 서비스의 대가를 지불하게 하는 방식이다. 주로 요금재에 적합한 것으로써 일정기간 동안 정부가 가격이나 서비스의 양과 질을 규제하는 경우가 많다.
   ㉠ 케이블 TV 등

④ **면허제(license, 허가제)❶❷**
   ㉠ **의의**: 민간조직에게 일정한 구역 내에서 공공서비스를 제공하는 권리를 인정하는 협정을 이용하는 것으로, 시민 또는 이용자는 서비스 제공자에게 비용을 지불하며 정부가 서비스 수준과 질을 규제한다.
      ㉠ 폐기물 수거·처리, 공공시설 관리, 자동차 견인 및 보관, 구급차 서비스 및 긴급 의료서비스 등
   ㉡ **장점**: 정부가 서비스 수준 및 요금 체계를 통제하면서도 서비스 생산을 민간부문에 이양하는 장점이 있다.
   ㉢ **단점**: 서비스 제공자들 사이에 경쟁이 미약하면 이용자의 비용부담이 과중하게 된다.

⑤ **보조금의 지급(grants, subsidy)**
   ㉠ 서비스의 성격 자체는 공공성을 가지고 있으나 공공부문만으로는 서비스나 재화의 생산·공급이 수요에 미치지 못할 경우, 민간조직 또는 개인의 서비스 제공 활동에 대해 재정 혹은 현물을 지원하는 방식이다.
   ㉡ 공공서비스에 대한 요건을 구체적으로 명시하기 곤란하거나, 서비스가 기술적으로 복잡하고 서비스의 목표를 어떻게 달성할 것인지가 불확실한 경우에 사용된다.
      ㉠ 교육시설, 탁아시설, 사설박물관 운영에 대한 지원 등

⑥ **구입증서 방식[바우처(voucher)❸, 서비스 구매권의 제공]**
   ㉠ **의의**: 저소득층과 같은 특정계층의 소비자에게 구매권에 명시된 금액만큼 특정재화나 서비스를 구매할 수 있는 증서(쿠폰)를 제공하는 방식으로, 공공서비스의 생산을 민간부문에 넘기면서 시민들의 서비스 구입부담을 완화시키기 위해 금전적 가치가 있는 쿠폰을 시민들에게 제공하는 방식이다.
   ㉡ **유형**
      ⓐ **구매대금의 실질 지급대상**: 수혜자와 사용처·금액 등이 명시된 명시적 바우처와 그렇지 않은 묵시적(명목) 바우처로 구분된다.
      ⓑ **소비자에게 지급되는 바우처의 형태**: 종이 바우처와 전자 바우처로 구분된다.

---

❶ 넓은 의미의 면허
1. franchise: 독점적 허가를 의미한다.
2. license: 경쟁적 허가를 의미한다.

❷ 면허

❸ 바우처(voucher)의 유형

기준	유형
구매대금 지급대상	· 명시적 바우처 · 묵시적 바우처
바우처의 형태	· 종이 바우처 · 전자 바우처

핵심 OX

01 면허는 정부가 생산자에게 소요비용을 직접 지불한다. (O, X)

01 X 면허는 국민이 생산자에게 비용을 지불한다.

❶ 전자 바우처(카드형태)
바우처 사용의 실시간 모니터링이 가능하여 바우처 관리의 투명성을 확보할 수 있다.

ⓒ 최근에는 전통적인 종이 바우처 대신 바우처 관리와 투명성을 확보하기 위하여 전자 바우처❶(노인돌봄 서비스, 산모·신생아도우미 서비스 등)가 점차 확대되고 있다.

ⓒ 장점: 소비자들이 구입증서를 활용하여 어느 조직으로부터 서비스를 제공받을 것인가를 스스로 선택할 수 있다는 점과 저소득층에게 혜택이 돌아감으로써 재분배적 수단으로 활용할 수 있다는 장점을 가진다. 이로 인해 보수와 진보의 양진영으로부터 모두 지지를 확보할 수 있다.

ⓔ 단점
  ⓐ 서비스 구매권이 다른 용도로 누출될 수 있다.
  ⓑ 관료와 서비스 제공자 간 유착 등 부패가 발생할 우려가 있다.

⑦ 자원봉사자 방식
  ㉠ 서비스의 생산과 관련된 현금지출에 대해서만 보상받고 직접적인 보수는 받지 않으며, 정부를 위해 봉사하는 사람들(자원봉사자)을 활용하는 방식이다.
  ㉡ 레크리에이션, 안전 모니터링, 복지사업 등의 다양한 분야에서 많이 활용된다.

⑧ 규제완화(자율화)·경쟁촉진: 공기업에 대한 경쟁을 제한하는 여러 가지 법적 규제를 제거하거나 완화하고, 현재 정부 또는 공기업이 독점하고 있는 재화나 서비스의 공급을 민간 영역에서도 공급할 수 있도록 허용함으로써 경쟁이 가능하도록 하는 것이다.

⑨ 자조: 주민 스스로가 이웃끼리 서비스를 계획하고 생산·소비하는 자급자족 활동으로, 보육이나 고령자 대책에서 이용된다.

✅ 개념PLUS | **사바스(Savas)의 공공서비스 공급 유형[지방자치론(김병준)]**

공급 결정	서비스 생산	공급 유형
정부	정부	· 정부 서비스 · 정부 간 협정
	민간	· 계약(contracting out) · 면허(franchises) · 보조금
민간	민간	· 바우처(voucher) · 시장공급(markets) · 자원봉사 · 자기생산(self-service)
	정부	정부판매(government vending)

사바스(Savas)는 서비스의 공급 결정자가 정부냐 민간이냐, 서비스의 생산자가 정부냐 민간이냐에 따라 공공서비스의 공급 방식을 분류하고 있다.

1. 정부 간 협정
지방정부 간 협의를 통하여 공공서비스가 제공되는 것으로, 한 지방정부가 다른 지방정부에 서비스의 공급과 생산을 위탁하는 것을 말한다.

2. 정부판매
정부가 운영하는 연수원에서 기업 직원들에게 교육하고 수수료를 받는 행위를 의미한다.

(2) 내부 민영화

① 민간위탁[1](contracting out, 계약에 의한 민간위탁)

ㄱ **의의**: 정부가 민간부문과 위탁계약을 맺고 비용을 지불하며 민간부문으로 하여금 공공서비스를 생산하게 하는 방식으로, '정부가 민간과의 계약을 통해 국민들에게 서비스를 전달하는 것'이다. 즉, 행정기능을 민간에게 완전히 이양하지 않고 행정기관이 그에 관한 권한을 여전히 유보하고 있으면서 민간으로 하여금 자기의 명의와 책임하에 해당 행정기능을 처리하게 하는 계약을 체결하는 제도이다. 여기에서 민간조직은 생산자가 되고, 정부는 생산자에게 비용을 지불하는 서비스 공급결정자가 된다.

ㄴ **특징**

ⓐ 정부가 재화 또는 서비스 제공의 최종적인 책임과 비용부담을 지기 때문에 수탁자에 대한 지도·감독을 필요로 하고, 서비스의 구입자(비용부담자)가 국민이 아닌 정부이다.

ⓑ 공공사업 및 교통사업, 건강 및 대민 서비스, 일부 공공안전서비스 등에 주로 적용된다.

ㄷ **대상 업무**(행정권한의 위임·위탁에 관한 규정)

ⓐ 조사·검사·검정·관리업무 등 국민의 권리·의무와 직접 관계되지 아니하는 사무

ⓑ 단순사실행위인 행정작용

ⓒ 공익성보다는 능률성이 더 많이 요구되는 사무

ⓓ 특수한 전문지식과 기술을 요하는 사무

ⓔ 기타 국민생활과 직결된 단순행정사무 등

② 리스(대여, 임대)

ㄱ 정부 소유의 인프라 시설(공항, 항만 등)을 민간기업에 장기임대하는 제도이다.

ㄴ 정부가 기업을 소유하되 기업 전체를 사기업체로 전환대여하거나 국가시설을 민간에 대여하여 사기업의 장점을 취할 수 있도록 하는 제도이다.

③ 요금 부과(수익자 부담주의): 공공재나 공공서비스를 이용하는 주민에게 사용료를 징수하는 시장화 전략을 말한다.

4. 민영화의 장단점[2]

장점	단점
· 행정기능 재분배를 통한 행정기능의 적정화 · 행정서비스의 효율성 제고 · 행정서비스의 질 향상 · 민간경제의 활성화 · 행정서비스 공급의 신축성 향상 · 주민의 선택폭 확대 · 작은 정부의 구현	· 정부가 직접 생산하는 것에 비해 공공서비스 생산에 대한 **행정책임 확보**가 곤란 · **행정의 안정성과 계속성 저해** · 공공성의 침해 – 특히, 구매력 없는 소비자의 소외를 통한 **형평성 저해**

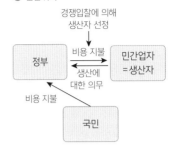

❶ 민간위탁

❷ 민영화의 저해요인

1. 크림 스키밍(cream skimming): 정부는 수익이 나지 않는 적자사업만 민영화하려고 하는 반면, 민간기업은 흑자기업만 인수하려 한다.

2. 민영화의 역대리 문제: 민간부문이 도덕적·기술적으로 성숙되어 있지 않은 경우, 정치권 또는 관련 공무원과의 결탁이나 이권에 연루될 소지가 크다. 또한 소비자인 국가가 민간업체에 대한 정보의 부족으로 서비스를 생산할 최적업체를 선정하지 못하거나 통제가 곤란하다는 역대리인 이론(도덕적 해이)의 폐단도 생길 수 있다. 정보격차로 인한 대리손실 문제는 정부와 국민 간에도 발생하지만, 소비자의 무지를 이용하여 영리를 창출하려는 기업의 속성상 시장에서 더욱 심해진다. 즉, 민영화가 부패를 제거해 준다는 보장이 없다.

핵심 OX

01 민간계약방식은 소비자가 생산자에 비용을 지불한다. (O, X)

01 X 민간계약은 정부가 생산자에게 직접 비용을 지불한다.

5. 사회간접자본(SOC)에 대한 민자유치제도

(1) 의의
① 사회간접자본 건설에 민간자본을 유치하는 BTL, BLT, BOT, BTO 등의 방식을 활용하는 것이다.
② SOC 투자에 소요되는 막대한 투자재원을 모두 국가재정으로 부담하는 것은 한계가 있으므로, 국가의 재정부담을 줄이면서 적절한 SOC 투자 수준을 유지해 나가기 위한 제도가 사회기반시설에 대한 민간투자법에 의한 민자유치이다.

(2) 방식 ❶

민간투자사업의 추진 방식은 소유권 및 운영권을 민간과 공공부문 중에서 누가 보유할 것인가에 따라 다음과 같이 구분된다.

구분	BOT	BTO	BLT	BTL
운영주체	민간이 운영		정부가 운영	
운영방식	기업이 일정 기간 동안 시설대상 자산에서 발생한 사용료 수익을 소비자로부터 받는 방식		기업이 일정 기간 동안 임대료를 정부로부터 받는 방식	
운영기간동안 시설 소유권 주체	민간	정부	민간	정부
소유권 이전 시기	운영종료 시점	준공 시점	운영종료 시점	준공 시점

(3) 기대효과
① 민간의 자유로운 창의력 발휘와 투자효율을 제고한다.
② 민간부문의 유휴자금을 장기 공공투자로 유인이 가능하다.
③ 장기간이 소요되는 공공시설을 민간자본을 통해 조기에 공급 가능하고, 대규모 공공사업의 착수비를 절감할 수 있다.
④ 이용자가 비용을 부담함으로써 수익자 부담주의이다.

(4) 최소운영수입보장제(MRG: Minimum Revenue Guarantee)
① 민간자본이 투입한 사업의 수익이 예상보다 적을 때 공공기관이 세금으로 보장하는 제도이다.
② 민간사업 참여를 유인하는 효과가 있으나, 세금낭비의 우려가 있다.
③ 우리나라의 경우, 2009년부터 폐지되었다.

(5) BTO-rs(risk-sharing)와 BTO-a(adjusted)
① BTO-rs(risk-sharing)
㉠ 정부가 사업수행에 따른 위험을 분담함으로써, 민간의 사업위험을 낮추는 방식(사업수익률과 이용요금도 인하)이다.
㉡ 정부와 민간이 시설투자비와 운영비용을 일정한 비율로 나눈 새로운 민간사업방식이다.
㉢ **국내 BTO-rs 제1호 사업**: 신안산선 사업으로 3조 4,000억 원 규모의 투자가 진행되었다.

---

❶ 사회간접자본에 대한 민자유치방식

BOO (Build-Own-Operate)	· 민간자본으로 민간이 건설(Build)하여 · 소유권을 가지며(Own) · 직접 운용(Operate)하여 투자비 회수
BOT (Build-Operate-Transfer)	· 민간자본으로 민간이 건설(Build)하여 · 직접 운용(Operate)하여 투자비를 회수한 후 · 소유권을 정부에 이전(Transfer*)
BTO (Build-Transfer-Operate)	· 민간자본으로 민간이 건설(Build)하여 · 완공 시 소유권을 정부에 이전(Transfer)하는 대신 · 직접 운용(Operate)하여 투자비 회수
BLT (Build-Lease-Transfer)	· 민간 자본으로 민간이 건설(Build)하여 · 소유권을 지닌 채로 시설을 정부에 임대(Lease)하고 임대기간 종료 후 · 소유권을 정부에 이전(Transfer)
BTL (Build-Transfer-Lease)	· 민간자본으로 민간이 건설(Build)하여 · 완공 시 소유권을 정부에 이전(Transfer)하는 대신 일정 기간 동안 시설의 사용·수익권한 획득 · 시설을 정부에 임대(Lease)하고 임대료로 투자비 회수

*소유권을 이전하는 방식: 기부체납형식

  ㉣ 손실과 이익을 절반으로 나누기 때문에 BTO 방식보다 민간이 부담하는 위험이 감소된다.

  ㉤ 공공부문에 대한 민간 투자활성화를 위해 「사회기반시설에 대한 민간투자법」에 명시되어 있다.

② BTO-a(adjusted)

  ㉠ 손익공유형 민간투자사업이다.

  ㉡ 정부가 민간 투자금액의 70%에 대한 원리금 상환액을 보전하고 초과이익은 공유하는 방식이다.

  ㉢ 손실 발생 시 민간이 30%까지 떠안고, 30% 초과 시 정부가 재정을 지원한다.

  ㉣ 이익은 정부와 민간이 7:3으로 나누며, 민간이 사업위험을 줄이는 동시에 시설이용요금을 낮출 수 있다.

  ㉤ 하수, 폐수처리 환경시설 등에 적용한다.

◎ 핵심정리   BTO, BTO-rs, BTO-a 비교

구분	BTO	BTO-rs (risk-sharing) 위험분담형	BTO-a (adjusted) 손익공유형
민간 리스크	· 손실, 이익 모두 민간 · 높음	· 손실, 이익 정부와 민간(5:5) · 중간	· 손실: 민간이 먼저 30% 손실, 30% 넘을 시 정부가 재정지원 · 이익: 정부와 민간이 공유(정부 7:민간 3) · 낮음
정부 손익 부담주체 (비율)	없음	정부부담분 투자비 및 운영비용	정부가 민간 투자금액의 70%에 대한 원리금 상환액을 보전
수익율	7~8%	5~6%	4~5%
적용가능사업	도로, 항만 등	철도, 경전철 등	환경관련사업
사용료 수준	협약, 물가 반영		공기업 수준

섹터	1섹터	3섹터	2섹터
구분	정부	중간영역	시장
법적	정부 조직	민간 조직	민간 조직
기능	공적 기능	공적 기능	사적 기능

의도성 → 준정부조직

자발성 → 비정부조직

8 3섹터①

1 의의 및 등장배경

1. 의의

공공서비스 제공과 관련된 사회의 영역에서 순수한 공적 업무를 수행하는 정부부문(제1섹터: 법적으로 정부조직 · 공적기능)과 이윤추구를 목표로 하는 민간부문(제2섹터: 법적으로 민간조직 · 사적기능)을 일직선상의 양끝에 두었을 때, 두 부문의 중간에 위치하는 부문을 '제3섹터(법적으로 민간조직 · 공적기능) · 중간조직 · 준공공부문'이라 한다.

2. 등장배경

(1) 공공부문의 한계
① 다원화 · 다양화된 사회에서 행정기관에 의한 공공서비스의 효율적 배분에 제약 · 한계가 있었다.
② 정부활동의 비효율성과 정부팽창의 한계에 대한 대응 방안으로 정부활동을 보조하는 준정부조직의 활용이 필요하게 되었다.

(2) 민간부문의 한계
시장에 의존하는 경우, 공공서비스 생산에 있어서 무임승차의 문제가 해결되지 못하여 이에 대한 대안으로 중간조직이 등장하였다.

2 준정부조직

1. 개념

(1) 준정부조직(QUANGO)이란 법적으로 민간부문의 조직형태를 취하면서도 공공부문에 해당하는 공적인 기능을 수행하는 기관이다.

(2) 순수한 공공부문과 순수한 민간부문의 연속선상의 중간에 위치하고 있다.

(3) 그림자국가, 계약국가, 감추어진 공공영역이라고도 불린다.

2. 특징

(1) 민간과 공공영역이 연속선상에 있음을 보여준다.

(2) 법적인 측면에서는 민간조직의 형태를 취하면서 공적기능을 수행한다.

(3) 정부에 의해 의도적으로 성립된 조직이기 때문에 정부로부터 어느 정도 독립성을 가지나, 공적기능의 수행측면에서 정부의 일정한 통제나 재정적 지원을 받는다.

3. 문제점

(1) 관료의 퇴직 후 자리보장 수단 등으로 악용되는 등 은닉된 정부팽창의 수단이 된다.

(2) 행정부의 통제로 자율성이 제약받기도 한다.

(3) 정부활동의 가시성을 낮춤으로써 정부 책임회피 수단이 된다.

3 비정부조직(NGO) – 시민사회 결사체

1. 개념

(1) 비정부조직이라는 의미의 NGO(Non-Governmental Organization)는 비영리조직
(NPO: Non-Profit Organization), 자발적 조직(voluntary organization), 시민사회
단체(civil society organization)와 동일한 의미를 지닌다.

(2) 이들 모두는 기본적으로 '비정부성 · 비영리성과 자발성'이라는 공통점이 있으나, 각
각 특별히 강조되는 측면을 중시하여 상이하게 명명되고 있다.
① NGO: 비징부성이 강조된다.
② NPO: 비영리성이 강조된다.
③ 자원봉사조직과 같은 자발적 조직: 자발성이 강조된다.

2. NGO의 생성 및 성장에 관한 주요 이론

(1) 공공재이론(the public goods theory)
시장에서 공급될 수 없는 공공성이 상한 새화는 주로 행징기구가 공급하여야 히
지만, 기존의 공공재 공급체계하에서 공급되지 못한 수요를 충족시키기 위하여
NGO가 발생했다고 보는 모형이다.

(2) 계약실패이론(contract failure theory)
서비스의 성격(정보의 비대칭성)상 영리기업 서비스의 양과 질을 정확하게 파악
하지 못할 때, 비영리성을 띤 준(비)정부조직의 서비스를 더 신뢰하게 된다는 모
형으로, 거래비용이론에 근거를 두고 있다.

(3) 상호의존이론(the interdependence theory)
① 정부와 NGO가 상호의존적 협력관계를 유지한다고 보는 모형이다.
② 정부부문의 약점은 NGO를 통해 보완되며, 정부부문에 의한 NGO의 보완도 가능
하다는 것이다. 정부는 NGO의 자원의 불충분성을 해소하는 데 도움을 주고, NGO
는 서비스에 대한 고객의 수요 파악을 더 잘할 수 있는 장점을 가진다고 본다.

(4) 소비자통제이론(the consumer control theory)
소비자인 시민이 국가권력을 감시하고 통제하기 위한 수단으로 NGO가 발생했다
고 보는 모형이다.

(5) 다원화이론(the pluralistic theory)
사회서비스의 생산은 정부에 의해서만 이루어지기 보다는 사회의 다양한 주체에
의하여 이루어질 수 있다고 보는 모형이다.

(6) 기업가이론(the entrepreneur theory)
① 정부와 NGO는 이질적이고 이들 간의 관계는 경쟁과 갈등관계라고 보는 기업가
적 관점이다.
② NGO는 정부의 내재적 한계와 정치적 다원성과 다양성을 제대로 반영하지 못한
결과 발생한 부산물로 본다.

3. NGO의 특징

(1) 자발성(voluntarism)에 입각하고 있다.

(2) 경제적 이익 대신에 공익을 추구한다.

(3) 공식성과 지속성을 지닌다.

(4) 민간 결사체로서 사적 조직이다.

4. NGO의 기능·역할

(1) 정치권력에 대한 견제와 정책 과정에서 투입 기능의 활성화를 통해 국가의 민주화에 기여한다.

(2) 시장에 대한 시민사회의 대항권력으로, 시장의 횡포와 과잉(무한경쟁과 적자생존)을 억제하는 기능을 한다.

(3) 시민참여의 매개 수단으로, 참여를 통해 시민적 덕성의 함양이라는 시민교육의 기능을 수행한다.

(4) 신뢰(trust)의 문화와 사회적 자본(social capital)의 형성

　　NGO의 활성화에 의한 시민들의 자발적 참여 네트워크 확대는 사회구성원들 간의 신뢰와 사회적 자본의 축적을 용이하게 하여, 구성원들 간의 협력을 촉진한다.

5. NGO의 한계

기본적인 한계는 NGO가 시장실패와 정부실패를 치유할 수 있는 만병통치약은 아니며, NGO 자체도 실패할 수 있다는 것이다. 이는 아래의 구체적 요인들로부터 비롯된다.

(1) 취약한 재정력

　　NGO활동의 주된 재원은 회비·기부금·정부보조금 등이나 우리나라의 경우 심각한 재정난을 겪고 있다.

(2) 전문성 부족

　　순전히 자원자들(volunteers)로 구성되어 정책 분야에 대한 전문성이 부족하다.

(3) 명망가 중심의 운영

　　다수 시민의 참여를 본질로 하는 NGO에 시민참여가 저조하여, 결국 소수 명망가에 의해 조직이 운영되는 결과를 야기한다.

(4) 무책임성

　　NGO가 사회에 대해 어떠한 제도적 위임이나 대표성이 결여된 상태에서 정책에 대해 영향력을 행사한다는 문제점이 있으며, 시민단체의 정책관여에 상응하는 책임성 확보장치가 존재하지 않고 있다.

살라몬(Salamon)의 NGO 실패모형

1. **박애적 불충분성(philanthropic insufficiency)**
   NGO는 강제성이 없어 활동에 필요한 충분한 양의 자원을 지속적·안정적으로 획득할 수 없기 때문에 실패할 수 있다.

2. **박애적 배타주의(philanthropic particularism)**
   NGO의 활동은 그 활동영역과 서비스 공급대상이 한정되어 있는 경우가 대부분이므로, 사회적 도움을 필요로 하는 모든 집단에게 혜택을 줄 수 없는 한계를 가지고 있다.

3. **박애적 온정주의(philanthropic paternalism)**
   NGO의 활동내용과 방식은 NGO에 가장 많은 자원을 공급하는 사람과 집단의 결정에 의하여 좌우될 수 있다는 것이다. 즉, 자원의 독점적 제공자의 자의적인 결정에 따라 누구에게 봉사할 것인가가 결정될 수 있다는 것이다.

4. **박애적 아마추어리즘(philanthropic amateurism)**
   사회문제의 해결이나 서비스의 제공은 전문적인 지식을 필요로 하는 경우가 많지만, NGO는 도덕적·종교적 신념에 바탕을 두고 있는 경우가 많기 때문에 충분한 전문성과 책임성을 확보하기 어렵다.

6. 정부와 NGO와의 관계

(1) 대체적 관계

국가가 제공에 실패한 공공재의 공급 역할을 NGO가 대신 맡게 된다.

(2) 보완적 관계

NGO가 생산하는 공공재나 집합재의 생산비용을 정부가 지원함으로써 정부와 NGO가 긴밀한 협조관계에 있는 경우이다.

(3) 대립적 관계

정부와 NGO는 공공재의 성격이나 공급에 대해 근본적으로, 시각의 차이를 보이고 있기 때문에 상대방으로 하여금 좀 더 투명하고 생산적이 되도록 상호 감시한다.

(4) 의존적 관계

정부가 특정한 비정부조직 분야의 성장을 유도하는 관계로, 주로 개발도상국에서 나타난다.

(5) 동반자 관계

서로의 존재를 인정하고 상호협력적인 관계로, 가장 바람직한 모형으로 평가받는다.

7. 시민단체 해석을 위한 관점

결사체 민주주의	NGO 등 자원조직이 많이 생겨서 효과적으로 활동하며 사회적 의미를 부여하는 형태가 이상적 사회라고 정의
공동체주의	공동체를 위한 책임 있는 개인의 자원봉사정신을 강조하며, 개인의 자유를 중시하는 전통적 자유주의와 개인의 책임을 강조하는 보수주의를 절충한 입장
다원주의	사회적 다원성을 전제로 하는 시민사회와 시민단체의 등장을 효과적으로 설명
사회자본론	시민사회와 시민단체에 대해 의미 있는 해석을 강화하며, 사회자본을 시민의 자발적 참여에 의해 생산되는 무형의 자본으로 정의

핵심 OX

01 NGO는 공적조직이다. (O, X)

02 NGO는 공식조직이다. (O, X)

01 X NGO는 민간조직인 사적조직이다.
02 O

1. 의의

① 사회적 기업(social enterprise)이란 '취약계층에게 사회서비스 또는 일자리를 제공하거나 지역사회에 공헌함으로써 지역주민의 삶의 질을 높이는 등의 사회적(공익적) 목적을 추구하면서 재화 및 서비스의 생산·판매 등 영업활동을 하는 기업으로서 고용노동부장관의 인증을 받은 자'를 말한다(「사회적기업 육성법」 제2조).

② 고용노동부장관은 고용정책심의회의 심의를 거쳐 5년마다 사회적기업 육성기본계획을 수립·시행하여야 한다.

③ 사회적 기업은 유급근로자를 고용하여 영리활동을 수행하므로, 자원봉사자들로만 구성되는 NGO(비정부조직)와는 다르다.

2. 인증 요건

사회적 기업으로 인증받으려는 자는 다음의 요건을 모두 갖추어야 한다(「사회적기업 육성법」 제8조).

① 「민법」에 따른 법인·조합, 「상법」에 따른 회사·합자조합 또는 법인 또는 비영리민간단체 등 대통령령으로 정하는 조직 형태를 갖출 것

② 유급근로자를 고용하여 재화와 서비스의 생산·판매 등 영업활동을 할 것

③ 취약계층에게 사회서비스 또는 일자리를 제공하거나 지역사회에 공헌함으로써 지역주민의 삶의 질을 높이는 등 사회적 목적의 실현을 조직의 주된 목적으로 할 것(구체적인 판단 기준은 대통령령*으로 정한다)

    ***대통령령:** 조직의 주된 목적이 취약계층에게 사회서비스를 제공하는 것인 경우

      ⇨ 해당 조직으로부터 사회서비스를 제공받는 사람 중 취약계층의 비율이 100분의 30 이상일 것

④ 서비스 수혜자, 근로자 등 이해관계자가 참여하는 의사결정 구조를 갖출 것

⑤ 영업활동을 통하여 얻는 수입이 대통령령으로 정하는 기준 이상일 것

⑥ 법 제9조에 따른 정관이나 규약 등을 갖출 것

⑦ 회계연도별로 배분 가능한 이윤이 발생한 경우에는 이윤의 3분의 2 이상을 사회적 목적을 위하여 사용할 것(「상법」에 따른 회사·합자조합인 경우만 해당)

⑧ 그 밖에 운영기준에 관하여 대통령령으로 정하는 사항을 갖출 것

3. 지원

① 경영 지원

② 교육훈련 지원

③ 시설비 등의 지원

④ 공공기관의 우선 구매

⑤ 조세감면 및 사회보험료의 지원

⑥ 사회서비스를 제공하는 사업적 기업에 대한 재정 지원

4. 사회적 기업의 이윤은 연계기업에 투자를 금지한다.

9 신행정국가

❶ 현대 행정국가와 신행정국가의 시장실패 교정

1 등장배경

(1) 1970년대 후반부터 정부 주도의 행정국가가 반드시 사회문제를 능률적으로 해결할 수 있는 것은 아니며, 오히려 변화된 환경하에서 정치적 비대응성과 경제적 비효율성의 주범으로 인식되고 있다는 비판이 제기되었다.

(2) 이러한 비판과 대안 모색을 통해 기존의 행정국가는 신행정국가(the neo-administrative state)로 이행되고 있다.

2 특징

1. 국가의 역할과 권한

1970년대 후반까지 국가는 대개 시장실패 치유, 소득재분배, 거시경제 안정화를 추구하는 적극국가(positive state)였으며, 케인즈주의 복지국가를 지향하였다. 이러한 과거의 개입주의적 국가가 최근 규제국가(regulatory state)로 이행되고 있다.

(1) 적극국가에서 규제국가로의 변화

규제국가(regulatory state)란 간접적 방식으로 국정을 수행하려는 새로운 경향을 함축하는 용어이다.

✅ 개념PLUS 적극국가와 규제국가

규제유형	적극국가	규제국가(신행정국가)
주요 기능	재분배, 거시경제 안정화	시장실패의 시정
도구	세입 및 세출	규칙제정
주요 정치적 갈등 영역	예산배분	규칙제정에 대한 심의 및 통제
특정적 제도	의회, 행정부처, 공기업, 복지기관	의회위원회, 독립적 규제기관, 심판소
핵심 행위자	정당, 공무원, 코포라티즘* 집단	단일논점운동, 규제자, 전문가, 판사
정책유형	재량적	규칙기속적, 법률적
정책문화	코포라티즘	다원주의
정치적 책임성	직접적 책임	간접적 책임

📖 용어

코포라티즘*: 정치적 안정, 지속적 경제성장이라는 목표하에 임금 억제 및 노동시장 통제를 하기 위해 정부, 고용주, 노동자의 대표가 함께 참여하는 각종 위원회의 작동 원리나 이념을 의미

(2) 국가규모의 감축

신자유주의 이데올로기는 국가규모의 감축에 큰 역할을 하였으나, 실제로 국가규모가 감축되고 있느냐는 나라별로 차이가 있으며 단정적으로 말하기 어렵다.

(3) 국가 권위의 지속성

시장이 신뢰되고 국가감축이 계속 주장되는 오늘날에도 국가의 권위와 능력은 계속 유지되는 역설적인 상황이 계속되고 있다.

(4) 복지혜택 제공자에서 시장형성자로의 권력 이동

혜택의 제공자로서 복지국가의 기능은 다른 섹터에 의해서 수행하도록 하고, 국가는 시장형성 기능을 수행한다. 즉, 복지국가 정책은 감소하였지만, 시장형성자로서의 역할은 강화되고 있는 것이다.

2. 국정운영방식의 변화

(1) 정책네트워크와 정부 간 관계

정책네트워크는 통합된 '정책공동체(policy community)'에서부터 느슨하게 연결된 '이슈 네트워크(issue network)'까지 여러 가지 유형이 있다. 영국의 경우 중앙부처들이 네트워크의 심장부로 되는 정책네트워크가 해당 정책분야에서 행정부로 기능한다. 이와 같은 정책네트워크의 발전에 따라 단일 중심적 정부 간 관계에서 점차 '중앙 없는(centerless) 정부 간 관계(intergovernmental relation)'로 진화해 가고 있다.

(2) 공동화 국가

공동화(hollowing out)는 위로는 유럽연합(EU)과 같은 국제기구·아래로는 구체적 목적을 위한 행정단위로, 외부로는 책임운영기관이나 지방정부로 국가의 기능과 조직이 방출되고 있음을 의미한다. 이러한 공동화로 '공동화 국가(hollowing out state)'가 출현한다. 그럼에도 불구하고 국가는 여전히 중추적인 제도로 남아 있으면서, 위로는 국제적인 수준·아래로는 국가내부기관들 수준의 권력을 봉합하는 과정에서 핵심적인 역할을 수행한다.

(3) 핵심 행정부

핵심 행정부란 중앙정부의 정책들을 통합하고 협조하도록 하거나, 혹은 정부기구의 요소들 간의 갈등에 대한 행정부 내 최종 조정자로서 행동하는 모든 조직과 구조들을 의미한다.

(4) 뉴거버넌스

거버넌스를 공공서비스 연계망(network)으로 파악하는 입장으로, p.127의 신국정관리론(뉴거버넌스)에서 자세히 후술할 예정이다.

(5) 시장에서 제도적 분화로 변화

오늘날 세기적인 환경 변화에 직면하여 단지 공공서비스를 '시장화(marketizing)'하는 방법만으로는 여러 가지 문제해결에 한계가 있다. 단순히 계층제를 시장으로 대체하기 보다는 공공부문·시장부문·자발적 부문(voluntary sector; 제3섹터)으로부터 유도된 자원의존적 조직들의 연결망(network)을 증폭시키는 '제도적 분화'가 더 바람직한 개혁방안으로 파악되고 있다.

🔷 핵심정리 　대리(제3자)정부이론

1. 의의

대리정부는 단순히 중앙정부가 특정 정책이나 프로그램의 집행권을 외부주체(민간기업, 공사 등)에게 이전하거나 외부주체로부터 재화나 서비스를 구입하는 수준이 아니다. 대리정부는 중앙정권으로부터 이전받은 정책이나 프로그램의 수행에 따르는 재원사용권과 공적 권력까지도 포함하는 매우 포괄적인 분권화 현상이다.

2. 배경

① 1960~1970년대를 거치면서 미국이나 독일과 같은 연방제 국가들의 행정에 중요한 변화가 일어났다. 그러한 변화 중 하나가 제3자 정부 또는 대리정부라는 간접 통치방식의 부각이다.

② 대리정부는 전통적인 계서적 통제방식을 지양하고, 다양한 행정수요를 충족하면서 복잡한 정책을 성공적으로 수행하기 위하여 개발된 것이다.

③ 케틀(Kettl)은 대리정부화를 전통적 행정의 핵심인 계층제와 권위체제를 무너뜨리는 중요한 변혁으로 보고 있다. 즉, 정책의 결정은 중앙정부에서 하지만 그 정책의 집행과 서비스를 제공하는 데에 따른 책임은 종종 정부 외부에 있기 때문이다.

3. 문제점

① 자원의 낭비와 남용: 중앙정부로부터 대리정부가 이관 받은 임무를 성공적으로 수행하지 못할 경우 생기는 오류를 교정하는 비용이 추가로 발생할 수 있다.

② 정책에 관련된 정보의 왜곡 현상: 대리정부와 중앙정부 간 정보교환의 왜곡현상은 국민에 대한 최종서비스의 질을 저하시킨다.

③ 중앙정부의 규제적 재집권화 현상: 대리정부에서 나타날 수 있는 낭비·부패·남용 등의 파행은 연방정부가 재집권화의 노선을 추구하는 데 빌미를 만들어 주게 되며, 기존 연방프로그램의 수행에 막대한 지연이나 처리 불능사태를 초래하기도 한다.

4. 해결방안

① 목표의 상호 조정: 정부가 기업에 더 많은 공공서비스 공급권을 양도하면 할수록 공공부문과 민간부문 간의 경계는 모호해지고 공공서비스의 책임성은 저하되므로, 중앙정부와 대리정부 간 계약에 따른 목표의 상호 조정이 필요하다.

② 책임성의 강화: 연방정부의 고유한 관료체제에 의거하거나 다양한 체제를 이용한 환류장치를 마련하여 책임성을 강화하여야 한다.

③ 행정통제의 강화: 행정관리자의 전문적 리더십을 통한 계약사항의 철저한 관리 및 예측과 투철한 시민의식을 통한 행동이 정부정책의 성과를 결정하여야 한다.

🔷 개념PLUS 　블랙스버그 선언과 행정재정립 운동

1. 대두 배경(1980년대 중반)

① 블랙스버그 선언(Blacksburg manifesto): 웜슬리(Wamsley) 등이 주장하였으며, 미국 사회에서 일어나고 있는 필요 이상의 관료에 대한 공격 등 행정의 정당성(正當性)을 침해하는 정치·사회적 문제점을 지적한 선언이다.

② 행정재정립 운동(refounding movement): 1987년 웜슬리(Wamsley) 등이 주장한 블랙스버그 선언(Blacksburg manifesto)의 연장선상에 있다. 기존의 정치행정이원론을 재해석하여, 정책과정에서 직업공무원의 적극적 역할을 옹호하였다.

2. 특징

① 행정의 정당성 주장: 행정의 존재 이유를 분명히 하고자 하였다.

② 정치행정이원론(행정 우위): 블랙스버그 선언은 행정이 정치에 예속되지 않아야 한다는 의미에서 정치행정이원론을 주창하였다. 즉, 행정의 능동적 역할을 중시한다.

③ 전문직업주의 주창: 관료는 전문적 자격·기술 기준 및 직업윤리에 바탕을 두고 행정업무를 수행해야 한다.

01 시장실패에 대한 설명으로 옳지 않은 것은?　　　　　　　　　　　　　　2024년 국가직 9급

① 민영화를 강조하는 작은 정부론은 시장실패에 대한 대응으로 제기되었다.

② 시장기구를 통해 자원을 효율적으로 배분할 수 없는 상태를 말한다.

③ 정부는 시장개입 및 규제를 통해 시장실패를 교정한다.

④ 공공재의 존재는 시장실패를 야기하는 요인이다.

02 다음 중 시장실패에 따른 정부개입 근거에 대한 설명으로 가장 거리가 먼 것은?　　　2023년 군무원 9급

① 공공재의 공급이 부족한 경우 정부가 강제적으로 공급한다.

② 외부효과 발생 시 조세와 보조금 등을 사용하여 외부효과를 제거한다.

③ 사회적 소득불평등에 따른 문제를 해결하기 위해 사회보장정책을 시행한다.

④ 불완전경쟁에 대해서는 보조금 혹은 공적공급으로 대응할 수 있다.

03 정부개입의 근거가 되는 시장실패의 원인으로 옳지 않은 것은?　　　　　　　　2021년 국가직 9급

① 외부효과 발생　　　　　　　　　　　② 시장의 독점 상태

③ X-비효율성 발생　　　　　　　　　　④ 시장이 담당하기 어려운 공공재의 존재

04 다음 <보기> 내용의 시장실패에 대한 설명으로 옳지 않은 것은?

2015년 지방직 9급

―〈보기〉―

한 마을에 적당한 크기의 목초지가 있었다. 그 마을에는 열 가구가 오순도순 살고 있었는데, 각각 한 마리의 소를 키우고 있었고 그 목초지는 소 열 마리가 풀을 뜯는 데 적당한 크기였다. 소들은 좋은 젖을 주민들에게 공급하면서 튼튼하게 자랄 수 있었다. 그런데 한 집에서 욕심을 부려 소 한 마리를 더 키우면서 문제가 시작되었다. 다른 집들도 소 한 마리, 또 한 마리 등 욕심을 부리기 시작하면서 목초지는 풀뿌리까지 뽑히게 되었고, 결국 소가 한 마리도 살아갈 수 없는 황폐한 공간으로 바뀌고 말았다.

① 위에서 나타나는 시장실패의 주된 요인은 무임승차자 문제이다.

② <보기>의 사례에 나타난 재화는 배제불가능성과 함께 소비에서의 경합성을 특징으로 한다.

③ <보기>의 사례는 '공유지의 비극(tragedy of the commons)'에 대한 설명이다.

④ 이러한 시장실패를 해결하기 위한 방법의 하나는 재화의 재산권을 명확히 하는 것이다.

정답 및 해설

01 민영화를 강조하는 작은 정부론은 시장실패가 아니라 정부실패에 대한 대응으로 제기되었다.

| 오답체크 |
② 시장실패란 시장에서의 자원배분이 효율적이지 못하거나 소득분배가 공평하지 못한 상태를 의미한다.
③ 정부는 시장에 대한 개입 및 규제를 통하여 시장실패를 교정한다.
④ 국방, 외교, 치안 등 시장에서 공급될 수 없는 공공재의 존재는 시장실패를 초래하는 요인이다.

02 불완전경쟁에 대해서는 공적공급이 해당되지 않는다. 자연독점과 불완전경쟁에 대한 정부의 대응방식이 다르다.

❶ **시장실패의 원인별 대응방식**

구분	공적 공급(조직)	공적 유도(유인)	정부규제(권위)
불완전경쟁			○
자연독점	○		○
정보의 비대칭성		○	○
외부효과의 발생		○	○
공공재의 존재	○		

03 X-비효율성은 시장실패가 아니라 정부실패의 원인이다.

| 오답체크 |
①, ②, ④ 모두 시장실패의 원인이다.

04 <보기>는 공유재의 비극을 설명하고 있다. 공유재의 비극은 사익이 공익으로 연결되지 않는 이유를 비용회피 및 과잉소비로 인한 부정적 외부효과에 의한 것으로 파악한다. 무임승차는 주로 비배제성과 비경합성을 갖는 공공재에서 시장실패를 설명하는 논거이다.

| 오답체크 |
② 공유재는 비배제성과 경합성을 갖는다.
③ 공유지의 비극을 설명하는 사례로 옳은 지문이다.
④ <보기>의 개념은 하딘(Hardin)이 제시한 것으로, 사유재산권을 설정함으로써 공유재의 비극을 막을 수 있다고 본다.

정답 01 ① 02 ④ 03 ③ 04 ①

05 사바스(Savas)가 구분한 네 가지 공공서비스 유형과 내용의 연결이 옳지 않은 것은? 2015년 국가직 7급

① 요금재(toll goods) - 대가를 지불하지 않는 소비자를 배제할 수 없다.

② 집합재(collective goods) - '무임승차'의 문제가 생길 수 있다.

③ 시장재(private goods) - 경합성과 배제성을 동시에 갖는 서비스이다.

④ 공유재(common pool goods) - 과잉소비의 문제가 발생할 수 있다.

06 정부규제에 대한 설명으로 옳지 않은 것은? 2016년 지방직 7급

① 「행정규제기본법」은 규제법정주의를 규정하고 있다.

② 규제개혁위원회는 위원장 2명을 포함한 20명 이상 25명 이하의 위원으로 구성한다.

③ 규제영향분석이 필요한 이유 중 하나는 관료에게 규제비용에 대한 관심과 책임성을 갖도록 유도한다는 점이다.

④ 정부의 규제정책을 심의·조정하고 규제의 심사·정비 등에 관한 사항을 종합적으로 추진하기 위하여 국무총리 소속으로 규제개혁위원회를 두고 있다.

07 정부규제에 대한 설명으로 옳은 것만을 모두 고르면? 2019년 국가직 9급

ㄱ. 포지티브(positive)규제가 네거티브(negative)규제보다 자율성을 더 보장해준다.
ㄴ. 환경규제와 산업재해규제는 사회규제의 성격이 강하다.
ㄷ. 공동규제는 정부로부터 위임을 받은 민간집단에 의해 이루어지는 규제를 의미한다.
ㄹ. 수단규제는 정부의 목표를 달성하기 위해 필요한 기술이나 행위에 대해 사전적으로 규제하는 것을 의미한다.

① ㄱ, ㄴ   ② ㄷ, ㄹ
③ ㄱ, ㄴ, ㄷ   ④ ㄴ, ㄷ, ㄹ

08 규제는 해결할 수단, 관리 방식, 최종 성과를 대상으로 설계될 수 있는데, 이들을 각각 수단규제, 관리규제, 성과규제라고 한다. 그 사례를 바르게 연결한 것은? 2016년 국가직 7급

ㄱ. 식품안전을 위해 그 효용이 부각되는 위해요소중점관리기준을 지킬 것을 요구하는 것
ㄴ. 인체건강을 위해 개발된 신약에 대해 부작용의 허용 가능한 발생 수준을 요구하는 것
ㄷ. 환경오염을 방지하기 위해 기업에 특정한 유형의 환경통제 기술을 사용할 것을 요구하는 것

	수단규제	관리규제	성과규제		수단규제	관리규제	성과규제
①	ㄱ	ㄴ	ㄷ	②	ㄱ	ㄷ	ㄴ
③	ㄷ	ㄴ	ㄱ	④	ㄷ	ㄱ	ㄴ

09 규제유형에 대한 설명으로 옳지 않은 것은?

① 오염배출 부과금제도, 이산화탄소배출권 거래제도는 시장유인적 규제유형에 속한다.

② 포지티브 규제방식은 네거티브 규제방식에 비해 피제자의 자율성을 더 보장한다.

③ 명령지시적 규제는 시장유인적 규제에 비해 일반 국민이 이해하기 쉽고 직관적 설득력이 높다는 장점이 있다.

④ 사회규제는 주로 사회적 영향을 야기하는 기업행동에 대한 규제를 말하며 작업장 안전 규제, 소비자 보호 규제 등이 있다.

정답 및 해설

05 요금재는 배제성을 띠므로 대가를 지불하지 않는 소비자를 배제시킬 수 있다.

| 오답체크 |
② 집합재(공공재)는 공공재로, 비경합성과 비배제성을 모두 가지므로 무임승차 문제가 발생한다.
③ 시장재는 사적재로 경합성과 배제성을 띠는 재화이다.
④ 공유재는 비배제성과 경합성을 가지므로 과잉소비로 인한 비극이 발생할 수 있다.

06 규제개혁위원회는 국무총리 소속이 아니라 대통령 소속으로 설치되어 있다.

| 오답체크 |
① '규제는 법률에 근거하여야 한다'는 규제법정주의를 채택하고 있다.
② 「행정규제기본법」 제25조 제1항에 따라, 위원회는 위원장 2명을 포함한 20명 이상 25명 이하의 위원으로 구성한다.
③ '규제의 신설·강화 시, 중앙행정기관의 장은 사전에 규제영향분석서를 작성하여야 한다.'는 강행규정을 둠으로써, 관료에게 규제비용에 대한 관심과 책임성을 갖도록 유도한다.

07 ㄴ. 사회적 규제의 예로는 환경규제와 산업재해규제 등이 있다.
ㄷ. 공동규제란 정부로부터 위임받은 민간집단에 의해 이루어지는 규제로, 직접규제와 자율규제의 중간 상태이다.
ㄹ. 수단규제는 특정 목표를 달성하기 위해 필요한 기술이나 행위에 대해 사전적으로 규제하는 것이다.

| 오답체크 |
ㄱ. 반대로 된 설명이다. 포지티브(positive) 규제보다 네거티브(negative) 규제가 자율성을 더 보장해준다. 포지티브(positive) 규제는 "원칙 금지·예외 허용"인데 비해 네거티브(negative) 규제는 "원칙 허용·예외 금지"형식의 규제이기 때문이다.

08 ㄱ. 관리규제: 식품안전을 위한 식품위해요소중점관리기준(HACCP)을 지킬 것을 요구하는 것이다.
ㄴ. 성과규제: 인체건강을 위해 개발된 신약의 허용가능 부작용 발생 수준을 요구하는 것이다.
ㄷ. 수단규제(투입규제): 환경오염 방지를 위해 특정한 유형의 환경통제 기술 사용을 요구하는 것이다.

09 '원칙금지, 예외허용'인 포지티브 규제방식보다 '원칙허용, 예외금지'인 네거티브 규제방식이 피규제자의 자율성을 더 많이 보장한다.

| 오답체크 |
① 모두 금전적 부가방식으로 간접적 규제방식으로 시장유인적 규제유형에 속한다.
③ 명령지시적 규제는 직접적인 규제로 국민의 이해가 쉽고 직관적 설득력과 강제력이 높아 규제의 실효성이 높다는 장점이 있다.
④ 사회적 규제는 기업의 사회적 책임을 묻는 규제로 안전, 환경, 소비자 보호 등을 주 내용으로 한다.

정답 05 ① 06 ④ 07 ④ 08 ④ 09 ②

10 정부규제에 대한 설명으로 가장 적절하지 않은 것은?

2023년 군무원 9급

① 규제는 정부가 공권력을 이용하여 개인이나 기업의 활동을 정부가 원하는 바람직한 상태로 유도하기 위한 정책수단이다.

② 규제는 개인이나 기업의 자유로운 활동을 금지하거나 제한하고 이를 위반한 경우에 불이익이 가해지기 때문에 엄격한 법적 근거가 요구된다.

③ 경제적 규제는 기업의 본원적 활동을 제한하는 것은 아니고 정부와의 관계에 관한규제이다.

④ 사회적 규제는 소비자, 환경, 노동자 등을 보호할 목적으로 안전, 위생, 오염, 고용 등에관한 규제가 주를 이룬다.

11 <보기>는 △△일보의 보도 내용 중 일부이다. 이와 같은 기사 내용을 윌슨(J. Wilson)의 규제정치이론에 적용하면, 가장 적합한 정치적 상황은?

2019년 서울시 7급(2월 추가)

─────────〈보기〉─────────

• "캡슐커피 때문에 경비아저씨와 싸웠습니다. 알루미늄과 플라스틱 재질이 섞여 있어 플라스틱 전용 재활용 수거함에 넣지 않았는데, 재활용함에 넣어야 한다며 언성을 높였습니다. 누구나 헷갈릴 수 있을 것 같아요."(김○○·여·34)

• "한 번에 마실 양을 쉽게 추출할 수 있어 캡슐커피를 애용했지만, 재활용 되지도 않고 잘 썩지도 않는다는 이야기를 듣고 이용을 자제하려고 합니다."(이□□·남·31)

• 소비자들 사이에서 캡슐커피 사용을 제한하자는 목소리가 나오고 있다. 캡슐커피의 크기가 작은 데다 알루미늄과 플라스틱이 동시에 포함되어 있어 재활용이 실질적으로 불가, 환경오염의 주범이 될 수 있다는 이유에서다. 정부 역시 환경에 미치는 영향을 고려해 관련 규제 검토에 나설 것이라고 밝혔다.

① 고객정치(client politics)

② 이익집단정치(interest group politics)

③ 대중정치(majoritarian politics)

④ 기업가정치(entrepreneurial politics)

12 윌슨(Wilson)의 규제정치 유형 중 다음 설명에 해당하는 것은?

2022년 국가직 9급

정부규제로 발생하게 될 비용은 상대적으로 작고 이질적인 불특정 다수에게 부담된다. 그러나 편익은 크고 동질적인 소수에 귀속된다. 이런 상황에서 상당한 이익을 얻을 수 있는 소수집단은 정치조직화하여 편익이 자신들에게 제도적으로 보장될 수 있도록 정치적 압력을 행사한다.

① 대중정치

② 고객정치

③ 기업가정치

④ 이익집단정치

13 교통체증 완화를 위한 차량 10부제 운행은 윌슨(Wilson)이 제시한 규제정치이론의 네 가지 유형 중 어디에 해당하는가?

2018년 국회직 8급

① 대중정치

② 기업가정치

③ 이익집단정치

④ 고객정치

⑤ 소비자정치

14 시장실패와 정부실패에 대한 설명으로 적절하지 않은 것은?

2016년 지방직 9급

① 시장실패는 시장 기구를 통해 자원배분의 효율성을 달성할 수 없는 경우를 의미한다.

② 비배제성과 비경합성을 가진 공공재의 존재는 시장실패의 주요 원인 중 하나이다.

③ X-비효율성으로 인해 시장실패가 야기되어 정부의 시장개입 정당성이 약화된다.

④ 정부실패는 시장실패에 대응하는 개념으로 행정서비스의 비효율성을 야기한다.

정답 및 해설

10 경제적 규제는 기업의 본원적 활동에 대한 정부규제이다.

| 오답체크 |
①, ② 규제는 정부가 공권력을 이용하여 정부의 정책목표를 이루고자 하는 경우가 많기 때문에 엄격한 법적 근거가 요구된다.
④ 사회적 규제는 시장에서 적절하게 취급받지 못하는 이익이나 가치를 보호하기 위해 개인이나 기업의 행위를 통제하는 것으로서, 산업보건 및 안전·환경보호·소비자 보호 등을 목표로 한다.

11 <보기>는 환경오염을 막아야 한다는 논의의 내용이다. 환경오염규제는 윌슨(Wilson)의 규제정치모형 중 기업가정치에 해당한다. 캡슐커피 사용을 규제할 경우 비용(손실)은 캡슐을 만드는 소수 기업이 부담하고, 편익은 환경개선으로 구성원 다수가 혜택을 보기 때문이다.

12 제시문은 윌슨(Wilson)이 제시한 규제정책의 유형 중 고객정치 사례에 해당한다.

❶ **윌슨(Wilson)의 규제정치모형**

구분		감지된 편익	
		넓게 분산	좁게 집중
감지된 비용	넓게 분산	대중적 정치 (majoriarian politics)	고객 정치 (client politics)
	좁게 집중	기업가적 정치 (entrepreneurial politics)	이익집단 정치 (interest group politics)

13 교통체증 완화를 위한 차량 10부제 운행은 규제의 편익(교통 소통 향상으로 인한 편리함)이 다수에게 분산되어 있으며, 규제의 비용(차량운행 제한으로 인한 불편) 역시 다수에게 분산되어 있는 형태로 대중정치에 해당한다.

14 X-비효율성은 정부실패의 원인이다.

| 오답체크 |
① 시장이 자원배분의 효율성을 달성하지 못하는 경우는 시장실패이다.
② 공공재의 무임승차로 시장이 실패한다.
④ 정부실패의 개념으로 옳은 지문이다.

❶ **시장실패와 정부실패의 원인**

시장실패의 원인	정부실패의 원인
· 공공재의 존재	· 내부성(사적 목표)
· 외부효과(외부성)	· 파생적 외부효과
· 독점의 존재	· 비용과 수익의 절연
· 수익의 증가와 비용 감소 (과도한 규모의 경제)	· X-비효율성
· 정보의 격차(편재)	· 경쟁의 결여(독점성)
· 소득분배의 불공평	· 권력의 편재에 의한 분배의 불공평
· 불완전경쟁	

❶ **정부실패의 원인별 대응방식**

구분	민영화	정부보조 삭감	규제 완화
사적 목표 설정	○		
X-비효율·비용체증	○	○	○
파생적 외부효과		○	○
권력의 편재	○		○

정답 **10** ③ **11** ④ **12** ② **13** ① **14** ③

15 시장실패 및 정부실패에 대한 설명으로 옳지 않은 것은?

① 시장실패를 초래하는 요인은 공공재의 존재, 외부효과의 발생, 불완전한 경쟁, 정보의 비대칭성 등이다.

② 시장실패를 교정하기 위한 정부 역할은 공적 공급, 공적 유도, 정부 규제 등이다.

③ 정부개입에 의해 초래된 의도하지 않은 결과 때문에 자원배분상태가 정부개입이 있기 전보다 오히려 더 악화될 수 있다.

④ 정부실패는 관료나 정치인들의 개인적 요인 때문에 발생하며, 정부라는 공공조직에 내재하는 구조적 요인 때문에 발생하는 것은 아니다.

16 다음 상황을 설명하는 데 가장 적합한 용어는?

> 정부는 특정 지역의 주택가격이 과도하게 상승하자 이를 해결하기 위해 투기과열지구로 지정하였다. 그러나 투기과열지구로 지정된 이후 주택가격은 오히려 급등하였다. 이는 주택 수요자들이 정부의 의도와 달리 투기과열지구의 지정으로 인해 그 지역의 주택가격이 더 오를 것이라고 예상하였기 때문이었다.

① X-비효율성　　　　　　　　　② 공공조직의 내부성

③ 비경합성　　　　　　　　　　④ 파생적 외부효과

17 정부규모의 팽창에 대한 설명으로 옳은 것을 모두 고르면?

> ㄱ. 전위효과: 사회혼란기에 공공지출이 상향 조정되며 민간지출이 공공지출을 대체하는 현상
> ㄴ. 와그너 법칙(Wagner's law): 1인당 국민소득이 증가할 때, 국민경제에서 차지하는 공공부문의 상대적 크기가 증대되는 현상
> ㄷ. 예산극대화 가설: 관료들이 권력의 극대화를 위해 자기부서의 예산극대화를 추구하는 현상
> ㄹ. 파킨슨 법칙(Parkinson's law): 공무원의 수가 해야 할 업무의 경중이나 그 유무에 관계없이 일정 비율로 증가하는 현상
> ㅁ. 보몰 효과(Baumol's effect): 정부가 생산·공급하는 서비스의 생산비용이 상대적으로 빨리 하락하여 정부 지출이 감소하는 현상

① ㄱ, ㄴ, ㄷ　　　　　　　　　② ㄱ, ㄴ, ㄹ, ㅁ

③ ㄴ, ㄷ, ㄹ　　　　　　　　　④ ㄱ, ㄷ, ㄹ, ㅁ

18 최근 쓰레기 수거와 같이 전통적으로 정부의 고유영역으로 간주되어 온 서비스를 민간에 위탁하는 경우가 있는데, 그 목적이라고 보기 힘든 것은?

2015년 국가직 9급

① 행정의 효율성 향상 ② 행정의 책임성 확보

③ 경쟁의 촉진 ④ 작은 정부의 실현

정답 및 해설

15 정부실패는 관료나 정치인들의 개인적인 요인 때문에 발생하기도 하지만, 독점성으로 인한 X-비효율성 등 공공조직에 내재하는 구조적인 요인이나 산출물의 추상성·무형성 등 공공재의 속성 때문에 발생하는 경우도 있다.

| 오답체크 |

③ 정부실패란, 시장실패를 교정하려는 정부의 개입이 예상치 못한 결과를 야기하는 현상이다. 즉, 정부 정책의 부작용을 의미하는 파생적 외부효과이다.

16 제시문은 정부실패의 요인 중 하나인 파생적 외부효과 현상을 설명하고 있다. 파생적 외부효과는 정부정책의 의도하지 않은 부작용을 초래하는 현상이다.

| 오답체크 |

① X-비효율성은 레이번슈타인(Leibenstein)이 제시한 개념으로, 정부나 기업이 방만하고 나태한 경영으로 인하여 경영상의 효율성을 추구하기 위한 노력이나 유인(incentives)이 감소되어 나타나는 비효율성이다. 법적·제도적 요인이 아닌 심리적·행태적 요인(사명감·직업의식의 부족)에 의해 나타나는 관리상·경영상 비효율성을 의미한다.

② 관료들이 사회적 목표보다 내부적 목표를 중시함으로써 양자 간의 괴리가 발생하는데, 이를 내부성(internality)이라고 한다.

③ 한 사람을 더 소비에 참여시킨다 해도 그 재화에 대한 타인의 소비가능성을 감소시키지 않는다는 측면에서 비경합성을 지닌다.

17 | 오답체크 |

ㄱ. 전위효과란, 위기 시에 공적 지출이 사적 지출을 대신하며 재정이 팽창하는 현상을 말한다.

ㄷ. 보몰효과(=보몰병)란, 행정의 노동집약적 성격으로 재정규모가 팽창하는 병리적 현상을 말한다.

18 민영화의 폐단으로 행정의 책임성·형평성·안정성 약화 등이 있다. 민간은 유한책임을 기본으로 하기 때문에 정부가 직접 또는 공기업으로 공급할 때보다 책임성이 약화된다.

❶ 민영화의 장단점

장점	단점
· 행정기능 재분배를 통한 행정기능의 적정화 · 행정서비스의 효율성 제고 · 행정서비스의 질 향상 · 행정서비스 공급의 신축성 향상 · 민간경제의 활성화 · 주민의 선택폭 확대 · 작은 정부의 구현 · 경쟁의 촉진	· 공공서비스 생산에 대한 행정책임의 확보 곤란(정부가 직접 생산하는 것에 비해) · 행정의 안정성과 계속성 저해 · 공공성의 침해, 특히 구매력 없는 소비자의 소외를 통한 형평성 저해

정답 15 ④ 16 ④ 17 ③ 18 ②

19 민영화의 유형에 대한 설명으로 가장 옳지 않은 것은? 2015년 서울시 7급

① 민영화의 계약(contracting – out) 방식은 일반적으로 경쟁 입찰을 통해 서비스 생산주체가 결정되므로 정부재정 부담을 경감시킬 수 있다.

② 민영화의 프랜차이즈(franchise) 방식은 정부가 서비스 제공자에게 서비스 비용을 직접 지불하여 이용자의 비용 부담을 경감시키는 장점이 있다.

③ 전자 바우처(vouchers) 방식은 개별적인 바우처 사용행태를 분석하여 실제 이용자의 실시간 모니터링이 가능하다.

④ 자조활동(self – help) 방식은 공공서비스 수혜자와 제공자가 같은 집단에 소속되어 서로 돕는 형식이다.

20 공기업 민영화 과정에서 발생할 수 있는 문제점에 대한 설명으로 옳지 않은 것은? 2015년 국가직 7급

① 민영화 과정에서 특혜, 정경유착 등의 부패가 발생할 수 있다.

② 공기업에서 제공하던 공공서비스가 사적 서비스로 변환되기 때문에 서비스 배분의 형평성 문제가 제기될 수 있다.

③ 민영화를 통해 정부의 지분이 다수 국민에게 지나치게 분산되면 대주주는 없고 다수의 소액주주만 있어서 공기업에 대한 효과적인 감시가 어려워질 수 있다.

④ 시장성이 큰 서비스를 다루는 공기업을 민영화하게 되면 지나친 경쟁체제에 노출되기 때문에 민영화의 실익이 없다.

21 민간위탁(contracting out)에 대한 설명으로 옳지 않은 것은? 2022년 국가직 7급

① 정부가 제공하는 서비스를 민간부문에 맡기고 비용을 지불하는 방식이다.

② 비영리단체는 민간위탁의 대상이 되지 않는다.

③ 정부의 직접공급에 비해 고용과 인건비의 유연성 확보가 용이하다.

④ 대표적인 예로는 쓰레기수거업무나 도로건설업무가 있다.

22 다음 중 공공서비스의 공급과 생산에 대한 설명으로 가장 옳지 않은 것은?

① 면허(franchise)는 서비스 제공자들 사이에 경쟁이 미약하면 이용자의 비용부담이 과중하게 되는 부정적 효과가 발생한다.

② 바우처(vouchers)는 관료와 서비스 제공자 간의 유착을 근절하여 부정부패를 막을 수 있다.

③ 민간위탁(contracting-out)은 인력운영의 유연성을 제고해서 관료조직의 팽창을 억제할 수 있다.

④ 집합적 공동생산(collective co-production)은 시민들의 참여도에 관계없이 혜택이 공통으로 돌아가게 한다는 재분배적 사고가 기저에 있다.

정답 및 해설

19 정부가 서비스 제공자에게 비용을 지불하는 것은 프랜차이즈 방식이 아니라 계약에 의한 위탁방식이다.

| 오답체크 |

① 민영화는 경쟁 입찰을 원칙으로 하기 때문에 정부의 비용을 절감하여 재정부담을 완화한다.

③ 전자바우처(카드 형태)는 바우처 사용의 실시간 모니터링으로 바우처 관리의 투명성을 확보한다.

④ 자조는 스스로 이웃끼리 서비스를 생산하고 소비하는 자급자족 활동이므로, 수혜자와 제공자가 같은 집단에 소속되게 된다.

20 공기업의 민영화는 공공성보다는 시장성이 강한 조직일수록 시장에 잘 적응되어 민영화의 효과가 크게 나타난다.

| 오답체크 |

① 민영화 과정에서 특혜를 주는 비리가 발생할 수 있다.

② 민영화는 형평성 문제가 제기된다.

③ 다수는 집단행동의 딜레마로 인해 통제가 힘들어 진다.

21 비영리단체도 민간위탁(contracting out)의 대상이 된다.

| 오답체크 |

① 민간위탁이란 외부계약 방식을 통해 정부가 자신들의 사무를 민간부문에서 대신 수행하도록 위탁하는 것을 의미한다.

③ 민간위탁의 장점으로는 소요되는 경비의 절감, 변화에 따른 탄력적 대응 등을 들 수 있다.

④ 민간위탁에 대한 예시로서 옳은 지문이다.

22 바우처(vouchers)는 금전과 동일한 가치가 있는 쿠폰을 소비자인 빈곤층에게 제공하여 소비자가 공급자를 선택하게 하는 민영화방식이다. 소비자의 선택권 보장, 공급자 간 경쟁 촉진, 재분배적 성격으로 인한 형평성 제고 등 장점이 있지만, 서비스의 누출이나 전매, 관료와 서비스 제공자 간의 유착 등 부패가 발생할 우려가 있다는 점이 단점이 있다.

| 오답체크 |

① 면허(franchising)는 일정한 자격을 갖춘 특정업체에 대해 일정구역 안에서 공공서비스를 제공할 수 있는 권리를 인정하는 것이므로 경쟁이 미약할 경우 가격이 상승할 우려가 있다.

③ 민간위탁방식은 공공서비스를 민간에 위탁하는 방식이므로 정부인력운영의 유연성을 제고하고 관료조직의 팽창을 막을 수 있다는 장점이 있다.

④ 공동생산(coproduction)에는 집합적(collective) 공동생산과 집단적(group) 공동생산 두 가지가 있다. 집합적(collective) 공동생산(협동생산)이란 전체 공동체 구성원 모두가 향유할 수 있는 집합적 재화를 공동으로 창출하는 것으로, 시민들의 참여도에 관계없이 혜택이 공통적으로 돌아가게 한다는 재분배적 사고가 깔려있다. 반면, 집단적(group) 공동생산은 다수 시민의 능동적·자발적 참여에 의한 공동생산으로, 소수 부유층 집단에게 혜택이 돌아가거나 공무원집단의 거부현상이 발생할 우려가 있어 서비스기관과 시민집단 간의 공식적 조정메커니즘을 필요로 한다는 점에서 집합적 공동생산과는 다르다.

정답 19 ② 20 ④ 21 ② 22 ②

23 정부는 공공서비스를 효율적으로 공급하기 위한 방법의 하나로서 민간위탁 방식을 사용하기도 하는데, 민간위탁 방식에 해당하지 않는 것은?

2014년 서울시 9급

① 면허 방식

② 이용권(바우처) 방식

③ 보조금 방식

④ 책임경영 방식

⑤ 자조활동 방식

24 공공서비스 공급을 확대하는 과정에서 정부예산이 부족한 경우 활용되는 수익형 민자사업(BTO)에 대한 설명으로 옳지 않은 것은?

2018년 지방직 7급

① BTO는 민간이 자금을 투자해 공공시설을 건설하고 소유권을 정부로 이전하지만, 그 대가로 민간사업자는 일정 기간 사용수익권을 인정받게 된다.

② BTO의 경우 민간사업자는 시설을 운영하면서 사용료 징수로 투자비를 회수하는데, 주로 도로·철도 등 수익 창출이 가능한 영역에 적용된다.

③ BTO의 경우 시설에 대한 수요변동 위험은 정부에서 부담하며, 정부는 사전에 약정한 수익률을 포함한 리스료를 민간사업자에게 지출한다.

④ BTO는 일반적으로 임대형 민자사업(BTL)에 비해 사업리스크와 수익률이 상대적으로 더 높고, 사업 기간도 상대적으로 더 길다.

25 새로운 공공서비스 공급방식으로 제시된 BTO(Build – Transfer – Operate)와 BTL(Build – Transfer – Lease)에 대한 설명으로 옳지 않은 것은?

2012년 국가직 9급

구분	BTO 방식	BTL 방식
ㄱ. 실제운영의 주체	민간	정부
ㄴ. 운영 시 소유권	정부	민간
ㄷ. 투자비 회수방법	사용료	임대료
ㄹ. 소유권 이전시기	준공	준공

① ㄱ
② ㄴ
③ ㄷ
④ ㄹ

정답 및 해설

23 책임경영 방식은 공공성이 강해 민영화가 곤란한 집행사무를 정부가 내부시장화된 방식을 이용하여 직접 공급·생산하는 방식으로, 정부기업이나 책임운영기관 방식을 말한다. 책임운영기관은 내부시장화된 기관일 뿐 민영화된 기관이 아니며, 구성원의 신분도 공무원이고 기관의 성격도 어디까지나 정부조직이다.

ⓘ 주요 민영화 방법

민간위탁 (계약)	정부가 민간부문과 위탁계약을 맺고 비용을 지불하고 민간부문으로 하여금 공공서비스를 생산하게 하는 방식
면허	민간조직에게 일정한 구역 내에서 공공서비스를 제공하는 권리를 인정
보조금	정부가 재정 또는 현물 지원
바우처	저소득층과 같은 특정계층의 소비자에게 구매권에 명시된 금액만큼 특정 재화나 서비스를 구매할 수 있는 증서(쿠폰)를 제공하는 방식
자원봉사자	서비스의 생산과 관련된 현금지출에 대해서만 보상받고 직접적인 보수는 받지 않으며, 정부를 위해 봉사하는 사람들(자원봉사자)을 활용하는 방식
자조활동	주민 스스로가 이웃끼리 서비스를 계획하고 생산·소비하는 자급자족활동

24 ③은 BTO가 아니라 BTL에 대한 설명이다. BTO는 사회간접자본을 민간이 건설하고 소유권을 이전한 다음, 민간이 운영하여 투자비를 회수하는 방식이다. 반면 BTL은 민간이 건설하고 소유권을 이전한 다음 정부로부터 임대료(리스료)를 받아 투자비를 회수하는 방식이다.

ⓘ 사회간접자본에 대한 민자유치방식

BOO (Build-Own-Operate)	· 민간자본으로 민간이 건설(Build)하여 · 소유권을 가지며(Own) · 직접 운용(Operate)하여 투자비 회수
BOT (Build-Operate-Transfer)	· 민간자본으로 민간이 건설(Build)하여 · 직접 운용(Operate)하여 투자비를 회수한 후 · 소유권을 정부에 이전(Transfer)

BTO (Build-Transfer-Operate)	· 민간자본으로 민간이 건설(Build)하여 · 완공 시 소유권을 정부에 이전(Transfer)하는 대신 · 직접 운용(Operate)하여 투자비 회수
BLT (Build-Lease-Transfer)	· 민간 자본으로 민간이 건설(Build)하여 · 소유권을 지닌 채로 시설을 정부에 임대(Lease)하고 임대기간 종료 후 · 소유권을 정부에 이전(Transfer)
BTL (Build-Transfer-Lease)	· 민간자본으로 민간이 건설(Build)하여 · 완공 시 소유권을 정부에 이전(Transfer)하는 대신 일정 기간 동안 시설의 사용·수익권한 획득 · 시설을 정부에 임대(Lease)하고 임대료로 투자비 회수

25 BTO 방식이나 BTL 방식 모두 준공과 동시에 소유권이 정부로 이전된다는 점에서는 동일하다. 다만, BTO 방식은 소유권 이전·이후 민간이 운영하고, BTL 방식은 정부가 운영주체가 된다는 점이 다르다.

ⓘ 민자투자사업의 추진 방식

구분	BOT	BTO	BLT	BTL
전제	· 민간이 운영 · 기업이 일정 기간 동안 시설대상 자산에서 발생한 사용료 수익을 소비자로부터 받는 방식		· 정부가 운영 · 기업이 일정 기간 동안 임대료를 정부로부터 받는 방식	
운영기간동안 시설 소유권 주체	민간	정부	민간	정부
소유권 이전 시기	운영종료 시점	준공 시점	운영종료 시점	준공 시점

정답 23 ④ 24 ③ 25 ②

26 민간투자사업자가 사회기반시설 준공과 동시에 해당 시설 소유권을 정부로 이전하는 대신 시설관리운영권을 획득하고, 정부는 해당 시설을 임차 사용하여 약정기간 임대료를 민간에게 지급하는 방식은? 2020년 지방직 9급

① BTO(Build-Transfer-Operate)

② BTL(Build-Transfer-Lease)

③ BOT(Build-Own-Transfer)

④ BOO(Build-Own-Operate)

27 비정부 조직(NGO)의 특성으로 옳게 짝지어진 것은? 2006년 대구 9급

ㄱ. 임시적 조직	ㄴ. 제3영역의 조직
ㄷ. 자발적 조직	ㄹ. 자치 조직

① ㄱ, ㄴ, ㄷ

② ㄴ, ㄷ, ㄹ

③ ㄱ, ㄹ

④ ㄱ, ㄴ, ㄹ

28 시민단체 해석의 관점에 대한 설명으로 가장 옳지 않은 것은? 2022년 군무원 9급

① 결사체 민주주의 입장에서는 이상적인 사회란 NGO 등의 자원조직이 많이 생겨서 효과적으로 활동하며 사회적 의미를 부여하는 형태를 의미한다.

② 공동체주의에서는 공동체를 위한 책임 있는 개인의 자원봉사 정신을 강조한다.

③ 다원주의에서는 개인의 자유를 중시하는 전통적 자유주의와 개인의 책임을 강조하는 보수주의를 절충한 입장을 취하고 있다.

④ 사회자본론도 시민사회와 시민단체에 대해 의미 있는 해석을 강화하며, 사회자본은 시민의 자발적 참여에 의해 생산되는 무형의 자본을 의미한다.

29 오늘날 시민사회조직에 대한 설명으로 가장 적절하지 않은 것은?

① 비정부조직이 생산하는 공공재나 집합재의 생산비용을 정부가 지원하는 경우에는 정부와 대체적 관계를 형성한다.

② 정부와 비정부조직 간에 적대적 관계보다는 서로의 존재를 인정하는 동반자적 관계가 점차 확산되고 있다.

③ 비영리조직이 지닌 특징으로는 자발성, 자율성, 이익의 비배분성 등이 있다.

④ 정부가 지지나 지원의 필요성을 위해 특정한 비정부조직 분야의 성장을 유도하여 형성된 의존적 관계는 개발도상국에서 많이 나타난다.

정답 및 해설

26 BTL은 민간사업자가 시설을 건설하고, 준공시 소유권을 정부로 이전하는 대신, 정부는 시설을 임차하여 약정기간동안 임대료를 민간사업자에게 지급하는 민자유치방식이다.

27 비정부 조직은 제3섹터, 자발적 조직, 자치적 조직, 사적 조직, 공식 조직, 비영리 조직이며, 임시적 조직은 아니다.

28 다원주의에서는 시민단체가 사회적 다원성을 전제로 한다고 보았다.

결사체 민주주의	NGO 등 자원조직이 많이 생겨서 효과적으로 활동하며 사회적 의미를 부여하는 형태가 이상적 사회라고 정의
공동체주의	공동체를 위한 책임 있는 개인의 자원봉사정신을 강조하며, 개인의 자유를 중시하는 전통적 자유주의와 개인의 책임을 강조하는 보수주의를 절충한 입장
다원주의	사회적 다원성을 전제로 하는 시민사회와 시민단체의 등장을 효과적으로 설명
사회자본론	시민사회와 시민단체에 대해 의미있는 해석을 강화하며, 사회자본을 시민의 자발적 참여에 의해 생산되는 무형의 자본으로 정의

29 NGO가 생산하는 공공재나 집합재의 생산비용을 정부가 지원함으로써 정부와 NGO가 긴밀한 협조관계에 있는 경우는 보완적 관계이다.

| 오답체크 |
② 동반자 관계는 서로의 존재를 인정하고 상호협력적인 관계로, 가장 바람직한 모형으로 평가받는다.
③ NGO의 특징은 ⊙ 자발성(voluntarism)에 의해 형성된 조직이므로 운영에 자율성을 가지며 ⓒ 경제적 이익 대신에 공익을 추구하는 이익의 비배분성을 특징으로 한다.
④ 의존적 관계는 정부가 특정한 비정부조직 분야의 성장을 유도하는 관계로 개발도상국에서 주로 나타난다.

정답 **26** ② **27** ② **28** ③ **29** ①

30 「비영리민간단체 지원법」상 정부의 비영리민간단체 지원에 대한 설명으로 옳지 않은 것은? 2024년 국가직 9급

① 비영리민간단체는 영리가 아닌 공익활동을 수행하는 것을 주된 목적으로 하는 민간단체이어야 한다.

② 등록비영리민간단체는 공익사업의 소요경비를 지원받을 수 있으며 소요경비의 범위는 사업비를 원칙으로 한다.

③ 등록비영리민간단체가 공익사업 추진의 보조금을 교부받고자 할 때에는 사업의 목적과 내용, 소요경비, 기타 필요한 사항을 기재한 사업계획서를 제출해야 한다.

④ 등록비영리민간단체는 보조금을 받아 수행한 공익사업을 완료한 때에는 사업보고서를 대통령에게 제출해야 하며 사업평가, 사업보고서 및 평가결과의 공개 등에 필요한 사항은 대통령령으로 정한다.

31 다음에 제시된 역사적 사실들이 갖는 공통적 의미는? 2009년 국가직 7급

- Johnson 대통령의 Great Society Program
- Roosevelt 대통령의 New Deal 정책

① 시장 기능의 강화　　　　　　② 행정부의 사회적 가치배분권의 강조

③ 작지만 강한 행정부　　　　　④ 규제 완화와 행정의 민주화

32 전통적인 '의회정체 모형'에 대한 대안으로 제기되는 '분화된 정체 모형'의 특징으로 가장 거리가 먼 것은?

2008년 국회직 8급

① 정책연결망과 정부 간 관계　　② 장관 책임과 중립적 관료제

③ 공동화 국가　　　　　　　　④ 핵심행정부

⑤ 신국정관리

33 블랙스버그 선언(Blacksburg Manifesto)과 행정재정립운동(refounding movement)에 대한 설명으로 옳지 않은 것은?

2023년 지방직 9급

① 블랙스버그 선언은 행정의 정당성을 침해하는 정치·사회적 상황을 비판했다.

② 행정재정립운동은 직업공무원제를 옹호했다.

③ 행정재정립운동은 정부를 재창조하기보다는 재발견해야 한다고 주장했다.

④ 블랙스버그 선언은 신행정학의 태동을 가져왔다.

정답 및 해설

30 「비영리민간단체지원법」상 등록비영리민간단체가 사업계획서에 따라 사업을 완료한 때에는 다음 회계연도 1월 31일까지 사업보고서를 작성하여 대통령이 아니라 행정안전부장관에게 제출하여야 한다.

| 오답체크 |
① 비영리민간단체의 개념에 대한 설명으로 옳은 지문이다.
② 비영리민간단체에 대한 경비지원을 설명한 옳은 지문이다.
③ 비영리민간단체에 대한 보조금 교부절차에 대한 설명으로 옳은 지문이다.

31 경제대공황 극복을 위한 뉴딜(New Deal) 정책은 행정국가의 시작을 가져왔고, 위대한 사회 프로그램(Great Society Program)은 행정국가의 최고점을 이루었다. 즉, 미국 사회의 경제적·사회적 위기를 극복하기 위한 정책들로, 정부의 경제·사회적 가치배분권의 강화를 의미한다.

| 오답체크 |
① 시장 기능의 강화, ③ 작지만 강한 행정부, ④ 규제 완화와 행정의 민주화는 현대행정국가의 정부개입이 실패한 후 정부실패를 극복하는 과정에서 대두된 것들이다.

32 분화된 정체 모형이란 신행정국가의 특징으로, 장관 책임과 중립적 관료제보다는 신국정관리를 특징으로 한다. 장관 책임과 중립적 관료제는 전통적인 의회정체 모형의 특징에 해당한다.

❶ **전통적인 의회정체 모형과 새로운 분화정체 모형 비교**

전통적인 의회정체 모형	새로운 분화정체 모형
단방제 국가	정책연결망과 정부 간 관계
내각정부	공동화 국가
의회주권	핵심행정부
장관 책임과 중립적 직업 관료제	신국정관리(new governance)

33 블랙스버그 선언은 1980년대 중반에 선언되었던 것으로, 1968년 미노브룩회의에서 태동된 신행정학의 태동을 가져왔다는 지문은 성립이 되지 않는다.

| 오답체크 |
① 블랙스버그 선언은 웜슬리(Wamsley) 등이 주장하였으며, 미국 사회에서 일어나고 있는 필요 이상의 관료에 대한 공격 등 행정의 정당성(正當性)을 침해하는 정치·사회적 문제점을 지적한 선언이다.
② 행정재정립운동은 정치행정이원론을 재해석하여 블랙스버그 선언의 연장선상에서 직업공무원제를 적극 옹호하였다.
③ 행정재정립운동은 신공공관리론을 비판하며, 정부를 재창조하기보다는 재발견해야 한다고 주장한다.

정답 30 ④ 31 ② 32 ② 33 ④

1 행정이념의 의의

1 행정이념의 의미

1. 의의

(1) 행정이념이란 '행정활동이 보편적으로 추구하는 가치, 행정의 지도원리'를 의미한다.

(2) 행정이념은 내용에 있어서 다양하게 구성되어 있는데, 기본적으로 그 우선순위를 엄격히 구별할 수 있는 것이 아니라 상호보완적·상대적 성격을 띠고 있으며, 역사적·정치적·상황적 요인에 따라 그 비중이나 상대적 우선순위를 달리 한다.

2. 기능

(1) 행정의 존재이유이다.

(2) 의사결정에서 합리적인 가치판단의 기준의 역할을 수행한다.

(3) 행정에 대한 평가기준이 된다.

2 행정이 추구하는 가치의 분류①②

현대의 행정에서 존재하는 다양한 행정이념들은 일반적으로 그 도구성을 기준으로, 본질적 행정가치와 수단적 행정가치로 구분된다.

1. 본질적 행정가치

(1) 의의

행정을 통해 이룩하고자 하는 궁극적 가치이다.

(2) 유형

정의, 공익, 자유, 평등, 사회적 형평 등이 있다.

2. 수단적 행정가치

(1) 의의

행정이 추구하는 본질적 행정가치를 달성하기 위한 수단이 되는 가치로, 실제적인 행정과정에서 구체적 지침이 되는 규범적 기준이다.

(2) 유형

민주성, 능률성, 효과성, 합법성, 합리성, 투명성 등이 있다.

---

① 앤더스(Anderson)의 가치기준
1. **정치적 가치**: 정치집단이나 고객집단의 이익을 고려하는 판단기준을 의미한다.
   ⓔ 선거 직전 경기 부양책 등
2. **조직의 가치**: 자신이 속한 조직의 생존이나 이권의 유지를 위한 가치기준을 의미한다.
   ⓔ 조직 확대개편 등
3. **개인적 가치**: 자신의 이익이나 명성을 고려하는 판단을 의미한다.
   ⓔ 이권이 개입된 사업추진 등
4. **정책의 가치**: 공익이나 도덕적 신념, 윤리기준에 의하는 것을 의미한다.
   ⓔ 토지공개념이나 금융 실명제 등
5. **이념적 가치**: 현실의 모습을 단순하게 제시하는 논리적으로 연결된 가치나 신념체계를 의미한다.
   ⓔ 제3세계 국가의 민족주의적 결정 등

② 보즈먼(Bozeman)의 행정가치접근법
1. **합리주의**: 형식적 공익관으로, 현실문제를 과학적이고 체계적인 조사·분석으로 해결한다.
2. **이기주의**: 공익부재관으로, 정책이 개인·집단의 이기적 목적을 충족시키기 위하여 존재한다고 본다.
3. **보호주의**: 절차적 공익관으로, 정책이란 특정한 사람들을 다른 사람들로부터 보호하기 위하여 존재한다고 본다(교도적·강제적인 정부역할 중시).
4. **이전주의**: 규범적 공익관으로, 가진 자로부터 가지지 못한 자에게 재배분해주는 것이 공익이라고 본다.
5. **중개주의**: 공리주의적 공익관으로, 다원적 이익 간의 균형과 사회통합을 추구한다.
6. **실용주의**: 다원적 공익관 또는 점증주의적 정책결정모형으로, 현실상황에 따라 적절히 대처하는 것이 바람직하다고 보는 정책 결정의 원리이다.

3 도덕적 가치의 절대적·상대적 여부

1. 목적론(상대론)

보편적 가치판단 기준은 존재하지 않으며, 행위의 결과를 기준으로 옳고 그름을 판단해야 한다는 것이다. 최선의 결과를 가져오는 행위는 옳고, 그렇지 못한 행위는 그르다는 가치상대주의 입장이다.

2. 의무론(절대론)

결과에 관계없이 옳고 그름을 판단하는 보편적 원칙이나, 기준이 선험적으로 존재한다고 믿는 가치절대주의 입장이다.

4 행정이념의 역사적 변천

시기	19C	19C말, 고전파	1930년대	1960년대	1960년대 말	1980년대	1990년대
시대	입법 국가	행정학 (행정관리설, 과학적 관리론, 정치행정 이원론)	기능적 행정학	발전 행정론	신행정론	신공공관리론	뉴거버넌스
이념	합법성	기계적 능률성	민주성 (사회적 능률성)	효과성	사회적 형평성	생산성·효율성	민주성·참여

---

2 행정이념의 유형

1 공익❶

1. 의의

(1) 행정이 추구해야 할 본질적 가치인 공익(public interest)이란, '공공의 이익, 불특정 다수인의 이익'을 의미한다.

(2) 공익은 ① 민주행정이 지향하는 최고의 목표가 되며, ② 행정인의 활동에 관한 최고의 규범이 된다.

(3) 공익은 시대와 장소에 따라 그 세부내용이 달라진다. 즉, 공익은 절대적·확정적·정태적 개념이 아니라 포괄적·상대적·불확정적인 동태적 개념인 것이다.

❶ 공익 개념의 특징

불확정 개념(O)	확정적 개념(×)
동태적 개념(O)	정태적 개념(×)
상대적 개념(O)	절대적 개념(×)

핵심 OX

01 민주성은 행정의 본질적 가치이다.
　(O, X)

01 X 민주성은 수단적 가치이다.

과정설	실체설
· 사익의 합 = 공익	· 사익의 합 ≠ 공익
· 개인과 구별되는 전체를 인정하지 않음	· 개인과 구별되는 전체를 인정
· 사익 간의 타협 · 조정	· 전체의 이익이 공익
	· 국가나 정부의 적극적 역할 강조
· 사익과 공익은 본질적으로 차이가 없음	· 사익과 공익은 본질적으로 다름(공익이 우월적 지위)
· 사익과 공익의 충돌	· 사익과 공익은 충돌하지 않음
· 지역 · 집단 이기주의 발생	· 이기주의 극복
· 선진 · 민주 · 다원화된 사회에 적용	· 후진국 · 권위주의 사회에 적용

❷ 잔여적 복지와 제도적 복지 – 윌렌스키와 르보 (Wilensky & Lebeaux)

1. **잔여적 복지(residual welfare):** 개인주의나 경제적 자유시장이라는 가치에 토대를 두고, 보충성(보완성)의 원리에 따라 시장경쟁체제에서 몰락한(가족제도의 보호도 받지 못하면서) 사람들을 소극적 · 일시적 · 보충적으로 보호하고 지원하는 제도를 말한다. 잔여적 복지 제도하에서 혜택을 보는 사람은 사회적으로 낙인이 찍혀 수치심을 갖게 된다. 이러한 모형은 초기 산업사회 및 자유주의 국가(미국 · 일본)에서 많이 볼 수 있다.

2. **제도적 복지(institutional welfare):** 잔여적 복지에 대한 비판적 입장에서 등장하였으며, 안정 · 평등 · 인도주의 등의 가치를 토대로 하는 적극적 · 상시적 복지 개념에 해당한다. 개인이나 민간단체에 의한 복지가 아니라 국가가 사회 구성원을 위해 적극적 · 제도적 노력을 다해야 한다고 본다. 즉, 제도적 복지는 사회적 불평등을 현대 사회의 구조적인 문제로 본다. 국가에 의한 상시 복지제도의 마련을 필연이라고 생각하며, 이러한 복지는 후기 산업사회의 복지국가(스칸디나비아 국가들)에서 나타난다.

핵심 OX

01 과정설은 사익을 초월한 별도의 공익이란 존재하지 않는다고 본다. (O, X)

01 O

---

2. 공익에 대한 접근방법❶

(1) 과정설(소극설)

① 특징

㉠ 개인주의 · 자유주의 · 다원주의에 입각한 공익관으로, 사익을 초월한 별도의 공익이란 존재할 수 없으며, 공익이란 사익의 총합이거나 사익 간의 타협의 산물이라고 본다.

㉡ 사익들 간의 갈등이나 대립이 있을 때 사익 간의 타협 또는 집단 상호작용의 산물을 공익으로 본다(다원주의적 공익론).

㉢ 과정설의 공익관하에서 정부와 관료의 역할은 소극적이다(정부는 사회에서 결정된 공익을 그대로 받아들이는 중립적 심판자).

㉣ 사익과 공익은 본질적 차이가 없으므로 공익과 사익은 충돌한다고 본다.

㉤ 정책결정은 점증주의적으로 이루어진다.

② 문제점

㉠ 규범적 · 도덕적 요인이 경시되고, 국가나 공동 이익의 존재를 고려하지 않는다.

㉡ 개인 이익의 극대화가 전체 이익의 극대화를 달성하지 못하는 것처럼 지역이기주의나 집단이기주의를 극복하기 어렵다.

㉢ 후진국, 개발도상국에 적용하기 어렵다.

(2) 실체설(적극설)

① 특징

㉠ 공익이란 사익을 초월한 실체적 · 규범적 · 도덕적 개념으로, 공익과 사익의 갈등이란 있을 수 없고 언제나 공익이 우선시된다고 본다(공익과 사익은 충돌되지 않음).

㉡ 공익의 결정 · 실현 과정에서 국가나 정부의 역할을 강조한다. 구체적으로는 자연법, 정의, 형평, 복지❷, 인간존중, 공동체의 기본적 가치 등 다양한 기준이 제시되고 있다.

㉢ 개발도상국, 권위주의 모형이다.

② 문제점

㉠ 공익 결정이 소수의 엘리트에 의해 주도되는 비민주적 공익관이다.

㉡ 선진국 · 다원화된 사회는 적용이 어렵다.

(3) 절충설(합의설)

① 특징

㉠ 과정설과 실체설의 입장을 절충한 것이라고 할 수 있는 절충설은 사익의 집합이 아닌 공익의 존재를 인정하면서도 사익과 관련시켜 생각하는 입장이다.

㉡ 공익은 특수한 개별집단의 이익보다는 광범위하지만, 그렇다고 사회 전체의 초월적 이익을 이야기하는 것도 아니라는 것이다. 다만 다수의 이익이 공익(또는 소비자의 이익)이라고 보는 것이다.

② 문제점

㉠ 특수이익과 구별되게 하는 기준이 무엇이냐가 문제된다.

㉡ 사회 전체의 일반이익(공익)은 어떻게 식별할 수 있느냐가 문제된다.

✅ 개념PLUS   보수주의와 진보주의

구분	보수주의	진보주의
추구하는 가치	· 소극적 자유(국가로부터의 자유) 강조 · 형식적 평등, 기회에서의 평등 중시 · 교환적 정의	· 적극적 자유(국가에 의한 자유)를 열렬히 옹호 · 실질적 평등, 결과에서의 평등 중시 · 배분적 정의
인간관	합리적 경제인관(이기적 인간)	욕구, 협동, 오류가능성의 여지가 있는 인간관
시장관	아담 스미스(A. Smith)의 보이지 않는 손(가격)에 대한 믿음 (자유시장에 대한 신념)	효율과 공정, 번영과 진보에 대한 시장의 잠재력을 인정하되 시장의 결함과 윤리적 결여 강조
정부관	· 최소한의 정부(정부 불신) · 청교도 사상에 입각	· 적극적인 정부(정부개입 중시) · 종교의 자유 강조
경제정책	· 규제완화, 세금감면, 사회복지정책의 폐지 등을 옹호 · 낙태 금지 · 공립학교에서 종교교육 찬성 · 총기 휴대 찬성	· 소득재분배 정책, 사회보장정책, 공익 추구를 위한 정부규제 등의 정책을 옹호 · 낙태 찬성(정부에 의한 낙태 금지 반대) · 공립학교에서 종교교육 반대 · 총기 휴대 금지

2 형평성(equity)

1. 의의

(1) 형평성

사회정의(social justice) · 공정성(fairness)으로 표현되며, 아리스토텔레스(Aristoteles)에 의하면 '사회관계에서 가치의 적절하고 마땅한 분배로 이루어진 공정한 평등'을 의미한다.

(2) 사회적 형평성(social equity)

사회적으로 '동일한 경우에는 동일하게 취급하고(수평적 형평), 서로 다른 경우에는 서로 다르게 취급하는 것(수직적 형평)'이다. 정당한 불평등이나 합리적 차별의 개념이 내포되어 있으며, 특히 수직적 형평(아리스토텔레스의 배분적 정의 · 형평)에 초점을 두고 있다.

2. 사회적 형평성에 관한 이론적 근거

사회 내 희소한 가치를 어떻게 분배하는 것이 사회정의와 형평에 부합하는가는 가치판단과 이데올로기적 편향에 근거하여 다양하게 결론 지어지고 있다.

(1) 실적이론

기회균등을 전제로 능력과 실적에 따른 차별적 대우를 공평하다고 보는 견해로, 자유주의자들이 주장한다.

핵심 OX ____

01 진보는 효율과 공정에 대한 자유시장의 잠재력을 인정한다. (O, X)

02 보수는 적극적 자유를 강조한다.
(O, X)

01 O
02 X 보수가 소극적 자유, 진보가 적극적 자유를 강조한다.

(2) **욕구이론**

① 부나 가치가 인간의 기본적 욕구에 따라 배분될 때 형평이 실현된다고 보는 견해로, 사회주의자들이 주장한다.

② 기본적 욕구나 최저의 인간생활은 보장되어야 한다는 것으로, 대표적인 정책에는 연금제도·실업보험, 공적부조 등이 있다.

(3) **평등이론**

정당한 차별을 인정하는 견해로, '같은 것은 같게, 다른 것은 다르게' 대우할 것을 주장한다.

🔷 핵심정리 **롤스(Rawls)의 정의론: 공리주의❶ 비판, 자유와 평등의 조화**

사회적 형평의 실현을 위한 평등이론은 '롤스(Rawls)의 정의론(정의의 원리)'으로 대표된다. 그는 사회의 모든 가치, 즉 자유와 기회·소득과 부·인간적 존엄성 등은 기본적으로 평등하게 배분되어야 하며, 가치의 불평등한 배분은 그것이 사회의 최소 수혜자에게 유리한 경우에만 정의롭다고 본다.

1. **정의의 제1원리(평등한 자유의 원칙)**
   모든 개인은 다른 사람의 유사한 자유와 충돌하지 않는 범위 내에서 최대한의 기본적 자유에 대한 평등한 권리가 인정되어야 한다.

2. **정의의 제2원리**
   ① 공정한 기회균등의 원리: 사회경제적 불평등은 그 원천이 되는 모든 직무와 직위에 대한 공평한 기회균등하에서 발생한 것이어야 한다.
   ② 차별의 원리
   　㉠ 사회경제적 불평등은 불평등이 가장 불리한 입장에 있는 사람에게도 이익이 되는 경우에만 정당화될 수 있다.
   　㉡ 롤스(Rawls)는 자신이 설정한 가설적 상황❷인 '원초적 상태'에서, 인간은 무지의 베일(veil of ignorance)에 가려져 자신과 사회의 미래에 대한 불확실성하에 있다고 본다. 이러한 상황에서 합리적 인간은 최소극대화(maxmin) 원칙에 입각해 행동하게 되므로, 자신이 제시한 정의의 원칙이 정당하다고 본다.

3. 롤스(Rawls)는 2가지의 원리가 충돌할 때에는 제1원리가 제2원리에 우선하고, 제2원리 내에서는 기회균등의 원리가 차별의 원리에 우선되어야 한다고 본다.

3 합법성

1. 의의

행정의 합법성은 행정이 법에 근거를 두고 법을 준수해야 하며, 법을 떠난 자의적인 행정이 되어서는 안 된다는 이념이다.

2. 효용

합법성은 행정의 안정성, 통일성, 예측가능성, 공평성을 높여준다.

3. 한계

합법성의 지나친 강조는 법규만능주의, 행정편의주의, 동조과잉(법 규정에 지나친 집착)으로 목표의 전환*과 경직성을 초래한다.

4 민주성

1. 의의

행정의 민주성은 (1) 행정과 국민과의 관계라는 대외적 민주성 차원과, (2) 행정조직 내부의 민주화라는 대내적 민주성 차원이라는 2가지 측면에서 논의된다.

2. 행정의 민주화 방안

대외적 민주화	대내적 민주화
· 행정윤리의 확립 · 행정책임 확보를 위한 효과적 행정통제 확립 · 일반국민의 행정참여 확대 · 부당한 침해에 대한 행정구제장치의 확보 　⑩ 행정쟁송제도, 옴부즈만제도 등 · 행정과 국민 간의 빈번한 의사전달 체제 정립 　(행정정보공개와 행정 PR의 활성화) · 국민 전체를 대표하는 관료제의 대표성 확립	· 권위주의적인 상의하달적 의사전달의 지양과 　자유로운 의사전달 확립 　⑩ 하의상달 촉진, 제안제도, 고충심사 등 · 행정의 분권화 · 자발적 의사결정의 기회 확대 · 능력발전의 기회 부여 · 자아실현의 욕구가 충족되도록 조직관리 　(Y이론적 인간관에 입각한 인간관리)

5 능률성과 효과성 및 생산성

1. 능률성(efficiency)

(1) 의의

① **광의**: '투입에 대한 효과(effect)의 비율'을 의미하며, 최소의 비용과 노력으로 최대의 효과를 가져오는 것을 말한다.

② **협의**: '투입(input)이나 비용에 대한 산출(output)의 비율'로, 최소의 비용으로 최대의 산출을 나타내는 것을 의미한다.

$$능률성 = \frac{산출(output)}{투입(input)}$$

(2) 유형

① **기계적 능률**

　㉠ 19C 말 행정국가시대에 정치행정이원론과 경영학에서 발달했던 과학적 관리론이 행정학에 도입되면서 중시된 능률관이다.

　㉡ 능률을 수량적 명시가 가능한 기계적·금전적 측면에서만 파악한 개념이다.

② **사회적 능률**

　㉠ 디목(Dimock)이 강조한 개념으로, 과학적 관리론에 입각한 기계적·금전적 능률관을 비판하고, ⓐ 행정의 사회목적 실현과 다원적인 이익들 간의 통합·조정, ⓑ 행정조직 내부에서의 구성원의 인간적 가치의 실현 등을 내용으로 하는 능률관이다.

　㉡ 이런 의미에서 사회적 능률은 민주성의 개념으로 이해되기도 하며(민주적 능률), 인간관계론과 통치기능설의 등장과 더불어 강조되었다.

2. 효과성(effectiveness)

(1) 의의

① **개념**: 효과성은 '목표의 달성 정도'로, 발전목표의 계획적 설정과 목표의 최대한 달성에 관심을 두는 1960년대 발전행정에서 중시되었다.

② **약점**: 효과성 개념은 능률성과 달리, 비용이나 투입의 개념이 포함되어 있지 않아 비용을 전혀 고려하지 못한다.

(2) 효과성 측정 모형

① **목표모형(goal model)**

ㄱ 효과성을 '목표달성도'로 평가하는 모형으로, 가장 보편적이고 전통적인 효과성 측정모형이다.

ㄴ 조직의 효과성은 목표의 달성도에 따라 평가되어야 하며, 그 측정이 가능하다고 보는 고전적인 입장이다.

ㄷ 에치오니(Etzioni, 1978)는 조직의 효과성을 조직목표를 실현 또는 달성하는 정도로 파악하였다.

ㄹ 목표달성에 따른 성과보상을 중시하는 MBO(목표관리)는 목표모형에 입각한 것이다.

② **체제모형(system model)**

ㄱ 내부적인 목표달성만이 조직의 유일한 기능은 아니며, 적응·생존 및 존속기능 등도 고려해야 한다는 입장이다.

ㄴ 파슨스(Parsons)의 사회체제론(AGIL)이 대표적이며, 체제적 관점에서 환경에의 적응과 생존을 중시하는 OD(조직발전)도 체제모형에 입각한 것이다.

③ **경쟁적 가치접근법**: 퀸과 로르보(Quinn & Rohrbaugh)는 어떤 조직이 효과적인가 하는 것은 가치판단적인 것이라고 지적하였다. 즉, 조직의 효과성을 평가하는 기준은 누가 평가하느냐, 어떤 이해관계를 대변하느냐와 관련되는 가치판단의 문제라고 본다.

구분	조직	인간
통제	ㄱ 합리적 목표모형	ㄷ 내부과정모형
유연성	ㄴ 개방체제모형	ㄹ 인간관계모형

ㄱ **합리적 목표모형**: 조직 내 인간보다는 조직 그 자체와 조직구조에 있어서의 통제를 강조하는 모형으로, 합리적 계획과 목표설정 및 평가를 통해 조직의 효과성이 증대된다고 보고 생산성·능률성을 중시한다.

ㄴ **개방체제모형**: 조직 내 인간보다는 조직 그 자체를 강조하고, 환경과의 바람직한 관계를 유지하기 위한 조직구조의 유연성을 중시하는 모형으로, 조직의 유연성과 신속성을 유지하는 것이 효과적이라고 보며, 자원획득 등 환경과의 바람직한 관계에 중점을 둔다.

ㄷ **내부과정모형**: 조직구조에서는 통제를 강조하지만 조직 그 자체보다는 인간을 중시하는 모형이다. 이 모형은 정보관리와 의사소통을 통해 조직의 효과성이 증대된다고 보며, 조직의 안정성과 균형 유지에 중점을 둔다.

    ② 인간관계모형: 조직 그 자체보다는 인간을 중시하고, 통제보다는 유연성을 강조하는 모형으로, 구성원의 만족도와 구성원의 사기·응집력이 효과성을 높인다고 보며, 조직 내 인적 자원의 가치를 인정하고 개발하는 것에 중점을 둔다.

④ 조직의 성장단계에 따른 조직효과성 측정 모형 – 퀸과 카메론(Quinn & Cameron)

조직성장단계	내용	모형
창업 단계	· 조직이 창업되어 성장하는 단계 · 조직 중심으로 운영되어 매우 비공식적이고 비관료적	개방체제모형 (혁신지향문화)
집단공동체 단계	Owner 또는 외부에서 영입한 지도자가 조직의 목표 및 관리 방향을 적극적으로 제시하며, 강력한 리더십을 발휘하는 준관료적 성격을 띠는 단계	인간관계모형 (관계문화)
공식화 단계	· 조직이 성장함에 따라 최고경영자는 직접통제의 한계를 느끼고, 권한위임과 아울러 규칙과 절차를 바탕으로 한 내부통제 시스템을 통해 내부의 효율성을 추구 · 관료적 성격을 갖게 되는 단계	· 내부과정모형 (위계문화) · 합리목적모형 (과업지향문화)
구조의 정교화 단계	지나친 내부통제의 피해를 입은 조직이 팀제·사업부서 조직·매트릭스 조직 등 소규모 또는 정교한 구조로 조직을 재설계함으로써 다시 활력을 찾게 되는 단계	개방체제모형

3. 생산성

(1) 의의

① 개념: 최종 산출의 양적 측면을 표시하는 능률성과 질적 측면을 표시하는 효과성을 통합시킨 것이다.

② 공공행정에 있어서 생산성이란 '효율성'으로도 이해되는 것으로, ⊙ 최소의 투입이나 비용으로 최대의 산출을 기하되(능률성), ⓛ 그 산출이 원래 설정한 목표에 비추어 보아 얼마나 바람직한 효과를 미쳤는가(효과성)를 나타낸다.

$$효율성(생산성) = \frac{효과(effect)}{비용(cost)}$$

(2) 공공부문(정부서비스)에서 생산성 측정의 곤란성

다음과 같은 이유로 공공부문에서는 기업 등 민간부문에 비하여 생산성 측정이 어려운 경우가 많다.

① 공공재를 생산하는 공행정은 명백한 산출단위가 존재하지 않는 경우가 많다.

② 공공부문은 민간부문과 달리 명확한 생산함수가 존재하지 않는다.

③ **정부서비스 활동의 다기능적 성향**: 공행정은 다의적인 목적을 추구하고 있기 때문에 산출물의 측정이 다원적 기준에 따라 이루어진다.

④ **정부활동의 상호의존성**: 한 기관의 업무는 타 기관과의 상호작용 관계를 가지고 있어 단일기관의 관점에서만 생산성을 측정하기 어렵다.

⑤ 정부서비스의 무형적 성질로 계량적 측정이 곤란하고, 유형적 서비스의 경우에도 질적 요소의 측정이 어렵다.

6 합리성❶

1. 의의

일반적으로 합리성이란 다음을 의미한다.

(1) 어떤 행위가 목표달성의 최적 수단이 되느냐의 여부를 가리는 합리성

(2) 의사결정과정이 이성적인 사유과정에 따라 이루어졌을 때 나타나는 합리성

2. 유형

(1) 사이먼(Simon)과 디징(Diesing)의 견해

사이먼 (Simon)	실질적 합리성	· 목표에 비추어 적합한 수단이 선택되는 정도 · 효용 · 이윤의 극대화를 가져올 수 있는 가장 효율적인 행위를 선택할 때 나타나는 합리성
	절차적 합리성	문제해결 · 의사결정과정이 이성적인 사유과정에 따라 이루어졌을 때 나타나는 합리성
디징 (Diesing)	정치적 합리성	보다 나은 정책을 추진할 수 있는 정책결정구조의 합리성
	경제적 합리성	· 목적이나 대안을 선택 · 평가하는 과정과 관련됨 · 비교가 가능한 대립되는 두 가지 이상의 목적의 존재를 전제로 함
	사회적 합리성	사회구성원들 간 조정 · 통합의 정도
	기술적 합리성	목표달성에 적합한 수단의 채택 정도
	법적 합리성	보편성과 공식적 질서를 통하여 예측가능성을 높이는 것

(2) 베버(Weber)의 견해

① 실질적(substantial) 합리성

ⓐ 실질적 가치를 추구하는 합리성으로, 단일의 가치가 아니라 일관성 있는 포괄적 가치(자유주의 · 평등주의 · 민주주의 등)로서 실질적 합리성에는 주관성이 내재해 있다.

ⓑ 실질적 합리성은 추구하는 목적이 주어진 가치체계에 논리적으로 부합하느냐를 의미하는 것으로, 경험적인 것을 평가할 수 있는 타당한 기준을 확립하는 것과 관련된다.

② 형식적(formal) 합리성

ⓐ 보편적으로 적용되는 법규나 규칙에 부합되어 예측가능성이 보장되는 합리성을 말한다. 다음(③)에서 설명하는 실제적 합리성이 실용적 · 이기적 관점에서 수단과 목적의 합리적인 연계에 따라 일상문제를 해결하려는 것인데 비해서, 형식적 합리성은 보편적으로 적용되는 법과 규정에 따라 수단과 목적을 합리적으로 계산하는 것에 정당성을 부여한다.

ⓑ 베버(Weber)는 서양의 근대화 과정을 형식적 합리성이 증가하는 과정으로 보고 '관료제'가 형식적 합리성이 가장 높은 조직이라고 지적하였다. 그는 형식적 합리성과 실질적 합리성을 화합할 수 없는 갈등관계로 보았는데, 실제로 근대 관료제에서는 형식적 합리성(조직적 합리성)과 실질절 비합리성(인간 소외)이 나타나고 있다.

③ 실제적(실천적, practical) 합리성

    ㉠ 목표를 달성하기 위하여 최적의 수단을 사용하는 합리성이다.

    ㉡ 사회생활에서 사람들이 개인의 이익을 증진하기 위해 실용적·이기적인 관점에서 그들의 활동을 판단하려고 할 때의 합리성을 말한다. 실질적 합리성처럼 실제적 합리성도 직접적인 행동에 역점을 두지만, 실제적인 합리성은 실질적 합리성과는 달리 일련의 가치에 따라 행동을 취하는 것이 아니라 일상적인 문제를 해결하기 위하여 수단과 목적이라는 순수한 계산에 의존한다.

④ 이론적(theoretical) 합리성

    ㉠ 이성적인 사유 과정으로서의 합리성을 말한다.

    ㉡ 정확한 추상적 개념에 근거해서 현실을 주도해 나가려는 합리성으로, 현실의 경험에 대한 지적 이해·연역과 귀납·인과관계의 규명 등 이지적 사유 과정을 중시한다.

(3) 라인베리(Lineberry)의 견해❶

① 의의

    ㉠ 라인베리(Lineberry)는 합리성을 개인적 합리성, 집단적 합리성, 사회적 합리성으로 구분하였다.

    ㉡ 개인적 합리성의 총합이 반드시 집단적 합리성·사회적 합리성을 보장해 주지 않는다는 것을 지적하였다. 이것은 공유지의 비극·죄수의 딜레마 등 시장실패 현상과 관련되어 있다.

② 공유지의 비극(tragedy of the commons)

    ㉠ 의의: 사익의 극대화가 공익의 극대화를 가져오지 못하고 공멸하게 되는 현상을 일컫는 말로, 공유자원이 과다 이용되어 파괴될 수 있다는 것이다. 이는 공공재의 이론적 근거가 되며 정부의 존립 근거이기도 하다.

    ㉡ 내용: 공유지(녹지)에 양을 방목하여 각 개인은 합리성(효용)을 증대시키려 하지만, 각 개인의 효용을 극대화 시키려는 욕심이 지나치면 과중한 방목으로 공유지가 모두 황폐화 된다는 것이다. 하딘(Hardin)이 1968년에 과학 저널 『Science』를 통해 제기한 것으로, 공유 자원의 무임승차자 속성에서 야기되는 문제이다.

    ㉢ Hendrik Spruyt가 말하는 '구명보트의 윤리배반(against lifeboat ethics)'과 같은 맥락이다. 그는 풍랑을 만난 배의 선원들이 모두 살 수 있는 길은 사익을 버리는 것뿐이라고 주장한다.

    ㉣ 오우치(Ouchi)는 Z이론에서 공유지의 비극은 지나친 사익 추구에서 비롯된다고 보고, 협동과 미덕을 살려 공유의 비극을 공유의 행복으로 승화시키고자 하였다.

❶ 시장실패의 이론적 근거

1. 공유지의 비극
2. 죄수의 딜레마

③ 죄수의 딜레마(prisoner's dilemma)
  ㉠ 의의: 개인의 합리적 선택이 반드시 사회 전체의 합리성을 보장하는 것은 아니라는 것을 보여준다.
  ㉡ 내용: 어떤 사건으로 체포된 공범인 두 피의자에 대하여 검찰이 취조실에 따로 불러 자백하면 가벼운 처벌을 하겠다고 약속한다. 똑같은 제의를 받은 두 피의자는 원래는 자백하지 않기로 약속했더라도 최고형을 피하기 위해 결국은 모두 자백하게 된다는 것이다. 서로가 각각 자백해 가벼운 처벌을 받고 석방되는 것이 가장 합리적이나, 두 피의자 모두가 자백하여 결국 두 피의자의 자백이 증거로 채택되어 중형을 면치 못하게 된다는 것이다.

3. 합리성의 관계

구분	내용 중심	과정 중심
의미	목표달성에 순기능적 행위를 하는 수단적 합리성	이성적 판단을 통한 주관적 합리성
만하임 (Mannheim)	기능적(functional) 합리성	실질적(substantial) 합리성
사이먼(Simon)	내용적(substantive) 합리성	절차적(procedural) 합리성
디징(Diesing)	기술적 · 경제적 · 법적 합리성	정치적 · 사회적 합리성

4. 합리성 저해요인

(1) 구조적 왜곡
비판과학적 관점에서 구성원 간 의사소통이나 간주관성을 가로막는 장벽이다.

(2) 대인 간 조작
다수의 이익집단이 참여하는 다원주의하에서의 대인 간 타협과 양보 등이 해당한다.

(3) 인지능력의 한계와 차이
제한적 합리성으로 인해 발생하는 저해요인이다.

(4) 정보의 부족과 불완전성

(5) 주관적 감정적 요인 및 사회 문화적 요인
인간의 가치관이나 선입견 편견 등이 해당한다.

(6) 현상유지적 성향
현상의 유지를 바라는 관성이 이에 해당한다.

(7) 선례에의 집착

7 가외성

1. 의의

(1) 개념

① 가외성(redundancy)이란 일반적으로 '행정에서 초과분·잉여분'을 의미한다.

② 가외성은 '불확실성하에서 행정의 신뢰성 및 안정성을 높인다'는 측면에서 기본적 타당성이 인정된다.

(2) 예시

① 가외성의 예: 권력분립, 양원제, 법원의 삼심제 등이 있다.

② 가외성의 예가 아닌 것: 만장일치, 집권 등이 있다.

2. 내용

(1) 중첩성

어떤 문제나 사업에 대해 여러 행정기관들이 상호의존성을 지니면서, 이를 중첩적으로 공동 관리하는 것을 말한다.

(2) 반복성

동일한 기능을 여러 기관들이 독립적 상태에서 수행하는 것이다.

(3) 등전위 현상(동등잠재력)

어떤 기관에서 주된 조직단위의 기능이 작동하지 않을 때 동일한 잠재력을 지닌 다른 보조적인 조직단위에 그 기능이 옮겨져서 수행하는 것으로, 이를 통해 당해 기관은 고도의 적응력을 발휘한다.

3. 가외성이 정당화되는 근거

(1) 정책결정의 불확실성 극복 및 신뢰성 제고

정책결정의 불확실성을 극복하기 위해 다양한 정보와 대안을 준비하고, 이를 통해 오류를 최소화하여 행정의 신뢰성을 향상시킬 수 있다.

(2) 조직의 신경구조성(neural physiology)

조직은 광범위하고 복잡한 통신망으로 엮어진 정보체제라고 할 수 있는데, 가외성은 정보체제의 위험성과 미비점을 보완해 줄 수 있다.

(3) 조직의 체제성

가외성은 특정 하위체제의 불완전성이 전체로 파급되는 것을 막을 수 있다.

(4) 협상의 사회

다양한 이해관계의 조정을 강조하는 협상의 사회에서 가외성은 갈등과 의견 불일치에 대비하여 융통성을 확보할 수 있게 한다.

4. 효용

(1) 행정의 신뢰성 증진

가외성은 정보나 지식의 불완전성을 극복함으로써 오류를 최소화하여 행정의 신뢰성 증진에 기여한다. 불확실한 상황하에서 행정의 신뢰성 증진이 가외성의 최고 목표이다.

(2) 환경변화에 대한 적응성·대응성의 제고

가외성은 어느 한 요소에 결함이 있을 때 다른 요소가 그 역할을 대행함으로써 환경변화에 대한 적응성·대응성을 높여준다. 즉, 여유분이 있을 때 대응능력이 높아지므로, 유동적·불확실한 환경일수록 그 효용성이 증대된다.

(3) 정보의 정확성 확보

정보를 입수하는 통로가 다원화되어 있을 때 정보 간의 비교분석이 가능해져 정보의 정확성이 확보된다.

(4) 창의성 제고

중첩적이고 반복적인 상호작용으로 적당한 긴장감과 창의성이 유발될 수 있다. 혼자서 일을 하는 경우보다 여러 사람이 상의하여 일을 하는 경우, 좀 더 창의적인 아이디어가 나올 수 있다.

(5) 타협·협상의 사회 유도

가외성은 여러 번 협의하는 절차를 통하여 타협과 협상을 활성화시켜 분권화·다원화된 사회를 유도한다.

(6) 목표 전환현상 방지

가외성은 대체수단의 확보(등전위성)로 목표와 수단의 중요성이 바뀌는 목표 전환현상을 방지할 수 있게 해준다.

(7) 조화있는 체제성 유지

가외성의 중첩성과 반복성은 상호작용을 끊임없이 주고받기 때문에 조직의 체제성을 유지·보완하고 조화가능성을 높여 준다.

5. 한계

(1) 중복된 기능의 수행으로 인한 비용의 문제(능률성과 대치)

비용이 중복으로 투입되므로 능률성·효율성·경제성과 충돌된다.

(2) 갈등 발생의 가능성

기능 중복으로 인한 갈등 및 마찰의 문제가 발생할 수 있다.

6. 감축관리(cutback management)와의 조화 문제

감축관리의 내용을 소극적인 자원절약 차원이 아닌 정부 전체의 총효율성 제고라는 적극적 개념으로 파악할 때, 감축관리와 가외성은 충돌되지 않는다.

8 신뢰성(trust)

1. 의의

(1) '상대방의 의도 또는 행위에 대해서 긍정적인 기대를 하고 위험으로부터 발생하는 취약성을 기꺼이 받아들이는 것'으로, 이는 불확실성이 개입된 교호작용에서 피신뢰자의 행동으로부터 바람직한 결과를 얻을 수 있다고 믿는 신뢰자의 기대라고 할 수 있다. 1990년대 들어 투명성과 함께 강조되는 가치 중 하나이다.

(2) 내용적으로는 국민을 위한 행정이 되고, 절차적으로는 정책결정에 대한 예측가능성이 높을 때 신뢰성이 높아질 수 있을 것이다.

2. 기능

(1) 순기능
① 정부에 대한 신뢰가 높은 경우 정책 순응도가 높아져 의도한 정책효과를 거둘 가능성이 높아진다.
② 자발적 협력과 참여를 유인하여 집단행동의 딜레마를 극복하는 힘이 될 수 있다.

(2) 역기능
지나친 신뢰는 정책대안에 대한 비판적 검토의 부족을 초래할 수 있다. 즉, 정부를 너무 믿으면 잘못된 정책에 대해서도 순응할 가능성이 있다.

9 투명성

1. 의의

(1) 투명성은 '정부의 의사결정과 집행과정 등 다양한 공적 활동이 정부 외부로 명확히 드러나는 것'을 말한다.

(2) 단순한 공개의 수준에 머무는 것이 아니라, 정부 외부에 존재하는 사람들이 이러한 정보에 용이하게 접근할 수 있는 권한의 보장까지 포함하는 적극적 개념으로 파악된다.

(3) 최근에 거버넌스를 강조하는 OECD 국가들이 공공부문의 핵심적 가치로 중요시하는 이념이다.

2. 중요성

(1) **신뢰성 확보의 수단**
행정의 신뢰성 확보를 위한 가장 중요한 요소가 된다.

(2) **투명성과 청렴성**
투명성 확보는 청렴성 확보를 위한 최소한의 전제조건이 된다.

(3) **부패방지의 필수 조건**
부패는 어두운 곳에서 발생하기 쉽기 때문에 투명성이 확보되어 외부로 명확히 드러난다면 부패 가능성을 줄일 수 있을 것이다.

3. 종류

(1) 과정 투명성

① 의사결정과정상의 투명성으로, 의사결정과정이 개방적이고 투명하게 이루어져야 한다는 것이다.

② 정부의 의사결정과정에 민간인이 참여하거나, 민원처리과정을 온라인으로 공개하는 것은 과정 투명성을 확보하기 위한 조치이다.

(2) 결과 투명성

① 의사결정이 투명하게 이루어졌다고 해서 행정 결과의 정당성이나 공정성이 바로 확보되는 것은 아니다. 따라서 결정된 의사결정이 제대로 집행되었는지를 확인할 수 있도록 하는 것이 결과의 투명성을 확보하는 방법이다.

② 시민 옴부즈만 제도의 경우 부당한 결과가 발생한 원인 및 과정이 시민 고발을 통해 조사·공표된다.

(3) 조직 투명성

① 조직 자체의 개방성과 공개성을 의미한다.

② '인터넷 홈페이지를 통해 정부조직의 각종 규정, 정책 등 해당 기관의 운영과 관련된 내용들을 얼마나 자세히 공개하고 있는가'하는 것은 바로 조직 자체의 투명성 정도를 반영하는 것이다.

4. 투명성 제고의 방안

(1) 시민참여의 확대

정책결정·예산배분과정에의 시민참여를 확대함으로써 밀실행정을 타파한다.

(2) 정보공개제도의 확대

전자정부의 수립을 통해서 행정정보를 공개하고 정보민주주의를 확대한다.

(3) 정책실명제의 실시

정책을 수립·시행한 공무원의 이름을 밝힘으로써 그 정책의 성공과 실패에 대한 책임을 지게 하는 정책실명제를 실시한다. 정책실명제는 행정의 투명성과 책임성을 향상시키지만 공무원들의 유연성이나 창의력을 저해할 수 있다.

10 기타 행정이념

1. 적합성과 적정성

(1) 적합성(appropriateness)

① 주어진 상황에서 문제와 목표설정이 제대로 되었는가를 평가하는 이념으로, 정책문제의 여러 가지 요소 중에서 가장 중요한 문제요소를 선택하였는지의 여부를 의미한다.

② 정책목표가 사회에서 가장 중요하다고 생각하는 가치를 반영하였다면 적합성이 높다고 할 수 있을 것이다.

(2) 적정성(adequacy)

① 정책목표가 사회문제의 해결에 기여할 수 있는 정도를 말한다. 적절성이나 충분성으로 번역되기도 한다.

② 주어진 문제를 해결하기 위한 수단의 충분성과 관련된 개념으로, 목표를 어느 수준으로 설정하느냐에 따라 달라진다.

2. 대응성과 중립성

(1) 대응성(responsiveness)

① 고객인 국민의 필요와 요청에 얼마나 신속하고 정확하게 반응을 보이는지의 여부를 말한다.

② 주민이 원하는 서비스를 제공하는 것과 관련된 것으로, 책임성과 함께 민주성의 주요 내용이 된다.

(2) 중립성

① 행정이 특정 정당에 치우치지 않고 공평하게 봉사해야 한다는 정치적 중립을 의미한다.

② 행정의 중립성은 행정의 안정성·계속성·능률성을 확보하기 위하여 필요한 것이다.

⊕ **핵심정리**   사회적 자본·신뢰

1. 개념

개인이나 집단 간 상호관계에서 형성되는 것으로, 개인이나 사회의 발전에 이로운 신뢰·협력을 조장하는 규범과 네트워크를 통칭하는 공공재적 성격이 강한 사회적 역량(capabilities)을 의미한다.

① 개인이나 집단 간·상호 간의 관계에서 발생하는 조직적 특성이나 규범으로, 상호호혜·협조·신뢰·정직·도덕·공동체 정신이나 이러한 규범을 생산해 내는 상호관계 또는 행동양식이다.

② 사회적 자본 = 신뢰성 + 상호성

③ 자발적 결사체를 창조하고 유지할 수 있는 능력이다.

> 자본 ─┬─ 물적 자본
>   ├─ **인적 자본**: 개인적 자질·능력
>   └─ **사회적 자본**: 개인·집단 간 상호관계에서의 신뢰·규범·네트워크(공동체·연계망)

⊙ 퍼트남(Putnam, 1995): 상호이익을 증진시키기 위한 조정과 협력을 촉진시키는 네트워크, 규범, 사회적 신뢰와 같은 사회조직의 특징 및 사회자본의 원천으로서 사회적 연계망, 규범, 신뢰 등을 제시하였다.

ⓒ 콜먼(Coleman, 1990): 한 개인이 그 안에 참여함으로써 특정한 행동을 하는 것을 가능하게 만들어 주는 사회구조 혹은 사회적 관계의 한 측면이라고 보았다.

ⓒ 후쿠야마(Fukuyama, 1997): 그룹과 조직에서 공동목적을 위해 함께 일하는 사람들의 능력이며, 이러한 협력을 가능하게 하는 집단의 회원들 사이에서 공유된 비공식적인 가치, 규범, 신뢰의 존재라고 보았다.

2. 성질

① 친사회적 성질을 가지고 있다. 개인적 차원이 아닌 사회적 관계 속에서 형성되고 축적되는 특징이 있다. 이때 자발적으로 형성된 사회적 관계는 공동체주의를 지향하며, 상호신뢰와 호혜주의에 근거한 상호작용은 비공식적·사회적 통제력을 지닌 규범을 형성한다.

② 자기강화적이고 축적되는 경향을 갖는다. 즉, 자본은 사용하면 할수록 축적되며, 반대로 사용하지 않을 경우 감소한다.

③ 공공재적 특성이 있다. 따라서 시장 주체들에 의해서는 과소 공급될 수 밖에 없으며, 이는 집단행동의 딜레마를 통해 알 수 있다.

④ 정치·경제 발전의 윤리적 기반으로 작용한다.

⑤ 등가물 교환이 아니다.

⑥ 교환의 동시성을 전제하지 않는다.

⑦ 지역사회 중심의 상향적 속성으로 형성된다.

3. 순기능과 역기능

① 순기능

ㄱ. 집단행동의 딜레마 극복과 민주적 제도 성취: 집단행동의 딜레마(공유지의 비극, 죄수의 딜레마)는 홉스(Hobbes)의 제3자의 강제개입보다는 구성원의 자발적 협력을 이끌어내는 허쉬만(Hirschman)의 도덕적 자원에 의해 보다 유연하게 극복할 수 있다. 이때 사회적 자본은 전체적으로 나타날 뿐만 아니라 개인의 행동을 촉진시키는 역할을 한다.

ㄴ. 능률성 측면: 거래비용 감소와 협력 증진을 통한 국력과 국가경쟁력의 실체로, 경제주체들 사이의 경제운영비용·정보획득비용 등 거래비용을 감소시킨다.

ㄷ. 사회적 자본의 다양성은 갈등이 아닌 창의력과 학습의 원천이 된다.

② 역기능

ㄱ. 배타성과 집단규범 준수 강요로 합리적인 기회추구의 자유를 박탈한다.

ㄴ. 문화결정론적 오류: 동태적인 문화를 주어진 것으로 전제한다.

ㄷ. 지대추구적 시민결사체는 사회적 악의 양산이 가능하다.

학습 점검 문제

01 디목(M. Dimock)의 사회적 능률에 대한 설명으로 가장 적절하지 않은 것은?

2020년 군무원 9급

① 사회적 형평성을 보장하기 위한 개념이다.

② 행정의 사회 목적 실현과 관련이 있다.

③ 경제성과 연계될 수 있는 개념이다.

④ 최소의 투입으로 최대의 산출을 추구한다.

02 행정이 추구하는 가치에 대한 설명으로 옳지 않은 것은?

2019년 지방직 9급

① 합리성은 어떤 행위가 궁극적인 목표달성을 위한 최적의 수단이 되느냐를 가리키는 개념이다.

② 효과성은 투입 대비 산출의 비율을, 능률성은 목표의 달성도를 나타내는 개념이다.

③ 행정의 민주성은 대외적으로 국민 의사의 존중·수렴과 대내적으로 행정조직의 민주적 운영이라는 두 가지 측면이 있다.

④ 수평적 형평성이란 동등한 것을 동등하게 취급하는 것, 수직적 형평성이란 동등하지 않은 것을 서로 다르게 취급하는 것을 의미한다.

정답 및 해설

01 사회적 능률은 분배의 형평성을 의미하지는 않는다. 따라서 사회적 형평성의 보장과는 거리가 멀다.

| 오답체크 |
② 사회적 능률은 구성원의 인간적 가치 실현과 행정의 사회 목적 실현 등을 중시하는 능률 개념이다.
③, ④ 사회적 능률도 기본적으로 능률에 초점을 둔 개념으로 보면 옳은 지문이다. 그러나 기계적 능률과 비교하는 관점에서는 사회적 능률이 아닌 기계적 능률의 개념이다.

02 효과성은 목표의 달성도를, 능률성은 투입 대비 산출의 비율을 나타내는 개념이다.

정답 01 ① 02 ②

03 사회적 형평성(social equity)에 대한 설명으로 옳지 않은 것은?

① 1968년 개최된 미노부룩 회의(Minnowbrook Conference)에서 태동한 신행정론에서 강조하였다.

② 롤스(Rawls)의 정의론은 사회적 형평성 논의에 영향을 주었다.

③ 수직적 형평성(vertical equity)은 '동등한 여건에 있지 않은 사람을 동등하게 취급'함을 의미하며, 누진세가 그 예이다.

④ 수평적 형평성(horizontal equity)은 '동등한 여건에 있는 사람을 동등하게 취급'함을 의미하며, 동일노동 동일임금이 그 예이다.

04 행정이념에 대한 설명으로 가장 옳지 않은 것은?

① 행정이념은 절대적인 것이 아니라 시대적 상황과 정치체제에 따라 변할 수 있다.

② 능률성은 투입 대비 산출의 비율을, 효과성은 목표의 달성도를 나타내는 개념이다.

③ 행정의 민주성은 대외적으로 국민 의사를 존중하고 수렴하며 대내적으로 행정조직을 민주적으로 운영한다는 두 가지 측면을 가지고 있다.

④ 수평적 형평성이란 동등하지 않은 것을 서로 다르게 취급하는 것, 수직적 형평성이란 동등한 것을 동등하게 취급하는 것을 의미한다.

05 공익(public interest) 개념의 실체설과 과정설에 대한 설명으로 옳은 것은?

① 실체설은 집단 간 상호작용의 산물이 공익이라고 본다.

② 과정설의 대표적인 학자에는 플라톤(Plato)과 루소(Rousseau)가 있다.

③ 실체설은 공익이라는 미명하에 개인의 이익이 침해될 수 있는 위험요소를 내포하고 있다.

④ 과정설은 공익과 사익이 명확히 구분된다는 입장이다.

06 공익(public interest)에 대한 '과정설'의 설명으로 가장 옳지 않은 것은?

① 공익은 인식 가능한 행동결정의 유용한 안내자 역할을 한다는 입장이다.

② 공익은 하나의 실체라기보다 다수의 이익들이 조정되면서 얻어진 결과로 본다.

③ 공무원의 행동을 경쟁관계에 있는 집단들의 이익을 돕는 조정자의 역할로 이해한다.

④ 실체설의 주장을 행정의 정당성 확보를 위해 도입된 상징적 수사로 간주한다.

07 롤스(J. Rawls)의 정의론에 대한 설명으로 옳지 <u>않은</u> 것은?

① 원초적 자연 상태(state of nature)하에서 구성원들의 이성적 판단에 따른 사회형태는 극히 합리적일 것이라고 가정하는 사회계약론적 전통에 따른다.

② 현저한 불평등 위에서는 사회의 총체적 효용 극대화를 추구하는 공리주의가 정당화될 수 없다고 본다.

③ 사회의 모든 가치는 평등하게 배분되어야 하며, 불평등한 배분은 그것이 사회의 최소수혜자에게도 유리한 경우에 정당하다고 본다.

④ 자유와 평등의 조화를 추구하는 중도적 입장보다는 자유방임주의에 의거한 전통적 자유주의 입장을 취하고 있다.

정답 및 해설

03 사회적으로 '동일한 경우에는 동일하게 취급하고(수평적 형평), 서로 다른 경우에는 서로 다르게 취급하는 것(수직적 형평)'이다. 다른 여건에 있는 사람을 다르게 다루는 것이 수직적 형평이다.

| 오답체크 |
① 신행정학이 추구하는 행정이념이 사회적 형평성이다.
② 사회적 형평의 실현을 위한 평등이론은 '롤스(Rawls)의 정의론'으로 대표된다.
④ 수평적 형평성은 동등한 여건에 있는 사람을 동등하게 취급한다.

04 수평적 형평성이란 사회적으로 '동일한 경우에 동일하게 취급하는 것'을, 수직적 형평성이란 '서로 다른 경우에 다르게 취급하는 것'을 의미한다.

| 오답체크 |
① 행정이념은 시대적 상황과 정치체제에 따라 변할 수 있는 유동적·상대적인 것이다.
② 능률성은 투입 대비 산출의 비율을, 효과성은 목표의 달성도를 나타내는 개념이다.
③ 행정의 민주성은 행정과 국민과의 관계라는 대외적 민주성 차원과 행정조직 내부의 민주화라는 대내적 민주성 차원의 2가지 측면에서 논의된다.

05 실체설은 공익을 사익을 초월한 실체적·규범적·도덕적 개념으로 파악하며, 공동체인 전체로서 집단을 개인에 우선시킨다. 따라서 개인의 이익이 공익이라는 미명하에 침해될 수 있는 여지가 있다.

| 오답체크 |
① 공익을 집단 간 상호작용의 산물이라고 보는 것은 과정설이다.
② 플라톤(Plato), 루소(Rousseau) 등은 공익의 실체설의 대표적인 학자이다.
④ 과정설은 개인주의·자유주의·다원주의에 입각한 공익관으로, 사익을 초월한 별도의 공익이란 존재할 수 없으며, 공익이란 사익의 총합이거나 사익 간의 타협의 산물이라고 본다.

06 과정설은 규범적·도덕적 요인이 경시되고, 국가 이익이나 공동 이익의 존재를 고려하지 않으므로 인식 가능한 행동결정의 유용한 안내자 역할에 소극적이다.

| 오답체크 |
② 과정설은 수많은 사익 간 갈등의 조정·타협의 소산물로서 도출된다는 입장이다.
③ 과정설에서는 공무원이 중립적 조정자 역할을 수행해야 한다는 입장이다.
④ 공익개념의 비현실성 및 추상성(상징적 수사)에 의존하는 실체설에 대한 비판이다.

07 롤스(Rawls)의 정의론은 자유와 평등의 중도적 입장에서 정의의 원리를 도출한 것이다.

| 오답체크 |
① 원초적 상태에서 인간은 이기적이고 합리적인 인간을 전제한다.
② 총체적 효용이 아니라 공정한 분배를 정의로 본다.
③ 가장 약자에게 혜택을 주는 최소극대화의 원리를 정의로 본다.

정답 03 ③ 04 ④ 05 ③ 06 ① 07 ④

08 조직효과성의 경쟁가치모형(Competing Values Model)에서 조직의 성장 및 자원획득의 목표를 강조하는 관점은?

2018년 서울시 7급(3월 추가)

① 개방체제 관점

② 내부과정 관점

③ 인간관계 관점

④ 합리적 목표 관점

09 행정가치에 대한 설명으로 옳지 않은 것은?

2023년 지방직 9급

① 합리성은 어떤 행위가 궁극적 목표 달성의 최적 수단이 되느냐의 여부를 가리는 개념이다.

② 효율성은 목표의 달성도를 나타내고, 효과성은 투입 대비 산출의 비율을 의미한다.

③ 자율적 책임성은 공무원이 직업윤리와 책임감에 기초해 전문가로서 자발적인 재량을 발휘할 때 확보된다.

④ 행정의 민주성은 국민과의 관계뿐만 아니라 관료조직의 내부 의사결정 과정의 측면에서도 고려된다.

10 사이먼(H. Simon)의 절차적 합리성(procedural rationality)에 대한 설명으로 옳은 것은?

2008년 수탁 7급

① 절차적 합리성은 행위자의 목표와 행위선택의 우선순위가 분명한 것을 말한다.

② 절차적 합리성은 객관적 합리성이라고도 하는데 주어진 여건 속에서 가능한 최선의 대안을 선택하는 합리성을 말한다.

③ 절차적 합리성은 행동 대안을 선택하기 위하여 사용된 절차가 인간의 인지능력과 여러 가지 한계에 비추어 보았을 때 얼마만큼 효과적이었는가의 정도를 의미한다.

④ 절차적 합리성은 결정이 생성되는 과정보다 선택의 결과에 더 관심을 갖는다.

11 다음과 관련있는 행정가치에 대한 설명으로 옳은 것은? 2019년 국가직 7급

> • 안전을 위하여 자동차의 제동장치를 이중으로 설계하였다.
> • 정전에 대비하여 건물 자체적으로 자가발전시설을 갖추도록 하였다.

① 창의성이 제고될 수 있다.

② 수단적 가치보다는 행정의 본질적 가치로서의 성격이 더 강하다.

③ 행정체제의 신뢰성과 안정성을 저하시킨다.

④ 형평성과 상충관계에 있다.

정답 및 해설

08 조직의 성장 및 자원획득의 목표를 강조하는 관점은 퀸과 로보그[Quinn & Rohbaugh(1983)]의 경쟁적 가치접근법 중 개방체제모형에 해당한다.

| 오답체크 |
② 내부과정모형은 안정과 균형, ③ 인간관계모형은 구성원의 만족도, ④ 합리적 목표모형은 효율성을 각각 강조한다.

09 반대로 기술되어 있다. 목표의 달성도는 효과성이고, 투입 대비 산출의 비율은 효율성에 해당한다.

| 오답체크 |
① 합리성은 어떤 행위가 목표달성에 최적의 수단이 되느냐의 여부이다.
③ 자율적 책임성은 공무원이 직업윤리에 기초하여 자발적으로 지고자 하는 책임이다.
④ 행정의 민주성은 ⊙ 행정과 국민과의 관계라는 대외적 민주성 차원과, ⓒ 행정조직 내부의 민주화라는 대내적 민주성 차원이라는 2가지 측면에서 논의된다.

10 사이먼(Simon)은 합리성을 내용적 합리성(substantive rationality)과 절차성 합리성(procedural rationality)으로 구분하였다. 내용적 합리성은 선택된 수단이 목표에 적합한 것인지의 정도를 말하며, 절차적 합리성은 행동 대안을 선택하기 위하여 사용된 절차가 인간의 인지능력과 여러 가지 한계에 비추어 보았을 때 얼만큼 효과적이었는가의 정도를 의미한다.

| 오답체크 |
①, ②, ④ 모두 절차적 합리성이 아니라 내용적 합리성에 해당한다.

❶ 합리성 비교

구분	내용 중심	과정 중심
의미	목표달성에 순기능적 행위를 하는 수단적 합리성	이성적 판단을 통한 주관적 합리성
만하임 (Mannheim)	기능적(functional) 합리성	실질적(Substantial) 합리성
사이먼 (Simon)	내용적(substantive) 합리성	절차적(procedural) 합리성
디징 (Diesing)	기술적·경제적·법적 합리성	정치적·사회적 합리성

11 가외성(redundancy)에 대한 설명이다. 가외성은 중첩적이고 반복적인 상호작용으로 적당한 긴장감과 창의성이 유발될 수 있다. 혼자서 일을 하는 경우보다 여럿이 상의하여 일을 하는 경우 좀 더 창의적인 아이디어가 나올 수 있다.

| 오답체크 |
② 가외성은 행정의 수단적 가치에 해당한다.
③ 조직 내의 가외성 장치는 정책결정의 불확실성을 극복하기 위해 다양한 정보와 대안을 준비하고, 이를 통해 오류를 최소화하여 조직의 안정성(안전성)·신뢰성을 제고할 수 있다.
④ 가외성은 경제성이나 능률성과 대치되는 개념이다.

정답 **08** ① **09** ② **10** ③ **11** ①

12 다음 중 공무원 부패를 방지하기 위해 가장 중요한 가치로서 인식되는 것은? 2022년 군무원 9급

① 형평성   ② 민주성

③ 절차성   ④ 투명성

13 진보주의 정부관을 설명하고 있는 내용 중 가장 적절하지 않은 것은? 2011년 서울시 9급

① 소극적 자유 선호

② 공익 목적의 정부규제 강화 강조

③ 조세를 통한 소득재분배 강조

④ 효율과 공정에 대한 자유시장의 잠재력 인정

⑤ 소외집단을 위한 정부정책 선호

14 사회자본에 대한 다음 설명 중 옳지 않은 것은? 2013년 서울시 9급

① 네트워크에 참여하는 당사자들이 공동으로 소유하는 자산이다.

② 한 행위자만이 배타적으로 소유권을 행사할 수 없다.

③ 협력적 행태를 촉진시키지만 혁신적 조직의 발전을 저해한다.

④ 행동의 효율성을 제고시킨다.

⑤ 사회적 관계에서 거래비용을 감소시켜 준다.

15 사회적 자본(social capital)에 대한 설명으로 옳은 것을 <보기>에서 모두 고른 것은?

2019년 서울시 7급(2월 추가)

〈보기〉

ㄱ. 퍼트남(R. Putnam)은 사회적 자본에 있어 네트워크, 규범, 신뢰를 강조하였다.

ㄴ. 사회적 자본이 형성되는 경우 거래비용 감소의 긍정적 효과가 있다.

ㄷ. 사회적 자본은 조정과 협동을 용이하게 만든다.

ㄹ. 세계은행은 개발도상국 개발사업에 사회적 자본 개념을 활용하고 있다.

ㅁ. 후쿠야마(F. Fukuyama)는 한국사회에 만연한 불신은 사회적 비효율성의 원인이라고 하였다.

① ㄱ, ㄷ, ㅁ

② ㄱ, ㄹ, ㅁ

③ ㄱ, ㄴ, ㄷ, ㅁ

④ ㄱ, ㄴ, ㄷ, ㄹ, ㅁ

정답 및 해설

12 투명성 확보는 청렴성 확보를 위한 최소한의 전제조건이 된다. 즉, 부패는 어두운 곳에서 발생하기 쉽기 때문에 투명성이 확보되어 외부로 명확히 드러난다면 부패 가능성을 줄일 수 있을 것이다.

13 소극적인 자유 선호는 보수주의 정부관에 대한 설명이다.

❶ 보수주의와 진보주의

구분	보수주의	진보주의
추구하는 가치	· 자유(국가로부터의 자유) 강조 · 형식적 평등, 기회에서의 평등을 중시 · 교환적 정의	· 자유(국가에로의 자유)를 열렬히 옹호 · 실질적 평등, 결과에서의 평등을 중시 · 배분적 정의
인간관	합리적 경제인관 (이기적 인간)	욕구, 협동, 오류 가능성의 여지가 있는 인간관
시장관	아담 스미스(A. Smith)의 보이지 않는 손(가격)에 대한 믿음 – 자유시장에 대한 신념	효율과 공정, 번영과 진보에 대한 시장의 잠재력을 인정하되 시장의 결함과 윤리적 결여 강조
정부관	· 최소한의 정부 – 정부불신 · 청교도 사상에 입각	· 적극적인 정부 – 정부개입 중시 · 종교의 자유 강조
경제정책	규제완화, 세금감면, 사회복지정책의 폐지 등을 옹호	소득재분배정책, 사회보장정책, 공익추구를 위한 정부규제 등의 정책을 옹호

14 사회적 자본은 거래비용을 감소시키고 행동의 능률성과 효율성을 제고시킨다. 아울러 사회적 자본하에서 다양성은 협력적 행태를 촉진시킬 뿐만 아니라 혁신적 조직발전을 촉진시킨다.

| 오답체크 |

①, ② 사회자본은 공동체 내에서 공동으로 보유한 신뢰·협력 등을 의미하므로, 배타적 소유권이 인정되지 않는 공유자산이다.

④ 사회자본은 집단행동의 딜레마를 극복하기 때문에 개인행동을 촉진하여 행동의 효율성을 제고한다.

⑤ 사회자본은 거래비용을 감소시키는 장점이 있다.

15 모두 옳은 지문이다.

ㄱ. 퍼트남(Putnam)은 이탈리아 지방정부 성과가 사회적 자본과 연관되어 있음을 밝혀내고, 사회적 자본에 있어 네트워크·규범·신뢰를 강조하였다.

ㄴ. 사회적 자본이 형성되는 경우 거래비용 감소의 긍정적 효과가 있다.

ㄷ. 사회적 자본은 신뢰와 협력을 근간으로 조정과 협동을 용이하게 만든다.

ㄹ. 세계은행(World Bank), 아시아 개발은행(ADB), UN 등 국제기구에서는 개발도상국가의 빈곤 퇴치를 위한 지원사업과 관련하여 사회적 자본의 개념이 중요하게 활용되고 있다.

ㅁ. 후쿠야마(Fukuyama)는 한국사회에 만연한 불신은 사회적 비효율성의 원인이라고 하였다.

정답 **12** ④ **13** ① **14** ③ **15** ④

❶ 과학성과 기술성(적실성)

과학성	기술성(적실성)
⇩	⇩
일반 법칙	현실의
⇩	사회문제 해결
가치 중립	⇩
⇩	가치 지향
보편성	⇩
⇩	특수성
형태주의 접근법	⇩
	후기 형태주의 접근법

1 행정학의 학문적 성격

1 과학성과 기술성 ❶

1. 행정학의 과학성

(1) 왜(Why)에 대한 대답을 중심으로, 행정현상에 대한 원인과 결과라는 객관적 인과 관계 파악을 중시한다.

(2) 원인과 결과에 대한 객관적인 관찰을 통해 규칙성을 발견하고, 이에 근거하여 나온 일반이론을 통해 여러 행정현상을 설명·예측하고자 한다.

2. 행정학의 기술성

(1) 어떻게(How)에 대한 대답을 중심으로, 문제해결을 위한 실용성·실천성·처방성을 중시한다.

(2) 기술성이란 행정활동 자체를 처방하고 치료하는 행위를 의미한다.

3. 행정학의 종합적 성격

행정학은 기술이며, 동시에 과학으로서의 성질을 지닌다.

2 보편성과 특수성

보편성과 특수성의 문제는 외국에서 개발된 이론을 도입 시에 나타나는 문제이다. 즉, 외국의 이론이 국내에서 적용 가능하다면 이는 이론의 보편성 때문이고, 적용이 불가능하다거나 상황의 유사성이 확인해야 한다면 행정이론의 특수성 때문이다.

1. 행정이론의 보편성

과학적 연구를 통해 정립된 일반법칙이 시간과 공간을 초월하여 타당한 법칙으로 작용함을 의미한다.

2. 행정이론의 특수성

이론이 특수한 상황에서만 타당성과 적용가능성을 지님을 의미한다.

3 가치중립성과 가치판단성

1. 행정학의 가치중립성

사회과학이 자연과학과 같이 객관적인 정밀과학이 되고자 할 때는 언제나 가치판단의 배제와 가치중립이 주장되어 왔다.

2. 행정학의 가치판단성

사회과학 연구에서 가치판단의 배제는 불가능하며 바람직하지도 않다고 보아, 행정학에서 적극적인 가치판단을 주장하는 입장도 있다.

4 거시적 접근방법과 미시적 접근방법

1. 행정학의 거시적 접근방법

부분의 합이 전체와는 다르다는 입장으로, 전체는 전체 자체로서 별도로 분석되어야 한다는 입장이다.

2. 행정학의 미시적 접근방법

개인의 행태를 통해 전체를 이해할 수 있다는 입장이다.

5 방법론상 총체주의(= 신비주의)와 개체주의(= 환원주의)

1. 총체주의

전체는 개체를 합친 것 이상이라는 입장에서 분석의 기초단위로 전체를 설정하는 방법론을 의미한다.

2. 개체주의

전체는 개체를 합한 것이라는 입장에서 분석의 기초단위로 개체를 설정하는 방법론을 의미한다.

현대 행정학은 두 가지 다른 지적 전통을 배경으로 형성·발전되어 왔다. 하나는 관방학과 슈타인(Stein)의 행정학을 내용으로 하는 독일 행정학이며, 다른 하나는 미국 행정학이다.

> **⊘ 개념PLUS** **독일과 미국의 행정학 배경**
>
> **1. 독일의 관방학과 슈타인(Stein)의 행정학**
> ① **독일의 관방학:** 17C 독일에서 형성된 관방학이란 프로이센의 절대군주제를 유지하는데 필요한 국가경영의 학문(국가학)으로, 관방 관리들에게 국가통치에 필요한 행정기술과 지식을 제공하기 위한 목적에서 형성된 학문체계라 할 수 있다. 이러한 관방학으로부터 유스티(Justi)의 경찰학(후기 관방학)이 독립된 학문으로 분화되고, 경찰학은 시민혁명 후 절대군주제 쇠퇴와 국가에 대한 시민의 권리의식 증대에 따라 행정법학으로 대체되었으며, 동시에 후기 관방학인 경찰학으로부터 슈타인(Stein)의 행정학이 성립된다.
> ② **슈타인(Stein)의 행정학:** 국가원리를 국가의사 형성으로서의 '헌정'과 국가활동으로서의 '행정'으로 구분하고, 헌정과 행정의 관계를 행정법학에서와 같이 헌정이 행정에 대해 절대적 우위에 있는 것이 아니라, 양자는 불가분의 상호의존관계에 있지만 각각 독자적인 영역을 보유하고 있는 것으로 인식하였다.
>
> **2. 미국 행정학 태동의 사상적 배경**
>
> | 해밀턴주의(연방주의) | 정부의 적극적인 역할을 통해 행정의 유효성을 지향 |
> | --- | --- |
> | 제퍼슨주의(자유주의) | · 개인적인 자유의 극대화를 위해 행정책임을 강조
· 소박하고 단순한 정부와 분권적인 참여 과정을 중시 |
> | 매디슨주의 | · 미국 사회의 도당이나 당파적 측면을 중시
· 경쟁하는 당파(이익집단)를 중재하는 정부의 균형적 메커니즘으로 권력의 분산과 견제를 강조 |
> | 잭슨주의 | 엽관주의를 공식적으로 표방 |

1 과학적 관리론

1. 대두배경

(1) 엽관주의의 폐해와 진보주의 운동
① **엽관주의의 폐해:** '전리품은 승자에게'와 임기 4년제로 대표되는 엽관주의는 민주성 측면에서는 뛰어난 제도였지만, 공직임용의 기준이 정당에 대한 충성이었으므로 다음과 같은 일정한 폐해가 노정되었다.
㉠ 행정에 대한 전문성이 없는 정당인들을 공직에 채용하는 엽관제는 행정 비효율의 원천으로 전락하였다.
㉡ 정당에 대한 충성을 기준으로 공직을 차지하는 과정에서 부패가 초래되었다.
㉢ 임기 4년제로 행정의 안정성과 계속성을 확보하기 어려웠다.

② **진보주의 운동**: 엽관제로 인한 부패와 비능률이 만연됨에 따라, 진보주의 운동이라는 공직개혁운동이 전개되었다. 그 결과 1883년 펜들턴법(Pendleton Act)이 제정되어 행정의 정치적 중립과 실적주의 인사제도, 행정의 전문성 확보를 위한 공개경쟁시험이 실시되었다.

(2) 윌슨(Wilson)❶의 정치행정이원론

펜들턴법(Pendleton Act)으로 대표되는 공무원 인사제도 개혁의 이론적 뒷받침으로, 1887년 윌슨(Wilson)의 『행정의 연구(The Study of Public Administration)』가 발표되었다. 윌슨(Wilson)은 절대군주제 아래서 발전한 유럽행정의 선진적인 면[베버(Weber)의 관료제론]을 받아들여 정치 영역으로부터 행정의 독자성을 확보하기 위해 정치행정이원론을 주장했다.

(3) 테일러(Taylor)의 과학적 관리론❷

과학적 관리론의 목적은 조직에서 '시간과 동작 연구(time & motion study)에 의한 구체적인 표준작업량 부과'를 통해 조직의 기계적 능률을 극대화하려는 것이었다.

2. 내용

(1) 최적의 공식구조가 최적의 업무수행을 보장해 준다고 봄으로써 계층제나 분업체계 등 공식구조를 강조하고 있다.

(2) 조직 속의 인간이란 '합리적 경제인'이다. 따라서 금전과 같은 경제적 유인에 의해 동기를 부여하고, 급여는 개개인의 성과에 입각한 성과급을 원칙으로 함으로써 개인별로 자기이익 추구에 몰입하게 한다.

(3) 외부환경을 고려하지 않는 폐쇄적 이론이다.

(4) 조직이 추구하는 이념은 투입에 대한 산출의 비율을 극대화(기계적 능률)하는 데 둔다.

3. 공헌

(1) '과학'에 입각한 조직관리의 이론과 실제의 발전을 위한 토대를 마련하였다. 과학적 관리론을 바탕으로 한 오늘날의 관리과학(management science)은 과학에 입각한 조직관리의 발전을 일관성있게 주장하고 있다.

(2) 기능적이며 기술적인 합리성에 입각한 기계적 조직의 설계와 관리의 발전에 공헌하였다.

(3) 조직의 기계적 능률 향상에 기여하였다.

4. 한계

(1) 조직 속의 인간을 기계화·도구화하고 있다.

(2) 조직을 공식적인 측면에서만 인식함으로써 조직 내에 자생하는 비공식집단들에 대한 관리를 경시한다.

(3) 조직을 폐쇄체제적 입장에서 관리하여 조직과 환경의 관계를 파악하지 못한다.

❶ **윌슨(Wilson)**
행정학의 창시자로 불리우는 윌슨(Wilson)은 미국 28대 대통령이 되었으며, 민족자결주의를 주장하기도 하였다.

❷ **테일러(Taylor)의 과업관리 원칙**
1. **과업의 설정**: 시간·동작 연구를 통해서 노동자에게 명확하게 일일 과업을 설정하였다.
2. **과업수행을 위한 표준적 조건을 설정**: 업무 수행에 필요한 공구나 성능이 좋은 표준 공구로 교체하는 것이 필요하다.
3. **차별적 성과급 제도**: 작업량에 따라 성과급을 지급한다.
4. **예외에 의한 관리**: 관리층은 예외적이고 새로운 것만 관리한다.

2 인간관계론

1. 의의

(1) 인간관계론이란 조직의 능률향상을 위하여(목적) 인간의 정서적·감정적 요인에 역점을 두는 관리기술이라 할 수 있다.

(2) 인간을 비인간적인 합리성과 기계적인 도구로 관리하는 고전적인 과학적 관리이론에 대한 반발로 제기된 것이며, 인간을 생리적·기계적 존재가 아닌 사회적·심리적 존재로 간주한다.

(3) 대표적으로 메이요(Mayo)는 서부전기회사의 호손 공장에서 '호손 실험(Hawthorne experiment)'[1]을 통해 작업집단의 사회적·심리적 요인이 관리에 있어서 중요한 것임을 밝혀냈다.

2. 기본 명제

(1) 조직 속의 인간은 사회심리적 존재이다.

(2) 조직구성원의 생산성은 그의 육체적 능력이 아니라, 사회적 능력이나 사회적 규범에 의해서 결정된다.

(3) 사회적·심리적 만족과 같은 비경제적 보수가 조직구성원의 동기부여와 행복을 결정하는데 중요한 역할을 한다.

(4) 조직구성원은 개인으로서가 아니라 집단구성원으로서 조직의 규범과 보수에 반응한다.

(5) 조직규범의 형성과 그 수행에 있어서 비공식집단 및 비공식적 리더의 역할이 중요하다.

3. 공헌

(1) **조직관의 변화**

과학적 관리론에서 조직은 곧 공식조직으로 파악되었으나, 인간관계론 이후 공식조직 속의 비공식조직을 중시하게 되었다.

(2) **조직 내의 인간관의 변화**

과학적 관리론 등 고전적 관리이론의 생리적·기계적·X이론*적·미성숙한 인간관으로부터 사회적·Y이론*적·성숙한 인간관으로 변화를 초래하고, 관리에 있어서 민주적·인간적 관리가 중시되게 되었다.

(3) **행태과학(behavioral science)의 발전 계기**

조직이나 집단 속 인간의 행동을 연구하는 학문 발달에 공헌하여, 후기 인간관계론인 행태과학[성장이론, 동기부여이론, 조직발전(OD), 목표에 의한 관리(MBO)] 발전의 기초가 되었다.

---

[1] 호손(Hawthorne) 실험(1927~1931)
1. 메이요(Mayo)가 호손 공장에서 작업 능률에 영향을 미치는 요인을 연구한 실험이다.
2. 연구 결과, 작업 환경이나 경제적 보상보다는 감독자의 배려·비공식집단의 압력 등 사회적 요인이 작업 능률에 더 많은 영향을 미친다는 것을 발견하였다.

📖 용어

X이론*: 인간을 일하기 싫어하는 피동적인 존재로 판단하며, 외재적 통제를 강조함

Y이론*: 인간을 성장과 발전의 잠재력을 갖춘 능동적인 주체로 판단하며, 구성원의 노력과 조직의 목표를 통합시키는 관리를 강조함

핵심 OX ───────────

01 과학적 관리론과 인간관계론의 궁극적 목적은 조직의 능률성과 조직성과의 제고이다. (O, X)

02 과학적 관리론과 인간관계론은 둘 다 폐쇄체제이다. (O, X)

03 인간관계론은 조직보다 인간을 중시한다. (O, X)

01 O
02 O
03 X 인간관계론의 궁극적인 목적은 조직에 있으므로 조직을 중시한다.

4. 한계

(1) 지나치게 감정주의를 지향하여 조직의 합리적 운영과 의사결정을 저해할 수 있다.

(2) 조직에 대한 지나친 이원주의(경제인 vs 사회인, 공식조직 vs 비공식조직)에 입각하여, 경제인 가정을 지나치게 부정하고 비공식집단의 역할에 대해 지나치게 강조하고 있다.

(3) 여전히 조직 외부환경을 무시하는 폐쇄체제적 관점에 입각해 있다.

☑ 개념PLUS 과학적 관리론과 인간관계론의 비교

구분		과학적 관리론	인간관계론
주요 이론		• 테일러(Taylor): 과업관리 • 포드(Ford): 동시관리 • 페욜(Fayol): 전체관리	메이요(Mayo)의 호손 실험 (사회심리적 요인 중시)
인간관	특징	• 합리인·경제인: 경제적 유인 중시 • 인간을 기계적 존재로 파악(인간=기계) • 인간의 합리적·타산적 측면	• 사회인: 비경제적 유인, 사회심리적 동기 중시 • 인간을 감정적 존재로 파악(인간≠기계) • 인간의 비합리적·감정적·사회적 측면
		• 인간욕구의 단일성·획일성(경제적 욕구 vs 사회적 욕구) • 인간의 피동성·수동성 • 동기부여의 외재성, 외재적 보상 ※ 단, 동기부여 방법은 차이점이 있음: 과학적 관리론은 경제적 유인, 인간관계론은 사회심리적 유인으로 동기부여 함	
	조직목표와 개인목표	교환모형 • 조직목표와 개인목표는 동일하지는 않지만 조화·양립 가능 • 조직의 생산성·능률성 향상과 개인의 행복추구 간 근본적인 모순은 없음	
		직무수행(일, 생산성 향상)과 경제적 유인 간 교환	직무수행(일, 생산성 향상)과 사회심리적 유인 간 교환
		저해요인만 제거되면 양 목표는 당연히 균형	이상적 균형상태는 의식적으로 성립되어야 함
조직관 (조직구조)		• 합리적·기계적 모형 • 공식적 조직 중시	• 비합리적 모형 • 비공식조직·소집단 중시
환경관		폐쇄체제관	
행정변수		구조	인간
능률관 (행정이념)		• 기계적 능률성 • 단기적·공리적·물적·대차대조적 능률	• 사회적 능률성 • 장기적·인간적·질적·규범적 능률
관리방식		• 권위적 리더십, X이론적 관리 • 직무·업무·과업 중심	• 민주적 리더십, Y이론적 관리 • 인간·관계·부하 중심
궁극적 목적		생산성·능률성 향상 촉구(기계적 능률관 vs 사회적 능률관) ⇨ 정치행정이원론, 공사행정일원론	

❶ 행태

1. 인간이나 집단의 가치관, 사고, 태도, 의견 등을 총칭한다.

2. 행동하는 모양을 의미한다.

❷ 행태주의

❸ 독립변수와 종속변수

1. **독립변수**: 원인변수를 의미한다.

2. **종속변수**: 결과변수를 의미한다.

❹ 행정원리

1. 과학적 관리론자들은 공·사조직을 불문하고 보편적인 조직원리를 탐구한 행정원리론을 발전시켰다.

2. 조직의 원리란 조직의 목표를 효율적으로 달성하기 위하여 복잡하고 거대한 조직을 합리적으로 적절하게 편성하고 통제하며, 보다 능률적으로 관리하는 데 적용되는 일반원칙을 말한다.

3. 이러한 조직의 원리에는 계층제 원리, 분업의 원리, 조정의 원리 등이 있다.

3 행태❶론적 접근방법

1. 의의❷❸

(1) 개념

① 행태론적 접근방법이란 '사회·정치 및 행정을 연구함에 있어 이데올로기·제도 및 구조가 아닌, 개인이나 집단의 행태를 연구대상으로 하여 경험적으로 분석·설명하는 접근방법'을 의미한다.

② 행태론자들은 행정학의 중요한 분석대상은 정치·행정제도 내의 행정인의 행위나 활동이어야 한다고 본다.

(2) 심리학적 행동주의와의 차이

심리학적 행동주의는 명백한 자극과 반응으로 볼 수 있는 행위 또는 행동만을 연구대상으로 하지만, 행태주의는 사회심리학적 접근법을 통하여 특정질문에 따른 반응을 통해 파악해 볼 수 있는 태도·의견·개성 등도 행태에 포함시킨다.

2. 대두배경 및 전개 – 행정원리❹론에 대한 비판과 행태론의 등장

(1) 정치행정이원론의 비현실성이 비판받자 이원론을 전제로 보편적인 원리를 탐구했던 행정원리론의 보편성과 과학성 또한 비판받았다. 특히 사이먼(Simon)은 행정원리들 간의 상호모순성을 지적하면서, '이러한 원리들은 한번도 과학적인 검증을 거치지 않은 격언(proverb)에 불과하다'고 하였다.

(2) 사이먼(Simon)은 행정학 연구에 있어서 논리실증주의에 입각한 과학적 연구를 강조하고, 과학으로서의 행정학은 가치와 사실을 구분하여 사실만을 다루어야 한다고 주장하면서 행태주의를 행정학에 도입하였다.

(3) 행정원리론에 대한 비판과 함께 출발한 행태론은 사이먼(Simon)의 『행정행태론 (Admistration Behavior, 1949)』이후 사회과학 전반을 지배하는 주요한 방법론으로 자리잡게 된다.

3. 특징

(1) 행정의 본질

행태주의를 행정학에 본격적으로 도입하여 행정의 과학적 연구에 기여한 사이먼(Simon)은 행정을 합리적·집단적·협동적 의사결정으로 인식하고, 의사결정을 행정의 핵심으로 파악하였다.

(2) 연구대상–'행태'에 초점

행정의 구조적·제도적 측면보다 행정인이 조직 내에서 실제로 어떻게 행동하고 어떻게 상호작용하고 있으며, 행정인의 실제 행동에 영향을 미치는 가치관·신념·태도가 무엇인가에 분석의 초점을 둔다.

(3) 분석수준–방법론적 개체주의(methodological individualism)

집단이나 전체의 고유한 특성을 인정하지 않고, 개인의 행태를 통해 전체를 이해할 수 있다는 방법론적 개체주의에 근거하고 있다.

(4) 논리실증주의[1]에 근거한 연구

사이먼(Simon)은 행정원리들에 대해서 '이러한 원리들은 한번도 과학적인 검증을 거치지 않은 격언(proverb)에 불과하다'고 비판하면서, 사회현상도 경험적 검증을 통하여 자연과학과 마찬가지로 엄밀한 과학적 연구가 가능하다는 전제에서 자연과학적 방법을 이용하여 일반 이론(법칙) 정립을 중시한다.

(5) 가치와 사실의 분리[2]

과학적·경험적 연구에서 관찰이나 검증이 불가능한 가치를 배제하고, 사실 중심적 연구를 강조한다.

(6) 계량적 분석

개념의 조작적 정의를 통해 객관적인 측정방법을 사용하며, 계량적 방법에 의한 분석을 중시한다.

(7) 순수과학적·종합과학적 성격

자료의 입증을 위한 연구절차 등에서는 자연과학적·순수과학적 특성이 강하고, 자료의 수집이나 적용에 있어서는 심리학·사회학·문화인류학 등이 광범위하게 사용되는 학제적 연구를 중시한다.

(8) 미시적·귀납적 접근방법[3]

행태론적 접근방법은 개별행위자의 구체적인 행태 연구에 초점을 둔 미시적 접근방법과 구체적인 사실로부터 일반법칙을 유도해 내는 귀납적 접근방법을 사용한다.

4. 공헌과 한계

(1) 공헌

① **행정연구의 과학화에 기여**: 행정현상을 사실에 토대를 둔 인과관계에 따라 명료하게 설명함으로써 행정학의 과학화에 기여하였다.

② **과학적 관리론과 인간관계론의 종합**: 과학적 관리론과 인간관계론을 객관적·실증적인 연구를 통해 종합하여 제한된 합리성, 행정인, 구조론적 접근 등을 제시하였다.

(2) 한계

① **연구대상·범위의 지나친 제약**
  ⊙ 행태론의 지나친 방법론적 엄격성으로 인해 과학적 연구가 불가능한 것은 연구대상에서 배제하므로, 연구대상·범위를 지나치게 제약한다는 한계가 있다.
  ⓛ 인간의 외면적인 객관적 행태는 관찰·설명하지만, 그 행태 이면의 진정한 의미를 파악하지 못한다.

② **연구방법과 기술에 지나친 치중**: 행태론은 연구방법과 기술에만 급급한 나머지 정치나 행정의 본질보다는 오히려 그 설명에만 치중하고 있다.

③ **가치판단 배제의 비현실성**: 사회과학에서 가치와 사실을 분리시키고 가치판단을 배제하는 것은 비현실적이다.

④ **폐쇄체제적 관점**: 형태론은 연구범위와 대상을 내부관리로 제한하고 계량적·미시적 분석에 치중함으로써 외부환경적 요인을 고려하지 못하는 폐쇄체제적 이론이다.

❶ 논리실증주의
1. 논리적: 검증하고자 하는 가설은 기존의 이론으로부터 논리적으로 도출되어야 한다는 것이다.
   · 가설을 검증 → 참 → 기존 이론을 더 풍부하게 한다.
   · 가설을 검증 → 거짓 → 수정하여 타당성 있는 이론을 구축한다.
2. 실증주의: 과학은 경험 가능한 것, 검증 가능한 것을 기반으로 해야 하고, 따라서 검증 불가능한 것은 논의의 대상에서 제외해야 한다고 본다. 실증주의는 경험적 사실로부터 법칙을 세우는 데 초점을 두고 있다.

❷ 정치행정새이원론 – 행태론
행태론은 행정현상에 가치판단적 요소나 정책결정 기능의 존재를 인정하였으나, 과학으로서의 행정학은 가치와 사실을 구분하여 사실만을 다루어야 한다고 주장한다.

❸ 행태론의 가설
행태론에서 가설은 기존의 이론으로부터 도출되므로 연역적이지만, 검증방법은 경험적 검증을 거쳐 이론을 도출하므로 귀납이다. 즉, 행태론은 연역적으로 도출된 가설을 귀납적으로 검증하는 것이다.

핵심 OX

01 행태론은 가치와 사실을 통합한다. (O, X)

02 행태론의 경험적 진보주의다. (O, X)

03 행태론은 행정의 독립변수성을 인정하지 않는다. (O, X)

01 X 행태론은 과학으로서 행정학은 가치와 사실을 구분하여, 사실만을 다루어야 한다고 주장한다.
02 X 가치중립적인 행태론은 사회 문제에 개입하지 않는 보수주의를 초래한다.
03 O

⑤ **경험적 보수주의 경향(보수성):** 가치중립적 입장은 사회문제에 대하여 처방책을 제시하지 못하고 비현실적인 보수주의를 초래하게 된다. 행정인이 의사결정을 할 때 가치를 배제한다면 쇄신적 가치관에 의한 행정개혁이 이루어지기 어렵다.

⑥ **어용학설(御用學說):** 가치나 철학의 결여로 위정자에 의하여 어용학설(강자와 약자가 싸울 때 중립을 지킴으로써 실질적으로는 강자의 편을 드는 것)로 이용당할 우려가 있다.

⑦ **행정의 특수성 과소평가:** 권력성·정치성·강제성과 같은 공행정의 특수성을 과소평가함으로써 연구의 적실성이 떨어진다.

⑧ **이중구조적·폐쇄적 사회(개발도상국)에 적용 곤란:** 행정실태나 관료의 행태유형이 쉽게 외부로 공개되고 정확한 자료를 구할 수 있는 개방사회와는 달리, 행정행태가 쉽게 외면적 행태로 표출되지 않는 이중구조적·폐쇄적 성격의 개발도상국에서는 겉으로 표출된 외면적 행태를 관료의 의식구조로 연결하는 데 많은 제약이 따른다.

4 생태론적 접근방법

1. 의의

(1) 생태론적 접근방법은 '행정체제를 하나의 유기체로 파악하여 행정현상을 사회적·자연적·문화적 환경과 관련시켜 이해하려는 접근방법'으로, 행정이 환경에 의해 결정된다는 환경결정론적 입장을 취한다.

(2) 환경적 요인이 행정에 미치는 영향을 강조함으로써 환경에 대한 행정의 종속변수적 측면을 중시한다.

2. 특징

(1) 행정환경과 행정체제의 개방성을 강조한다.

(2) 분석수준은 행위자 중심의 미시분석보다 집합적 행위나 제도에 초점을 두는 거시분석의 성격을 지닌다.

3. 공헌과 한계

(1) **공헌**

① 행정환경에 의한 행정체제의 파악에 기여하였다.

② 후진국 행정현상을 이해하는 데 크게 기여하였다.

③ 유사한 행정문화권하에서 적용가능한 중범위이론* 구축에 자극을 주어 행정학의 과학화에 기여하였다.

(2) **한계**

① 환경결정론적 시각과 행정의 독립 변수성을 경시하여 환경에 대한 행정의 주체적 역할을 경시(신생국 발전에 대한 비관론·운명론 제시)한다는 한계가 있다.

② **정태적 균형이론:** 결정론의 전제에서 환경과 행정체제의 관계를 정태적 균형관계로 파악하여 동태적 변동을 설명하지 못한다.

📖용어

중범위이론*: 행태주의 접근법의 일반이론과 대비되는 이론으로, 일반이론이 너무 포괄적이어서 경험적 내용이 결핍되었다고 비판하며 등장한 이론

5 체제론적 접근방법

1. 의의

(1) 체제론적 접근이란 '체제(system)'라는 개념을 기반으로 해서 연구대상을 파악하는 접근방법을 의미한다.

(2) 일반적으로 체제란 ① '상호 관련되고 상호작용을 하는 부분요소들로 구성된 하나의 전체'로, ② 환경과 경계를 지니며, ③ 항상 균형을 유지하려는 기본적 속성(homeostasis)을 지닌다.

(3) (2)에서 언급한 균형은 현상유지만을 위한 정태적 균형(static equilibrium)일 수도 있고, 일정한 방향으로 변화하면서 균형을 유지하는 동태적 균형(dynamic equilibrium)일 수도 있다.

2. 체제의 특징

(1) 체제의 구성요소는 서로 기능적으로 연결되어 있으며, 하나의 체제는 전체 체제 속의 하위체제로 인식된다.

(2) 각 하위체제는 다른 하위체제와 구별되는 경계를 지니며, 전체체제는 그의 상위체제인 환경과 구별되는 경계를 갖는다.

(3) 체제는 '투입 - 전환 - 산출 - 환류의 기능적 구조'를 지닌다.

(4) 파슨스(Parsons)에 의하면, 체제는 '적응, 목표달성, 통합, 잠재적 유형유지'의 기능을 지닌다.

(5) 체제는 환경과의 상호작용이 없는 자급자족적 실체인 폐쇄체제(closed system)로 인식할 수도 있고, 환경과 상호작용을 하는 실체인 개방체제(open system)로 파악할 수도 있다. 단, 일반적으로 체제란 개방체제(open system)를 의미한다.

> **◎ 핵심정리 　개방체제**
>
> **1. 개방체제의 특징**
>
> 개방체제는 체제의 일반적 특징 외에 다음과 같은 특징을 갖는다.
>
> ① **항상성(homeostasis)과 동태적 균형 유지:** 개방체제는 환경과의 교호작용 속에서 변동해 가나, 항상성으로 인하여 '동태적 균형상태'를 유지한다.
>
> ② **동일 종국성(equifinality):** 개방체제의 변동에서는 같은 종국상태 또는 목표상태가 서로 다른 출발조건과 경로를 거쳐서도 나타날 수 있다는 특성을 지닌다.
>
> ③ **부정적 엔트로피(negative entropy):** 개방체제는 그 체제가 무질서해지고 쇠약해지는 현상(entropy)*을 막는 부정적 엔트로피 기능을 수행한다.
>
> **2. 개방체제와 폐쇄체제의 비교**
>
> | 개방체제 | 폐쇄체제 |
> | --- | --- |
> | · 환경과 상호 작용 | · 환경을 고려하지 않음 |
> | · 부정적 엔트로피 현상 | · 엔트로피 현상 |
> | · 동태적 균형 | · 정태적 균형 |

📖용어

엔트로피(entropy)*: 유기체는 필연적으로 해체·소멸된다는 현상

3. 체제론적 접근방법의 특징(오석홍)

(1) 총체주의적 관점

체제론적 접근방법에서는 하위체제들로 구성되는 체제는 그 자체가 보다 복잡한 상위체제에 대한 하위체제라고 본다. 그러나 모든 체제는 하나의 총체 또는 전제로서 그 구성부분들의 단순한 합계와는 다른 또는 그 이상의 특성을 지니므로 총체에 대한 거시적 분석이 필요하다고 본다.

(2) 목표론적 관점

모든 존재는 목표를 가지도록 설계되었거나 목표를 가진 것이라고 본다. 특히 살아있는 모든 유기체의 적응적·목적추구적인 속성을 강조한다.

(3) 계서적 관점

① 일련의 현상 사이에 형성되는 관계의 배열이 계서적(hierarchical)이라고 본다.
② 하위의 단순한 체제는 보다 복잡한 상위의 체제에 속한다고 이해하는 이러한 관점은 체제의 발전방향을 시사해 주는 것이기도 하다. 즉, 체제들은 단순한 하급의 상태에서 복잡한 고급의 상태로 진전되어 나간다는 견해를 내포하는 것이다.

(4) 시간 중시의 관점

체제들은 시간선상에서 움직여 나가는 동태적인 현상이라고 이해한다. 특히 개방체제의 이해에 시간 개념의 도입을 강조한다. 개방체제는 외부환경과의 상호작용을 통해서 항상 동태적인 변동을 겪는다고 본다. 다만, 개방체제는 시간선상에서 변동해 가되, 항상성(恒常性)을 유지한다고 본다. 항상성은 동태적 안정 상태를 설명하는 개념으로, 정태적 개념과는 구별된다.

(5) 관념적 모형

체제론적 접근방법은 모든 과학을 하나의 광범위한 관념적 모형(grand conceptual model)에 의해 통합시키려는 것이기 때문에 경험주의적 관점과는 거리가 멀다.

(6) 연합학문적 연구

체제론적 접근방법은 다양한 학문분야의 관련지식을 종합적으로 동원할 수 있는 관념적 틀을 제공하기 때문에 학제적이라고 볼 수 있다.

4. 체제의 기능 - AGIL

파슨스(Parsons)에 따르면 모든 체제는 그 존속 및 목표달성을 위하여, 다음 4가지의 '필수적인 기능적 요건'을 수행한다고 보고 있다.

(1) 적응 기능(Adaptation)

① 체제가 의존하고 있는 환경에 적응하는 것, 즉 환경으로부터 자원이나 정보를 얻고 이를 체제를 통해 배분하는 것이다.
② 경제영역이 이에 해당된다.

(2) 목표달성 기능(Goal attainment)

① 체제의 공통된 가치하에서 체제가 성취하고자 하는 목표를 설정하고, 목표달성을 위해 시간과 노력을 경주하는 것이다.
② 정치영역이 이에 해당된다.

(3) 통합 기능(Integration)

① 체제를 구성하는 각 부분 및 하위체제들의 활동을 조정하는 기능이다.

② 경찰·사법작용이 이에 해당된다.

(4) 잠재적 유형유지 및 긴장관리 기능(Latent pattern maintenance)

① 체제가 자신의 기본적인 유형(pattern)을 유지하고 자신의 가치와 규범을 재생산하는 것이다.

② 교육·문화작용이 이에 해당된다.

5. 행정체제의 이해

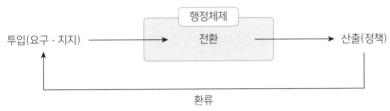

투입(요구·지지) → 행정체제 전환 → 산출(정책)

환류

▲ 행정체제의 투입 – 산출 모형

(1) 투입(input)

환경으로부터 행정체제 내부로 유입되는 것으로, 행정체제에 대한 공공문제 해결 수요인 요구(demand)와 문제해결을 위해 소요되는 유·무형의 자원을 공급하는 지지(support)가 있다.

(2) 전환(transformation)

행정체제가 투입을 기반으로 산출을 생산하기 위한 행정체제 내부의 가공과정이다.

(3) 산출(output)

행정체제가 환경에 배출하는 투입에 대한 결과물로, 정책이나 법령 등이 있다.

(4) 환류(feedback)

산출이 다음의 새로운 투입에 전달 또는 반영되는 것이다.

6. 공헌과 한계

(1) 공헌

① 거시적·총체적인 관점에서 행정을 이해할 수 있게 하고, 체제와 환경 또는 부분(하위체제) 간의 관계를 분석하는 데 도움을 준다.

② 국가들의 행정체제 비교연구에 일반적인 틀을 제공하여 비교행정론 연구에 기여하였다.

(2) 한계

① 변화를 설명하는 '동태적 균형'의 개념을 지니고 있으나, 기본적으로 '균형이론'이기 때문에 변동과 발전을 설명하는 데 한계를 지니고 있다.

② 현상유지의 보수주의적 성격이 강하고, 변화와 발전이 요구되는 후진국 행정을 설명하기에는 한계가 있다. 따라서 급격한 변동의 소용돌이 속에 있는 발전도상국가보다 안정된 선진국 사회의 연구에 보다 적절하다.

③ 환경에 대한 행정의 독립변수적인 성격을 충분히 설명하지 못한다.

④ 행정의 중요한 요소인 권력, 의사전달, 정책결정의 문제, 이데올로기나 가치문제를 고려하지 못한다.

6 비교행정론

1. 의의

미국의 행정이론이 환경적 요인을 달리 하는 후진국에 적용함에 있어서 일정한 한계가 있다는 것이 대두되면서 미국 행정학의 과학성과 보편·타당성에 의문이 제기되었다. 이로 인해 선·후진국을 막론하고 보편·타당한 행정학을 정립하기 위해 등장한 것이 문화횡단적인 비교행정연구이다.

2. 대두배경

(1) 미국 행정학의 적용 범위와 보편·타당성의 한계가 노정되었다.

(2) 시공을 초월한 보편적인 일반이론의 개발과 행정학의 과학화 시도

각 국가의 역사적·정치적·사회적 특수성하에서 구조기능주의❶적 접근과 문화횡단적 접근을 통해 일반이론을 도출함으로써, 행정학의 과학화와 객관화를 추구하고자 하였다.

(3) 비교정치론의 영향으로 대두하였다.

(4) 비교행정연구회(CGA)의 활동

리그스(Riggs) 및 비교행정연구회를 중심으로 활발한 활동이 전개되었다.

3. 리그스(Riggs)의 비교행정이론(일반체제모형)

(1) 사회삼원론

① 사회이원론이 발전도상국의 과도기적 상황을 설명하는 데 제약이 있다는 비판이 제기되었다.

② 이에 리그스(Riggs)는 농업사회를 융합사회로, 산업사회를 분화사회로 명명하고 융합사회에서 분화사회로 변모하고 있는 전이적·과도기적 사회로서 프리즘적 사회를 설정하여 이를 개발도상국에 적용하였다.

③ 융합사회, 프리즘적 사회, 분화사회의 비교

구분	융합사회 (fused society)	프리즘적 사회 (prismatic society)	분화사회 (refracted society)
사회구조	농업사회(agraria)	전이사회(transitia)	산업사회(industria)
관료제 모형	안방 모델 (chamber model), 공·사의 미분화	사랑방 모델 (sala model)	사무실 모델 (office model), 공·사의 분화

❶ 구조기능주의

1. 구조를 기술하고 기능을 분석하는 것으로, 외형적인 구조와 실제 기능 간의 차이에 역점을 둔 접근법이다.

2. 외국제도의 무분별한 도입으로 형식(법제도)과 실제 간에 차이가 심한 개발도상국에서 구조와 기능 간의 괴리를 규명하기 위하여 실제 기능을 중심으로 분석하는 접근법이다.

(2) 리그스(Riggs)의 비교행정 접근방법

리그스(Riggs)는 비교행정에 관한 접근방법의 경향이 ① 규범적 접근방법에서 경험적·실증적 접근방법으로, ② 개별사례적 접근방법에서 일반법칙적 접근방법으로, ③ 비생태론적 접근방법에서 생태론적 접근방법으로 전환되고 있다고 지적하고 있다.

(3) 프리즘적 사회의 일반적 특징

① **고도의 이질성**: 전통적인 요인과 현대적인 특징이 혼합되는 이질성이 많다.

② **형식주의**: 공식적인 행동규범과 실제적인 행정 간의 불일치 현상이 심하다.

③ **다규범주의**: 현대적 규범과 전통적 규범이 중첩되는 다규범성 및 판단의 일관성이 결여된다(모순상용성).

④ **가치의 응집 현상**: 사회가치나 권력가치가 통합되어 소수 엘리트가 독점한다.

⑤ **양초점성**: 관료의 권한이 법제상으로는 제약되나, 현실적으로는 크고 강하다.

⑥ **신분 계약상의 혼합관계**: 신분적 관계와 계약적 관계의 혼합적 존재 경향이다.

⑦ **기능 중복**: 분화된 선진적 행정체제와 비분화된 전통적 행정체제가 공존한다.

⑧ **가격의 불확정성(부정가성)·신축성**: 전통사회의 의리성 등 시장 외적 요인이 작용한다.

⑨ **연고 우선주의·다분파주의(파벌 조성)**: 권한 통제 불균형 등의 경향이 나타난다.

⑩ **상향적·하향적 누수(적하) 체제**: 세입 과정에서의 부정 및 세출 과정에서의 부정이 일어난다.

⑪ **전략적 지출**: 관료사회 내의 상하 간에 이루어지는 상납금 등이다.

⑫ **천민 기업가**: 경제윤리가 아닌 편법에 의한 이윤추구이며, 흔히 정경유착이라고 한다.

⑬ **의존증후군**: 권력가가 권력을 이용하여 기업으로부터 재화를 수탈하며, 기업도 정치권력에 의존하여 성장을 추구하는 것이다.

7 발전행정론

1. 개념

(1) 비교행정이 각국의 행정의 실제를 비교·분석하는 것으로 다분히 실증적이고 가치판단을 배제한 사실분석에 초점을 둔 것이라면, 발전행정은 후진국 발전을 위한 행정을 구축하려는 목적을 지니고 연구가 진행되기 때문에 다분히 처방적이다.

(2) 행정체제가 국민형성과 사회경제적 발전이라는 국가발전목표를 달성하기 위한 행동계획을 수립·집행하는 것을 의미한다.

2. 특징❶

(1) 정치행정일원론(행정우위론)

발전행정론은 행정이 국가발전 목표의 달성을 위한 정책과 계획의 수립·집행과정에서 주도적 역할을 해야 한다고 강조하는 행정우위론적 정치행정일원론이다.

❶ 기관형성이론(기관형성의 의의)

1. 일반적으로 기관형성(제도형성)이란, 국가발전 목표를 달성하기 위하여 새로운 기관이나 제도를 창설하거나 이미 있는 조직을 전환시켜 발전행정의 적극적 기능을 담당하는 행정을 조직적 차원에서 지원함으로써 혁신적 기능을 수행하도록 하는 것을 의미한다.

2. 기관형성은 결과적으로 바람직한 사회변화를 추구하기 위하여 공식기관이나 제도를 창설·개편하여 새로운 가치관·이념을 확산시키는 전략으로서의 활동을 말한다.

(2) 효과성 중시

발전행정론에서는 발전사업의 목표달성을 강조함으로써 행정이념 중에서 효과성의 이념을 중시한다.

(3) 행정인의 적극적 역할 강조

발전지향성을 지닌 행정인의 독립변수의 역할을 강조한다.

(4) 불균형 성장전략 강조

행정이 주도적인 경제성장 중심의 불균형 성장을 추구한다. 행정이 발전을 유도하는 행정의 독립변수적 성격을 강조한다.

3. 한계

(1) 지나친 처방적·규범적 성격으로 과학성이 결여되었다.

(2) 발전목표의 달성을 위한 관료주의적 합리성을 강조하고, 민주성 결여로 투입 기능을 경시한다는 비판을 받는다.

(3) 행정의 비대화를 초래한다.

(4) 불균형 성장전략에 의한 사회적 부작용이 발생할 수 있다.

8 신행정학

1. 시대적 배경

(1) 1960년대 월남전과 흑인폭동 등 다양한 사회문제에 대해 기존의 행태주의에 입각한 사실 중심의(가치문제가 배제된) 사회과학이 문제해결능력을 상실함에 따라, 행태주의에 대한 비판과 함께 행정학에서 학문적 방향 전환이 요구되었다.

(2) 즉, 과학적 설명을 강조하는 실증적 연구보다는 현실문제를 해결하는 처방적 연구가 중시되어야 한다는 것이었다.

2. 신행정학 운동의 의의

(1) 신행정론은 기성의 행태주의 중심의 행정이론에 불만을 품었던 미국의 소장학자들, 특히 왈도(Waldo)가 주도한 1968년 미노브룩(Minnowbrook) 회의에 참여하였던 젊은 학자들을 중심으로 주장되었던 행정학의 새로운 경향에 관한 이론이다.

(2) 사회과학에서 행태주의 연구방법론에 대한 비판과 함께 등장한 이론으로, 후기행태주의·가치주의·현상학적 접근방법·비판행정이론과 밀접한 관련을 지닌다.

(3) 후기행태주의

① 의의: 1960년대 전반까지 사회과학을 지배하던 행태주의는 인간행태에 대한 경험적·실증적 연구를 통한 사실의 객관적 분석에 치중하였다. 그 결과 1960년대 중반 미국 사회의 다양한 사회문제에 대한 행태주의의 현실 처방성 결여가 비판받게 되었다. 이러한 상황하에서 1960년대 말 이스턴(Easton)은 정치학의 새로운 혁명으로서 '후기행태주의(post-behavioralism)'가 시작되었음을 선언하게 되었다.

② 내용: 후기행태주의의 성격은 '적실성의 신조(credo of relevance)'와 '실천(action)'이다. 이는 사회과학 연구는 급박한 사회문제 해결에 적실성이 있게 이루어져야 하며, 사회과학자의 임무는 연구결과를 통해 인류의 가치를 보전하고 사회를 개혁하는 데 기여하여야 한다는 것이다.

3. 특징

(1) 사회적 형평
① 현재 불리한 위치에 있는 사람들에게 더 많은 혜택을 주어야 한다는 것이다[롤스(Rawls)의 정의론에 입각].
② 행정인은 사회적 불평등을 제거해야 할 의무가 있으므로, 사회경제적으로 불리한 위치에 있는 계층을 위하여 보다 우선적 배려를 통해 사회적 형평을 실현해야 한다는 것이다.❶

(2) 행정인의 적극적 역할 강조
① 격동의 시대에 있어서는 행정인이 적극적·독립변수적 역할을 수행해야 함을 강조한다.
② 문제해결자로서의 적극적 행정인의 역할을 중시한다.

(3) 고객지향성과 참여의 확대
행정권의 종국적 근원을 시민으로 보고, 고객의 참여를 강조한다.

(4) 반(反)계층제를 주장 – 전통적 계층제의 수정 주장
① 계층제의 비민주적 성격의 타파와 조직구성원이나 외부인의 참여를 촉진하기 위해 분권화된 조직구조가 필요하다.
② 변화에 대한 동태적 적응성과 조직의 쇄신을 도모하기 위해 탈관료제 조직이 대두되게 된다.

(5) 행정의 가치지향과 행정책임 강화
공정하고 합리적인 가치결정의 능력을 강조한다. 그에 따라서 행정책임의 강화가 수반된다.

(6) 행태론의 지양과 규범주의·가치주의 추구
가치중립적·보수적인 행태론이나 논리실증주의를 비판하고, 가치지향적인 현상학적 접근을 강조한다.

4. 공헌과 한계

(1) 공헌
① **가치의 중요성 부각**: 윤리·철학·공익과 같은 가치의 중요성을 부각시켰다.
② **행정의 방향 제시**: 기존 이론의 비적실성을 비판하고 새로운 방향을 제시하였는데, 이는 공공선택론·비판행정학 등으로 발전하게 된다.
③ **연구의 적실성 제고**: 인간의 주관적 관념·동기·의식 등을 적절히 다룸으로써 연구의 적실성 제고에 기여하였다.

❶ 허쉬만(Hirshman)의 터널효과
1. 신행정론과 관련하여 사회적 형평성 확보를 위한 분배의 중요성을 강조하는 이론으로, 터널 안에 어느 한 차선만 사용하면 일시적으로는 괜찮지만, 결국에는 터널 안이 마비되는 현상이 발생하는 것을 의미한다.
2. 즉, 분배를 도외시하고 성장만을 강조·추진하는 것이 단기적으로는 괜찮지만, 장기적으로는 문제라는 것이다.
3. 이는 '선성장 후분배'라는 성장 위주의 개발도상국의 발전 전략의 한계를 지적하고, 분배보다 성장을 우선할 수 없다고 강조함으로써 분배와 형평성의 중요성을 설명하는 개념이다.

핵심 OX

01 신행정학은 적실성보다 과학성을 강조한다. (O, X)

02 신행정학은 고객을 중시하여 고객의 참여를 강조한다. (O, X)

01 X 행태론이 과학성을 중시하고 신행정학은 적실성을 강조한다.
02 O

(2) 한계

① **행정권의 비대화와 관료주의화의 문제:** 행정인의 적극적 역할을 강조함으로써, 행정권이 비대해지고 관료주의화될 우려가 있다.

② 고객참여로 인해 행정의 전문성이 저해되고 특수이익을 추구할 우려가 있다.

③ **사회적 형평성의 문제:** 사회적 형평성의 개념은 윤리적·철학적인 개념이다. 따라서 실천적·구체적이지 못하며, 개념에 대한 구체화나 합의가 곤란하다.

9 현상학적 접근방법과 비판이론적 접근방법

1. 현상학적 접근방법

(1) 의의

현상학적 접근방법에서 사회현상(social phenomena) 또는 사회적 실재(social reality)란 자연현상처럼 삶과 동떨어진 객체로 존재하는 것이 아니라, 그 속에 참여하는 사람들의 의식·생각·언어·개념 등으로 구성되며, 그들의 상호주관적인 경험으로 형성되는 것으로 본다.

(2) 주요 내용

① **반논리실증주의:** 표출된 행위와 의도된 행위는 다르므로 인간의 외면적 행태만의 연구는 무의미하다. 인간행동의 주관적 가치와 의도가 인간행동에 미치는 영향을 분석하지 않고는 인간행동의 완전한 고찰은 불가능하다.

② **물화(物化; reification):** 물화는 인간의 주관적인 의지와 가치·목적성을 객관적인 형체에 함입시킴으로써 인간상실을 유도하게 된다는 것이다. 여기서 현상학은 조직의 탈물화를 강조하게 된다.

③ **상호주관성(inter-subjectivity):** 현상학에서 인간은 의식과 의도를 가진 능동적 존재로서 파악된다. 조직은 인간이 조직에 부여하는 의미의 맥락에서 그 존재 의의를 갖게 되며, 개개인이 상호주관적으로 나누어 갖는 경험을 바탕으로 구성된다고 본다. 즉, 현상학에서 인식하는 조직은 간주관적(間主觀的)으로 공유된 의미의 집합이다.

④ **하몬(Harmon)의 행위이론(action theory):** 인간의 의도된 행위(action)와 표출된 행위인 행태(behavior)를 구별하고, 의도된 행위를 중시한다.

(3) 공헌과 한계

① **공헌:** 과학적 연구방법을 통해서 규명하지 못하였던 인간의 주관적인 의식·동기 등의 의미를 더 잘 이해할 수 있게 한다.

② **한계❶**

㉠ 사회현상으로서 조직을 이해하는 데 폭넓은 철학적 사고방식과 준거의 틀을 제공하지만, 지나치게 사변적·주관주의적 철학에 의존한다.

㉡ 개별적인 인간행위와 개인 간의 상호작용의 해석에 초점을 두어 접근방법이 지나치게 미시적이다.

---

❶ 사회과학에 관한 철학적 관점

구분	객관주의	주관주의
존재론적 성격	실재론	유명론·명목론
인식론적 성격	실증주의	반실증주의
방법론적 성격	일반법칙 정립적 접근	개별사례적 접근

1. **존재론적 성격:** 탐구하고자 하는 현상의 본질 자체에 대한 논의로, 본질이 있느냐 없느냐를 탐구한다. 사회세계 실재론은 우리의 자각과 인식에 관계없이 경험적 실체로서 계속해서 존재한다고 보는 입장인 반면, 유명론은 우리가 붙여놓은 이름일 뿐이고 실재로서는 존재하지 않는다고 보는 입장이다.

2. **인식론적 성격:** 지식의 기초에 관한 논의로, 참과 거짓을 어떻게 인식할 수 있는가를 탐구한다. 실증주의가 사회세계의 구성요소들 간의 규칙성과 인과관계를 탐색함으로써 사회세계에서 발생하는 현상들을 설명하고 예측하는 입장인 반면, 반실증주의는 사회세계란 상대적인 것이므로 개인들의 관점으로부터만 이해될 수 있다는 입장으로, 외면보다 내면을 이해한다는 입장이다.

(4) 전통적 접근과 현상학적 접근의 비교●

구분	전통적 접근(행태론, 실증주의)	현상학적 접근(후기행태론)
존재론	실재론(實在論; realism), 객관주의 · 외면주의	유명론 · 명목론 (唯名論 · 名目論; nominalism), 주관주의 · 내면주의
인식론	논리적 실증주의(과학적)	反실증주의(철학적)
설명 양식	객관적 인과관계의 규명, 체제의 기능 · 목적	행위자의 동기 파악
관찰법	몰주관성	상호주관성(간주관성)
연구방법론	일반법칙적 연구	개별사례 · 문제 중심적 연구
설명의 초점	표출된 행태 (behavior; 객관적 · 외면적 모습)	의도된 행동 (action; 주관적 · 내면적 의도)
인간	결정론(determinism), 수동적 · 원자적 자아	임의론 · 자발론(vuluntarialism), 적극적 · 능동적 · 사회적 자아
도구성	물화(reification; 인간소외) 우려	탈물화 (de-reification; 인간성 회복)
사회관	사회현상 = 자연현상	사회현상 ≠ 자연현상

● 논변적 접근방법

1. 툴민(Toulmin)이 제시한 접근방법이다.

2. 자연현상의 확실한 법칙성을 연구하는 자연과학과 달리 행정현상과 같은 가치 측면의 규범성을 연구할 때는, 결정에 대한 주장의 정당성을 갖추는 것이 중요하다고 보고, 행정에서의 진정한 가치는 자신들의 주장에 대한 논리성을 점검하고 상호 타협과 합의를 도출하는 민주적 절차에 있다고 보는 접근방법이다.

2. 비판이론적 접근방법

(1) 의의

비판이론은 도구적 이성에 바탕을 둔 실증주의적 연구방법에 대하여 인간의 비판적 이성(critical reason)을 중요시하며, 가치비판적 입장을 취하는 접근방법이다. 즉, 현대사회에서 사회관계의 지나친 합리화를 비판함으로써 합리화로 초래된 사회 지배기구로부터의 인간 해방에 초점을 두는 접근방법이다.

(2) 하버마스(Harbermas)의 인식적 관심의 유형

도구적 · 기술적 이성 (실증주의)	↔	실천적 · 해석적 이성(현상학적 접근), 비판적 · 해방적 이성(비판론적 접근)

이성의 유형	도구적 · 기술적 이성	실천적 · 해석적 이성	비판적 · 해방적 이성
사회과학적 접근방법	실증주의(행태론)	현상학 · 해석학	비판과학
지식의 목적	지배 · 통제	의미의 이해	사회적 제약으로부터 인간 해방

(3) 비판이론의 기본개념과 지향

① **총체성**: 세계사회에 대한 이해는 고립적 · 부분적으로 이해되어서는 안 되며, 전체적 · 연관적으로 이해되어야 한다. 그것은 정치 · 경제 · 문화의 맥락에서 이해될 뿐만 아니라 주관적 세계와 객관적 세계를 포괄해야 한다.

② **의식**: 의식은 사회적 현실을 규정하고, 궁극적으로 사회적 세계를 창조하고 유지하는 힘이다. 그것은 인간의 내면에서 형성되며 경험에 작용하는 주관적인 조건들을 형성한다.

③ **소외:** 인간은 자신이 살고 있는 세계와 자신의 실존을 수동적으로 경험함으로써, 결국 인간 자신 속에서 주체와 객체 또는 의식과 객관화된 세계 간의 분리라는 인간소외를 경험하고 있다.

④ **비판:** 비판이론에서는 비판이성의 회복을 강조한다. 비판이성은 이성의 획일화·조직화·절대화를 부정하며, 기존의 것이 최고 불변의 진리라는 주장을 거부한다.

10 공공선택론적 접근방법●

1. 의의

공공선택론은 '비시장적 의사결정(non-market decision-making)에 대한 경제학적 연구 또는 정치학에 경제학을 응용하는 것'이라 정의하고 있다.

2. 대두배경과 방법론상의 특징

(1) 대두배경

① **전통적인 정부 관료제의 한계(정부실패):** 공공서비스를 독점적으로 공급하는 전통적인 정부관료제는 시민의 요구에 민감하게 반응을 보일 수 없는 제도이며, 공공서비스의 독점적 공급은 소비자인 시민의 선택을 억압한다고 인식한다.

② **공공부문의 시장경제화:** 공공선택론에서는 정부를 공공재의 생산자로, 시민들을 공공재의 소비자로 규정하고 시민의 편익을 극대화할 수 있는 서비스의 공급은 공공부문의 시장화를 통해 가능하다고 본다.

③ **시민 개개인의 선호 중시:** 공공선택론자들은 공공서비스를 제공할 때에 시민 개개인의 선호와 선택을 존중하고 경쟁을 통하여 서비스를 생산하고 공급하게 함으로써 행정의 대응성을 높일 수 있다고 주장한다.

④ **오스트롬(Ostrom) 부부:** 행정학 분야에 공공선택론적 접근방법을 도입·발전시킨 대표적인 학자는 오스트롬(Ostrom) 부부이다. 이들 이론의 핵심은 '민주행정 패러다임'으로, 공공재의 공급을 행정의 주요 기능으로 보고 공공재의 최적 공급을 위한 정책결정방식과 조직배열의 연구에 초점을 두고 있다.

(2) 방법론상의 특징

① **방법론적 개체주의:** 개인의 행동을 기본적 분석단위로 하여, 정치·경제 및 행정 현상을 분석하려 한다.

② **합리적·이기적 경제인 가정:** 공공선택론에 있어서 개인이란 합리적이고 이기적인 존재이며, 자기의 효용극대화를 목표로 한다.

③ **연역적 이론화와 수학적 공식의 사용:** 행위자들의 합리적·이기적 선택행위에 관한 연역적 추론을 통하여 일관성을 지닌 이론을 구축하며, 가능한 경우는 수학적 공식화를 사용하는 것이 특징이다.

④ **제도의 조정:** 공공선택론에서는 공공재와 공공서비스의 결정과 전달을 위한 이상적인 체제가 무엇인지를 밝히고, 그것을 위한 최적의 제도나 절차에 관한 정책적 제언을 포함한다.

● 공공선택론 개념 도해

1.

공공	선택
비시장 영역	시장을 연구하는 경제학의 방법론

⇩

2.

D(수요자)	S(공급자)
국민	정부

교환

3. 주요 이론

(1) 비용을 고려한 효율적인 집합적 의사결정규칙 – 뷰캐넌(Buchanan)과 튤락(Tullock)

공공재 공급을 위한 집합적 의사결정에서는 의사결정비용과 집행비용도 고려하여야 하는데, 이 두 비용은 의사결정방법에 따라 달라진다. 의사결정에서 만장일치를 요구하면 외부비용은 최소화되나 의사결정비용은 최대화될 것이며, 단독적인 의사결정은 반대의 결과가 나타날 것이다. 따라서 의사결정비용곡선과 외부비용곡선이 교차하는 점(여기서 두 가지 비용을 합한 총비용은 최저수준이 됨)에 부합되는 의사결정규칙이 바람직하다고 본다.

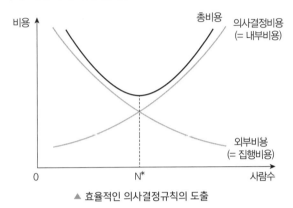

▲ 효율적인 의사결정규칙의 도출

(2) 중위투표자 정리[1]

정당은 선거에서의 승리를 위해 투표로 계산되는 유권자의 지지극대화를 도모하고, 유권자는 자신의 효용극대화를 추구한다. 유권자의 선호가 단봉이고 양대 정당 하에서 두 정당은 집권에 필요한 과반수의 득표를 획득을 위해 중위투표자 선호에 맞춘 정강정책을 제시한다. 이 결과 양당의 정강정책은 거의 일치하게 된다.

(3) 관료제 분석이론

① 니스카넨(Niskanen)의 예산극대화모형

㉠ 관료들은 자신의 사적인 이익만을 추구하는 전형적인 경제인들이며, 그들은 필연적으로 그 소속기관의 예산을 극대화시켜서 궁극적으로 사회적 낭비를 초래하게 된다.

㉡ 정치가는 사회후생의 극대화를 위하여 순편익(총편익−총비용)이 극대화되는 수준에서 공공서비스를 공급하려고 하지만, 관료들은 정치가들과 달리 자신의 이익이나 효용을 극대화하기 위하여 총편익곡선과 총비용곡선이 일치하는 지점, 즉 순편익이 0이 되는 지점까지 생산을 확대하려 한다고 주장한다.

② 던리비(Dunleavy)의 관청형성모형

㉠ 니스카넨(Niskanen)의 예산극대화모형을 비판하면서 예산극대화 동기는 기관의 성격과 예산의 유형에 따라 달라진다고 주장하였다. 즉, 통제기관과 사업예산의 경우에는 예산극대화 동기가 발생하지 않는다고 주장한다.

㉡ 합리적인 고위직 관료들은 예산과 같은 금전적인 효용보다는 업무와 관련된 효용을 더 추구한다.

㉢ 관청형성전략이 이루어짐에 따라 일상적인 기능은 준정부조직이나 외부계약 등으로 넘기고 결정기능이나 참모기능만을 수행하려 한다.

[1] 로머와 로젠탈(Romer & Rosenthal) 회복 수준 이론: 중위투표자 정리 부정 관료는 의제 통제를 통해 요구한 예산수준이 국회에서 수용되지 않으면 복귀 수준이라는 아주 낮은 수준의 행정 업무만을 제공할 수밖에 없다는 것을 국회에 강요하게 되고, 결국 국회는 낮은 복귀 수준을 감수하기보다는 관료가 요구하는 높은 수준의 예산을 받아들이게 된다는 논리이다.

예산의 유형	기관의 유형	예산극대화 동기
핵심예산 (기관 자체의 운영비)	전달기관 (고전적 조직)	· 하위·중위관료들은 주로 핵심예산(부처운영비)의 증대로부터 이득을 얻게 됨 · 운영비 예산이 많아질 경우, 하위·중위관료들은 직업적 안정성(신분보장)이 보장되고, 직위의 수가 증가함에 따라 승진 기회가 확대되기 때문임
관청예산 (핵심예산+해당 기관이 민간 부문에 지불하는 지출액)	이전기관	· 고위관료들은 핵심예산을 제외한 관청예산(민간 기업 등에 지불하는 보조금 등)의 증대로부터 이득을 얻게 됨 · 민간부문에 지불하는 보조금이 증대할 경우, 부서의 위신이 상승하게 되고 고객과의 관계 등에서 우위를 점할 수 있기 때문임
사업예산 (관청예산+해당 기관이 다른 공공기관에 이전하는 지출액)	통제기관	예산극대화 동기가 발생하지 않음
초사업예산 (사업예산+영향력을 미칠 수 있는 타기관 예산)	–	–

(4) 스티글러(Stigler)의 정부규제이론

정부규제는 피규제산업 또는 이익집단의 사익을 위해 이용된다고 보며, 정부규제는 규제의 제공으로 정치적 지지나 퇴직 후 일자리 보장 등의 이익을 얻는 정치인에 의해 공급되는 사익추구의 결과로 만들어진 것으로 본다.

(5) 오스트롬(Ostrom)의 민주행정 패러다임

① **윌슨(Wilson)류 행정패러다임(관료행정)에 대한 비판:** 윌슨(Wilson)류 행정패러다임에서는 ㉠ 계층제 또는 단일의 권력중추 아래서 명령과 복종의 메커니즘 방식과 ㉡ 이러한 계층제하에서 전문적으로 훈련된 공무원을 완벽히 서열화할 것을 제시하고 있다. 이에 대해 오스트롬(Ostrom)은 단일의 권력중추에 귀속되도록 공무원을 계층제 안에 완벽하게 서열화하면, 시민의 다양한 요구와 변화하는 환경에 부응하지 못하여 정부실패의 원인이 된다고 한다.

② **민주행정 패러다임:** 공공재와 공공서비스의 효율적 공급을 위한 조직적 장치로 '권한의 분산과 관할권의 중첩'을 제시하여, 이렇게 하면 각 권력기관은 경쟁을 통하여 고객에 대한 서비스를 만족시킬 수 있다고 주장한다.

㉠ **다원조직제와 비계서적 조정:** 조직 설계의 획일주의를 타파하고 상황적응적 조직구조를 강조한다. 또한 다양한 공공재 공급조직들은 높은 자율성을 누려야 한다. 조정에서 계서적 권한의 행사는 제한되어야 하며, 내부조정기제를 우선 활용할 필요가 있다고 본다.

ⓛ **관할중첩의 활용**: 주민복지와 급변하는 환경에 적응할 수 있기 위해서는 의사결정센터를 다원화시키는 권한의 분산과 관할권의 중첩이 필요하다고 본다.

(6) 티부 가설(Tiebout hypothesis)[1]

① 의의

ⓐ 각 지역에서 제공하는 공공서비스와 조세 간의 묶음을 주민들의 선호도에 따라 자율적으로 선택하게 하여 자신이 원하는 공공서비스를 제공해 주는 자치단체로의 진입·퇴장을 보장함으로써, 지방정부 간 경쟁을 유도하고 서비스 공급의 효율성을 높일 수 있다는 가설이다.

ⓑ 주민들이 지방 간 자유롭게 이동이 가능하기 때문에 지방공공재에 대한 주민들의 선호가 표시되고, 지방정부를 주민 스스로 선택할 수 있기 때문에 이러한 시장배분적 과정을 통하여 지방공공재 공급의 적정규모가 결정될 수 있다는 이론이다.

ⓒ 티부 가설은 '발에 의한 투표(vote by foot)'라고도 불린다.

② 전제조건(김동건 외)

ⓐ **다수의 지방정부**: 주민들이 선택할 수 있는 지방정부의 수가 많아야 한다.

ⓑ **주민의 완전한 이동가능성**: 주민은 자신의 선호에 맞는 지방정부로 자유롭게 이동할 수 있어야 한다. 이는 이동비용이 없어야 함을 의미한다.

ⓒ **완전한 정보**: 모든 지방정부의 공공재와 조세에 대한 정보가 공개되어 주민이 그 내용을 알 수 있어야 한다.

ⓓ **외부효과의 부존재**: 공공서비스로 인한 외부경제나 불경제가 없어야 한다. 즉, 당해 지역의 프로그램의 이익은 당해 지역 주민들에게만 돌아가며 이웃지역의 주민들에게 이익이나 불이익을 주지 말아야 한다. 외부효과가 존재하면 지역 간 이동이 불필요해 질 수 있기 때문이다.

ⓔ **배당수입에 의한 소득**: 모든 시민은 지역 내 소득과 재산에 의한 배당수입(dividend)에 의존하여 생계를 유지한다. 이는 지방정부의 재원이 조달되는 방식과 연관되어 있다. 지방자치단체의 재원은 지방소비세가 아니라 재산세(property-tax)에 의하여 충당되는 것으로 상정된다. 즉, 비슷한 재산과 소득을 가진 사람들이 모여 살게 된다는 것이다.

ⓕ **동일한 단위당 평균비용**: 공공재 생산을 위한 단위당 평균비용이 동일해야 한다. 이는 규모의 경제가 작용하지 않아야 한다는 '규모수익 불변의 원리'를 의미한다.

③ 공헌과 한계

ⓐ **공헌**: 지방자치의 당위성을 옹호하는 이론으로, 경쟁의 원리에 의해 지방행정의 효율성을 높일 수 있다는 가능성을 제시하고 있다.

ⓑ **한계**

ⓐ **형평성 저해의 우려**: 지역 내의 동질성은 높아지지만 지역 간 빈부격차가 심해져 지역 간 이질성이 심해질 수 있다. 즉, 각 지역에 비슷한 기호와 소득을 가진 주민들이 모여 살게 된다는 것이다.

ⓑ **비현실적**: 모형의 가정 대부분이 비현실적이어서 현실적합성이 떨어진다.

---

[1] 오우츠(Oates)의 이론 – 도시정부의 적정규모 이론

1. **분권화 정리(decentralization theorem)**: 지역 간에 다른 선호를 가진 경우, 분권화를 통하여 지역이 각자의 선호에 맞는 공공서비스의 수준을 선택할 수 있도록 함으로써 자원배분의 효율을 기할 수 있다는 이론이다. 동일한 비용이 든다면, 중앙정부가 모든 지역을 획일적으로 공급하는 것보다는 주민의 선호를 더욱 잘 반영할 수 있는 지방정부가 지방의 사정을 감안하여 공급하는 것이 더 효율적이라는 주장이다.

2. **조화의 원칙**: 일종의 외부효과로, 도시의 규모가 너무 작으면 어떤 도시의 정책 효과가 여타 다른 지역으로 영향을 주게 되어 비용부담자와 수혜자 간에 일치가 되지 않는 문제가 생긴다. 반대로 도시의 규모가 너무 크면 주민이 원하는 서비스를 제대로 제공하지 못하게 되므로 이 두 가지 측면이 조화를 이룰 수 있도록 도시의 규모를 정해야 한다는 주장이다.

핵심 OX

01 공공선택론은 방법론상 총체주의를 택한다. (O, X)

02 관료의 예산점은 사회의 최적점보다 낮다. (O, X)

03 공공선택론은 분권화와 관할권의 분리를 강조한다. (O, X)

01 X 방법론상 개체주의이다.
02 X 관료의 예산점이 높다.
03 X 분권화와 관할권이 중첩된다.

4. 공헌과 한계

(1) 공헌

① **행정학의 연구범위 확대:** 경제학적 접근을 활용한 정치·행정연구로 행정학의 연구범위를 확대시켰다.

② **민주행정 구현에 기여:** 시민들의 다양한 요구와 선호에 민감하게 반응할 수 있는 제도적 장치의 마련에 관심을 두어 민주행정 실현에 기여하고 있다.

③ 정부실패의 대응책으로 공공부문에 시장원리 및 경쟁개념을 도입하였다.

(2) 한계

① 제도적 유산이나 문화 또는 상징체계 등을 간과함으로써, 이러한 제도가 인간행위를 구속하는 측면을 설명하지 못한다.

② **경제인 가정에 대한 비판:** 정치적 의사결정을 개인의 이익충족만으로 설명하기에는 다소 무리가 있다. 즉, 개인의 선택은 경제적 이익 이외에 개인의 가치관이나 사회적 상호작용의 영향을 받는다는 측면을 도외시하고 있다.

③ **정부 역할을 간과:** 시장의 불완전성으로 부패의 확산과 빈부격차의 심화를 초래할 우려가 있으며, 공공서비스의 윤리성을 저해할 우려가 있다는 한계가 있다.

11 신제도론적 접근방법

1. 의의

(1) 신제도주의는 인간의 행위와 정치·경제·사회현상을 설명하는 데 있어서 ① '제도의 중요성·독립변수성을 인식'하며, ② '제도와 개인의 행태 간 관계', 그리고 '제도의 발생·변동'에 초점을 두는 일련의 연구방법이라 할 수 있다.

(2) 신제도주의 이론은 아래와 같이 상호 대립되기도 하는 다양한 분파로 이루어져 있음

① 경제학에 기초한 합리적 선택 신제도주의이다.

② 정치학을 모태로 하는 역사적 신제도주의이다.

③ 사회학적 시각에서 접근하는 사회학적 신제도주의이다.

2. 구제도론, 행태론, 신제도론 비교[1]

❶ 행태론과 신제도론의 차이

1. **행태론:** 원인과 결과 간 직선적 인과관계를 지지한다.

2. **신제도론**
   · 제도의 독립변수성을 강조한다.
   · 개인의 선호와 행위 결과 간 직선적 인과관계에 의문을 제시한다.

구제도론	· 공식적인 법령 ⇨ 정부조직 · 제도의 정태성 ┌ 제도의 종속 변수성(O) 　　　　　　　 └ 제도의 독립 변수성(×)
행태론	원인 ⇨ 결과 ⇩ 직선적 인과관계
신제도론	· 공유하는 규범과 규칙이 제도 ┌ 공식적(O) 　　　　　　　　　　　　　 └ 묵시적(O) · 제도의 동태성 ┌ 제도의 종속 변수성(O) 　　　　　　　　 └ 제도의 독립 변수성(O) · 행태론의 직선적 인과관계를 비판

3. 합리적 선택 신제도주의[1]

(1) 의의

사회현상을 설명함에 있어서 합리적 선택 신제도주의는 사회현상을 '만들어 내는 존재'로서 경제적 인간의 합리적 선택에 초점을 두면서도, 인간의 선택을 틀 짓는 여러 가지 제약(제도)들에 관심을 갖는다.

> **✅ 개념PLUS** 전통적인 합리적 선택이론과 신제도주의로서의 합리적 선택이론
>
> 전통적인 합리적 선택이론(신고전파 경제학)과 신제도주의로서의 합리적 선택이론(제2세대 합리적 선택이론)은 사회현상을 설명함에 있어서 '인간의 합리적 선택'에 초점을 둔다는 공통점이 있으나, 다음과 같은 차이점을 지닌다.
>
> 1. **전통적인 합리적 선택이론**
>   사회제도를 초월하는 일반이론의 도출에 관심을 두고, 제도에 대한 일반적이고 고정적인 가정하에 인간의 합리적 행동을 연구하였다. 즉, ① 완벽한 정보를 지닌 완전한 합리성과 거래비용의 부재라는 가상적 상황에서, ② 제도의 제약이 존재하지 않는다는 가정하에서 개인의 합리적 행위를 연구하였다.
>
> 2. **합리적 선택 신제도주의**
>   합리적 선택 신제도주의는 전통적 합리적 선택이론과는 달리 현실에서 효용극대화를 추구하는 인간은 ① 불완전 정보를 지닌 제한된 합리성과 거래비용이 존재하는 상황에서 ② 다양한 제도적 제약하에서 행동한다는 점을 인정하고 제도가 개인의 합리적 선택에 미치는 영향에 초점을 둔다.

(2) 주요 특징

① **행태적 가정(합리적 선호체계와 전략적 행동)**: 행위자들은 주어진 선호체계하에서 자신의 선호나 이익을 최대로 달성하기 위해 전적으로 전략적인 행동을 한다.

② **방법론적 개인주의**: 제도를 효용 극대화를 추구하는 인간들이 만들어 낸 산물로 인식한다. 그러나 일단 형성된 제도는 인간의 행위를 제약하게 된다고 본다.

③ **집단행동의 딜레마의 해결책으로 제도**: 행위자들이 집합적으로 더 나은 결과를 낳는 행동이나 대안을 선택하지 않는 이유는 적절한 제도적 메커니즘이 존재하지 않기 때문이라고 보아, 집단행동의 딜레마를 해결하기 위한 방편으로 의도적인 제도 설계를 강조한다.

④ **제도의 생성·유지에 대한 연역적 설명**: 합리적 선택 신제도주의자들은 제도의 영향을 받는 행위자에게 제도가 주는 가치를 설명함으로써, 그러한 제도가 생성되고 유지되는 이유를 설명한다.

⑤ **외생적 선호**: 개인의 선호체계는 주어진 것으로 가정한다.

4. 역사적 신제도주의[2]

(1) 의의

① 제도와 개인의 행위와의 관계에서 개인의 행위는 제도적 맥락 속에서 형성되고 제약되며, 개인의 선호와 그에 따른 의사결정은 '제도의 산물'로 간주하고, ② 국가를 집단 간 경쟁의 결과와 구조에 영향을 줄 수 있는 자율적인 '제도들의 집합체'로 보며, ③ 정책결과의 국가 간 상이성 및 불평등성을 설명하기 위해 각국의 제도가 가지는 특수성 및 제도의 역사적 경로의존성*(path-dependency)을 강조한다.

---

[1] 합리적 선택 신제도주의
1. 개인의 선호 형성: 외생적이다.
2. 접근방법
   · 연역이론
   · 방법론상 개체주의
3. 내용
   · 집단행동의 딜레마를 극복할 수 있다.
   · 거래비용이 감소한다.

[2] 역사적 신제도주의
1. 개인의 선호 형성: 내생적이다.
2. 접근방법
   · 귀납이론
   · 방법론상 총체주의
3. 내용
   · 권력의 불균형
   · 국가·정치 권력의 자율성을 강조한다.
   · 역사적 우연성을 강조한다.
   · 비효율적 제도의 존재를 설명할 수 있다.
   · 정책의 의도하지 않는 결과를 설명할 수 있다.

📖 용어

경로의존성*: 한번 일정한 경로에 의존하기 시작하면 나중에 그 경로가 비효율적이라는 사실을 알고도 여전히 그 경로를 벗어나지 못하는 경향성

핵심 OX

01 합리적 선택 신제도주의는 선호를 주어진 것으로 본다. (O, X)

01 O

(2) 주요 특징

① 제도의 독립변수성과 종속변수성

ⓐ 역사적 신제도주의는 독립변수로서의 제도가 종속변수인 개인의 행위나 선택을 어떻게 '형성하고 제약'하는지를 설명하고자 한다. 그리고 개인의 선호와 그에 따른 의사결정은 '제도의 산물'로 간주한다.

ⓑ 역사적 산물로서의 제도가 행위를 제약하기는 하나, 제도가 인간의 행위를 결정하는 결정론은 아니며, 단지 행위자의 선택을 제약하는 맥락을 제공할 뿐이다.

ⓒ 동시에 제도 자체가 인간의 의도적 또는 비의도적인 전략, 갈등, 선택의 산물임을 부인하지 않는다.

② **역사적 접근방법의 강조**: 역사적 접근방법이란 제도가 형성된 과정의 특수한 상황을 이해하고, 이를 사회적 맥락에서 인식하는 것을 의미한다. 즉, 종속변수인 사회현상이나 정책을 설명하기 위하여 역사적 전통·문화·제도 등의 맥락하에서 장기간에 걸쳐 형성된 구조적 틀을 독립변수로 채택한다.

③ **제도의 경로의존성과 지속성, 의도하지 않은 결과**: 역사적 제도주의에서는 제도의 중요성과 함께 제도가 형성된 역사적 맥락을 강조한다. 이러한 제도의 역사적 맥락은 구체적으로 경로의존성(path-ependency)이라는 용어로 표현된다. 경로의존성에 따르면 제도의 변화는 역사적으로 확립된 제도의 경로에 따라 이루어지기 때문에, 기존 제도는 새로운 제도가 취할 모습을 제약한다는 것이다. 새로 도입된 제도가 기존의 경로의존성과 부합되지 않아 '의도하지 않은 결과와 제도의 비효율성'이 발생할 수 있음을 강조한다.

5. 사회학적 신제도주의❶

(1) 의의

'제도(문화)에 의해 구성되는 인식이 인간 선호를 결정하여 행동의 기회를 제약하므로 개인은 선택의 여지가 없다'는 문화적 접근을 시도한다.

(2) 이론적 배경

베버(Weber) 등은 조직의 합리성과 효율성을 강조한 반면, 사회학적 신제도주의에서는 현대조직에서 사용되는 많은 제도적 형태와 절차들이 가장 효율적이란 이유에서 채택된 것이 아니라, 그 사회에서 만들어진 '문화적으로 독특한 관행' 때문에 채택된 것이라고 주장한다.

(3) 주요 내용

① **'문화'를 제도의 개념에 포함**: 사회학적 신제도주의에서 제도는 단지 공식적인 규칙이나 절차 또는 규범뿐만 아니라 '인간행동을 지도하는 의미의 틀(frame of meaning)을 제공하는 상징체계, 인지적 각본, 도덕적 전형 등을 모두 포함하는 것'으로 보고, 문화 그 자체도 하나의 제도로 파악한다.

② **제도의 인지적 차원 강조**: 사회학적 신제도주의에서 제도는 규범적 측면보다 인지적 측면을 강조한다.

❶ 사회학적 신제도주의
1. 개인의 선호 형성: 내생적이다.
2. 접근방법
 · 귀납이론
 · 방법론상 총체주의
3. 내용: 제도의 규범적 측면보다 인지적 측면을 강조한다.

핵심 OX

01 역사적 신제도주의는 연역적 접근방법이다. (O, X)

02 사회학적 신제도주의는 제도의 규범적 측면을 중시한다. (O, X)

01 X 역사적 신제도주의는 귀납이론이다.
02 X 제도의 인지적 측면을 강조한다.

③ **사회적 적절성의 논리 강조**: 조직에 새로운 제도적 형태나 관행이 채택되는 이유는 새로운 제도적 형태나 관행이 조직의 목적·수단의 효율성을 증진시키기 때문(도구성의 논리)이 아니라, 조직이나 참여자들의 사회적 정당성을 제고하기 때문(적절성의 논리)이라는 것이다.

④ **제도적 동형화(institutional isomorphism)❶❷**: 조직변화는 합리성이나 효율성 증진과는 무관하며, 조직을 사회적 정당성과 더 유사해지도록 하는 과정, 즉 동형화(isomorphism)의 결과로 나타난다고 본다.

◎ 핵심정리 　　신제도론 유파 비교

구분	합리적 선택 신제도주의	역사적 신제도주의	사회학적 신제도주의
제도의 개념	개인의 합리적(전략적) 계산	· 역사적 특수성(맥락) · 경로의존성	사회문화 및 상징
학문적 기초	경제학	정치학	사회학
강조점	· 전략적 행위 · 제도의 균형 중시	· 경로의존성 · 권력불균형 · 역사적 과정	인지적 측면
초점	개인 중심 (개인의 자율성)	국가 중심 (국가의 자율성)	사회 중심 (문화의 자율성)
제도의 측면	공식적 측면 강조	공식적 측면 강조	비공식적 측면 강조
제도의 변화 원인	· 전략적 선택 · 경제적 분석	· 외부적 충격 · 결절(結節)된 균형	· 유질동형화 · 적절성의 논리
개인의 선호 형성	외생적	내생적	내생적
접근법	· 연역적(일반이론 추구) · 방법론적 개체주의	· 귀납적 · 방법론적 전체주의	· 귀납적 · 방법론적 전체주의

12 신공공관리론(NPM)

1. 개념과 대두배경❸

(1) 개념

신공공관리론(NPM)은 일반적으로 '신관리주의'와 '시장주의'의 결합으로, ① 작은 정부의 구현(정부의 기능과 규모 축소)과 ② 전통관료제의 행정운영방식 개선(성과주의 실현)을 내용으로 한다.

(2) 대두배경

① **신보수주의·신자유주의❹ 등장**: 1980년대 이후 서구 선진국에서 출현한 신보수주의·신자유주의는 그 당시 심각한 경기침체와 재정적자를 겪고 있던 영국, 미국 등의 국가들에게 최소비용으로 최대효과를 산출하는 작은 정부로의 움직임을 재촉하는 계기가 되었다.

❶ **동형화 이론**

디마지오(Dimaggio)와 파웰(Powell)의 동형화(isomorphism)이론에 따르면 어떤 조직이든 생성 시에는 다양한 형태의 조직 유형으로 출발하지만, 시간이 지나 어느 정도 안정화 단계에 이르게 되면 동질화의 압력이 나타나게 되어 동형화기 이루어진다.

참고 배태성: 개인의 행위와 제도가 사회적 관계에 의해서 지속적으로 맥락지어지는 것을 말하며 동형화와 유사한 말

❷ **제도적 동형화의 3가지 차원**

1. **강압적 동형화**: 외부의 강입에 순응하는 과정에서 발생한다.
2. **모방적 동형화**
   · 자발적으로 성공사례를 벤치마킹하여 모방하는 과정에서 발생한다.
   · 능률성 제고를 직접적인 목표로 하기보다는 '성과를 향상시키기 위하여 노력하고 있다'는 인상을 환경에 심는 것을 목표로 한다.
3. **규범적 동형화**
   · 주로 직업적 전문화 과정에서 발생한다.
   · 내부적인 조직 효율성 증대와는 무관하게 발생한다.

❸ **결정과 집행의 분리**

❹ **신자유주의**

국가권력의 시장개입을 비판하고 시장의 기능과 민간의 자유로운 활동을 중시하는 사조를 의미한다.

② **공공부문의 비대화와 비효율:** 1970년대까지의 '큰 정부'에 의한 국가운영은 과중한 조세 부담과 민간에 대한 과다한 정부개입을 초래하여 사회경제적인 비효율의 원천으로 인식되었다.

③ **신제도주의 경제학:** 신제도주의 경제학은 공공선택이론과 주인 – 대리인이론, 거래비용이론 등을 포함한다. 이는 행정서비스 공급에 경쟁과 시장기제를 도입하고, 관료의 유인구조(incentive structure)를 변화시켜 성과 및 행정서비스의 효율성 향상을 도모하는 것이다.

2. 정부혁신 내용

(1) 인력 감축 및 조직 구조의 개편

기존의 정치·관료적인 이해관계를 탈피하고 정부 기능의 축소 및 폐지, 민영화 또는 민간위탁, 계층제적 구조의 경직성을 탈피하기 위한 자율팀제나 책임운영기관 등의 도입을 강조한다.

(2) 성과 중심 체제 지향

투입과 절차 중심이 아닌 산출과 결과에 중점을 두며, 이를 위하여 조직 목표의 명확화·자율성 부여와 적절한 인센티브 제공·성과 측정 및 평가체제의 확립을 강조한다.

(3) 지출가치(value for money)의 증대

정부의 성과를 집약해서 나타내는 '지출가치(value for money)'는 경제성(economy), 능률성(efficiency), 효과성(effectiveness)을 반영한 예산이 결과나 성과로 나타나야 함을 의미한다. 즉, 지출가치를 높여 능률성을 증가시키고 낭비를 줄이며 효과성을 향상시키자는 것이다.

(4) 권한 위임과 융통성의 부여

정부 관료제의 지나친 통제가 행정의 비효율을 야기하였다는 인식하에 조직과 관리자들에게 권한을 부여함으로써 혁신과 창의를 고취한다.

(5) 성과를 통한 책임과 통제의 강화

관리자에게 권한을 주고 성과를 통해 그에 따른 책임과 역할을 확보하고자 한다.

(6) 경쟁과 고객서비스 지향

내부규제의 완화 등 내부지향적일 뿐만 아니라, 외부의 고객과 서비스 중심의 공동체계를 확립하고 고객에 대한 대응성을 향상시키는 것을 중시한다.

(7) 정부규제의 개혁과 정부 간 협력 강조

신공공관리론적 정부개혁은 규제의 비용효과분석을 통하여 경제적 규제의 완화와 사회적 규제의 강화를 기본 방향으로 한다. 한편, 지방정부로의 권한이양과 정부 간 파트너십이 강조된다.

❶ 시장성 검증
1991년 영국정부가 '품질을 위한 경쟁'이라는 시책에서 강조한 것으로, 정부 기능을 원점에서부터 재검토하여 이를 적정히 축소하려는 신공공관리론의 주요 프로그램이다.

(8) 정책능력의 강화❶

신공공관리론에 따른 행정개혁의 방향은 정책결정과 집행의 분리를 전제로, 노젓기(rowing)보다는 방향잡기(조타, steering)에 집중하는 중앙정부의 정책능력 강화를 강조한다. 즉, 정책과 관련하여 기획 및 결정기능은 중앙에서 담당하고, 집행기능은 책임운영기관화를 도모한다.

3. 한계

(1) 행정의 책임성 확보의 곤란

관료에 대한 자율성 및 재량의 확대·성과 중심의 책임운영기관화 등은 의회와 대통령의 통제를 어렵게 하여, 대의민주주의의 기본원리인 행정의 정치적 책임성 확보를 어렵게 한다.

(2) 형평성 악화

능률성·효과성 중심의 시장주의나 성과지향의 행정은 수익자 부담 원칙을 채택하여 사회계층 간의 형평성을 악화시킨다.

(3) 공행정과 사행정의 근본적 차이 무시

정부의 실패를 해결하기 위해 경영기법만을 강조한 나머지 관료에 대한 불신을 가중시키며, 국가의 역할이나 공공행정의 특수성을 부정하고 있다.

(4) 공무원의 사기 저하

맹목적인 감축개혁과 경쟁으로 공무원의 사기가 저하된다.

(5) 소비자관의 한계

① 국민을 시민으로서가 아닌 소비자로 보게 되는데, 시민형과 달리 소비자형에서는 개인주의를 강조한다.

② 소비자의 권리는 강조되지만, 시민으로서의 의무는 거의 무시하게 된다.

(6) 정책과 집행의 분리 문제

① 정책과 집행 기능의 분리는 기술적으로 곤란한 측면이 있다.

② 가능하다고 하더라도 집행현장의 문제점 파악 등이 곤란하고, 정책의 환류 기능을 차단하여 오히려 정책역량을 약화시킬 수 있다.

핵심정리 오스본(Osborne)과 프래스트릭(Plastric)의 5C 전략 ❶

전략	정부개혁수단	접근방법
핵심 전략 (Core strategy)	목적(purpose): 명확한 목표를 설정하라	목적·역할·방향의 명확성
결과 전략 (Consequence strategy)	유인체계(incentive): 직무 성과의 결과를 확립하라	경쟁관리, 기업관리, 성과관리
고객 전략 (Customer strategy)	책임성(accountability): 고객을 최우선하라	고객의 선택, 경쟁적 선택, 고객품질 확보
통제 전략 (Control strategy)	권한(power): 권한을 이양하라	하위조직·조직구성원· 지역사회에의 권한 이양
문화 전략 (Culture strategy)	문화(culture): 기업가적 조직문화를 창출하라	관습타파, 감동정신, 승리정신

❶ 샤흐터(Schachter)의 시민재창조론
1. **의의**: 고객으로서 시민이 아닌 주인으로서의 시민을 상정, 즉 주인으로서 참여를 강조한다.
2. 정부재창조론과의 차이점

내용	정부 재창조론	시민 재창조론
시민에 대한 견해	고객으로서 시민	주인으로서 시민
관점	정부가 어떻게 일을 하는가	정부가 무엇을 해야 하는가
처방	업무절차 및 관료제 문화의 재창조	시민재창조 – 능동적 참여

신공공관리 원칙	정부재창조	전통적 관료제		기업가적 정부
목적달성 수단의 제고	① 촉매적·촉진적 정부	노젓기(rowing), 사공	⇨	방향잡기(steering), 조타수
	② 시장지향적 정부	행정 메커니즘 (인위적 질서체제)	⇨	시장 메커니즘 (자율적 질서체제)
통제의 위치 전환	③ 분권적 정부	집권적 계층제 (명령·통제)	⇨	분권·참여·팀워크· 협의·network
	④ 지역사회가 주도하는 정부	서비스 직접 제공	⇨	권한의 부여* (empowering)
성과의 향상	⑤ 성과·결과지향 정부	투입 중심 예산	⇨	성과·결과 중심 예산
	⑥ 경쟁적 정부	독점적 공급	⇨	경쟁 도입 (민영화, 민간위탁)
	⑦ 기업가적 정부	지출 지향	⇨	수익 창출
목표의 명확화	⑧ 사명·임무 중심 정부	규칙·규정 중심 관리	⇨	임무·사명 중심 관리
	⑨ 고객지향 정부	관료(행정) 중심	⇨	고객(국민) 중심
	⑩ 미래지향적·예견적 정부	사후 치료·치유	⇨	예측·예견과 사전예방

📖 **용어**

권한의 부여(힘 실어주기, empowerment)*: 업무 담당자들에게 필요한 권력과 업무 추진 수단들을 부여함으로써 그들의 창의적이고 효율적인 업무 수행을 촉진하는 과정

13 탈신공공관리론

1. 개념

(1) 탈신공공관리론은 신공공관리론의 역기능적 측면을 교정하고 통치 역량을 강화하며, 정치·행정체제의 통제와 조정을 개선하기 위해 재집권화와 재규제를 주창하는 것이다.

(2) 탈신공공관리론은 신공공관리론의 대체가 아니라 조정이다(새행정학 2.0).

2. 특징

(1) 구조적 통합을 통해 분절화를 축소한다.

(2) 재집권화와 재규제를 주창한다.

(3) 총체적 정부 또는 합체된 정부가 주도한다.

(4) 역할 모호성의 제거 및 명확한 역할 관계를 안출한다.

(5) 민간·공공부문의 파트너십을 강조한다.

(6) 집권화 역량 및 조정을 증대한다.

(7) 중앙의 정치·행정적 역량을 강화한다.

(8) 환경적·역사적·문화적 요소들을 유의한다.

핵심 OX

01 신공공관리론은 결정과 집행을 통합한다. (O, X)

02 통제전략은 행정의 시장에 대한 규제를 철폐하는 것이다. (O, X)

03 기업가적 정부는 임무 중심 관리이다. (O, X)

01 X 신공공관리론은 결정과 집행을 분리한다.
02 X 하위 조직, 하위 계층에 대한 규제를 철폐하는 것이다.
03 O

3. 신공공관리론과 탈신공공관리론의 비교

비교 국면		신공공관리론	탈신공공관리론
정부 기능	정부 · 시장 관계의 기본철학	· 시장지향주의 · 규제 완화	· 정부의 정치 · 행정적 역량 강화 · 재규제의 주장 · 정치적 통제 강조
	주요 행정가치	능률성, 경제적 가치 강조	민주성 · 형평성 등 전통적 행정가치 동시 고려
	정부규모와 기능	· 정부 규모와 기능의 감축 · 민간화, 민영화, 민간위탁	민간화 · 민영화의 신중한 접근
	공공서비스 제공의 초점	시민과 소비자 관점의 강조	민간 · 공공부문의 파트너십 강조
조직 구조	기본모형	탈관료제모형	관료제모형과 탈관료제모형의 조화
	조직구조의 특징	· 비항구적 · 유기적 구조, 임시조직 · 네트워크 활용 · 비계층적 구조 · 구조적 권한 이양과 분권화	· 재집권화 · 분권화와 집권화의 조화
	조직개편의 방향	소규모의 준자율적 조직으로 분절화 예 책임운영기관	· 분절화 축소 · 총체적 정부 강조 · 집권화 역량 및 조정의 증대
관리 기술	조직관리의 기본철학	· 경쟁과 자율성을 강조하는 민간 부문의 관리기법 도입 · 경쟁의 원리 도입 · 규정과 규제의 완화 · 관리자의 자율성 · 책임성 강조	자율성과 책임성의 증대
	통제 메커니즘	결과 · 산출 중심의 통제	과정과 소통 중심
	인사관리의 특징	· 경쟁적 인사관리 · 능력 · 성과 기반 인사관리 · 경쟁적 인센티브 중시 · 개방형 인사제도	공공책임성 중시

14 신국정관리론(뉴거버넌스)[1]

1. 의의 및 대두배경

(1) 의의

행정학에서 거버넌스란 새로운 국가통치 행위 및 방식을 의미하는 국정관리로 해석된다. 거버넌스에 대한 행정학적 접근은 최광의, 광의, 협의가 있다.

① **최광의**: 거버넌스를 행정 전체의 구조와 움직임을 모두 포괄하는 넓은 의미의 행정, 즉 국가통치 행위로 파악하는 입장이다. 이러한 최광의의 거버넌스 개념에는 전통적 의미의 행정뿐만 아니라, ②, ③의 NPM이나 네트워크 등 새로운 국정관리의 요소들이 모두 포함된다.

❶ 신국정관리론 연계망
정부 - 시민사회 - 시장이 상호 신뢰의 기반 위에 협력한다.

② **광의:** 거버넌스를 신공공관리(NPM)로 파악하는 입장이다. 이러한 입장은 ⊙ 신관리주의와 시장주의에 참여주의를 포함하는 넓은 의미의 신공공관리를 (신)거버넌스·(신)국정관리로 파악하는 견해와 ⓒ 신관리주의와 시장주의를 합친 일반적 의미의 신공공관리를 (신)거버넌스로 보는 견해로 나뉜다.

③ **협의:** 거버넌스를 공공서비스 연계망(network)으로 파악하는 입장이다. 이러한 공공서비스 연계망의 특징으로는 ⊙ 정부기관만이 아니라 다수의 비정부 조직과 개인들이 공공서비스 공급에 참여하고, ⓒ 이들 간에 계층제적 위계가 아닌 연계망(network)이 형성되며, ⓒ 연계망의 참여자들은 상호 신뢰(trust)의 기반 위에 협력의 관계를 유지한다.

(2) 대두배경

① **신공공관리접근법의 한계:** 지나친 시장주의 행정운영으로 인한 공무원의 사기저하, 행정문화와의 괴리문제, 책임성, 민주성 측면에서 문제가 노정되었다.

② **환경변화로 인한 네트워크의 강화:** 정부실패와 시장실패에 대한 대안으로서 신뢰를 바탕으로 한 네트워크의 강조와 관련된다.

2. 거버넌스의 개념 유형

(1) 로즈(Rhodes)

로즈(Rhodes)는 거버넌스란 '정부(government)가 변화하고 있음을 암시하는 새로운 통치과정'을 의미한다고 제시한다.

① **기업 거버넌스(corporate governance):** 회사의 최고 관리자들이 주주들의 이익을 보장하기 위해 책임성, 감독, 평가, 통제 등의 역할을 수행하는 것을 의미한다.

② **신공공관리(New Public Management):** 신공공관리란 민간부문의 경영방식을 공공부문에 도입하려는 '관리주의'와 시장경쟁과 같은 유인체계를 공공서비스 제공에 도입하려는 '신제도경제학'을 내용으로 한다.

③ **좋은 거버넌스(good governance):** 좋은 거버넌스(good governance)란 세계은행이 신공공관리론과 자유민주주의를 결합한 의미로 해석된다. 이는 개발도상국가의 국정관리체계를 개선하기 위한 것이다.

④ **사회적 사이버네틱 체제(socio-cybernetic systems):** 여기서 거버넌스란 사회문제 해결을 위한 사회정치체제 내 모든 행위자들의 상호작용 노력의 결과로서 출현하는 하나의 유형 또는 구조를 의미한다.

⑤ **자기 조직화 네트워크(self-organizing networks):** 공적 조직, 사적 조직, 자발적 조직들이 혼합된 참여자들 간의 수평적·상호의존적 구조를 의미한다. 네트워크는 행위자들 간의 자원의존성을 토대로 한 교환의 필요성에 의해 발생하며, 교환 및 상호협력·공통의 이해와 신념·신뢰와 상호조정 등을 특징으로 한다.

(2) 피터스(Peters)

피터스(Peters)는 거버넌스를 정부가 행정행위를 관장해가는 과정이라고 전제하면서, '전통적' 거버넌스인 전통적 정부모형에 대한 대안으로, '뉴'거버넌스에 기초한 4가지의 정부개혁 모형을 제시하고 있다.

◈ 핵심정리 | **뉴거버넌스에 기초한 4가지의 정부개혁모형[피터스(Peters)]**

구분	전통모형	시장모형 (market gov't)	참여모형 (parcipative gov't)	신축모형 (flexible gov't)	탈규제모형 (deregulatory gov't)
문제 진단	전근대적 권위	對 민간 독점 정부내부 독점	계층제	영속성	내부규제에 따른 감사대비 행정
구조의 개혁 방안	계층제	분권화	평면조직 (계층제 완화)	가상조직 (네트워크 형성)	제안 없음
관리의 개혁 방안	직업공무원 내부규제	성과급, 민간기법을 도입	총체적 품질관리 (TQM), 팀(team)제	직업공무원제를 탈피하여 임시적 관리를 활용	예산, 인력, 조직 등의 관리상 재량권 확대
정책 결정의 개혁 방안	정치행정 이원론	내부시장, 시장적 유인을 통한 경생유발	협의, 협상	실험	기업가적 정부
공익의 기준	안정성(지속성), 평등	저비용, 고효율	참여, 협의	저비용, 조정	창의성, 활동주의

1. **시장적 정부모형**
   전통적 관료제에 대한 불신(주로 정부 관료제의 독점성)을 전제로, 시장의 효율성에 대한 신뢰를 기초로 한다. 따라서 정부개혁은 정책결정과 집행의 분권화를 추구하며, 민간 또는 준민간조직의 이용을 적극 권장한다.

2. **참여적 정부모형**
   시장모형과 거의 반대의 입장으로, 시장을 거부하며 정부에 대해 시민들이 적극적으로 의견을 투입하는 정치적·민주적 집단적 기제, 즉 참여를 모색한다. 시장모형이 전통 관료제에서 독점을 가장 중요한 저해 요인으로 지적하는 반면, 참여모형은 계층제를 최대의 해악으로 지적한다.

3. **신축적 정부모형**
   전통적 관료제의 영속성에 대한 비판적 입장에서, 변화에 대한 효과적 대응(신축성)에 초점을 두어 임시조직 또는 가상조직과 같은 정부 내의 구조적 변화를 대안으로 제시한다.

4. **탈규제적 정부모형**
   정부 내부의 규정이나 규칙 등의 규제를 철폐함으로써, 공공부문에 내재하고 있는 잠재력과 독창성을 분출시키는 것이다. 이는 내부의 번문욕례 등의 제약요인을 제거함으로써, 조직구성원들이 새롭고 창의적인 활동을 할 수 있도록 하여 효과적인 행정을 달성하고자 하는 것이다.

3. 신공공관리론과 신국정관리론의 비교

(1) 유사점

① **정부역할에 대한 인식**: 서비스 전달이라는 노젓기(rowing)는 민간부문이나 준정부부문으로 외부화시키고(rolling out of the state power), 정부는 방향잡기(steering)를 위한 도구와 기법을 중시한다.

② **공공부문과 민간부문의 구별의 상대화**: NPM에서는 정부부문의 효율성 제고를 위해 민간부문의 경영·관리 기법을 사용해야 한다는 측면, 신국정관리론(신거버넌스)에서는 양 부문의 행위자들이 네트워크를 통해 함께 일한다는 측면에서 양자 모두 공공부문과 민간부문의 구별에 대해 상대적이다.

③ **정부실패의 극복을 위해서 대두된 이론:** 정치행정과정에서 사람들의 의사반영을 위한 대표 선출(대리인 체제)이 필요하지 않게 된다. NPM에서는 시장 메커니즘을 통한 고객으로서의 직접적 선호 표출이 이루어지고, 신국정관리론(뉴거버넌스)에서는 시민들의 직접 참여가 이루어지기 때문이다.

④ **투입보다는 산출에 대한 통제 강조:** 두 이론 모두 투입보다는 산출에 대한 통제를 강조한다.

(2) 차이점

① **인간관:** 신공공관리론은 인간을 불신의 대상으로 파악하여 경쟁·갈등을 중시하는 홉스(Hobbes)적 인간관에 입각해 있는데 비해, 신국정관리론은 신뢰·협조를 강조하는 로크(Locke)적 인간관에 입각해 있다.

② **경쟁 vs 신뢰:** 신공공관리론은 경쟁의 원리를 중시하지만, 신국정관리론은 경쟁보다는 신뢰를 기반으로 한 조정과 협조를 강조한다.

③ **시장화 vs 참여:** 신공공관리론에서는 행정 기능의 상당부분이 민영화·민간위탁 등을 통해서 국가로부터 민간에게 이양되는 데 비해, 신국정관리론은 국가의 역할을 부정하기보다는 민간의 힘을 동원하고, 공동체 구성원들의 적극적 참여에 의한 공적 문제 해결을 중시한다.

④ **고객 vs 시민:** 신공공관리론은 국민을 공리주의에 입각하여 국정의 대상인 '고객'으로 파악하는 데 비해, 신국정관리론은 시민주의에 바탕을 두고 덕성을 지닌 '시민'으로 파악한다.

⑤ **효율 vs 민주:** 신공공관리론은 시장 논리에 따라 행정의 생산성이나 효율성을 중시하고, 신국정관리론은 구성원 간의 참여와 합의를 중시하므로 행정의 민주성 등에 초점을 둔다. 단, 신국정관리론은 민주성을 중요시하는 것은 맞지만, 그렇다고 결코 효율성을 희생시키는 것은 아님을 주의해야 한다.

⑥ **정치행정이원론 vs 정치행정일원론:** 신공공관리론은 행정의 경영화에 의한 정치행정이원론의 성격이 강하나, 신국정관리론은 담론이론 등을 바탕으로 한 다양한 구성원의 참여를 중시하여 정치행정일원론적 입장이라고 할 수 있다.

(3) 관료제와 신공공관리론, 신국정관리론의 비교

구분	관료제 패러다임	신공공관리론(국정관리; governance)	신국정관리론 (new governance)
인식론적 기초	현실주의	신자유주의	공동체주의
관리 기구	계층제	시장	서비스 연계망(공동체)
관리 가치	능률성	결과(효율성·생산성)	신뢰·과정(민주성·정치성)
정부 역할	방향잡기, 노젓기	방향잡기	
관료 역할	행정가	공공기업가	조정자
작동 원리	내부 규제	경쟁체제(시장 메커니즘)	신뢰와 협력체제(파트너십)
서비스	독점 공급	민영화, 민간위탁	공동 공급(시민, 기업 등 참여)
관리 방식	규칙 위주	고객 지향	임무 중심
분석 수준	조직 내		조직 간

15 포스트 모더니티(post – modernity) 행정이론⦿

1. 대두배경

지금까지의 주류 행정이론은 근대 이후 형성된 산업사회의 기본 정신인 '인간의 주체성과 이성 및 합리적 사고에 대한 무한한 믿음을 가정하는 합리주의, 과학주의, 기술주의'를 신봉하는 모더니즘(modernism)에 뿌리를 두고 있다. 그러나 최근 모더니즘에 대한 회의와 비판을 의미하는(서구의 합리주의를 배격) 포스트 모더니즘(post-modernism)의 등장과 함께 행정학 분야에서도 포스트 모더니티 행정이론이 대두하고 있다.

2. 포스트 모더니즘의 지적 특징

(1) 구성주의

① 포스트 모더니즘은 우리가 발견할 수 있는 객관적 사실이 있다고 보는 객관주의를 배척하고, 사회적 현실은 우리들의 마음(내면) 속에서 구성된다고 보는 구성주의(constructivism)를 지지한다.

② 구성주의는 주관주의에 해당하는 것으로, 언어의 중요성을 강조한다.

(2) 상대주의 및 다원주의

① 포스트 모더니즘의 세계관은 상대주의적 · 다원주의적인 것이다.

② 보편주의와 객관주의를 추구하는 것은 헛된 꿈이라고 비판하고 지식의 상대주의를 주창한다. 즉, 절대유일의 가치는 존재하지 않으며 다양한 가치가 존재한다고 본다.

(3) 해방주의

① 포스트 모더니즘은 해방주의적(emancipatory)인 성향을 지닌다. 개인들은 조직과 사회적 구조의 지시와 제약으로부터 해방되어야 한다고 주장한다.

② 사람들은 서로 상이성을 인정한 위에서 자유롭게 접근할 수 있어야 한다는 것이다. 개인들은 모든 의미에서 자유로울 수 있는 존재라고 한다. 그들은 인위적 계서제와 구조들로부터 자유로울 수 있고 서로 다를 수 있으며 각자가 자기 특유의 개성을 가질 자유를 누려야 한다는 것이다.

(4) 포스트 모더니티는 진리의 기준을 맥락 의존적이라고 보고 있으며, 거시이론 · 거대한 설화 · 거시 정치 등을 부인한다.

3. 포스트 모더니티 행정이론

(1) 파머(Farmer)의 포스트 모더너티 행정이론

파머(Farmer)는 관료제를 중심으로 한 근대 행정이론을 과학주의 · 기술주의 · 기업주의 등에 기초한 것으로 비판하면서, 포스트 모더너티 행정이론을 '상상 · 해체(탈구성) · 탈영역화(학문영역 간의 경계 파괴) · 타자성'을 중심으로 전개하고 있다.

① **상상(imagination):** 상상이란 소극적으로는 규칙에 얽매이지 않는 것을 말하며, 적극적으로는 문제의 특수성을 인정하자는 것이다.

모더니티	포스트 모더니티
· 서구의 합리주의 신봉	· 서구의 합리주의 배격
· 소품종 대량생산	· 다품종 소량생산
· 대의 민주정치	· 직접 민주정치
· 관료제	· 탈관료제

② **해체(deconstruction; 탈구성):** 해체는 텍스트(언어, 몸짓, 이야기, 설화, 이론)의 근거를 파헤쳐 보는 것이다. 예를 들면 '행정의 실무는 능률적이어야 한다는 것'은 하나의 설화인데, 이러한 설화들을 당연한 것으로 받아들이지 않고 해체해 보면, 설화를 더 잘 이해할 수 있게 된다고 할 수 있다.

③ **영역 해체:** 지식의 고유영역과 경계를 타파하는 것이다. 행정학의 고유영역이라고 믿는 지식의 성격이 변화하고, 행정조직의 계층성 등이 약화되어 탈관료제화된 모습을 나타내게 될 것으로 본다.

④ **타자성(alterity):** 타자성이란 타인을 하나의 대상이 아닌 도덕적 타자[1]로 인정하고, 다양성에 대한 선호와 함께 타인에 대해 개방적인 태도를 가져야 한다는 것이다. 행정에서 타자성은 다양성에 대한 선호와 함께 행정의사결정의 개방성을 의미한다.

(2) 폭스(Fox)와 밀러(Miller)의 민주행정을 위한 담론이론

① **의의:** 모더니즘하에서 민주주의의 정통이론은 관료제도의 기초가 되는 환류모형에 입각한 대의 민주주의이다. 그러나 오늘날 '대의 민주적 책임 환류선(여러 개인들의 선호가 표명되면, 그것이 국민적 의지로 집약되어 입법 과정에서 법제화되고, 법제화된 법령과 정책은 중립적인 관료제에 의해 집행된 후 유권자들에 의해 평가되는 것)'이 더 이상 민주적이라고 할 수 있는 방식으로 작동되고 있지 않다. 이에 대한 대안으로 헌정주의, 참여적 공동체주의, 담론이론을 제시하고 있다.

② **이론적 기초**
  ㉠ 공공행정의 주체가 종전의 관료기구에서 정책네트워크, 기관 간 정책연합, 시민단체 등 다양한 사회세력으로 구성된 에너지영역으로 대체되어야 한다.
  ㉡ 에너지영역은 구성원 간의 평등한 의사소통인 담론을 가능하게 하는 운동장이다.
  ㉢ 행정은 소수 전문관료제에 의한 합리적 분석이 아니라 국민과의 민주적이고 자유로운 담론을 통해서 국민이 원하는 의미를 포착하여 정책에 반영하는 것이다.

③ **'진정한 담론'을 위한 조건:** 정책문제의 해결을 위한 진정한 담론이 이루어지려면, ㉠ 성실성, ㉡ 문제상황과의 관련성, ㉢ 적극적 주의력, ㉣ 문제해결에 기여하는 전문성과 지식의 보유, ㉤ 담론에 참여하는 사람의 수와 관련하여 소수담론(few-talk), 상당한 수의 담론(some-talk), 다수담론(many-talk) 가운데 '상당한 수의 담론'이 형성되어야 한다.

④ **공헌**
  ㉠ 지혜, 지식, 정보의 포괄적 활용이 가능하다.
  ㉡ 정책의 정당성과 민주성을 확보할 수 있다.
  ㉢ 구성원의 화합을 촉진한다.
  ㉣ 정책집행 및 평가에 기여한다.

⑤ **한계**
  ㉠ 담론에 필요한 시간과 정보 부족의 한계를 극복하지 못하기 때문에 구체적 처방성을 제시하는 데 한계가 있다.
  ㉡ 담론 문화가 미성숙한 사회에는 적용이 어렵다.

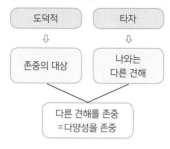

❶ 도덕적 타자의 개념

도덕적 → 존중의 대상
타자 → 나와는 다른 견해

다른 견해를 존중 = 다양성을 존중

16 신공공서비스론

1. 대두배경 – 신공공관리론의 오류에 대한 반작용

(1) 행정가가 책임져야 하는 것은 행정업무 수행에서 효율성이 아니라, 모든 사람에게 더 나은 생활을 보장하는 것이라고 본다.

(2) 민주적 시민이론, 지역공동체와 시민사회모형, 조직인본주의와 담론이론, 포스트모더니즘 등에 기초한다.

2. 특징 및 7대 원칙

(1) 특징
- ① 신공공서비스론은 행정의 역할이 방향잡기가 아닌 서비스를 제공해야 하는 데 있음을 강조한다. 정부가 방향을 잡는 것은 복잡한 미래 사회에서 수행하기 어렵거나 불가능하다고 본다.
- ② 신공공서비스론에서 관료의 역할은 시민을 통제하는 역할 대신 시민으로 하여금 공공의 이해관계를 표현하도록 하고, 지역시회기 직면하고 있는 문제를 해결하는 과정에서 협상과 중재 기능을 담당한다.
- ③ 신공공서비스론에서는 공익을 행정의 부산물이 아닌 목적으로 보며, 공익을 '공유하는 가치에 대한 담론의 결과'로 개념을 정의한다.
- ④ 관료는 시민이 담론을 통해 공유된 가치를 표명하고 이와 함께 공익에 대한 집단적 의미로 발전시킬 수 있는 활동의 장을 만드는 데 기여해야 한다.

(2) 7대 원칙
- ① 고객이 아닌 시민에 대해 봉사하라.
- ② 공익을 찾으려고 노력하라.
- ③ 기업주의 정신보다는 시민 의식의 가치를 받아들여라.
- ④ 전략적으로 사고하고 민주적으로 행동하라.
- ⑤ 책임성이란 것이 단순한 것이 아니라는 점을 인식하라.
- ⑥ 방향잡기보다는 봉사하기를 하라.
- ⑦ 단순히 생산성이 아니라 사람의 가치를 받아들여라.

3. 공헌과 한계

(1) 공헌
- ① 신공공관리론이 경시하였던 행정의 공공성을 재조명하였다.
- ② 공익, 공무원의 시민에 대한 서비스 책임, 공동체 중심적인 시민의식, 광범위한 참여에 의한 민주적 거버넌스를 강조하여 행정의 공공성에 주의를 환기시켰다.

(2) 한계
- ① 시민의 공동체 중심적 · 공익추구적 성향을 과신하여 시민이 행정서비스의 고객이 되는 측면을 경시하고 있다.
- ② 다양한 사회세력의 이익을 조정하는 정부의 역할에 대해 소홀히 다룬다.
- ③ 민주적 목적 성취를 위한 수단적 · 기술적 전문성을 과소평가한다.

2. 공공서비스동기이론의 구성

합리적 차원 (이성적 계산)	합리적 차원은 공무원 자신의 효용극대화 동기와 관련됨 ⑩ 자신의 자아실현적 욕구를 충족시키는 차원에서 정책과 자신을 동일시하는 것
	정책형성 과정에의 참여, 공공정책에 대한 일체감, 호감도와 매력, 특정 이해관계에 대한 지지
규범적 차원 (공익 의무감)	규범적 차원은 본질적이고 이타적인 내용으로 의무감에 바탕을 둔 동기
	공익봉사의 욕구, 의무와 정부 전체에 대한 충성, 사회적 형평의 추구
감성적 차원 (감정적 접근)	감성적 차원은 이성이나 의무감이 아닌 감정적으로 생기는 동기
	정책의 사회적 중요성에 기인한 몰입, 선의의 애국심

4. 전통 행정이론, 신공공관리론, 신공공서비스론의 비교❶

구분	전통 행정이론	신공공관리론	신공공서비스론
이론 및 인식론적 토대	초기 사회과학의 정치이론, 사회학 이론	신고전학파 경제이론	민주주의 이론, 실증주의, 해석학, 비판이론, 포스트 모더니즘 등 복합적
공익의 개념	정치적으로 정의되고 법률로 표현	개인 이익의 총합	공유가치에 대한 담론의 결과
공무원의 반응 대상	고객과 유권자	고객	시민
정부의 역할	· 노젓기 · 단일의 정치적으로 정의된 목표에 초점을 맞춘 정책설계 및 집행	· 방향잡기 · 시장의 힘을 활용한 촉매자	· 봉사 · 공유된 가치 창출을 위해 시민, 지역공동체 집단들과 이익을 협상하고 중재
정책목표 달성 기제	기존의 정부기구를 통한 프로그램 관리	민간기관 및 비영리기구 활용하여 정책목표를 달성할 기제와 유인 체계의 창출	상호 합의한 필요를 충족시키기 위한 공공기관, 비영리 및 민간기관 연합
책임성 확보 방법	· 위계적 · 행정인은 민주적으로 선출된 정치지도자에게 책임	· 시장 지향적 · 사익의 총합은 시민에게 바람직한 결과 창출	· 다면적 · 법, 공동체, 정치규범, 전문성, 시민 이익 존중
행정재량	공무원에게 제한된 재량만 허용	기업가적 목표 달성을 위해 폭넓은 재량 허용	재량이 필요하지만 제약과 책임 수반
기대하는 조직 구조	상명하복하는 관료적 조직과 고객에 대한 규제와 통제	조직 내 주요 통제권이 유보된 분권화된 조직	리더십을 공유하는 협동적 조직구조
공무원 동기유발 수단	· 보수와 편익 · 공무원 보호	· 기업가 정신 · 정부 규모를 축소하고자 하는 이데올로기적 욕구	· 사회 봉사 · 사회에 기여하려는 욕구

17 레짐이론과 시차이론

1. 레짐(regime)이론

(1) 의의

① 레짐(regime)은 비공식적 실체의 통치연합(governing coalition)으로, 자발적 결사체인 이익집단이 사안에 따른 이합집산을 통하여 정책결정을 하는 것이 아니라, 도시정부라는 제도적 기제를 매개체로 하여 비공식적이지만 일정한 세력 집단으로서 그 중추적 역할을 담당한다는 것이다.

② 레짐이론은 개인이나 구조가 아닌 '제도'에 초점을 두고, 기업의 중심적 역할을 강조하면서 지역주민 집단과 같은 행위자들의 영향력을 간과하지 않는다. 미국에서 가장 영향력 있는 다섯 범주의 레짐 행위자 및 기관은 ㉠ 이익집단, ㉡ 기업인, ㉢ 도시정부, ㉣ 관료제, ㉤ 연방 및 주정부 등이다.

③ 레짐이론이 강조하는 핵심 개념이 비정부 조직과 정부 조직 사이의 협동(co-operations), 상호교통(interaction), 그리고 네트워크(network)인 바, 레짐이론이 강조하는 개념적 실체가 지역발전의 실질적인 조정기제로 작동하고 있고 또한 작용해야 한다는 것을 서구의 경험에 비추어 규범적 관점에서 강조한 것이 거버넌스 이론이다.

④ 레짐(regime)이란 비공식적인 실체를 가진 통치연합으로, 거버넌스의 일종으로 이해되고 있다. 레짐의 유형으로 ㉠ 파인스타인(Feinstin)은 지도형·권한참여형·현상유지형, ㉡ 스토커(Stocker) 등은 도구적 레짐·유기적 레짐·상징적 레짐, ㉢ 스톤(Stone)은 개발레짐이론·중산계층진보레짐이론·현상유지레짐이론·하층기회확장레짐이론을 제시하고 있다. 이 중 ㉡ 스토커(Stoker)의 유기적 레짐은 스톤(Stone)의 현상유지레짐이론과 연관된 모형으로, 결속과 합의가 매우 강한 소규모 지역단위 레짐이며, 현상유지와 정치적 교섭을 중시하는 유형이다.

⑤ 도구주의 국가론과 달리 도시정부가 어느 정도 자율성을 갖는 것을 수용하여 국가정치의 상대적 자율성을 인정한다.

(2) 레짐의 유형

① **스토커와 모스버거(Stoker & Mossberger)의 유형:** 레짐형성의 동기를 기준으로 한다.

㉠ 도구적(instrumental) 레짐

ⓐ 미국의 연구에서 주도적으로 나타나고 있는 것으로, 프로젝트의 실현지향성·가시적인 성과·정치적 파트너십 등이 특징적이다.

ⓑ 구체적인 프로젝트와 관련되는 단기적인 목표에 의해 구성되며, 단기적·실용적인 동기가 함께 내포되어 있다.

ⓒ 올림픽 게임과 같은 주요한 국제적 이벤트를 유치하기 위해 구성되는 레짐은 도구적 레짐의 일례가 될 것이다.

㉡ 유기적(organic) 레짐

ⓐ 군건한 사회적 결속체와 높은 수준의 합의를 특징으로 하는 레짐으로, 이들 레짐은 현상유지와 정치적 교섭에 초점을 두고 있다.

ⓑ 흔히 외부적 영향에 대해 오히려 적대적이며, 소규모 도시지역들은 대체로 유기적 레짐을 유지하려 한다.

㉢ 상징적(symbolic) 레짐

ⓐ 도시발전의 방향에 있어 변화를 추구하려는 도시에서 나타난다. 이들 레짐은 기존의 이데올로기나 이미지를 재조정하려 하며, 경쟁적인 동의라는 점에서 특징적이다.

ⓑ 영국의 글래스고(Glasgow)나 셰필드(Sheffield) 모두 그들의 이미지와 경제적 구조를 변화시키기 위해 적극적으로 노력하였으며, 상징적 레짐의 실례가 된다.

© 스토커와 모스버거(Stoker & Mossberger)에 따르면 상징적 레짐은 흔히 과도기적 역할을 수행하며, 그들은 보다 안정적인 연합으로 나아갈 개연성이 크다.

② 스톤(Stone)의 유형(1993): 도시레짐을 유형화한 대표적인 이론이다.

㉠ 현상유지 레짐: 친밀성이 높은 소규모 지역사회에서 나타나는 유형으로, 근본적인 변화 노력 없이 일상적인 서비스 전달을 통치 과정으로 삼는다. 관련 행위 주체 간 갈등이나 마찰이 작으며, 생존 능력이 강한 편이다.

㉡ 개발 레짐: 지역의 성장을 추구하는 레짐으로, 재개발·공공시설의 확충·보조금 배분·세제 혜택 등의 수단을 통해 지역개발을 적극 도모한다. 관련 행위 주체들 간 갈등이 심하며, 레짐의 생존능력은 비교적 강한 편이다.

㉢ 중산계층진보 레짐: 중산계층의 주도로 자연 및 생활환경보호, 삶의 질 개선, 성적·인종적 평등 같은 이념을 지향하는 형태이다. 정부의 강력한 기업규제가 실시되어 개발 부담금 제도와 같은 수단이 도입되며, 시민의 참여와 감시가 강조된다. 생존능력은 보통 수준이다.

㉣ 하층기회확장 레짐: 저소득층의 기본적인 경제욕구 충족과 이익 확대를 지향하는 유형으로 직업교육 같은 교육훈련을 확대하고, 주택소유 기회배분, 소규모 사업 실시를 수단으로 삼는다. 대중동원이 가장 큰 통치과제로 대두되며, 레짐의 생존능력은 약하다.

(3) 한계

① 개념의 단순화: 지방경제발전에 있어 범주의 복잡성에 대한 부적절한 설명방식의 문제이다. 즉, '지방'개념과 관련된 실제 설명이 과도한 단순화로 나타나고 있다.

② 제한적 적용성: 국제 간 비교연구에 있어 레짐 접근의 적용성이 매우 제한적이다. 레짐이론은 기본적으로 미국 및 영국의 학자들에 의해 사용되었으며, 오늘날까지 국제 간 비교연구에서는 광범위하게 적용되지 못하고 있음을 지적할 수 있다.

2. 시차이론(시차적 접근방법)

(1) 의의

① 사회현상을 발생시키는 주체들의 속성이나 행태가 주체에 따라 시간적 차이를 두고 변화되는 사실을 사회현상에 적용하고자 하는 연구 방법이다.

② 시차이론은 현실적으로 한국의 정책집행 과정, 특히 정부개혁이 효과를 거두지 못한 이유를 파악하려는 데에서 시작된 접근방법으로 그 동안 행정학이나 정책학 연구에서 크게 관심을 기울이지 않던 시간 변수를 중요한 분석요소로 도입한다.

(2) 시차이론에서 도입하고 있는 제도와 정책변화에 내재하는 시차적 요소

시간차이에 대한 전제, 인과관계의 시차적 성격, 숙성기간, 변화의 속도와 안정성, 선후 관계, 적시성, 시간규범 등이 있다.

(3) 주요 내용

① 시차이론은 이러한 다양한 변수들의 작용으로 정책이나 제도의 개혁은 제도의 도입과정에서 발생하는 시차적 요소(제도의 도입순서 혹은 선후관계의 변화, 원인변수의 수나 작동순서의 변화, 변화주체의 개입 등)에 의해 결과가 달라진다는 것이다.

② 시간적 차이에서 오는 정책의 실패를 줄이기 위한 방안으로 변화를 추구하는 변화담당자 혹은 조직의 책임자들의 지적·정치적 능력과 더불어 시간적 리더십을 강조한다.

③ 환경변화의 복잡성 등을 고려함으로써 제도개혁과 관련된 조직 행태를 설명하고 이해하는데 필요한 분석틀을 제시할 수 있을 뿐만 아니라, 인과관계 추정의 방법론을 더욱 정교하게 다듬어 줄 수 있을 것으로 기대한다.

④ 시차이론은 구성요소(변수)들 간의 내적 정합성 확보는 물론 충분한 성숙시간이 필요하다고 본다.

⑤ 시차이론에서 ㉠ 원인변수들의 작동의 순서가 결과변수에 미치는 영향을 달라지게 만드는 경우를 화학적 인과관계라고 하며, ㉡ 원인들의 신후관계가 인과관계에 영향을 미치지 않는 경우를 물리적 인과관계라고 한다.

18 공공가치관리론

1. 개념 및 대두배경

(1) 신공공관리론은 도구적 관점에서 행정의 수단성만을 강조함으로써 정부의 존재 이유에 대한 근본적 의문에 적절한 답을 제공하지 못하였다. 신공공관리론이 야기한 이러한 행정의 정당성 위기, 즉 행정의 공공성 약화를 극복하기 위한 대안적인 패러다임으로 등장한 것이 공공가치관리론이다.

(2) 공공가치관리론의 주요 특징은 시민과 이해관계자의 관여와 이들과 공무원 간 숙의 민주주의 과정을 통한 공공가치의 결정, 공공가치의 창출, 그 결과에 대한 평가가 이루어질 때 행정의 정당성을 강화할 수 있으며, 정부가 시민의 능동적 신뢰를 창출할 수 있다는 것이다.

(3) 공공가치의 창출과 공공관리자의 거시적인 전략적 사고를 강조한 무어의 공공가치 창출론과 공공가치의 실재론에 기초하여 공공가치실패를 강조하는 보우즈만의 접근법이 있다.

2. 공공가치관리론과 전통적 공공행정론 및 신공공관리론의 비교

구분	전통적 공공행정론	신공공관리론	공공가치관리론
공익	정치인이나 전문가가 정의	개인 선호의 집합	숙의를 거친 공공의 선호
성과목표	정치적으로 정의	**효율성**: 고객 대응성과 경제성 보장	**공공가치 달성**: 서비스 제공, 만족, 사회적 결과, 신뢰 및 정당성
책임성 확보	· 정치인에 대한 책임 · 정치인을 통한 의회에 대한 책임	· 성과계약을 통한 상위 기관에 대한 책임 · 시장 메커니즘을 통한 고객에 대한 책임	**다원적 차원** · 정부 감시자로서 시민 · 사용자로서의 고객 · 납세자
서비스 전달체계	계층조직, 자율규제하는 전문직	민간조직, 책임행정기관	**대안적 전달체계를 실용적으로 선택**: 공공부문, 공공기관, 책임행정기관, 민간기업, 공동체조직
관리자의 역할	규칙과 적합한 절차의 준수를 보장	동의하는 성과목표를 정의하고 달성	숙의 절차와 전달 네트워크를 운영 조성하고 전체 시스템의 역량 유지에 기여
공공서비스 정신	공공부문이 독점	공공서비스 정신에 대해 회의적	공공서비스 정신 독점보다는 공유한 가치를 통한 관계 유지가 중요
민주적 과정의 기여	**책임성의 전달**: 선거를 통한 조직 리더 선출 경쟁으로 책임성 확보	**목표의 전달**: 목표의 형성 및 성과 점검으로 한정되고 관리자가 수단을 선택	**대화의 형성과 전달**: 지속적인 민주적 소통 과정이 필수적
공공참여	투표, 선출직 정치인에 대한 압박으로 제한	고객만족도조사 등을 제한적으로 허용	다원적(소비자, 시민, 이해관계자 등) 참여 보장

19 넛지이론

1. 개념 및 대두배경

(1) 넛지이론은 실제의 인간행동에 관한 행동경제학의 통찰을 정부의 정책 설계 및 집행에 적용, 응용하기 위한 이론이다.

(2) 인간은 제한된 합리성으로 인한 불확실한 상황에서 이루어지는 판단과 선택을 효율적으로 수행하기 위해 휴리스틱*이라는 의사결정 방법을 활용한다. 이 과정에서 발생하는 인지적 오류와 행동편향으로 인한 비합리적 의사결정을 행동경제학에서는 행동적 시장실패라고 정의한다.

(3) 넛지이론은 행동적 시장실패를 해결하기 위한 정부 역할의 필요성에 관한 규범적 근거와 이에 적합한 정책 수단을 제시하고 있다.

📖 **용어**

휴리스틱*: 불충분한 시간이나 정보로 인하여 합리적인 판단을 할 수 없거나 체계적이면서 합리적 판단이 굳이 필요하지 않은 상황에서 사람들이 빠르게 사용할 수 있게 보다 용이하게 구성된 간편추론의 방식

2. 정부의 역할

정부는 선택설계자로서의 역할을 수행해야 하고, 이를 위해 전통적인 정책 수단인 법률과 규제, 경제적 유인 수단 등과 구별되는 새로운 정책 수단인 넛지를 활용해야 한다.

3. 시험과 관련된 주요 예시

(1) 전통적 시장실패에서는 외부효과, 즉 제3자에게 긍정적 · 부정적 파급효과를 창출하는 것이 시장실패의 핵심요인으로 본다.

(2) 행동경제학에서는 휴리스틱과 행동편향에 따른 영향이 개인의 의사결정과 선택에 영향을 끼쳐 자신의 후생손실을 초래하는 내부효과가 행동적 시장실패의 핵심요소이다.

4. 신공공관리론과 넛지이론의 비교

구분	신공공관리론	넛지이론
이론의 학문적 토대	신고전학파 경제학, 공공선택론	행동경제학
합리성	완전한 합리성, 경제학 합리성	제한된 합리성, 생태적 합리성
정부 역할의 이념적 기초	신자유주의, 시장주의	자유주의적 개입주의 (넛지를 통한 정책은 강제적이지 않고 정책 대상자에게 선택의 자유를 보장)
정부 역할의 근거와 한계	시장실패와 제도실패, 정부실패	행동적 시장실패와 정부실패
공무원상	정치적 기업가	선택설계자
정부 정책의 목표	고객주의, 개인의 이익 증진	행동 변화를 통한 삶의 질 제고
정책 수단	경제적 인센티브	넛지
정부개혁 모델	기업가적 정부	넛지 정부

20 숙의민주주의

1. 개념 및 특징

개념	숙의(deliberation)가 의사결정의 중심이 되는 민주주의의 형식
국민(주민)의 역할	정책결정에 실질적으로 영향을 미치는 국민(주민)의 대표 또는 일반국민(주민)이 숙의적 토론 과정을 거쳐 정책을 결정
방법	시민들이 대등한 정책결정자로 정책결정 테이블에 참여
장점	공공선의 추구 가능, 대의민주주의-직접민주주의 방식을 구분하지 않고 적용 가능
단점	실현가능한 방법론의 불명확성(방법론의 미비)

2. 유형

공론조사	· 대표성 있는 시민의 선발과 정보 제공에 기초한 토론 · 참여자들의 변화된 의견을 공공정책 결정에 반영
합의회의	· 시민들이 전문가에게 질의하고 의견청취 · 의견교환과 심의 통해 일치된 의견을 도출
시민회의	· 공공정책 결정 과정에 시민이 참여하여 결론 도출 · 시민회의 결정을 의회 동의를 얻어 입법화
주민배심	· 대표 시민들이 정책 질의 및 심의과정에 참여 · 정책 권고안 제시

3. 공론조사

(1) 제임스 피시킨(James Fishkin)이 1991년에 창안한 제도로, 전통적인 여론조사에 숙의와 토론과정을 보완하는 민주적이고 정제된 국민여론 수렴방법이다.

(2) 주로 찬반이 뚜렷한 사안에 대하여 정보를 충분히 제공받은 시민들이나 전문가들의 다양한 의견을 토론을 통하여 수렴함으로써 공론을 형성하는 숙의형 여론조사 기법이다.

(3) 여론조사와 공론조사

구분	여론조사	공론조사
대상	일반시민	선별된 시민이나 전문가
민주주의	대의민주주의를 기반(토론 없음)	숙의민주주의를 기반(토론 있음)
정보	단편적 정보와 인식에 기초	다양한 정보와 이해에 기초
시간 · 비용	절감	소요
개인의 선호	불변	변할 수 있음

01 미국 민주주의의 규범적 관료제 모형에 대한 설명으로 옳은 것은? 2017년 국가직 7급(8월 시행)

① 제퍼슨주의(Jeffersonianism)는 개인의 자유를 극대화하기 위한 행정책임을 강조하고, 소박하고 단순한 정부와 분권적 참여과정을 중시한다.

② 잭슨주의(Jacksonianism)는 행정의 탈정치화를 통해 정당정치의 개입으로부터 자유로운 행정을 강조한다.

③ 매디슨주의(Madisonianism)는 국가이익의 증진을 위해 강한 행정부의 적극적 역할과 행정의 유효성을 지향한다.

④ 해밀턴주의(Hamiltonianism)는 다원적 과정을 통한 이익집단 요구의 조정과 이를 가능하게 하는 견제와 균형을 중시한다.

02 윌슨(W. Wilson)의 『행정의 연구(The Study of Administration)』에 대한 설명으로 가장 옳지 않은 것은? 2019년 서울시 7급(2월 추가)

① 19세기 말엽 미국 정부의 규모가 그 이전과 비교도 안 될 정도로 커지고, 행정의 수요가 급증한 상황에서 행정학 연구의 중요성을 역설하였다.

② 19세기 말엽 미국 내 정경유착과 보스 중심의 타락한 정당정치로 인하여 부패가 극심한 상황에서 행정이 정치로부터 독립해야 한다고 주장하였다.

③ 윌슨은 행정의 전문성을 강조하면서, 정치와 행정의 분리와 함께 행정의 영역(field of administration)을 비즈니스의 영역(field of business)으로 규정하기도 하였다.

④ 윌슨은 행정의 본질을 의사결정과 이에 따른 집행의 효과성을 높이는 것으로 파악하고 있으며, 근본적으로 효율적인 정부가 되어 돈과 비용을 덜 들여야 한다고 주장하고 있다.

정답 및 해설

01 제퍼슨주의(Jeffersonianism)는 자유주의로, 개인의 자유를 극대화하기 위한 행정책임을 강조하고, 소박하고 단순한 정부와 분권적 참여과정을 중시한다.

| 오답체크 |
② 잭슨주의(Jacksonianism)는 민주주의로, 정치와 행정을 연계시키는 엽관주의를 통한 행정이 가장 민주적인 행정이라고 주장한다.
③ 매디슨주의(Madisonianism)는 다원주의로, 다원적 과정을 통한 이익집단 요구의 조정과 이를 가능하게 하는 견제와 균형을 중시한다.
④ 해밀턴주의(Hamiltonianism)는 연방주의로, 국가이익의 증진을 위해 강한 행정부의 적극적 역할을 지향한다.

02 윌슨(Wilson)은 정치행정이원론의 입장에서(즉, 의사결정과 집행이 아니라 집행만 행정영역으로 봄) 행정의 본질을 정책을 효율적으로 집행하는 것으로 파악하고 있으며, 근본적으로 효율적인 정부가 되어 돈과 비용을 덜 들여야 한다고 주장하고 있다.

정답 01 ① 02 ④

03 윌슨(Wilson)의 『행정연구(The Study of Administration, 1887)』에 대한 설명으로 옳지 않은 것은? 2016년 지방직 7급

① 정부개혁을 통해 특정 지역 및 계층 중심의 관료 파벌을 해체하고자 했다.

② 행정과 경영의 유사성을 강조했다.

③ 정치와 행정을 분리하고자 했다.

④ 효율적 정부 운영에 관심을 두었다.

04 테일러(Taylor)의 과학적관리론에 대한 설명으로 옳지 않은 것은? 2021년 국가직 9급

① 관리자는 생산증진을 통해서 노·사 모두를 이롭게 해야 한다.

② 조직 내의 인간은 사회적 욕구에 의해 동기가 유발된다고 전제한다.

③ 업무와 인력의 적정한 결합은 노동자가 아닌 관리자에 의해 결정되어야 한다.

④ 업무수행에 관한 유일최선의 방법을 찾기 위해 동작연구와 시간연구를 사용한다.

05 테일러(F. W. Taylor)의 과학적 관리론에 대한 설명으로 옳지 않은 것은? 2020년 군무원 9급

① 테일러(F. W. Taylor)는 과학적 관리의 핵심을 개인적 기술에 두고, 노동자가 발전된 과학적 방법에 따라 작업이 되도록 한다.

② 어림식 방법을 지양하고 작업의 기본 요소 발견과 수행방법에 대해 과학적 방법을 발전시킨다.

③ 과업은 일류의 노동자만이 달성할 수 있는 충분한 것이어야 한다.

④ 노동자가 과업을 완수하는 경우 높은 보상, 실패하는 경우 손실을 받게 된다.

06 다음 중 호손실험에 대한 내용으로 가장 옳은 것은? 2016년 서울시 7급

① 인간관계론의 이론적 틀을 마련하였다.

② 테일러의 과학적 관리법을 계승한다.

③ 개인의 생산성 향상을 위해서는 물리적 작업환경이 중요하다는 점을 발견하였다.

④ 본래 실험 의도와 다르게 작업의 과학화, 객관화, 분업화의 중요성을 발견하였다.

① 집단의 고유한 특성을 인정하지 않는 방법론적 개체주의의 입장을 취한다.

② 행태의 규칙성, 상관성 및 인과성을 경험적으로 입증하고 설명할 수 있다고 본다.

③ 연구에서 가치와 사실을 구분하지 않는다.

④ 사회현상을 관찰 가능한 객관적 대상으로 보며, 인간의 주관이나 의식을 배제하고 인식론적 근거로서 논리실증주의를 신봉한다.

정답 및 해설

03 정부개혁을 통해 특정 지역 및 계층 중심의 관료 파벌을 해체하고자 한 것은 행정학 성립기의 윌슨(Wilson)의 『행정연구』와는 관계가 없으며, 잭슨(Jackson)이 제창한 엽관주의의 성립배경에 해당한다. 잭슨(Jackson)은 기존의 동부 출신 또는 상류 출신 위주의 관료 파벌을 타파하고 한정된 공직을 만인에게 개방하려는 민주주의 신념으로 엽관주의를 제창하였다.

| 오답체크 |
②, ③ 윌슨(Wilson)은 정치로부터 행정의 분리(정치행정이원론)를 주장하면서 행정의 본질을 '효율적인 정책집행을 위한 행정관료 조직 내부의 관리와 경영의 영역'으로 규정했다.
④ 관리의 효율화를 위하여 테일러(Taylor)의 과학적 관리법 및 공·사 조직을 불문하고 공통적으로 적용될 수 있는 보편적인 조직 원리를 탐구한 귤릭(Gulick), 화이트(White), 어윅(Urwick) 등의 행정원리론이 발달하게 되었다(행정관리설).

04 사회적 욕구는 인간관계론에서 중시하는 동기요인이다. 테일러의 과학적 관리론은 합리적·경제적 욕구에 의하여 동기가 유발된다고 본다.

| 오답체크 |
① 관리자는 노·사 모두를 이롭게 하기 위하여 생산증진을 도모해야 한다. 교환을 통하여 노사의 목표가 양립될 수 있다고 본다.
③ 과학적관리론은 관리자가 작업층을 관리하는데 초점을 둔 이론이다.
④ 유일최선의 방법(the best one way)을 찾기 위해 시간연구(time study)와 동작연구(motion study)를 사용한다.

05 테일러(F. W. Taylor)는 과학적 관리론에서 개인적 기술이 아니라, 관리의 과학화를 위한 원리와 능률 제고를 위한 과학적 기법의 개발을 강조한다.

| 오답체크 |
② 어림식(= 주먹구구식) 방법을 지양하고 작업의 기본요소 발견과 수행방법에 대한 과학적 방법을 발전시킨다.
③ 일류 노동자만이 달성할 수 있는 어려운 과업을 부여한다.
④ 작업실적에 따른 성과급을 산업현장에 최초로 적용한 관리이론이다.

06 호손실험은 인간관계론의 이론적 기반이 된 것으로, 인간을 사회적 존재로 보며 사회적 능률을 강조한다.

| 오답체크 |
② 인간관계론은 과학적 관리론을 비판하면서 대두된 이론이다.
③ 호손실험은 생산성 향상을 위해서는 인간관계의 사회심리적 요인이 중요함을 제시한 이론이다.
④ 작업의 과학화, 객관화, 분업화의 중요성을 발견한 것은 테일러(Taylor)의 시간 및 동작 연구이다.

07 행태주의는 가치와 사실을 구분하고, 과학적·경험적 연구에서 관찰이나 검증이 불가능한 가치를 배제하며, 사실 중심적 연구를 강조한다.

| 오답체크 |
① 행태주의는 집단의 고유특성을 인정하지 않는 방법론적 개체주의를 취한다.
② 행태주의는 사회현상도 경험적 검증을 통하여 자연과학과 마찬가지로 엄밀한 과학적 연구가 가능하다는 전제에서 자연과학적 방법을 이용하여 일반 이론(법칙) 정립을 중시한다.
④ 행태주의는 인간행태에 존재하는 규칙성과 인과성을 발견하고자 논리실증주의를 적용한다.

정답 **03** ① **04** ② **05** ① **06** ① **07** ③

08 생태론의 등장으로 인하여 현대 행정에서 중요하게 여기게 된 행정변수는 무엇인가? 2007년 울산 9급

① 구조　　　　　　　　　　　　　② 인간

③ 환경　　　　　　　　　　　　　④ 기능

09 개방체제의 요소에 포함되지 않는 것은? 2008년 서울시 7급

① 총체주의관점　　　　　　　　　② 정(+)의 엔트로피

③ 환경적 자각　　　　　　　　　　④ 동일종국성

⑤ 분화

10 다음 중 비교행정론에 대한 설명으로 가장 거리가 먼 것은? 2023년 군무원 9급

① 리그스(Fred W. Riggs)가 대표적인 학자이다.

② 생태론적 접근방법을 취한다.

③ 후진국의 국가발전에 대한 비관적 숙명론으로 귀결된다.

④ 행정학의 과학성보다는 기술성을 강조한다.

11 발전행정에 관해 틀린 설명은? 2004년 강원 9급

① 행정에서 정치보다 경영을 중시한다.

② 행정에 의한 적극적인 사회변동기능을 중시한다.

③ 효과성을 중시한다.

④ 능동적 행정인을 강조한다.

12 신행정학(New Public Administration)의 핵심 내용으로 옳은 것만을 모두 고른 것은? 2017년 국가직 9급(4월 시행)

ㄱ. 효율성 강조	ㄴ. 실증주의적 연구 지향
ㄷ. 적실성 있는 행정학 연구	ㄹ. 고객 중심의 행정
ㅁ. 기업식 정부 운영	

① ㄱ, ㄴ
② ㄴ, ㄷ
③ ㄷ, ㄹ
④ ㄹ, ㅁ

정답 및 해설

08 생태론적 접근방법은 행정을 하나의 유기체로 파악하고, 행정과 그 환경과의 상호작용 관계를 중심으로 행정현상을 연구하는 이론이다. 즉, 행정에 영향을 미치는 환경과의 관계를 처음으로 연구한 거시적 접근법이다.

09 개방체제는 부(−)의 엔트로피를 추구하며, 이는 해체나 소멸을 부정한다. 정(+)의 엔트로피는 해체·소멸을 의미하는 것으로 폐쇄체제의 특징이다.

| 오답체크 |
① 방법론상 총체주의인 거시이론이다.
③ 개방체제는 환경의 독립변수성을 강조하므로 당연히 환경을 자각한다.
④ 상이한 경로를 가지더라도 종국상태가 같다는 의미로, 체제론의 특징이다.
⑤ 체제는 여러 하위체제로 분화되어 있다.

10 비교행정론은 국가의 역사적·정치적·사회적 특수성하에서 구조기능주의적 접근과 문화횡단적 접근을 통해 일반이론을 도출함으로써, 행정학의 과학화와 객관화를 추구하고자 하였다.

| 오답체크 |
① 리그스(Riggs) 및 비교행정연구회를 중심으로 활발한 활동이 전개되었다.
② 비교행정론은 환경과의 상호작용을 중시하는 생태론적 접근법을 취한다.
③ 비교행정론은 서구의 이론이 신생국이나 개발도상국에서는 제대로 기능을 발휘하지 못하는 요인이 무엇인가를 환경적 요소에서 찾았다. 행정의 독립변수적 역할을 경시하므로 현상유지의 보수주의적 성격이 강하고, 변화와 발전이 요구되는 후진국 행정을 설명하기에는 한계가 있다.

11 발전행정론은 행정 우위의 정치행정일원론으로, 경영보다 정치를 중시한다.

| 오답체크 |
②, ④ 발전행정론은 행정의 독립변수성을 강조하므로, 적극적이고 능동적인 행정인을 강조한다.
③ 발전행정론의 행정이념은 효과성이다.

12 ㄷ. 신행정학은 급박한 사회문제 해결에 적실성이 있게 이루어져야 하며, 사회과학자의 임무는 연구 결과를 통해 인류의 가치를 보전하고 사회를 개혁하는 데 기여해야 한다는 것이다.
ㄹ. 고객지향성과 참여의 확대, 즉 행정권의 종국적 근원을 시민으로 보고, 고객의 참여를 강조한다.

| 오답체크 |
ㄱ. 신행정학은 사회경제적으로 불리한 위치에 있는 계층을 위하여 보다 우선적 배려를 통해 사회적 형평을 강조한다.
ㄴ. 신행정학은 행태주의의 현실처방성 결여를 비판하고 나온 반논리실증주의 계열이다.
ㅁ. 신행정학은 격동의 시대에 있어서는 행정인이 적극적·독립변수적 역할을 수행해야 함을 강조한다. 기업식 정부운영은 신공공관리론의 특징이다.

13 다음의 역사적 배경을 바탕으로 태동한 행정학 연구에 대한 설명으로 옳지 않은 것은?

> · 월남전 패배, 흑인 폭동, 소수민족 문제 등 미국사회의 혼란을 해결하지 못하는 학문의 무력함에 대한 반성으로 나타났다.
> · 1968년 미국 미노브룩회의에서 왈도의 주도 하에 새로운 행정학의 방향모색으로 태동하였다.

① 고객중심의 행정, 시민의 참여, 가치문제 등을 중시했다.

② 행정학의 실천적 성격과 적실성을 회복하기 위한 정책 지향적 행정학을 요구하였다.

③ 행정의 능률성을 강조했으며, 논리실증주의 및 행태주의의 주장을 지지하였다.

④ 소외계층을 위한 복지서비스를 확대해 사회적 형평을 실현해야 한다는 행정의 적극적 역할을 강조했다.

14 아래 기술된 항목 중 후기행태주의 접근방법에 관한 설명으로 짝지어진 것은?

> ㄱ. 배경은 1960년대 흑인에 대한 인종차별, 월남전에 대한 반전데모 및 강제징집에 대한 저항 등 미국사회의 혼란이라고 볼 수 있다.
> ㄴ. 1960년대 중반부터 존슨 행정부가 위대한 사회의 건설이라는 기치를 내걸고 하류층·소외계층의 복지향상을 위하여 사회복지정책을 추진하면서 이의 추진에 지적 자원을 제대로 제공하지 못했던 정치학에 대한 비판이다.
> ㄷ. 인간을 경제적 이윤을 추구하는 합리적 존재로 가정하고 행정의 원리들을 발견하는데 주된 관심을 기울인다.
> ㄹ. 사회과학자들은 그 사회의 급박한 문제를 연구대상으로 삼아서 사회의 개선에 기여하기보다는 과학적 방법을 적용할 수 있는 것을 연구대상으로 삼아야 한다.
> ㅁ. 가치평가적인 정책연구보다 가치중립적인 과학적 연구를 지향하고 있으며 정책학의 발전과는 무관하다.

① ㄱ, ㄴ
② ㄴ, ㄷ
③ ㄹ, ㅁ
④ ㄱ, ㄴ, ㅁ
⑤ ㄱ, ㄹ, ㅁ

15 현상학적 접근방법의 주요내용으로 적절하지 않은 것은?

① 인간의 의도된 행위와 표출된 행위를 구별하고, 관심 분야는 의도된 행위에 두어야 한다.

② 조직 내외에 있는 인간들은 자신의 행위나 다른 사람들의 행위에 의미를 부여함으로써 조직을 설계한다.

③ 객관적 존재의 서술을 위해서는 현상을 분해하여 분석할 필요가 있다.

④ 조직의 중요성은 겉으로 나타난 구조성에 있는 것이 아니라 그 안에 있는 가치, 의미 및 행동에 있다.

16 분권화된 지방정부에서 발에 의한 투표(vote by feet)가 가능해지기 위한 전제조건들에 대한 설명으로 가장 옳지 않은 것은?

2019년 서울시 7급(2월 추가)

① 지방정부의 시민들은 그들의 선호체계에 가장 적합한 지역으로 이동하는 것이 가능하다.

② 시민들이 지방정부들의 세입·세출 형태에 관해 완전한 정보를 가지고 있어야 한다.

③ 시민들이 배당수입에 의존하여 생활해야 한다.

④ 공급되는 공공재도 외부비용과 외부효과 문제를 가지고 있을 수 있다.

정답 및 해설

13 제시문은 신행정학의 대두배경이다. 신행정학은 사회적 적실성을 강조하며, 과학성보다 기술성을 강조하였다.

| 오답체크 |

①, ②, ④ 신행정학의 주요 특징에 해당한다.

14 후기행태주의는 행정의 정책지향성 내지는 가치지향성·실천과 적실성을 강조하며, 정책과학·현상학 등과 함께 신행정학(NPA)의 중심 위치를 차지하게 되었다.

| 오답체크 |

ㄷ. 과학적 관리론에 대한 설명이다.

ㄹ. 행태론적 접근방법에 대한 설명이다.

ㅁ. 후기행태주의는 가치평가적 정책연구를 지향한다.

15 객관적 존재의 서술은 논리실증주의에 가깝다. 현상학적 접근방법은 인간행위를 이해하고, 해석을 중요시하는 접근법이다.

| 오답체크 |

① 현상학은 행태론과는 달리 연구의 대상이 인간의 의도된 행위에 있다.

② 현상학은 조직을 구성원들의 상호주관성에 의한 의미가 부여된 것으로 본다.

④ 현상학은 객관적 실재가 아니라 내면 속 의미를 이해하는 것에 초점을 두는 이론이다.

16 티부가설은 외부효과는 존재하지 않는다고 가정한다.

ⓘ 티부(Tiebout)모형의 전제조건

다수의 지방정부	주민들이 선택할 수 있는 지방정부의 수가 많아야 함
주민의 완전한 이동가능성	주민은 자신의 선호에 맞는 지방정부로 자유롭게 이동할 수 있어야 하며, 이는 이동비용이 없어야 함을 의미함
완전한 정보	모든 지방정부의 공공재와 조세에 대한 정보가 공개되어 주민이 그 내용을 알 수 있어야 함
외부효과의 부존재	· 공공서비스로 인한 외부경제나 불경제가 없어야 함 · 즉, 외부효과가 존재하면 지역 간 이동이 불필요해질 수 있기 때문에 당해 지역의 프로그램의 이익은 당해 지역 주민들에게만 돌아가며 이웃 지역의 주민들에게 이익이나 불이익을 주지 말아야 함
배당수입에 의한 소득	· 모든 시민은 지역 내 소득과 재산에 의한 배당수입(dividend)에 의존하여 생계를 유지함 · 이는 지방정부의 재원이 조달되는 방식과 연관이 있는데, 지방자치단체의 재원은 지방소비세가 아니라 재산세(property tax)에 의하여 충당되는 것을 상정함 · 즉, 비슷한 재산과 소득을 가진 사람들이 모여 살게 된다는 것임
규모의 경제가 없음	공공재 생산을 위한 단위당 평균비용이 동일해야 하며(동일한 단위당 평균비용), 이는 규모의 경제가 작용하지 않아야 한다는 '규모수익 불변의 원리'를 의미함

정답 **13** ③ **14** ① **15** ③ **16** ④

17 던리비(Dunleavy)의 관청형성모형에 대한 설명으로 가장 옳은 것은?

2018년 지방직 9급

① 고위관료의 선호에 맞지 않는 기능을 민영화나 위탁계약을 통해 지방정부나 준정부기관으로 넘긴다.

② 합리적인 고위직 관료들은 소속기관의 예산극대화를 추구한다.

③ 중하위직 관료는 주로 관청예산의 증대로 이득을 얻는다.

④ 관료들이 정책결정을 할 때 사적이익보다는 공적이익을 우선시한다.

18 공공선택론(public choice theory)에 대한 설명으로 가장 옳지 않은 것은?

2021년 군무원 9급

① 방법론적 집단주의를 지향한다.

② 정치 · 행정현상을 경제학적 논리를 통해 분석하고자 한다.

③ 개인 선호를 중시하여 공공서비스 관할권을 중첩시킬 수도 있다.

④ 중위투표자이론(median vote theorem)도 공공선택론의 일종이다.

19 공공선택이론에 대한 설명으로 옳지 않은 것은?

2018년 지방직 9급

① 사회의 비시장적인 영역들에 대해서 경제학적 방식으로 연구한다.

② 시민들의 요구와 선호에 민감하게 부응하는 제도 마련으로 민주행정의 구현에도 의의가 있다.

③ 전통적 관료제를 비판하고 그것을 대체할 공공재 공급방식의 도입을 강조한다.

④ 효용극대화를 추구한다는 합리적 개인에 대한 가정은 현실적합성이 높다고 평가받는다.

20 신제도주의의 주요 분파에 대한 설명으로 옳은 것은?　　　　　　　　　　　　　2019년 지방직 7급

① 합리적 선택 제도주의는 개인이 합리적이며 선호는 제도와 밀접하게 연관되어 변화하는 것으로 가정한다.

② 사회학적 제도주의는 제도의 변화과정을 설명할 때 경로의존성을 강조하며, 제도의 운영 및 발전과 관련하여 권력의 비대칭성에 초점을 맞춘다.

③ 역사적 제도주의는 중범위적 제도 변수가 개별 행위자의 행동과 정치적 결과를 어떻게 연계시키는지에 대해 초점을 맞춘다.

④ 사회학적 제도주의는 사회적 딜레마를 해결하기 위해 사람들이 스스로 만드는 게임의 규칙을 제도로 본다.

정답 및 해설

17 던리비[Dunleavy(1991)]는 합리적인 고위관료들은 예산극대화동기 대신 관청형성동기가 더 강하다고 주장한다. 계선기능은 고위관료의 선호에 맞지 않으므로 준정부기관이나 책임운영기관 등 다양한 정부조직을 형성하여 떠넘기고, 자신들은 참모기능을 수행하기를 선호한다.

| 오답체크 |
② 고위직 관료들은 예산극대화동기보다는 관청형성동기가 더 강하다고 주장한다.
③ 중하위 관료는 주로 핵심예산의 증대로 이득을 얻고, 이전기관이 관청예산의 증대로 이득을 얻는다.
④ 관료는 이기적이고 합리적인 경제인으로서 사적이익을 더 우선시한다.

18 공공선택론은 방법론상 개체주의를 지향한다. 개인의 행동을 기본적 분석단위로 하여, 정치·경제 및 행정현상을 분석하려 한다.

| 오답체크 |
② 공공선택론은 비시장적 의사결정(non-market decision-making)에 대한 경제학적 연구 또는 정치학에 경제학을 응용하는 것이다.
③ 공공선택론은 개인의 선호에 따른 선택을 중시한다. 또한 주민복지와 급변하는 환경에의 적응을 위하여 의사결정센터를 다원화시키는 권한의 분산과 관할권의 중첩이 필요하다고 본다.
④ 양대정당하에서 두 정당이 집권에 필요한 과반수의 표를 획득하기 위하여 중위투표자 선호에 맞춘 정강정책을 제시한다고 보는 중위투표자정리도 공공선택론에 속하는 이론이다.

19 모든 인간이 효용극대화를 추구한다는 합리적 개인에 대한 가정은 개인의 선택이 경제적 이익 이외에 개인의 가치관이나 사회적 상호작용의 영향을 받는다는 측면을 도외시하고 있다.

| 오답체크 |
① 공공선택론은 비시장적 의사결정(non-market decisionmaking)에 대한 경제학적 연구 또는 정치학에 경제학을 응용하는 것이다.
② 공공재와 공공서비스의 효율적 공급을 위한 조직적 장치로, 권한의 분산과 관할권의 중첩을 제시하고 있다. 이렇게 하면 각 권력기관은 경쟁을 통하여 고객에 대한 서비스를 만족시킬 수 있다고 주장한다.
③ 공공서비스를 독점적으로 공급하는 전통적인 정부관료제는 시민의 요구에 민감하게 반응을 보일 수 없는 제도이며, 공공서비스의 독점적 공급은 소비자인 시민의 선택을 억압한다고 인식한다. 이에 대한 대응으로 경쟁을 통한 공공서비스 공급을 강조한다.

20 역사적 제도주의는 개별 국가마다 제도가 달리 형성되는 역사적 맥락과 경로의존성을 중시하는 중범위 수준의 거시적 신제도주의이론이다(중범위 이론은 행태주의 접근법의 일반이론과 대비되는 이론으로, 일반이론이 너무 포괄적이어서 경험적 내용이 결핍되었다고 비판하며 등장).

| 오답체크 |
① 합리적 선택 제도주의는 선호는 선험적으로 주어진 외생적인 것으로 보므로, 선호 형성 자체에 대해서는 제도는 아무런 역할을 하지 못한다.
② 제도의 변화과정을 설명할 때 경로의존성을 강조하며, 제도의 운영 및 발전과 관련하여 권력의 비대칭성(불균등성)에 초점을 맞추는 것은 역사적 제도주의이다.
④ 사회적 딜레마(집단행동의 딜레마)를 해결하기 위해 사람들이 스스로 만드는 게임의 규칙을 제도로 보는 것은 합리적 선택의 제도주의이다.

정답 **17** ① **18** ① **19** ④ **20** ③

21 신제도주의에 대한 다음 설명 중 가장 옳지 않은 것은?

2015년 서울시 9급

① 신제도주의는 행태주의에서 규명하고자 했던 개인의 선호체계와 행위결과 간의 직선적 인과관계에 의문을 제기한다.

② 합리적 선택 신제도주의 계열에는 거래비용 경제학, 공공선택이론, 공유재이론 등이 있다.

③ 사회학적 신제도주의는 경제적 효율성이 아니라 사회적 정당성 때문에 새로운 제도적 관행이 채택된다고 주장한다.

④ 역사적 신제도주의는 경로의존적인 사회적 인과관계를 강조하므로 특정 제도가 급격한 변화에 의해 중단될 수 있는 가능성을 부정한다.

22 신제도주의 유형과 그 특징을 바르게 연결한 것은?

2020년 국가직 7급

	합리적 선택 제도주의	역사적 제도주의	사회학적 제도주의
①	중범위수준 제도분석	제도동형성	경로의존성
②	거래비용	경로의존성	제도동형성
③	전략적 상호작용	중범위수준 제도분석	거래비용
④	경로의존성	전략적 상호작용	중범위수준 제도분석

23 행정이론에 대한 설명으로 옳은 것은?

2023년 국가직 9급

① 과학적관리론은 최고관리자의 운영원리로 POSDCoRB를 제시하였다.

② 행정행태론은 가치와 사실을 구분하고 가치에 기반한 행정의 과학화를 시도하였다.

③ 신행정론은 실증주의적 방법론을 비판하고 사회적 형평성과 적실성을 강조하였다.

④ 신공공관리론은 민간과 공공 부문의 파트너십을 강조하고 기업가 정신보다 시민권을 중요시하였다.

24 다음 신공공관리론에 대한 설명 중 옳은 것만을 모두 고르면?

ㄱ. 행정서비스 공급의 경쟁 체제를 선호한다.

ㄴ. 예측과 예방을 통한 미래지향적 정부를 강조한다.

ㄷ. 투입 중심의 예산제도를 통해 예산을 관리한다.

ㄹ. 행정관리의 이념으로 효율성을 강조한다.

ㅁ. 집권적 계층제를 통해 행정의 책임성을 확보한다.

① ㄱ, ㄹ

② ㄱ, ㄴ, ㄹ

③ ㄴ, ㄷ, ㄹ

④ ㄴ, ㄷ, ㅁ

정답 및 해설

21 역사적 신제도주의는 경로의존성을 중시하므로 제도에 지속성을 강조하지만 급격한 변화(결절된 충격)에 의하여 중단될 수 있는 가능성을 인정한다.

| 오답체크 |
① 신제도주의는 제도의 독립변수성을 강조하기 때문에 행태론이 주장하는 인과 법칙은 제도의 영향으로 성립되지 않는 경우도 있음을 설명한다.
② 거래비용 경제학, 공공선택이론, 공유재이론 등은 모두 경제학의 접근법을 도입한 이론이다.
③ 사회학적 신제도론은 사회문화가 정당하다고 인지하는 규범과 규칙이 제도이다.

22 신제도주의의 3가지 유파별 특징을 바르게 연결한 것은 ②이다. 중범위 수준은 역사적 신제도주의 특징이다.

23 신행정론은 행태론의 논리실증주의를 비판하고, 1960년대 말 미국사회 격동기의 절박한 문제들을 해결하기 위하여 형평성과 적실성을 강조한 새로운 행정학 접근법이다.

| 오답체크 |
① 귤릭은 '행정과학의 연구'(1937)에서 능률적인 구조설계로서 POSDCoRB를 강조하였다. 전통적인 정치행정이원론이나 행정관리론에서의 행정과정으로, 귤릭(Gulick)의 POSDCoRB로 표현된다. POSDCoRB란 최고관리자의 기능을 의미하기도 하는 것으로, 기획(Planning), 조직화(Organizing), 인사(Staffing), 지휘(Directing), 조정(Coordinating), 보고(Reporting), 예산(Budgeting)을 의미한다.
② 사이먼(Simon)의 행태론은 가치와 사실을 구분하고 사실에 기반한 행정과학화를 시도하였다.
④ 민·관 파트너십을 강조하고 기업가 정신보다 시민 정신을 중시한 이론은 뉴거버넌스론이다.

24 | 오답체크 |
ㄷ. 전통적 정부가 투입 중심인데 반하여 신공공관리론에서는 투입 중심이 아니라 성과 중심의 예산제도를 지향한다.
ㅁ. 전통적 정부가 집권적 계층제를 통해 행정의 책임성을 확보하며, 신공공관리론에서는 분권화된 조직을 통한 시장지향정부를 지향한다.

정답 21 ④ 22 ② 23 ③ 24 ②

25 신공공관리에 대한 설명으로 가장 옳지 않은 것은?

2021년 군무원 9급

① 신공공관리는 전통적이고 관료적인 관리방식을 개혁하기 위해 1980년대부터 진행된 개혁프로그램이다.

② 신공공관리는 정부의 크기와 관계없이 시장지향적인 효율적인 정부를 만들 수 있는 개혁방안에 관심을 갖는다.

③ 시장성 테스트, 경쟁의 도입, 민영화나 규제완화 등 일련의 정부개혁 아이디어가 적용된다.

④ 신공공관리 옹호론자들은 기존 관료제 중심의 패러다임을 대체할 수 있는 새로운 패러다임이 될 수 있다고 주장한다.

26 신공공관리론에 입각한 정부개혁의 내용으로 옳지 않은 것은?

2024년 국가직 9급

① 효율성 대신 형평성에 초점을 맞춘 고객지향적 정부 강조

② 수익자부담원칙의 강화

③ 정부부문 내의 경쟁원리 도입

④ 결과 혹은 성과중심주의 강조

27 신공공관리와 뉴거버넌스에 대한 설명으로 옳은 것은?

2021년 국가직 9급

① 뉴거버넌스가 상정하는 정부의 역할은 방향잡기(steering)이다.

② 신공공관리의 인식론적 기초는 공동체주의이다.

③ 신공공관리가 중시하는 관리 가치는 신뢰(trust)이다.

④ 뉴거버넌스의 관리 기구는 시장(market)이다.

28 피터스(Peters)가 미래의 국정관리(The Future of Governing)에서 제시한 정부개혁모형에 해당하지 않는 것은?

2024년 지방직 9급

① 시장모형
② 자유민주주의모형
③ 참여모형
④ 탈규제모형

29 행정학의 주요 접근법, 학자, 특성을 바르게 연결한 것은?

① 행정생태론 – 오스본(Osborne)과 게블러(Gaebler) – 환경요인 중시

② 후기행태주의 – 이스턴(Easton) – 가치중립적·과학적 연구 강조

③ 신공공관리론 – 리그스(Riggs) – 시장원리인 경쟁을 도입

④ 뉴거버넌스론 – 로즈(Rhodes) – 정부·시장·시민사회 간 네트워크

정답 및 해설

25 신공공관리론(NPM)은 일반적으로 신관리주의와 시장주의의 결합이며, 작은 정부의 구현(정부의 기능과 규모 축소)과 전통관료제의 행정운영방식 개선(성과주의 실현)을 내용으로 한다.

| 오답체크 |
① 신공공관리는 전통적인 관료적 관리방식이 정부실패를 초래했다고 보며, 이를 극복하기 위하여 1980년대부터 진행된 정부개혁운동이다.
③ 개혁방안으로 시장성 테스트, 경쟁의 도입, 민영화나 규제완화 등이 적용되는 정부개혁방식이다.
④ 신공공관리 옹호론자들은 기존의 관료제 패러다임을 대체할 수 있는 새로운 탈관료제적 패러다임을 대안으로 추구한다.

26 신공공관리론은 정부실패 이후 신자유주의를 기반으로 민간의 시장기법을 도입하여 성과와 효율을 도입하고자 한 행정이론이다. 형평성보다는 효율성에 초점을 맞춘 고객지향적 정부를 강조한다.

| 오답체크 |
② 신공공관리론은 시장원리에 따라 수익자부담주의를 강조한다.
③ 공공부문에 시장의 경쟁원리를 도입하고자 한다.
④ 투입이나 절차보다는 결과 혹은 성과중심의 행정을 강조한다.

27 뉴거버넌스에서 정부의 역할은 방향잡기(steering)이다. 이는 뉴거버넌스와 신공공관리론의 공통점이다.

28 피터스(Peters)는 거버넌스를 정부가 행정행위를 관장해가는 과정이라고 전제하면서, '전통적' 거버넌스인 전통적 정부모형에 대한 대안으로, '뉴'거버넌스에 기초한 4가지의 정부개혁모형을 제시하고 있다. 4가지 정부모형에는 시장모형, 신축모형, 참여모형, 탈규제모형이 있다.

29 로즈(Rhodes)는 뉴거버넌스론을 주장한 학자이다.

| 오답체크 |
① 오스본(Osborne)과 게블러(Gaebler)는 생태론이 아니라 신공공관리론의 기업형 정부를 주장한 학자이다.
② 후기행태주의는 가치지향적 처방적 연구를 강조하였다. 가치중립적·과학적 연구는 행태론에서 강조하였다.
③ 리그스(Riggs)는 생태론을 주장한 학자이다.

정답 **25** ② **26** ① **27** ① **28** ② **29** ④

30 다음 중 포스트 모더니티 이론 및 그에 입각한 행정에 대한 설명으로 가장 옳지 않은 것은? 2016년 서울시 7급

① 행정은 객관적으로 연구될 수 있다는 설화를 해체해야 한다.

② 인권, 인간 이성과 인간 중심적 관점에서의 행정을 강조하였다.

③ 진리의 기준은 맥락 의존적이다.

④ 행정에 있어서의 상상, 해체, 타자성 등을 강조하였다.

31 덴하트와 덴하트(J. V. Denhardt & R. B. Denhardt)가 제시한 신공공서비스론(New Public Service)의 일곱 가지 기본 원칙에 대한 설명으로 옳지 않은 것은? 2018년 지방직 7급

① 민주적으로 생각하고 전략적으로 행동해야 한다.

② 방향을 잡기보다는 시민에 대해 봉사해야 한다.

③ 공익을 공유된 가치를 창출하는 담론의 결과물로 인식해야 한다.

④ 기업주의 정신보다는 시민의식의 가치를 받아들여야 한다.

32 신공공서비스론의 특성에 대한 설명으로 옳지 않은 것은? 2021년 국가직 9급

① 정부의 역할은 시민에 대한 봉사여야 한다.

② 공익은 개인적 이익의 집합체이기 때문에 시민들과 신뢰와 협력의 관계를 확립해야 한다.

③ 책임성이란 단순하지 않기 때문에 관료들은 헌법, 법률, 정치적 규범, 공동체의 가치 등 다양한 측면에 관심을 기울여야 한다.

④ 생산성보다는 사람에게 가치를 부여하기 때문에 공공조직은 공유된 리더십과 협력의 과정을 통해 작동되어야 한다.

33 공공봉사동기이론(public service motivation)에 대한 설명으로 옳지 않은 것은? 2021년 국가직 9급

① 공사부문 간 업무성격이 다르듯이, 공공부문의 조직원들은 동기구조 자체도 다르다는 입장에 있다.

② 정책에 대한 호감, 공공에 대한 봉사, 동정심(compassion) 등의 개념으로 구성되어 있다.

③ 공공봉사동기가 높은 사람을 공직에 충원해야한다는 주장의 근거가 될 수 있다.

④ 페리와 와이스(Perry & Wise)는 제도적 차원, 금전적 차원, 감성적 차원을 제시하였다.

34 큰 정부론과 작은 정부론의 논쟁에 대한 설명으로 옳지 않은 것은?　　　　　　　　2014년 지방직 9급

① 작은 정부론은 민영화의 확대를 주장하지만, 또 다른 시장실패를 유발할 수 있다는 점에서 네트워크 거버넌스의 필요성이 제기되기도 한다.

② 공공재는 시장에서 적절하게 제공되지 못하므로 정부가 제공해야 한다는 주장은 시장에 대한 정부의 개입을 강조한다.

③ 작은 정부론은 정부의 개입이 초래하는 대표적 정부실패의 사례로 독점으로 인해 발생하는 X-비효율성을 제시한다.

④ 큰 정부론자는 '비용과 편익이 괴리되어 시장실패가 발생하는 경우, 정부가 시장에 개입해야 한다'고 주장한다.

정답 및 해설

30 인간 이성을 강조하는 서구의 합리주의는 모더니티의 특징이다. 포스트 모더니티는 인간의 이성을 핵심으로 하는 모더니티를 배격하고 대두된 사조이다.

| 오답체크 |
① 포스트 모더니티에서 해체는 텍스트(언어, 몸짓, 이야기, 설화, 이론)의 근거를 파헤쳐 보는 것이다.
③ 포스트 모더니티는 진리의 기준을 맥락 의존적이라고 보고 있으며, 거시이론·거대한 설화·거시 정치 등을 부인한다.
④ 파머(Farmer)는 행정에 있어서의 상상, 해체, 탈영역화, 타자성 등을 강조하였다.

31 신공공서비스론에서 공무원은 전략적으로 생각하고 민주적으로 행동하여야 한다.

| 오답체크 |
② 신공공서비스론은 방향잡기도 아니고 노젓기도 아닌 시민에 대한 봉사(서비스)를 중시한다.
③ 공익을 개인이익의 총합이 아닌 공유된 가치를 창출하는 담론의 결과로 인식한다.
④ 기업가정신보다는 시민정신이 우위임을 강조한다.

32 신공공서비스론에서 공익은 공유하는 가치에 대한 담론의 결과로 본다. 공익을 개인 이익의 집합으로 보는 것은 신공공관리론이다.

| 오답체크 |
①, ③, ④ 모두 신공공서비스론의 특성에 해당하는 옳은 설명이다.

33 페리와 와이스(Perry & Wise)는 공공봉사동기를 합리적 차원, 감성적 차원, 규범적 차원으로 설명했다.

합리적 차원	공공정책에 대한 일체감이나 호감도
감성적 차원	동정심 등 정서적 차원
규범적 차원	공익에 대한 몰입과 공공에 대한 봉사

| 오답체크 |
① 공직자는 민간부문 종사자와 달리 시민에게 봉사하려는 이타심 등에서 고유한 공직동기를 갖고 있다고 전제한다.
② 정책에 대한 호감은 합리적 차원, 공공에 대한 봉사는 규범적 차원, 동정심 등은 감성적 차원으로 모두 공공봉사동기이론을 구성하는 요소이다.
③ 공공봉사동기이론은 공공봉사동기가 높은 사람을 공직에 충원해야한다는 주장의 근거가 될 수 있다.

34 큰 정부론은 시장실패를 치유하기 위하여 정부의 개입을 강조하는 입장이고, 작은 정부론은 정부실패를 치유하기 위하여 정부개입을 줄이고 공공부문을 시장화해야 한다는 입장이다. 비용과 편익(수익)의 괴리(절연)는 시장실패가 아니라 정부실패의 요인이며, 이를 치유하기 위해서는 작은 정부를 지향해야 한다.

| 오답체크 |
① 신공공관리론 등 작은 정부론은 정부실패를 해결하기 위해 민영화·시장화 등을 주장했지만 그에 대한 반발로 거버넌스가 등장하였다.
② 공공재의 존재는 전형적인 시장실패 요인이다.
③ 경쟁의 압력에 노출되지 않아 비용 등이 증가하는 이른바 X-비효율성은 전형적인 정부실패 요인이다.

정답 **30** ② **31** ① **32** ② **33** ④ **34** ④

35 대리정부(proxy government)의 특징에 대한 설명으로 옳지 않은 것은? 2020년 군무원 7급

① 정보의 왜곡현상이 발생할 수 있다.

② 분권화 전략에 의해서 자원의 낭비와 남용을 줄일 수 있다.

③ 대리정부의 형태가 다양하므로 행정관리자의 전문적 리더십이 중요하다.

④ 시민 개개인의 행동이 정부정책의 성과를 결정하기 때문에 높은 시민의식 하에 대리정부에 대한 시민의 통제가 중요하다.

36 (가)~(라)의 행정이론이 등장한 시기를 순서대로 바르게 나열한 것은? 2022년 국가직 9급

> (가) 정부와 공공부문에 참여하는 다양한 참여자들의 네트워크를 중시하고, 정부는 전체 네트워크를 관리하는 조정자의 입장에 있다고 하였다.
>
> (나) 미국 행정학의 '지적 위기'를 지적하면서 인간을 이기적·합리적 존재로 전제하고, 공공재의 공급이 서비스 기관 간 경쟁과 고객의 선택에 의해 이루어지는 시스템을 제안하였다.
>
> (다) 정치는 국가의 의지를 표명하고 정책을 구현하는 것이며, 행정은 이를 실천하는 관리활동으로서 정치와 행정의 차이를 분명히 하였다.
>
> (라) 왈도(Waldo)를 중심으로 가치와 형평성을 중시하면서 사회의 문제해결에 대한 현실 적합성을 갖는 새로운 행정학의 정립을 시도하였다.

① (다) → (라) → (가) → (나)   ② (다) → (라) → (나) → (가)

③ (라) → (다) → (가) → (나)   ④ (라) → (다) → (나) → (가)

37 정부관의 변천에 대한 설명으로 옳지 않은 것은? 2022년 국가직 9급

① 19세기 근대 자유주의 국가는 '야경국가'를 지향하였다.

② 대공황 이후 케인즈주의, 루스벨트 대통령의 뉴딜정책은 큰 정부관을 강조하였다.

③ 영국의 대처리즘, 미국의 레이거노믹스는 작은 정부를 지향하였다.

④ 하이에크(Hayek)는 『노예의 길』에서 시장실패를 비판하고 큰 정부를 강조하였다.

38 행정이론에 관한 다음의 기술 중 가장 옳지 않은 것은?

① 신공공관리론(New Public Management)은 국민을 고객으로 인식하고 공공부문에 시장원리를 도입하고자 하였다.

② 거버넌스(Governance)이론은 정부, 시장, 시민사회의 협력과 협치를 지향한다.

③ 신제도주의는 제도가 개인과 조직, 국가의 성패를 결정한다고 보고 있다.

④ 신행정학(New Public Administration)은 행태주의와 논리실증주의를 비판하면서 등장하였다.

정답 및 해설

35 정책집행 실패 시 추가비용이 소요될 수 있기 때문에 대리정부에 의한 분권화 전략은 자원의 낭비를 초래할 수 있다.

| 오답체크 |
① 중앙정부와 대리정부 간 정보의 비대칭성으로 인한 정보의 왜곡현상이 발생할 수 있다.
③ 대리정부의 형태가 다양하므로 대리정부에 대한 행정관리자의 전문적 리더십이 중요하다.
④ 시민 개개인의 행동이 정부정책의 성과를 결정하기 때문에 투철한 시민의식 하에 대리정부에 대한 시민의 통제가 중요하다.

36 행정이론의 등장 시기는 (다) → (라) → (나) → (가) 순이 맞다.
(가) 거버넌스론에 대한 설명으로 1990년대에 등장하였다.
(나) 공공선택이론에 대한 설명으로 1970년대의 이론이다.
(다) 정치행정이원론을 주장한 굿노(Goodnow)의 『정치와 행정』에서 주장된 내용이며, 굿노(Goodnow)는 과학적 관리론자이다.
(라) 왈도(Waldo)가 신행정론의 필요성을 제창하면서 1960년대 말 미국 사회의 격동기 때 주장했던 내용이다.

37 하이에크(Hayek)는 『노예의 길』에서 정부실패를 비판하고 작은 정부를 강조하였다.

| 오답체크 |
① 19세기 근대 자유주의 국가는 국가의 역할을 국방·치안·외교 등 소극적인 질서유지에 국한하는 작은 정부(야경국가)를 지향하였다.
② 경제대공황 이후의 케인즈의 총수요 관리정책, 뉴딜정책 등은 시장실패를 해결하기 위한 정부의 적극적 개입과 큰 정부를 강조했다.
③ 영국의 대처리즘, 미국의 레이거노믹스는 신자유주의에 입각한 작은 정부를 지향하였다.

38 신제도주의는 인간의 행위와 정치·경제·사회현상을 설명하는데 있어서 '제도의 중요성·독립변수성'을 인식하며, '제도와 개인의 행태 간 관계', 그리고 '제도의 발생·변동'에 초점을 두는 일련의 연구방법이라 할 수 있다. 제도와 개인의 행태 간 관계에 초점을 두며, 제도가 개인과 조직, 국가의 성패를 결정한다고 보지는 않는다.

| 오답체크 |
① 신공공관리론은 국민을 고객으로 인식하며, 정부실패를 극복하고자 시장의 원리를 도입하고자 하였다.
② 거버넌스로서의 행정이란, 공공문제해결을 위한 국가-시장-시민사회의 공동체로 구성된 연결망을 통한 집합적 노력이라 할 수 있다.
④ 신행정학은 가치중립적·보수적인 행태론이나 논리실증주의를 비판하며 대두된 이론이다.

정답 35 ② 36 ② 37 ④ 38 ③

39 행정이론의 발달을 오래된 순서대로 바르게 나열한 것은?　　2023년 지방직 9급

> (가) 과학적 관리론 – 테일러(Taylor)
>
> (나) 신공공관리론 – 오스본과 게블러(Osborne & Gaebler)
>
> (다) 신행정론 – 왈도(Waldo)
>
> (라) 행정행태론 – 사이먼(Simon)

① (가) – (다) – (라) – (나)　　　　② (가) – (라) – (다) – (나)

③ (라) – (가) – (나) – (다)　　　　④ (라) – (다) – (나) – (가)

40 무어(Moore)의 공공가치창출론(creating public value)적 시각에 대한 설명으로 옳지 않은 것은?　　2023년 지방직 9급

① 행정의 정당성 위기를 극복하기 위한 대안적 접근이다.

② 전략적 삼각형 개념을 제시한다.

③ 신공공관리론을 계승하여 행정의 수단성을 강조한다.

④ 정부의 관리자들은 공공가치 실현에 힘써야 한다고 주장한다.

41 공공가치론에 대한 설명으로 옳은 것만을 모두 고르면?　　2024년 지방직 9급

> ㄱ. 무어(Moore)는 공공가치 실패를 진단하는 도구로 '공공가치 지도그리기(mapping)'를 제안한다.
>
> ㄴ. 보우즈만(Bozeman)은 공공기관에 의해 생산된 순(純) 공공가치를 추정하는 '공공가치 회계'를 제시했다.
>
> ㄷ. '전략적 삼각형'모델은 정당성과 지지, 운영 역량, 공공가치로 구성된다.
>
> ㄹ. 시장과 공공부문이 공공가치 실현에 필수적으로 요구되는 재화와 서비스를 제공하지 못할 때 '공공가치실패'가 일어난다.

① ㄱ, ㄴ　　　　② ㄱ, ㄹ

③ ㄴ, ㄷ　　　　④ ㄷ, ㄹ

42 다음 대화에서 옳지 않은 말을 한 사람은?

> A: 신공공관리론의 학문적 토대는 신고전학파 경제학인데, 넛지이론은 공공선택론이야.
>
> B: 신공공관리론은 효율성을 증대하여 고객 대응성을 높이자는 목표를 가지는데, 넛지이론은 행동변화를 통해서 삶의 질을 높이는 것이 목표야.
>
> C: 신공공관리론에서는 경제적 합리성을 가정하지만, 넛지이론에서는 제한된 합리성을 가정하지.
>
> D: 신공공관리론에서는 공무원이 정치적 기업가가 되길 원하지만, 넛지이론에서는 선택설계자가 되길 바라지.

① A
② B
③ C
④ D

정답 및 해설

39 행정이론은 (가) 과학적 관리론 - (라) 행정행태론 - (다) 신행정론 - (나) 신공공관리론 순으로 발달하였다.
- (가) 테일러(Taylor)의 과학적 관리론은 1910년대에 제시된 이론이다.
- (나) 신공공관리론은 1980년대 초에 등장하였다. 클린턴(Cliton) 행정부에서 오스본과 게블러(Osborne & Gaebler)에 의해 정부재창조론으로 제시되었다.
- (다) 왈도(Waldo)의 신행정론은 1968년 미노브룩(Minnowbrook)에서 태동되었다.
- (라) 사이먼(Simon)의 행정행태론은 1945년에 소개되었다.

40 신공공관리론은 도구적 관점에서 행정의 수단성만을 강조함으로써 정부의 존재 이유에 대한 근본적 의문에 적절한 답을 제공하지 못하였다. 신공공관리론이 야기한 이러한 행정의 정당성 위기, 즉 행정의 공공성 약화를 극복하기 위한 대안적인 패러다임으로 등장한 것이 공공가치관리론이다.

| 오답체크 |
① 신공공관리론이 야기한 이러한 행정의 정당성 위기, 즉 행정의 공공성 약화를 극복하기 위한 대안적인 패러다임으로 등장한 것이 공공가치관리론이다.
② 무어(Moore)는 공공가치창출론에서 공공가치의 전략적 창출을 위한 전략적 삼각형(Strategic triangle)을 제시하였다. 전략적 삼각형이란 ⊙ 정당성, ⓛ 운영역량(시민역량, 관료역량), ⓒ 공공가치(비전, 목표의 실현)의 전략적 연계를 의미한다.
④ 정부의 관리자들은 공공가치 실현에 힘써야 한다고 주장한다.

41 공공가치의 창출과 공공관리자의 거시적인 전략적 사고를 강조한 무어(Moore)의 공공가치창출론과 공공가치의 실재론에 기초하여 공공가치실패를 강조하는 보우즈만(Bozeman)의 접근법이 있다.
- ㄷ. 무어(Moore)는 공공가치창출론에서 공공가치의 전략적 창출을 위한 전략적 삼각형(strategic triangle)을 제시하였다. 전략적 삼각형이란 ⊙ 정당성, ⓛ 운영역량(시민역량, 관료역량), ⓒ 공공가치(비전, 목표의 실현)의 전략적 연계를 의미한다.
- ㄹ. 보우즈만(Bozeman)의 공공가치실패 기준에 해당한다.

| 오답체크 |
- ㄱ. 공공가치실패를 진단하는 도구로 공공가치 지도그리기(public value mapping)를 제안한 사람은 무어(Moore)가 아니라 공공가치실패론을 주장한 보우즈만(Bozeman)이다.
- ㄴ. 무어(Moore)는 '공공가치회계(public value accounting)' 개념을 통하여 공공가치에 대한 철학적 기초를 제공하였다.

42 신공공관리론의 학문적 토대는 신고전학파 경제학이고, 넛지이론은 행동경제학이다.

정답 39 ② 40 ③ 41 ④ 42 ①

⏱ 10초만에 파악하는 **5개년 기출 경향**

▍최근 5개년(2024~2020) 출제율

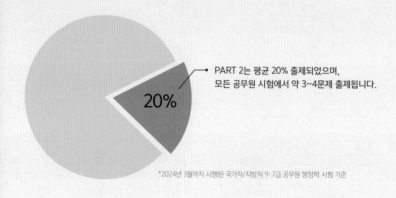

PART 2는 평균 20% 출제되었으며,
모든 공무원 시험에서 약 3~4문제 출제됩니다.

*2024년 3월까지 시행된 국가직/지방직 9·7급 공무원 행정학 시험 기준

▍CHAPTER별 출제율

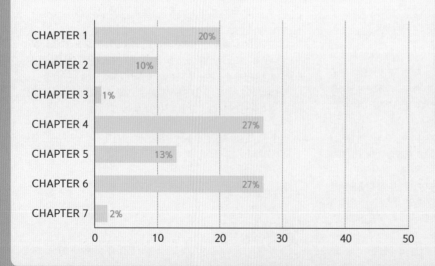

CHAPTER	출제율
CHAPTER 1	20%
CHAPTER 2	10%
CHAPTER 3	1%
CHAPTER 4	27%
CHAPTER 5	13%
CHAPTER 6	27%
CHAPTER 7	2%

PART 2

정책학

1 정책학의 개념과 특징

1. 정책학의 개념

일반적으로 정책학은 고도로 복잡해진 현대 사회 속에서 나타나는 각종 사회문제의 해결을 위해 정책과정에 대한 지식과 정책과정에서 필요한 지식을 다루는 학문이다.

2. 정책학의 연구 목적과 특징

(1) 연구 목적

궁극적 목적	인간 존엄성의 구현
중간 목적	정책과정의 합리성 제고
구체적 목적	정책의 바람직한 결정 · 집행 · 평가를 위해 필요한 지식의 제공
하위 목적	· 정책과정에 필요한 실증적 연구(실증적 지식) · 정책과정에 필요한 지적 활동(처방적 · 규범적 지식)

(2) 학문적 특징

① 정책학은 정책문제의 해결이라는 실천적인 목표를 지니고 있으므로 문제지향적이다.

② 문제해결에 필요한 이론 · 논리 · 기법 등을 여러 학문분야로부터 받아들이고, 이를 활용하므로 범학문적이고 방법론상 다양성을 지닌다.

③ 시간적 · 공간적 상황이나 역사성을 강조하는 맥락성(contextuality)을 띤다.

④ 가치판단을 위한 규범적 접근과 사실판단을 위한 실증적 접근을 융합하여 처방적 접근을 시도한다.

(3) 후기행태론의 등장과 라스웰(Lasswell)의 정책과학 패러다임 ❶

1960년대 말 후기행태주의의 등장과 함께 라스웰(Lasswell)은 자신의 획기적인 논문이 발표된 지 20년만인 1971년에 발간된 저서에서 정책학의 두 가지 목적(정책과정에 대한 경험적 지식과 정책과정에서 필요한 지식의 제공)을 되풀이하면서 정책학이 추구해야 할 기본적 속성들을 다음과 같이 제시하였다.

① **맥락성(관련성 · 지향성)**: 정책결정은 보다 큰 사회적 과정의 부분에 해당한다. 정책학은 시간적, 공간적 상황이나 역사성을 강조한다.

② **문제지향성**: 정책학은 정책문제의 해결이라는 실천적 목표를 가진다.

③ **연구방법의 다양성(연합학문적 연구)**: 복잡하고 불확실한 사회문제는 어느 한 학문에 의하여 해결될 수 없기 때문에 인접학문과의 종합적 연구가 필요하다.

❶ 정책과정 관련 지식

정책과정에 관한 지식	정책과정에 필요한 지식
실증적 · 경험적 지식	규범적 · 처방적 지식
의제설정, 결정, 집행	분석, 평가

④ **규범성과 처방성**: 가치판단을 위한 규범적 접근과 사실판단을 위한 실증적 접근을 통합하여 처방적 접근을 추구한다.

(4) 드로(Dror)의 정책과학 패러다임

① **순수연구와 응용연구 간의 통합**: 실천지향성을 강조하여 순수연구와 응용연구를 연계해야 한다고 주장한다.

② **학문 간의 경계 타파(범학문성)**: 정책과학은 문제해결에 필요한 이론, 논리, 기법 등을 다양한 학문분야로부터 받아들이고 활용하는 연합학문적 연구가 필요하다.

③ **거시적 수준에 초점**: 정책학은 거시적 수준의 공공정책결정체제에 초점을 둔다.

④ **묵시적 지식(tacit knowledge)**: 정책과학은 전통적인 방법에 의한 조사연구 외에 직관·통찰력·영감 등의 묵시적 지식(tacit knowledge)과 개인적 경험도 지식의 주요 원천으로 받아들여 분석적 접근의 한계를 극복해야 한다.

2 정책학의 성립과 발전

1. 정책학의 성립

1951년 라스웰(Lasswell)의 『정책지향(The Policy Orientation)』이라는 논문을 통해 정책학이 성립되었다.

2. 정책학의 발전

(1) 1960년대 미국 사회에서 대규모의 흑인폭동, 월남전 등 사회 문제가 발생하면서 이의 해결요구가 확산되었으나, 당시 행태주의 사조에 젖어 있던 정치학자들은 현실 문제에 아무런 도움이 되지 못했다.

(2) 행태주의의 현실적합성에 회의가 제기되면서, 1960년대 말 이스턴(Easton) 등 일련의 소장학자들에 의해 행태주의에 대한 비판과 적실성의 신조(credo of relevance) 및 행동(action)을 표방하는 후기행태주의가 대두되면서 정책학은 현실문제 해결을 위한 수단으로 급성장하게 되었다.

2 정책의 의의와 유형

1 정책의 의의

1. 정책의 개념

정책이란 바람직한 사회상태를 이룩하려는 정책목표와 이를 달성하기 위해 필요한 정책수단에 대하여 권위 있는 정부기관이 공식적으로 결정한 기본방침이다.

핵심 OX

01 라스웰(Lasswell)은 정책학의 묵시적 지식을 강조한다. (O, X)

02 드로(Dror)는 거시적 수준에서 연구의 초점을 둔다. (O, X)

01 X 묵시적 지식은 드로(Dror)의 패러다임이다.
02 O

❶ 정책의 3대 요소
1. 목표
2. 수단
3. 대상집단

2. 정책의 구성요소❶

정책의 주요한 구성요소는 정책목표, 정책수단, 정책대상집단, 정책결과 등이다.

(1) 정책목표

① 정책을 통하여 달성하고자 하는 바람직한 미래상태를 의미한다.

② 정책의 존재 이유가 되며, 방향성과 미래성을 갖고 무엇이 바람직한 상태인가 하는 가치판단에 의존하기 때문에 주관성과 규범성의 성격을 띤다.

(2) 정책수단

정책목표를 달성하기 위한 행동방안으로, 정책의 실질적인 내용을 구성한다.

① **실질적 정책수단**: 상위목표를 달성하기 위한 정책수단(하위목표)이다.

② **실행적·보조적 정책수단**: 집행기구 및 요원, 자금, 공권력 등이 있다.

(3) 정책대상집단

정책의 적용을 받는 집단 또는 정책집행으로 인해 영향을 받는 집단으로, 수혜집단과 비용부담집단으로 나눌 수 있다.

2 정책의 유형

정책내용이나 유형에 따라 정책과정이 달라진다는 정책의 독립변수적 성격이 강조되면서 정책유형 분류에 관심을 가지게 되었다.

❷ 로위(Lowi) –
   다원론과 엘리트론의 통합
1. 규제정책: 정부규제로 인해 이익을 보는 집단과 손해를 보는 집단 간의 갈등과 타협을 통해 정책이 결정되기 때문에 다원론적 정치가 나타난다.
2. 재분배정책: 가진 자와 가지지 못한 자 사이의 정책갈등과 조정이 동일 집단의 엘리트 집단에 의해 집권적으로 이루어진다.

1. 로위(Lowi)❷의 분류

(1) 의의

로위(Lowi)는 정책유형의 독립변수성을 강조하여 정책유형과 정책과정이 연계되어 있음을 주장하였으며, 강제력의 행사방법과 강제력의 적용영역 차이에 따라 정책을 네 가지로 구별하였다.

강제력의 행사방법 \ 강제력의 적용영역	개별적 행위	행위의 환경
간접적	배분정책	구성정책
직접적	규제정책	재분배정책

(2) 유형❸

① **분배정책(distributive policy)**: 국민들에게 권리·편익·서비스를 배분하는 정책(보조금 지급 등)으로, 수혜집단은 개인·집단 등으로 특정적이나 비용부담집단은 일반국민으로 불특정하므로 집단 간의 갈등이나 대립이 미미하다. 따라서 수혜집단들 간의 갈라먹기식 정치(pork barrel politics)나 서로 후원 및 상부상조(log rolling)의 행태에 의해 원만한 정책과정이 진행된다.

② **규제정책(regulatory policy)**: 특정한 개인이나 일부 집단에 대해 재산권 행사나 행동의 자유를 구속·억제하여 다수를 보호하는 정책(직·간접규제)으로, 정부정책 중 가장 많은 영역을 차지하고 있다. 이슈에 따라 정치적 연합의 구성원에 차이가 있고, 규제의 수혜자와 피해자(비용부담집단) 사이에 갈등이 심각하다.

❸ 배분정책과 재분배정책의 예시

배분정책	재분배정책
· SOC 건설	· 누진세
· 보조금 지급	· 영세민 취로사업
· 국·공립 교육 서비스	· 임대주택 건설
· 신공항 건설	· 근로장려금

③ **재분배정책(redistributive policy)**: 고소득층으로부터 저소득층으로의 소득이전을 목적으로 하는 정책으로, 계급 대립적 성격이 강하다. 그러므로 다른 정책보다 정책담당자의 강력한 신임이 요구되며, 의회의 지도자나 대통령의 역할이 중요하다. ⑩ 누진과세, 영세민 생계지원사업, 임대주택의 건설 등

④ **구성정책(constitutional policy)**
  ㉠ **개념**
    ⓐ 정치체제 · 행정체제의 구성과 운영에 관련된 정책을 말하며, 체제정책 또는 입헌정책이라고도 한다.
    ⓑ 구성정책은 사회 전체의 이익과 정부 자체를 대상으로 한다.
    ⑩ 정부기관 신설 · 변경, 선거구 조정, 공무원의 보수 · 연금, 행정구역개편 등과 관련된 정책
  ㉡ **특징**
    ⓐ **사회적 가치배분에 무영향**: 특정 개인 · 집단을 대상으로 하지 않고 전체 환경의 변화에 주력하므로 사회적 가치배분에 크게 영향을 미치지 않는다.
    ⓑ **게임의 규칙**: 구성정책은 대외적 가치배분에는 영향을 주지 않지만 대내적으로는 게임의 법칙이 나타난다. 즉, 조직 내부적으로 유리한 기관구성을 위하여 조직 간 게임의 규칙 등이 나타난다.
    ⓒ **권위적 성격**: 구성정책에 속하는 정책들은 '게임의 규칙들(rules of game)'에 관한 것이며, 그들은 정부의 총체적 기능(overhead function)에 초점을 맞추고 있다. 따라서 구성정책에서 정부는 권위적 성격(nature of government authority)을 띤다(노화준).
    ⓓ **정당의 역할**: 구성정책의 결정에는 정당이 중요한 영향을 미친다.

(3) 배분 · 규제 · 재분배정책 비교

비교	배분정책	규제정책	재분배정책
의미	권리 · 이익 · 서비스를 배분(급부행정)	권리 · 자유 제한, 의무 부과	소득 이전 (고소득층 ⇨ 저소득층)
예	SOC (도로 · 학교 · 항만), 건설보조금 · 지원금	직접 · 간접규제, 경쟁적 · 보호적 규제, 경제적 · 사회적 규제	누진세, 사회보장지출, voucher, 영구임대 아파트, 부(負)의 소득세
수혜자	주로 특정인 (특정 개인 · 기업)	특정 · 불특정인 가능	특정인 (저소득층)
비용 부담자	불특정인(일반국민의 세금)	특정 · 불특정인 가능	특정인(고소득층)
갈등 · 대립	심한 대립 없음	갈등 · 대립 있음	갈등과 대립이 가장 심함
집행 난이도	비용부담자의 저항 없음 ⇨ 집행 용이	비용부담자의 저항 ⇨ 집행 곤란	비용부담자의 저항 강함 ⇨ 가장 집행 곤란
특징	· pork barrel politics* · log rolling* · 비영합게임 (non zero-sum game*)	· 비용부담자와 수혜자 간 갈등, 타협, 이익집단 로비 ⇨ 포획 · 정부부패 · 다원주의	· 계급 대립, 이데올로기적 대립(zero-sum game*) · 엘리트론

용어

pork barrel politics*: 원래는 '돼지고기통'을 의미하며, 이권을 얻으려고 모여드는 의원들이 마치 미국 남부의 농장에서 농장주가 돼지고기 통에서 한 조각의 고기를 던져줄 때 모여드는 노예와 같다는 뜻에서 나온 말로, 이권을 둘러싸고 벌어지는 정치게임을 지칭

log rolling*: 이권이 결부된 법안을 관련 의원들이 서로 협력해서 통과시키는 행태를 가리키는 미국 의회 용어

non zero-sum game*: 합하면 영(0)이 되지 않는 게임이라 하여 비영합게임이라고 하며, 결국 손해를 보는 사람이 없기에 비교적 정책 추진이 용이한 게임을 일컫는 말

zero-sum game*: 이익의 합이 영(0)이되는 게임으로, 영합게임이라고 하며, 결국 가진 자는 마이너스의 상황이 벌어지고 못가진 자는 플러스 상황이 초래되어 그 이익의 총합이 영(0)이 되는 게임을 의미

핵심 OX

01 분배정책은 포크배럴과 로그롤링 현상이 나타난다. (O, X)

02 분배정책은 사회계급적인 접근을 기반으로 이루어지기 때문에 규제정책보다 더 가시적이다. (O, X)

03 공무원 연금 개혁은 구성정책의 예이다. (O, X)

01 O
02 X 재분배정책의 특성이다.
03 O

2. 알몬드와 포웰(Almond & Powell)의 분류

(1) 추출정책

정부가 국민으로부터 인적·물적 자원을 확보하는 정책이다.

⑩ 토지수용, 징병, 조세·과세, 성금 등

(2) 규제정책

개인·집단의 행동에 대해 정부가 가하는 통제 정책이다.

(3) 배분정책

정부가 개인·집단에게 재화나 용역, 지위, 신분 등의 가치를 배분하는 정책이다.

(4) 상징정책

정치체제의 정당성·정통성을 높이거나 정책순응의 확보, 국민적 일체감과 사회통합을 유도하는 정책으로, 이념·문화·교육과 관련된다.

⑩ 국경일, 국기, 애국가, 각종 기념 조형물(동상, 기념비), 반공이념, 각종 축제·행사·기념식 등

3. 리플리와 프랭클린(Ripley & Franklin)의 분류

(1) 의의

기존의 ① 배분정책, ② 재분배정책 외에 규제정책을 ③ 보호적 규제정책과 ④ 경쟁적 규제정책으로 나누고, 정책유형의 차이에 따라 정책형성 및 정책집행과정에 차이가 난다고 주장하였다.

> ⊙ **핵심정리** 　보호적 규제정책과 경쟁적 규제정책
>
> 1. **보호적 규제정책(protective regulatory policy) - 규제정책 + 재분배정책**
>   ① 개인이나 집단의 권리행사나 행동의 자유를 구속·통제하여 일반대중을 보호하려는 정책이다.
>   ② 일반적인 규제정책으로 공중에게 해로운 활동 및 조건은 금지되고 이로운 활동은 요구된다.
>   ⑩ 식품 및 의약품의 허가, 근로기준 설정, 최저임금제, 독과점 규제 및 공정거래법, 특정요금을 싸게 받는 공공요금 정책(교차보조의 성격을 지니는 보호적 규제) 등
>
> 2. **경쟁적 규제정책(competitive regulatory policy) - 규제정책 + 분배정책**
>   ① 다수의 경쟁자 중에서 특정한 개인이나 단체에게 일정한 재화나 서비스·권리 등을 공급할 수 있도록 하면서 공익을 위해 서비스 제공의 일정한 측면을 규제하는 정책이다.
>   ② 지대추구행위(rent seeking)의 발생가능성이 크며, 해당 재화·용역의 희소성과 그 할당방식에 관해 일반대중의 이해관계가 얽혀 있으므로 정부개입이 필요하다.
>   ⑩ 고속버스노선 허가, 방송국 설립인가, 이동통신사업자 선정, 의사면허 등

(2) 리플리와 프랭클린(Ripley & Franklin)의 정책유형별 집행과정의 속성

구분	안정적 루틴의 확립을 통한 원만한 집행의 가능성	주요 관련자들의 동일성과 그들 간 관계의 안정성	집행에 대한 논쟁과 갈등의 정도	관료의 집행 결정에 대한 반발의 정도	집행을 둘러싼 논쟁에 있어 이데올로기의 정도	정부활동의 감소를 위한 압력의 정도	성공적인 집행의 상대적 어려움
분배정책	높음	높음	낮음	낮음	낮음	낮음	낮음
경쟁적 규제정책	보통	낮음	보통	보통	어느 정도 높음	어느 정도 높음	보통
보호적 규제정책	낮음	낮음	높음	높음	높음	높음	보통
재분배 정책	낮음	높음	높음	높음	매우 높음	높음	높음

4. 살라몬(Salamon)①의 분류 – 정부 관여의 정도

(1) 강제적 정책수단과 협력적 정책수단

① **강제적 정책수단**: 정부가 일방적으로 강제하는 것이다.

② **협력적 정책수단**: 민간의 자발적 참여와 협력을 통해 정책목표를 달성하고자 하는 수단이다.

③ 직접성이 높은 경우 강제성이 높은 것이 일반적이나, 항상 그러한 것은 아니다.

강제적 수단	정부의 직접시행(정부소비)
	규제(경제적 규제, 사회적 규제)
	공기업
혼합적 수단	보조금
	조세감면(조세지출)
	지급보증
자발적 수단	민간부문(시민단체·시장경제 등)의 자율적 활동

(2) 직접성

① **의의**: 정책수단의 주체가 그것을 수행하는 데 관여하는 정도이다.

② 경제적 규제와 사회적 규제는 모두 강제성이 높지만 직접성은 다르다.

　㉠ **경제적 규제**: 정부가 가격이나 영업활동 규제를 통하여 민간의 본원적 경제활동에 직접 개입하므로 직접성이 높다.

　㉡ **사회적 규제**: 민간의 본원적 활동에 직접 개입하는 것이 아니고 경제활동의 부수적인 환경, 안전 등을 규제하므로 직접성이 낮다.

③ 직접성의 정도에 따른 정책수단과 효과

낮음	중간	높음
손해책임법, 보조금, 대출보증, 정부출자기업, 바우처	조세지출, 계약, 사회적 규제, 벌금	보험, 국민연금, 산재보험, 직접 대출, 경제적 규제, 정보 제공, 공기업, 정부 소비

① 살라몬(Salamon)의 정책수단
살라몬(Salamon)은 정책수단을 직접성, 강제성, 자동성, 가시성을 기준으로 직접적 수단과 간접적 수단 등으로 구분하였다. 대표적인 기준으로 직접성과 강제성을 사용하였고, 자동성과 가시성을 부수적인 기준으로 사용하였다. 자동성이란 이미 존재하고 있는 수단을 유지할 수 있는지 여부이고, 가시성이란 예산과정 등이 가시적인지 여부이다.

5. 솔리스버리(Salisbury)의 분류

솔리스버리(Salisbury)는 **(1)** 분배정책, **(2)** 재분배정책, **(3)** 규제정책 외에 **(4)** 규제대상이 되는 개인이나 집단에게 규제를 위한 기준을 설정할 권한을 부여하고 집행을 위임하는 자율규제정책을 추가하였다.

구분		수요자의 요구 패턴	
		통합	분산
공급자의 결정 패턴	통합	재분배정책 (정치적 재량)	규제정책 (기획적 재량)
	분산	자율규제정책 (전문적 재량)	배분정책 (기술적 재량)

⊘ 개념PLUS **자율규제정책(selfregulated policy)**

1. 의의

규제대상인 개인·집단에게 규제기준의 설정 권한을 부여하고, 그 집행까지 위임하는 정책이다.

2. 주로 전문가 집단과 관련

전문가 집단(변호사회, 약사회, 의사회, 공인중개사협회 등)의 자체 집단에 대해 자율적으로 규제한다.

3. 특징

① 각 전문 집단은 소속구성원에 대한 통제기준을 정하고 위반 시 제재를 가한다.

② 시민의 요구 패턴은 통합되어 강한 입장을 보이지만, 결정을 하는 정부가 분산되어 강력한 입장을 보이지 못할 때 발생한다.

4. 규제정책과의 차이

피규제집단이 자기 이익의 보호·촉진수단으로서 규제를 요구·지지한다.

---

3 정책환경과 정치체제

1 정책결정요인론❶

1. 개념

(1) 정책의 내용을 결정 또는 좌우하는 요인이 무엇인가를 밝히는 이론이다.

(2) 정치체제는 환경과 지속적인 상호작용을 하며, 환경으로부터 정치체제로 투입이 들어가면 전환 과정을 거쳐 산출로서 정책이 나온다.

(3) 정책을 종속변수로 보고 독립변수의 역할을 하는 것이 환경으로부터의 투입(사회·경제적 요인)인지 또는 정치체제의 특징(정치적 요인)인지의 논쟁이다.

❶ 정책의 독립변수성과 종속변수성
1. **정책유형론**: 정책의 독립변수성을 강조한다.
2. **정책결정요인론**: 정책을 종속변수로 본다.

2. 정책결정요인론의 전개

(1) 경제학자들의 연구

정책내용 결정의 두 가지 독립변수(사회경제적 요인, 정치적 요인) 중 요구와 지지라는 ① 사회경제적 변수(1인당 국민소득, 인구밀도, 도시화 등)가 ② 정치체제의 유형과 관계없이 정책의 내용을 거의 결정한다.

(2) 정치학자들의 연구

① 키(Key), 로카드(Lockard), 펜턴(Fenton) 등 초기 연구(1940년대): 환경 중 ㉠ 정치적 요인만이 정책에 영향을 미치고, ㉡ 사회경제적 요인은 정치적 요인을 매개로 간접적인 영향을 미친다.

② 도슨(Dowson) – 로빈슨(Robinson)의 경제적 자원모형(1963): ㉠ 정치체제의 독자적인 영향력을 부정하고, ㉡ 사회경제적 변수의 단순한 전달역할에 불과하다고 보았다.

③ 혼합모형[크누드(Cnude), 맥크론(McCrone) 등의 연구]: ㉠ 사회경제적 변수를 통제하여도, ㉡ 정치체제의 독자적인 영향력은 존재한다.

3. 정책결정요인론의 영향

(1) 환경의 중요성을 부각시켰다.

(2) 정치체제가 정책에 영향을 미치지 못한다.

① 비교정치학 및 다원론에 충격을 주었다.

② 정책학의 학문적 역할 인식에 대한 충격이었다.

4. 한계

(1) 계량화의 문제

정치적 요인은 권력구조·지도자의 리더십 등 중요한 변수라도 계량화가 곤란한 것은 제외되고, 정당 간 경쟁·참여 등 주로 계량화가 용이한 정치적 변수만을 선정하여 분석하였으므로 정치적 요인은 과소평가되었다. 반면 사회경제적 환경변수는 계량화가 용이하기 때문에 정책에 미치는 영향이 과대평가되었다.

(2) 연구수준의 문제

정책의 상위수준(총재정지출)에서는 경제적 변수의 영향을 받지만, 세부내용은 정치적 의사결정을 거치게 된다. 즉, 정책결정요인론은 주로 상위정책만을 연구 대상으로 하였다.

(3) 인과관계의 불명확❶

진정한 인과관계가 없어도 다른 요인이 영향을 주면 의미 있는 값이 나올 수 있는 허위(spurious) 상관관계의 존재를 간과하였다.

❶ 허위변수와 혼란변수
1. **허위변수**: 두 변수 간에 전혀 관계가 없는데도, 상관관계가 있는 것처럼 나타나도록 두 변수 모두에 영향을 미치는 변수를 의미한다.
2. **혼란변수**: 두 변수 간에 일부 상관관계가 있는 상태에서 두 변수 모두에 영향을 미치는 변수를 의미한다.

핵심 OX

01 정치적 요인은 계량화가 용이하여 과대평가된다. (O, X)

02 사회경제적 요인은 과대평가된다. (O, X)

03 도슨(Dowson)과 로빈슨(Robinson)의 경제적 자원모형은 정치체제의 독립변수성을 인정했다. (O, X)

01 X 정치적 요인은 계량화가 용이하지 않아 과소평가 되었다.
02 O
03 X 정치체제의 독립변수성을 인정하지 않는다.

정책과정에서 나오는 일련의 산출물(정책문제·정책·정책산출·평가내용 등)은 모든 국민에게 영향을 미치는 바, 정책과정의 참여자는 자신의 이해를 정책에 반영하기 위하여 소극적 또는 적극적 노력을 하게 된다.

1 정책의 공식적 참여자

의회, 대통령과 행정수반, 행정기관과 관료, 지방에서의 참여자(자치단체장, 지방의회 등), 사법부 등이 있다.

1. 의회

(1) 행정국가시대에는 그 기능이 약화되었으나, 정책과정에서 중요한 역할을 담당한다.

(2) 특히 특정 정책이나 프로그램에 이해관계를 가지는 의회의 상임위원회는 관계행정기관·이익집단과 '철의 삼각관계'를 형성하여 정책형성에 큰 영향을 미친다.

2. 대통령과 행정수반

(1) 대통령은 정책과정 전반에 걸쳐 광범위하고도 강력한 권한과 막중한 영향력을 행사하며, 실질적으로 정부의 중요한 정책결정을 주도한다.

(2) 특히 대통령의 영향력은 분배정책보다는 재분배정책에서 크게 나타난다.

3. 행정기관과 관료

(1) 관료는 원래 정책과정에서 중요한 참여자가 아니었으나, 아래와 같은 이유로 정책과정에 광범위하고 깊게 개입·관여하게 되었다.
  ① 정책문제의 기술적 성격과 복잡성 때문이다.
  ② 법률규정의 모호성·불명확성 때문이다.
  ③ 정책 주도자인 행정수반의 역할이 증대되었기 때문이다.
  ④ 관료조직의 고도의 전문성과 지속성·안정성 때문이다.
  ⑤ 입법부의 정보·시간 부족에 의한 위임입법의 확대 때문이다.
  ⑥ 정보화·전문화 추세에 의한 관료의 영향력 강화와 정보에 대한 기술과 조직의 독점 등의 이유 때문이다.

(2) 특히 정책집행 과정에서 공식적 정책결정자들이 원활한 집행의 필요성 때문에 행정조직에 광범위한 권한을 위임하므로 행정기관과 관료의 역할은 더욱 크다.

4. 지방에서의 참여자

지방에서의 공식적 참여자로는 자치단체장, 지방의회, 지방공무원, 국가 일선행정기관 등이 있다.

5. 사법부

법원과 헌법재판소는 주로 국가정책과 관련된 판결을 통해 국민생활에 직접적인 영향을 주고 있지만, 현 제도·정책과정하에서 사법부의 역할은 그 제도적 특징상 사후적·수동적 성격을 띠고 있다. 그러나 사법부도 공식적 정책결정권이 있다는 점에 주의해야 한다.

2 정책의 비공식적 참여자

이익집단, 정당, NGO, 시민·언론·전문가 등이 있다.

1. 이익집단

특정 문제에 관하여 직·간접적 이해관계 및 관심을 공유하고 있는 사람들의 자발적인 집단을 말하며, 자신의 집단이익 표출 기능을 수행한다.

2. 정당

정당은 각종 사회집단의 특정요구 또는 일반국민의 요구를 일반정책대안으로 전환시키는 이익집약기능을 수행하며, 선거공약이나 정강정책 등을 통해 이를 나타낸다.

3. NGO

(1) 시민사회의 자발적인 행동을 기초로 하여 공익을 추구하는 민간기구이다.

(2) 설립 배경
  ① 정부부문에 대한 불신과 관료조직의 한계 때문이다.
  ② 공공서비스 수요 증대와 행정수행방식의 혁신 때문이다.
  ③ 시민의 참여의식 증진되었기 때문이다.

(3) 정책과정의 모든 단계에서 정부와 견제와 균형을 유지하기 위해 정부와 건설적·협력적 관계를 모색하려 한다.

4. 시민, 언론, 전문가

(1) 시민
  공직자를 선출하거나 정치체제의 일상적인 운영과정에 수시로 참여함으로써 영향을 미친다.

(2) 언론
  대중매체를 통하여 사회구성원 간의 사상 전달을 돕고 여론을 형성하며, 사회에서 발생하는 주요사건들을 알려줌으로써 영향을 미친다.

(3) 전문가들
  특정분야에 전문성을 지닌 사람으로, 대안의 제시와 평가 등을 통해 정책과정에 중요한 영향을 미친다.

3 정책네트워크❶

1. 의의

(1) 개념

① 복잡한 정치 · 경제 · 기술적 특징과 자원의 상호의존성이 내포된 정책문제를 대상으로 다수의 공 · 사부문의 행위자가 참여하고 연결되어 있는 조직의 복합체이다.

② 정책네트워크모형은 사회학이나 문화인류학의 연구에서 이용되어 왔던 네트워크 분석을 다양한 참여자들의 행위들로 특징지어지는 정책과정의 연구에 적용하는 것이다.

(2) 대두배경

① **국가와 사회의 이분법 극복:** 정책네트워크모형은 공적부문과 사적부문 간 경계가 불분명해지고 있다고 보며, 다양한 공식 · 비공식 참여자들 간의 상호작용과 관계를 중심으로 정책과정을 분석함으로써 국가와 사회의 이분법을 극복하고 있다.

② **정책환경의 복잡성:** 정책환경이 복잡해짐에 따라 정책과정이 특정세력에 의해 일방적으로 이루어질 수 없다. 그러므로 정책네트워크모형은 다양한 행위자들의 상호의존성에 의한 정책형성뿐만 아니라 정책집행까지 설명하는 유용한 도구이다.

2. 유형

(1) 하위정부모형❷(미국)

① **개념:** 소수의 공식엘리트와 영향력 있는 특정 이익집단 간 제한된 참여 속에서 안정적 관계를 형성하며 해당 정책과정을 지배한다(관료, 의회 상임위원, 이익집단). 즉, 소수행위자로 구성된 안정적 정책망에 해당된다.

② 국민과 대통령의 관심이 낮은 분배정책의 분야에서 주로 형성된다.

③ **쇠퇴원인:** 이익집단의 급증현상 및 이로 인한 집단 간 갈등의 발생과 의회의 소위원회 수의 증가에 의한 관할권의 중첩 현상의 심화로, 하위정부모형이 상징하는 삼자 간의 연계고리가 상실되었다.

(2) 정책공동체(policy community, 영국)

① **의의:** 특정한 정책분야의 전문가로 구성된 일종의 공동체로, 특정 정책분야에 대해 전문지식이 있는 사람들(대학교수, 연구원, 공무원, 기자, 국회의원 등)이 공식적 · 비공식적으로 접촉하면서 형성된 하나의 공동체를 말한다. 전문지식을 지닌 공식조직과 비공식조직의 인원들로 구성되며 일반적으로 전문가 집단이 아닌 일반국민이나 단순한 이해관계자는 구성원에 포함되지 않는다.
   ㉫ 교육개발원(KEDI), 한국개발연구원(KDI), 한국산업연구원(KIET), 농촌경제연구원 등

② **대두 배경**
   ㉠ 관료집단에 대한 통제의 필요성이 높아졌기 때문이다.
   ㉡ 의회의 낮은 전문성을 보완하기 위함이다.

ⓒ 정책문제의 복잡성·불확실성 증대되었고, → 정책문제 해결에 전문가의 개입 필요성이 증대되었으며, → 전문지식을 보유한 사람들의 참여에 대한 수요가 증가했기 때문이다.

③ 장점

㉠ 특정 분야별 전문성의 확보가 가능하다.

㉡ 정책의 신뢰성 확보가 가능하다.

㉢ 정책의 일관성을 유지할 수 있다.

㉣ 정책집행의 순응 확보가 가능하다.

㉤ 정책의 미래상을 제시할 수 있다.

④ 단점

㉠ 끊임없이 논쟁을 벌여 더 큰 문제를 양산할 수 있다.

㉡ 지속적인 논쟁과 토론을 중시하지만, 합의나 해결방안을 도출하기보다는 갈등을 당연시한다.

㉢ 정책공동체의 구성원들은 정책효과에 따른 책임을 지지 않는다.

(3) 이슈네트워크(= 정책문제망, 미국)

① 의의: 1978년 헤클로(Heclo)가 하위정부나 철의삼각을 비판하기 위해 제기한 개념이다. 미국에서 이익집단의 수가 증가하여 다원화됨에 따라 하위정부식 정책결정이 거의 불가능해졌다고 주장하면서, 특정이슈를 중심으로 이해관계나 전문성을 갖는 개인 및 조직으로 구성되는 네트워크를 제시하였다.

② 특징

㉠ 식별할 수 있는 일단의 참여자가 없다.

㉡ 일정기간 동안 안전성을 지니지 않는다.

㉢ 자율성도 결여되어 있다.

㉣ 네트워크와 환경의 경계도 불분명하다.

(4) 정책공동체와 이슈네트워크 비교

내용	정책공동체	이슈네트워크
참여자	정부영역과 민간영역의 전문가 집단	다수의 개인 및 관련집단 참여
외부참여	비교적 제한적	제한 없음
참여자들 간의 관계	· 공동체 내의 문제해결에는 동의 · 그 방안에 대해서는 갈등	· 쟁점만 공유 · 서로 알고 있다는 가정 ×
경계	완화	· 경계 불분명 · 자유로운 진입과 퇴장
지속성	보통	낮음(유동적)
행위자 간의 관계	의존적, 협력적 (positive-sum game)	경쟁적, 갈등적 (negative-sum game)

핵심 OX

01 정책네트워크는 복잡한 정책환경을 설명하는 유용한 도구이다. (O, X)

02 정책공동체에는 전문가와 이해관계인이 참여한다. (O, X)

03 이슈네트워크에는 전문가만이 참여한다. (O, X)

01 O
02 X 정책공동체에는 전문가만이 참여한다.
03 X 이슈네트워크에는 전문가뿐만 아니라 다수의 개인 및 집단이 참여한다.

01 다음 중 정책(policy)에 대한 설명으로 가장 거리가 먼 것은?   2023년 군무원 9급

① 정부목표 달성의 수단인 동시에 공적인 문제해결을 위한 수단이라는 이중성을 보유하고 있다.

② 정치행정이원론에 기초한 행정관리설과 밀접한 관련이 있다.

③ 정책은 삼권분립하에서 입법부의 역할을 위축시킬 수 있다.

④ 정책결정은 공적인 의사결정 과정으로서 복수의 단계와 절차로 이루어진다.

02 정책학의 발달에 대한 설명으로 옳지 않은 것은?   2024년 지방직 9급

① 1951년 『정책지향(Policy Orientation)』이라는 논문은 정책학의 정체성 확립에 기여하였다.

② 라스웰(Lasswell)은 1971년 『정책학 소개(A Pre-View of Policy Sciences)』에서 맥락지향성, 이론지향성, 연합학문지향성을 제시하였다.

③ 1980년대 정책학의 연구는 정책형성, 집행, 평가, 변동 등 다양한 분야로 확대되었다.

④ 드로(Dror)는 정책결정단계를 상위 정책결정(meta-policymaking), 정책결정(policymaking), 정책결정 이후(post-policymaking)로 나누는 최적모형을 제시하였다.

03 로위(Lowi)의 정책유형과 그에 대한 설명으로 옳은 것만을 모두 고르면?   2021년 국가직 9급

> ㄱ. 규제정책은 특정 개인이나 집단에 대한 선택의 자유를 제한하는 유형의 정책으로 강제력이 특징이다.
> ㄴ. 분배정책의 사례에는 FTA협정에 따른 농민피해 지원, 중소기업을 위한 정책자금 지원, 사회보장 및 의료보장정책 등이 있다.
> ㄷ. 재분배정책은 고소득층으로부터 저소득층으로 소득이전을 목적으로 하기 때문에 계급대립적 성격을 지닌다.
> ㄹ. 재분배정책의 사례로는 저소득층을 위한 근로장려금제도, 영세민을 위한 임대주택 건설, 대덕 연구개발특구 지원 등이 있다.
> ㅁ. 구성정책은 정부기관의 신설과 선거구 조정 등과 같이 정부기구의 구성 및 조정과 관련된 정책이다.

① ㄱ, ㄴ, ㄷ   ② ㄱ, ㄷ, ㅁ

③ ㄴ, ㄹ, ㅁ   ④ ㄷ, ㄹ, ㅁ

04 로위(Lowi)의 정책 유형에 대한 설명 중 분배정책에 해당하는 것만을 모두 고르면?

> ㄱ. 정책 과정에서 이해당사자들 간의 협상을 통해 비교적 안정적인 연합을 형성한다.
>
> ㄴ. 누진소득세와 같이 이데올로기적인 기반에서 정책결정이 이루어진다.
>
> ㄷ. 로그롤링(log-rolling)이나 포크배럴(pork-barrel)과 같은 정치적 현상이 나타난다.
>
> ㄹ. 집단 사이의 갈등 수준이 상당히 높은 편이며, 개인이나 집단의 행위를 통제하기 위하여 정부의 강제력이 직접적으로 동원된다.

① ㄱ, ㄴ   ② ㄱ, ㄷ

③ ㄴ, ㄷ   ④ ㄷ, ㄹ

정답 및 해설

01 정책은 정책문제의 해결이라는 실천적인 목표를 지니고 있으므로 문제지향적이다. 따라서 정치행정일원론에 기초한 후기행태주의 접근법과 밀접한 관련이 있다.

| 오답체크 |

① 정책이란 바람직한 사회상태를 이룩하려는 정책목표와 이를 달성하기 위해 필요한 정책수단에 대하여 권위 있는 정부기관이 공식적으로 결정한 기본방침이다.

③ 정책을 행정부가 주도하는 현대행정의 경향에서는 입법부의 역할을 위축시킬 수 있다.

④ 정책결정과정은 문제의 파악과 정의에서 시작하여 대안의 선택까지 복수의 단계와 절차로 이루어진다.

02 라스웰(Lasswell)은 정책과학의 패러다임으로 맥락지향성, 문제지향성, 연합학문성 및 규범지향성을 강조하였다. 이론지향성은 옳지 않다.

| 오답체크 |

① 1951년 『정책지향(Policy Orientation)』이라는 논문은 정책학의 시발점이 되었다는 평가를 받는다.

③ 정책과학은 1980년대 들어 정책집행, 평가, 변동 등 다양한 영역으로 연구가 확대되었다.

④ 드로(Dror)는 정책결정의 단계를 상위 정책결정단계(meta-policy making stage), 정책결정단계(policy making stage), 정책결정 이후단계(post-policy making stage)로 나눈 최적모형을 제시하였다.

03 로위(Lowi)의 정책유형에 대한 설명으로 옳은 것은 ㄱ, ㄷ, ㅁ이다.

ㄱ. 규제정책은 강제력이 개별행위에 직접적으로 미치는 정책이다.

ㄷ. 재분배정책은 계급투쟁과 이념투쟁이 발생한다.

| 오답체크 |

ㄴ. 정책자금지원은 보조금적 성격으로 보면 배분정책적 관점도 있고, 중소기업에 초점을 두면 재분배정책적 성격도 일부가 있다. 그러나 사회보장정책 등은 명확히 재분배정책이므로 옳지 않은 지문이다.

ㄹ. 저소득층 근로장려금제도, 영세민 임대주택 건설 등은 재분배정책이지만 대덕 연구개발특구 지원 등은 분배정책에 해당한다.

04 로위(Lowi)는 정책유형의 독립변수성을 강조하여 정책유형과 정책과정이 연계되어 있음을 주장하였으며, 강제력의 행사방법과 강제력의 적용영역 차이에 따라 정책을 네 가지로 구별하였다.

ㄱ. 분배정책은 포크배럴 또는 로그롤링으로 나눠먹기식 정치가 나타나므로 이해당사들 간에 안정적인 정치적 연합 이루어진다.

ㄷ. 포크배럴 또는 로그롤링과 같은 정치경제적 특성은 분배정책에서 나타난다.

| 오답체크 |

ㄴ. 재분배정책에 대한 설명이다. 재분배정책은 누진소득세 등 이데올로기 논쟁이 발생한다.

ㄹ. 정부의 강제력이 직접적으로 동원되는 정책은 규제·재분배정책이고, 강제력이 간접적으로 동원되는 정책은 분배·구성정책이다.

정답 01 ② 02 ② 03 ② 04 ②

05 살라몬(L. M. Salamon)이 제시한 정책수단의 유형에서 직접적 수단으로만 묶인 것은? 2018년 국가직 9급

ㄱ. 조세지출(tax expenditure)

ㄴ. 경제적 규제(economic regulation)

ㄷ. 정부소비(direct government)

ㄹ. 사회적 규제(social regulation)

ㅁ. 공기업(government corporation)

ㅂ. 보조금(grant)

① ㄱ, ㄴ, ㄷ

② ㄱ, ㄹ, ㅂ

③ ㄴ, ㄷ, ㅁ

④ ㄹ, ㅁ, ㅂ

06 정책의 유형 중에서 정책목표에 의해 일반 국민에게 인적·물적 자원을 부담시키는 정책은? 2022년 국가직 9급

① 추출정책

② 구성정책

③ 분배정책

④ 상징정책

07 정부규제에 대한 설명으로 옳지 않은 것은? 2021년 지방직 7급

① 종합편성 채널의 운영권을 부여하고, 이를 확보한 방송사에 대한 규제는 리플리와 프랭클린(Ripley & Franklin)의 보호적 규제 정책을 시행한 것으로 볼 수 있다.

② 네거티브 규제(negative regulation)는 포지티브 규제(positive regulation)보다 자율성을 적극적으로 부여한다는 측면에서 피규제자가 선호하는 방식이다.

③ 우리나라는 신기술과 신산업을 육성하기 위하여 규제샌드박스제도를 도입하였다.

④ 윌슨(Wilson)의 규제정치 이론에 따르면, 대체로 경제적 규제는 고객정치의 상황으로 분류되며 사회적 규제는 기업가정치의 상황으로 분류된다.

08 로위(Lowi)의 정책유형에 대한 설명으로 옳지 않은 것은?

① 정부 혹은 정치체제의 정통성과 정당성을 확보하고, 국민의 단결력이나 자부심을 높여 줌으로써 정부의 정책활동을 원활하게 하기 위한 정책은 구성정책에 해당한다.

② 기초생활보장 대상자에 대한 생활 보조금 지급 등과 같이 소득이전과 관련된 정책은 재분배정책에 해당한다.

③ 도로 건설, 하천·항만 사업과 같이 국민에게 공공서비스나 혜택을 제공하기 위한 정책은 분배정책에 해당한다.

④ 사회구성원이나 집단의 활동을 통제해 다른 사람이나 집단을 보호하려는 목적을 가진 정책은 규제정책에 해당한다.

정답 및 해설

05 직접적 수단으로만 묶인 것은 ㄴ. 경제적 규제, ㄷ. 정부소비, ㅁ. 공기업이다.

● 직접성의 정도에 따른 정책수단과 효과

낮음	중간	높음
손해책임법, 보조금, 대출보증, 정부출자기업, 바우처	조세지출, 계약, 사회적 규제, 벌금	보험, 국민연금, 산재보험, 직접 대출, 경제적 규제, 정보 제공, 공기업, 정부 소비

06 일반 국민으로부터 인적·물적 자원을 동원·부담시키는 정책은 알몬드와 포웰(Almond & Powell)의 정책분류 중 추출정책에 해당한다.

| 오답체크 |
② 구성정책은 정부기관의 신설이나 변경, 선거구 조정, 공무원의 보수와 연금, 행정구역개편 등과 관련된 정책이다.
③ 분배정책은 국민들에게 권리·편익·서비스를 배분하는 정책(예 보조금 지급 등)이다.
④ 상징정책은 정치체제의 정당성·정통성을 높이거나 정책순응의 확보, 국민적 일체감과 사회통합을 유도하는 정책이다.

07 지문은 경쟁적 규제에 대한 설명이다.

● 경쟁적 규제와 보호적 규제

경쟁적 규제	다수의 경쟁자 중에서 특정한 개인이나 단체에게 일정한 재화나 서비스·권리 등을 공급할 수 있도록 하면서, 공익을 위해 서비스 제공의 일정한 측면을 규제하는 정책 예 고속버스노선 허가, 방송국 설립인가, 이동통신사업자 선정, 의사면허 등
보호적 규제	개인이나 집단의 권리행사나 행동의 자유를 구속·통제하여 일반대중을 보호하려는 정책 예 식품 및 의약품의 허가, 근로기준 설정, 최저임금제, 독과점 규제 및 공정거래법, 특정요금을 싸게 받는 공공요금 정책(교차보조의 성격을 지니는 보호적 규제) 등

| 오답체크 |
② 네거티브 규제는 원칙 허용·예외 금지방식으로, 피규제자의 자율성을 보장하기 때문에 피규제자들이 선호하는 방식이다.
③ 우리나라가 2009년 도입한 규제샌드박스란 신기술이나 신제품이 출시될 때 일정 기간 동안 기존 규제를 면제 또는 유예시켜주는 제도를 말한다.
④ 윌슨(Wilson)의 규제정치모형에 따르면 협의의 경제적 규제는 고객정치적 성격이 강하고, 사회적 규제는 기업가정치적 성격이 강하다.

08 지문은 구성정책이 아니라 알몬드와 포웰(Almond & Powell)이 제시한 상징정책에 해당한다.

| 오답체크 |
② 재분배정책에 대한 설명으로 옳은 지문이다.
③ 분배정책에 대한 설명으로 옳은 지문이다.
④ 규제정책 중 보호적 규제정책에 대한 설명으로 옳은 지문이다.

정답 05 ③ 06 ① 07 ① 08 ①

정책결정요인론에 대한 비판으로 가장 옳지 않은 것은?

① 정치체제가 환경에 미치는 영향을 고려하지 않는다.

② 정치체제의 매개·경로적 역할을 고려하지 않는다.

③ 정치체제가 지니는 정량적 변수를 포함하지 않는다.

④ 정치체제가 정책에 미치는 영향을 과소평가한다.

10 **정책참여자에 대한 설명으로 옳지 않은 것은?**

① 시민단체(NGO)는 비공식적 참여자로서 시민여론을 동원해 정책의제설정, 정책대안제시, 정부의 집행활동 감시 등 정책과정 전반에 영향을 미친다.

② 정당은 공식적 참여자로서 대중의 여론을 형성하고 일반 국민에게 정책 관련 주요 정보를 전달하는 역할을 통해 정책과정에 영향을 미친다.

③ 사법부는 공식적 참여자로서 정책과 관련된 법적 쟁송이 발생한 경우 그 정책의 타당성에 대한 판결을 통해 정책에 영향을 미친다.

④ 이익집단은 비공식적 참여자로서 특정 이해관계를 공유하는 사람들의 모임이며, 구성원들의 이익을 실현하기 위해 정부에 압력을 가함으로써 정책에 영향을 미친다.

11 **정책네트워크에 대한 설명으로 옳지 않은 것은?**

① 정책네트워크의 참여자는 정부뿐만 아니라 민간부문까지 포함한다.

② 정책공동체(policy community)에 비해서 이슈네트워크(issue network)는 제한된 행위자들이 정책과정에 참여하며 경계의 개방성이 낮은 특성이 있다.

③ 헤클로(Heclo)는 하위정부모형을 비판적으로 검토하면서 정책이슈를 중심으로 유동적이며 개방적인 참여자들 간의 상호작용 현상을 묘사하기 위한 대안적 모형을 제안하였다.

④ 하위정부(sub-government)는 선출직 의원, 정부관료, 그리고 이익집단의 역할에 초점을 맞춘다.

12 정책네트워크의 개념과 유형에 대한 설명으로 옳지 않은 것은?

2023년 국가직 7급

① 수많은 공식·비공식적 참여자가 존재하는 정책네트워크는 정책과정의 참여자들 간 상호작용을 구조적인 차원으로 설명하는 틀이다.

② 정책네트워크의 경계는 구조적인 틀에 따라 달라지는 상호인지의 과정에 의하기보다는 공식기관들에 의해 결정된다.

③ 하위정부모형은 이익집단, 의회의 상임위원회, 주요 행정부처로 구성되는 네트워크를 말하며, 안정성이 높은 것이 특징이다.

④ 정책공동체모형은 하위정부모형에 대한 대안으로 대두되었으나 전문화된 정책영역에서 정책결정이 이루어진다는 측면에서 서로 유사한 점이 있다.

정답 및 해설

09 정치적 요인은 권력구조·지도자의 리더십 등 중요한 변수라도 계량화가 곤란한 것은 제외되고, 정당 간 경쟁·참여 등 주로 계량화가 용이한 정치적 변수만을 선정하여 분석하였으므로 정치적 요인은 과소평가되었다.

| 오답체크 |
①, ② 도슨(Dowson) - 로빈슨(Robinson)의 경제적 자원모형(1963)은 ⊙ 정치체제의 독자적인 영향력을 부정하고, ⓒ 사회경제적 변수의 단순한 전달 역할에 불과하다고 보았다.
④ 계량화가 용이한 정치적 변수만을 선정하여 분석하였으므로 정치적 요인은 과소평가되었다.

10 정당은 비공식적 참여자로써 각종 사회집단의 특정 요구 또는 일반국민의 요구를 일반정책대안으로 전환시키는 이익집약기능을 수행하며, 선거 공약이나 정강정책 등을 통해 이를 나타낸다.

| 오답체크 |
① 시민단체(NGO)는 비공식적 참여자로서 정책과정의 모든 단계에서 정부와 견제와 균형을 유지하기 위해 정부와 건설적·협력적 관계를 모색하려 한다.
③ 사법부는 공식적 참여자로서 주로 국가정책과 관련된 판결을 통해 국민생활에 직접적인 영향을 주고 있지만, 현 제도·정책과정하에서 사법부의 역할은 그 제도적 특징상 사후적·수동적 성격을 띠고 있다.
④ 이익집단은 비공식적 참여자로서 특정 문제에 관하여 직·간접적 이해관계 및 관심을 공유하고 있는 사람들의 자발적인 집단을 말하며, 자신의 집단이익 표출 기능을 수행한다.

11 이슈네트워크(issue network)에 비해서 정책공동체(policy community)는 조직 내외 전문가들만이 참여할 수 있으므로, 제한된 행위자들이 정책과정에 참여하며 경계의 개방성이 낮은 특성이 있다.

| 오답체크 |
① 정책네트워크의 참여자는 정부영역과 민간영역을 포함한다.
③ 헤클로(Heclo)는 이익집단의 수가 증가하여 다원화됨에 따라 하위정부식 정책결정이 거의 불가능해졌다고 주장하면서, 특정 이슈를 중심으로 이해관계나 전문성을 갖는 개인 및 조직으로 구성되는 네트워크를 제시하였다.
④ 하위정부모형은 관료, 의회 상임위원, 이익집단으로 구성된 안정적 정책망에 해당된다.

12 정책네트워크모형은 다양한 행위자들의 동태적인 상호작용을 통해 결정된다고 본다. 따라서 정책네트워크의 경계도 공식기관들에 의해서 결정된다기보다 다양한 행위자들의 동태적인 상호작용패턴이나 상호인지과정을 통해 다양한 형태로 결정되어진다고 가정한다.

| 오답체크 |
① 정책네트워크는 복잡한 정치·경제·기술적 특징과 자원의 상호의존성이 내포된 정책문제를 대상으로 다수의 공·사부문의 행위자가 참여하고 연결되어 있는 조직의 복합체이다.
③ 하위정부모형은 소수의 공식엘리트와 영향력 있는 특정 이익집단 간 제한된 참여 속에서 안정적 관계를 형성하며 해당 정책과정을 지배한다(관료, 의회 상임위원, 이익집단). 즉, 소수행위자로 구성된 안정적 정책망에 해당된다.
④ 하위정부모형 대안의 하나로서 제시된 정책공동체모형에서도 특정 정책분야에 대해 전문지식이 있는 사람들(대학교수, 연구원, 공무원, 기자, 국회의원 등)이 공식적·비공식적으로 접촉하면서 형성된 하나의 공동체라는 점은 하위정부모형과 유사하다.

정답 09 ③ 10 ② 11 ② 12 ②

1 　정책의제설정의 의의

1 정책의제설정의 개념❶

1. 의의

(1) 정책의제
정부가 여러 가지 사회문제 중에서 정책적 해결을 의도하여 공식적으로 채택한 문제를 의미한다.

(2) 정책의제설정
사회문제가 정부문제로 수용되는 과정이라고 할 수 있다.

2. 대두배경
정책의제설정은 1960년대 대규모 흑인폭동을 계기로 특정 사회문제가 왜 정책문제화되지 못하는가에 관심을 가지면서 연구가 활발해지게 되었다.

2 정책의제설정의 중요성

1. 문제해결의 첫 단계
정책의제설정 단계는 문제해결의 첫 단계로, 어떤 문제가 아무리 중요하더라도 정책의제로 채택되지 못하면 정책으로 형성되어 집행될 수 없다.

2. 정책대안의 실질적 제안과 범위의 한정
(1) 정책의제설정 단계는 가장 많은 정치적 갈등이 발생하는 단계로, 정책결정과정에서 다루어질 대안들이 실질적으로 제시되고 이해집단 간에 타협이 이루어지기도 한다.

(2) 정치적 실현가능성 측면에서 고려될 수 있는 정책대안의 범위가 한정된다.

3. 정책의제화의 차이에 따른 정책과정의 차이
정책의제화가 어떻게 이루어지느냐에 따라서 전체적인 정책과정이 큰 영향을 받는다.

(1) 동원형
정책결정이 분석적으로 이루어진다.

(2) 외부주도형
정책결정과정에서 타협과 조정이 지속되는 특징이 있다.

2 일반적인 정책의제설정 과정

1 정책의제설정 과정

정책의제설정 과정은 일반적으로 다음 순서로 이루어진다.

1. 사회문제의 인지

개인의 문제이면서 불특정 다수에게 장기간에 걸쳐 반복적으로 일어나는 문제를 사회문제라고 하며, 문제와 관련된 개인이나 집단에 의해 사회문제로 인지된다.

2. 문제의 사회적 쟁점(이슈)화

문제의 성격이나 사회문제의 해결방법 등에 대해 집단들 간에 견해 차이가 있어 논쟁의 대상이 되어 있는 문제를 의미한다.

3. 공중의제

일반대중의 주목을 받을 가치가 있고, 일반대중이 정부가 문제해결을 하는 것이 정당하다고 인정하는 사회문제를 의미한다.

4. 정부의제

정부의 공식적인 의사결정에 의하여 그 해결을 위해서 심각하게 고려하기로 명백히 밝힌 문제로, 제도적 의제 또는 공식의제라고도 한다.

2 학자 간 용어 비교

구분	아이스톤 (Eyestone)	콥과 엘더 (Cobb & Elder)	앤더슨 (Anderson)
채택 전(前)	공중의제	체제적 의제	토의의제
채택 후(後)	공식의제	제도적 의제 (정부의제)	행동의제

의제설정의 주도집단이 정부 외부의 세력인가 내부의 세력인가에 따라 외부주도형 · 동원형 · 내부접근형으로 구분할 수 있으며, 이러한 주도집단의 차이는 정책의제설정 과정뿐만 아니라 정책 전반에 차이를 가져온다.

1 외부주도형

1. 의의

(1) 정부 외부에 있는 집단들이 주도하여 정책의제 채택을 정부에게 강요하는 경우이다.

(2) 외부집단들이 자신에게 피해를 주고 있는 사회문제를 정부가 해결해 줄 것을 요구하여, 이를 사회쟁점화하고 공중의제로 확산시켜 결국 정부의제로 채택하게 하는 의제설정 과정이다.

2. 특징

주로 민주화되고 다원화된 선진국에서 많이 나타난다.

2 동원형

1. 의의

(1) 정부 내의 정책결정자들에 의하여 주도되는 경우이다.

(2) 주로 정치지도자의 지시에 의하여 바로 정부의제로 채택되고, 일반대중의 지지를 얻고자 정부의 PR 활동을 통해 공중의제로 확산시키는 의제설정 과정이다.

2. 특징

주로 정부의 힘이 강하고 민간이 취약한 후진국에서 많이 나타나는 유형이다. 다만 문제의 성격에 따라 선진국에서도 나타날 수 있다.

3 내부접근형

1. 의의

정부 내의 관료집단 또는 특정 외부집단이 주도하여 이들이 최고 정책결정자에게 접근해 문제를 의제화하는 경우이다.

2. 특징

사회문제가 정책 담당자들에 의해 바로 정책의제로 채택되나, 공중의제화가 억제되는 의사결정과정이다.

4 유형별 비교[1][3]

비교	외부주도형	동원형	내부접근형
의제설정 단계	사회문제 ⇨ 공중의제 ⇨ 정부의제	사회문제 ⇨ 정부의제 ⇨ 공중의제	사회문제 ⇨ 정부의제
주도자	외부의 일반국민이 주도	내부의 최고 정책결정자가 주도	내부의 주요 고위관료들이나 특정한 외부집단이 주도
	비공식적 참여자 주도	공식적 참여자가 주도	
공개성 · 참여	높음	중간	낮음
문제전환 방향	환경(외부) ⇨ 정책결정자(내부)	정책결정자(내부) ⇨ 환경(외부)	양자 간 관계 없음 (내부 ⇨ 내부)

특징	· 강요된 정책 문제 (pressed issue)
	· 정책내용이 비분석적 · 비체계적
	· 다수의 이해관계 조정 · 타협
		· 선택된 정책문제 (chosen issue)
		· 정책내용이 분석적 · 체계적
		· **소수의 결정과 적극적 공중의제화 전략**: 행정 PR 과 동원 활용
			· 공중의제화 없음
			   – 행정 PR · 동원 없음
			   – 일반국민에게 알리려 하지 않음
			· 내부적 흥정: 정치자금의 제공, 특정 인사의 보장

사회특징	민주적 평등사회, 다원주의 사회	관료적 계급사회	통제적 불평등 사회 (부 · 권력의 편중)
	주로 선진국	주로 후진국(선진국에서도 나타날 수 있음)	

❶ 메이(May)의 의제설정모형

논쟁의 주도자 \ 대중의 지지	높음	낮음
사회적 행위자	외부 주도형	내부 접근형
국가	굳히기형❷	동원형

❷ 굳히기형
사회적으로 대중적 지지가 높을 것으로 기대될 때, 국가가 의제설정을 주도하는 모형이다.

❸ 포자모형
곰팡이의 포자가 적당한 환경이 조성되어야 비로소 균사체로 성장할 수 있듯이 의제설정에 유리한 환경이 조성될 때, 정책의제화가 이루어진다는 모형이다.

---

4   정책의제설정의 이론적 근거

1960년대 초 미국에서 흑인폭동을 계기로 '왜 어떤 사회문제는 정부에서 해결하려고 노력하는데, 어떤 사회문제는 공식적인 거론도 없이 방치되는가'에 대해 관심을 가지면서 무의사결정론으로 대변되는 정책의제설정이론에 대한 연구가 활성화되었다.

1 사이먼(Simon)의 의사결정론

(1) 결정자 능력의 한계에 관한 이론이다.

(2) 인간과 마찬가지로 조직 또한 주의 · 집중력에 한계가 있다. 그러므로 수많은 사회문제 가운데 주의 · 집중력의 범위 내의 문제만이 정책의제로 설정된다.

2 체제이론

(1) 사회체제 능력의 한계를 다루고 있다.

(2) 체제의 과중부담을 피하기 위해 체제의 문지기(gate keeper)가 선호하는 문제만이 채택된다. 하지만 문지기가 무엇을, 왜 통과시켰는지에 대한 설명이 부족하다.

3 엘리트이론[1]

1. 의의

정책과정에 참여하는 세력들이 특정 소수의 엘리트들에 국한되고 이들에 의해 주요정책이 좌우된다는 이론이다.

2. 엘리트이론의 전개

(1) 고전적 엘리트이론

고전적 자유민주주의이론에 대한 비판을 제기하면서 등장한 이론으로, 다음과 같은 학자들이 대표적이다.

① 파레토(Pareto): 엘리트 순환론을 주장하였다.

② 미헬스(Michels): 모든 조직은 관료화·집중화된다는 '과두제의 철칙'[2]을 주장하였다.

③ 모스카(Mosca) 등

(2) 1950년대 미국의 엘리트이론 – 통치 엘리트이론

미국 사회의 엘리트 존재와 기능을 실증적으로 분석한 이론들이다.

① 밀스(Mills):『Power Elite』라는 저서에서 지위접근법을 통해 미국 사회 전체를 지배하는 권력엘리트는 군·산·정 복합체의 지도자들이라 주장하였다.

② 헌터(Hunter): 명성접근법을 통해 지역사회(Atlanta city)의 권력구조를 연구하였다.

(3) 무의사결정(non-decision making) – 신엘리트이론

① 의의

㉠ 무의사결정은 정책의제설정에 있어서 지배엘리트들의 이해관계와 일치하는 사회문제만이 채택되고, 의사결정자의 가치나 이익에 반하는 사회문제는 정책의제로 채택되지 못하도록 방해·억압받는 결과를 초래하는 결정을 말한다.

㉡ 무의사결정은 정책의제설정 과정뿐만 아니라 정책의 전 과정에서도 발생한다.

㉢ 무의사결정은 무관심이 아니라 의도적인 권력의 행사다.

② 대두배경

㉠ 바흐라흐(Bachrach)와 바라츠(Baratz) 등 신엘리트론가들이 다원론자인 달(Dahl)의 권력의 배분에 관한 New Heaven시 연구를 비판하면서 등장하였다.

㉡ 그들은『권력의 두 얼굴(two faces of power)』[3]이라는 저서에서 정치권력의 양면성 이론을 주장하였다. 정치권력은 ⓐ 정책문제 해결을 위해 형성되는 권력과 ⓑ 정책의제설정 과정에서 갈등을 억압하고, 갈등이 정치과정에 진입하는 것을 방지하는 데 행사되는 보이지 않는 권력의 두 측면을 가지고 있다고 한다. 이 중 ⓑ 두 번째 권력이 무의사결정이며, 달(Dahl)이 간과한 부분이다.

---

❶ 엘리트이론 vs 다원론

1. **공통점:** 형식상 소수가 지배한다.

2. **차이점**
   · 엘리트이론: 실질적으로도 소수가 지배하며 → 정책 과정에는 소수 엘리트의 이익만 반영된다.
   · 다원론: 실질적으로는 다수가 지배하며 → 정책 과정에는 다수의 이익이 반영될 수 있다.

❷ 과두제의 철칙[미헬스(Michels)]

1. **개념:** 어느 조직체나 어떤 사회에서도 집단이 구성되면 거기에는 소수의 엘리트에 의한 지배, 즉 과두제가 나타나는 것이 조직의 철칙이라고 주장한다.

2. **행정학적 의의:** 관료제의 병폐를 최초로 지적하였다.

3. **목표의 대치·전환:** 수단시되는 소수 간부의 이익이 전체 구성원의 이익보다 중요시된다.

❸ 권력의 두 얼굴
   (two faces of power)

1. **밝은 얼굴:** 달(R. Dahl)이 인정한 부분이다.

2. **어두운 얼굴**
   · 무의사결정론
   · 달(R. Dahl)이 간과한 부분이다.

핵심 OX

01 무의사결정은 정책과정의 전 단계에서 나타난다. (O, X)

01 O

③ **무의사결정의 발생원인**

　㉠ **불리한 사태의 방지**: 지배엘리트의 가치나 이해에 잠재적인 도전이 될 수 있는 이슈에 대하여 그것이 일반대중의 관심을 받기 전에 공개적으로 또는 은밀하게 억압한다.

　㉡ **과잉충성**: 정치 입후보자나 공무원들이 특정한 이슈가 공개적으로 논의되는 것을 엘리트 집단이 원하지 않을 것이라고 미리 추정하여, 그러한 이슈를 사전에 기각시켜 버릴 수 있다.

　㉢ **지배적 가치에 의한 부정**: 그 사회의 지배적인 가치나 신념에 부정적으로 작용하는 문제나 정책안일 경우에 무의사결정이 일어난다.

　㉣ **편견적 정치체제의 부정**: 정치체제 자체가 편견을 동원하여 특정 부문의 문제는 해결을 촉진하고, 다른 문제는 해결을 저지하도록 구조화되어 있는 경우에 무의사결정이 일어난다.

　㉤ **관료이익과의 상충**: 특정한 이슈가 관료들의 이익이나 기득권과 상충될 경우, 관료들은 고의적으로 정책의제화를 외면하거나 억압하게 된다.

④ **무의사결정의 수단**: 바흐라흐와 바라츠(Bachrach & Baratz)는 무의사결정의 수단 및 방법으로 다음의 네 가지를 제시하고 있다(1976).

　㉠ **폭력**

　　ⓐ 가장 직접적인(강도 높은) 수단이다.

　　ⓑ 기존 질서의 변화를 주장하는 요구가 정치적 이슈가 되지 못하도록 테러행위(구타, 암살, 처벌 등)를 가하는 방법이다.

　㉡ **권력**

　　ⓐ 직접적이기는 하나 폭력보다 온건한 방법으로, 권력을 행사하는 방법이다.

　　ⓑ 권력을 이용하여 기존 질서의 변화를 요구하는 개인·집단에게 기존의 혜택을 박탈하겠다고 위협하거나, 새로운 이익을 주겠다고 유혹(매수)하는 방법·변화를 요구하는 개인을 조직 내로 영입하는 적응적 흡수(co-optation) 등이 이에 해당한다.

　㉢ **편견의 동원**

　　ⓐ 간접적인 것으로, 현존하는 정치체재 내의 지배적 규범이나 절차를 강조하여 변화를 위한 주장을 꺾는 방법이다.

　　ⓑ 새로운 주장을 비애국적, 비윤리적 또는 지배적인 정치이념에 위반되거나 확립된 절차나 규칙에 위반되는 것으로 낙인찍는 방법이다.

　　ⓒ 우리나라에서 1970년대까지 복지정책, 노동정책, 환경오염규제정책 등이 경제발전제일주의라는 정치이념에 억눌려 정책문제화되지 못한 것이 예가 된다.

　㉣ **편견의 수정·강화(보완)**

　　ⓐ 가장 간접적·우회적인 방법으로, 현존하는 정치체계의 규범·규칙·절차 자체를 수정·보완하여 정책의 요구를 봉쇄하는 방법이다.

　　ⓑ 지속적인 경제성장의 필요성을 더욱 강조하여 경제제일주의를 강화시키는 것과 같다.

⑤ **우리나라에서의 무의사결정:** 1970년대까지 ⓐ 노동문제·환경문제·사회복지문제 등이 경제성장제일주의라는 정치이념에 억눌려 정책의제화되지 못하거나, ⓑ 진보적 정치세력들의 주장이 안보우선주의에 억눌려 억압받아 온 경우가 무의사결정의 예이다.

3. 엘리트이론의 정책과정

엘리트이론이 정책과정에 주는 함의는 다음과 같다.

(1) 정책은 엘리트의 이해가 반영된다.

(2) 엘리트와 대중의 정치권력 간의 불평등으로 인하여 대중의 참여는 엘리트의 필요에 의한 형식적·제한적 참여만이 이루어진다.

(3) 무의사결정으로 인해 정책대안은 한정된다.

4 다원론

1. 의의

정책과정은 각종 이익집단 등 제 세력의 참여에 의해 이루어진다는 이론이다.

2. 다원론의 전개

(1) 벤틀리(Bently)와 트루맨(Truman) 등의 집단이론

정책은 다양한 이익집단들 간 경쟁과 타협의 산물이며, 정책과정이 특수이익에 좌우되지 않고 다양한 이익집단의 주장과 요구가 정책에 반영되는 이유를 잠재집단론과 중복회원론으로 설명한다.

① **잠재집단(potential group)론:** 잠재집단은 실질적으로 조직화되어 있지 않지만, 특수이익을 가진 지배집단이 자신들의 이익을 침해할 가능성이 있는 경우 조직화될 수 있는 상태이다. 정책결정자들은 대항적 권력(countervailing powers)으로서 잠재집단을 염두에 두면서 정책결정을 하기 때문에, 활동적 소수(active minority)의 특수이익이 정책을 좌우하지 못한다.

② **중복회원(중복성원; multiple membership)론:** 이익집단 구성원은 여러 집단에 중복적으로 소속되어 있으므로 어느 한 집단이 자신의 특수이익만을 추구할 수 없다.

> **✓개념PLUS** 잠재이익집단이론과 대비되는 개념
>
> **1. 이익집단 자유주의**
> 영향력 있는 다수 집단의 이익이 정책에 반영되고, 조직화되지 않은 소수 집단의 이익은 정치과정에서 배제된다는 이론이다.
>
> **2. 공공이익집단론**
> 특수이익보다는 공익에 가까운 주장을 하는 이익집단의 이익이 정책에 반영된다는 이론이다.

(2) 달(Dahl) 등의 다원적 권력론

① 달(Dahl)은 정치적 자원이 분산되어 동일한 사회계층 출신의 소수 엘리트가 전체 지역사회를 지배하지 못하며 정책영역별로 영향력을 행사하는 엘리트들이 각기 다르고 엘리트 간 서로 경쟁과 갈등이 일어나며, 대중도 선거나 정치참여를 통해 엘리트나 정책에 영향력을 행사할 수 있다고 본다.

② 미국 사회는 공식적으로는 소수가 정책과정을 좌우하고 있지만, 실질적으로는 다수에 의한 정치(polyarchy)가 이루어진다고 보았다.

3. 다원론의 정책과정

(1) 다원론에서 정책과정의 주도자는 경쟁하는 이익집단들이다.

(2) 정부는 갈등적 이익을 조정하는 중개인 혹은 게임규칙의 준수를 독려하는 심판자의 역할을 수행한다고 본다.

(3) 각종 이익집단들은 정부의 정책과정에 동등한 접근 기회를 가지고 있다.

(4) 이익집단 간에는 영향력의 차이는 있으나 게임의 규칙을 준수하므로, 사회 전체적으로는 권력의 균형을 유지한다.

4. 신다원론(수정다원주의)

(1) 고전적 다원주의를 비판·무의사결정론의 부분적 수용

고전적 다원주의가 기업가의 특권적 지위를 고려하지 못하고 있음을 비판하면서, 여러 이익집단 중 기업가 집단의 특권적 지위가 현실 정책에서 나타나고 있음을 주장하였다. 즉, 자본주의 국가에서는 기업집단에 특권을 부여할 수 밖에 없다는 것이다. 그 이유는 불황, 인플레이션 등이 정부의 존립기반을 위태롭게 할 수 있기 때문이다.

(2) 조정자 역할의 한계

정부의 수동적이고 중립적 조정자로서의 역할에 대한 한계를 인식하고 있다. 즉, 신다원론에서 정부는 기업가의 이익에 반응하기 위해 전문화된 체제를 갖추고 있으며, 능동적으로 기능한다고 본다.

(3) 신다원론은 정경유착의 가능성을 인정한다.

5 기타 정책의제설정론

1. 계급이론

사회는 지배계급과 피지배계급으로 나누어져 있으며, 국가는 경제적 부를 소유한 지배계급을 위한 봉사수단이라고 보는 입장이다.

2. 신베버주의(neo-Weberianism)

국가를 수동적인 심판자가 아닌 '이상을 실현하는 이념체'로서 자율적인 의사결정의 주체라고 보는 입장이다.

핵심 OX

01 다원론은 국가의 자율성을 인정한다.
(O, X)

01 X 다원론은 국가의 자율성을 인정하지 않고 중립적 심판자로 본다.

3. 조합주의(corporatism)

(1) 국가조합주의(state corporatism)

① 제3세계 및 후진자본주의에서 국가가 일방적으로 주도하는 이익대표체계이다.

② 국가가 통치력을 강화하기 위해 강제적으로 편성한 이익대표체계로, 정책결정 과정에 대한 이익집단의 통제된 참여를 기본요소로 하며, 이익의 상향적인 투입 기능보다는 국가에 의한 하향적인 동원과 통제를 중시한다.

(2) 사회조합주의(societal corporatism)

① 서구의 선진민주국가의 의회민주주의하에서 나타나는 유형이며, 국가의 통치력 약화에 대한 반작용으로 생성된다.

② 국가가 통치력 보강과 사회경제적 위기를 해소하기 위해 이익집단에 의존하는 것이 특징이며, 이익집단과 국가와의 협력관계를 중시하면서도 이익집단의 자율성을 본질로 한다.

③ 즉, 국가에 의한 하향적인 통제기능을 배제하고 국가로의 상향적인 투입기능을 중시한다.

(3) 국가조합주의의 정책과정

① 정책은 국가가 사회를 일정한 방향으로 유도하기 위해 의도적으로 사회집단과 개인의 이익·가치들을 통제·조정하여, 정부목표를 효과적으로 달성하기 위한 수단이다.

② 정부는 중립적이지 않으며 이익집단에 대해 차별적으로 대하기도 한다. 정부이 익에 합치되는 집단의 투입은 과대 반영하고, 비판적 집단의 투입은 배제·통제 한다.

③ 정부에 의해 독점적 이익대표권을 부여받은 이익집단은 그에 대한 반대급부로 이익집단의 요구를 일정 범위로 제한하는 등 정부의 통제를 수용한다. 정부와 이익집단 간 편익의 상호관계가 성립하며, 이익집단은 정부목표의 달성에 협력 적이다.

④ 이익집단의 주된 협의의 대상은 행정부이며, 제도적인 참여가 주된 활동방식이 다. 이익집단은 정책집행 과정에서 정부와 합의된 내용을 대리집행하거나 보조 하기 위하여 구성원을 규제하고 순응을 확보하는 역할을 한다. 즉, 이익집단은 준정부기구나 확장된 정부의 일부분으로서의 기능을 한다.

4. 신조합주의❶

(1) 국가가 이익집단을 지배하고 억압하는 것이 조합주의라면, 신조합주의는 특히 다국적 기업의 영향력을 강조한다.

(2) 다국적 기업과 국가 또는 정부가 긴밀한 협력관계를 유지하는 모델이다.

5. 종속이론

후진국의 저발전 문제를 중심부, 즉 선진공업국가로의 경제적 잉여에 의해 비롯된다고 설명하는 이론이다.

---

❶ 신조합주의

1. 1970년대 이후 제2차 세계대전 이래 확립된 조직자본주의[생산 방식에서는 포드주의(Fordism), 케인즈주의적 복지국가, 조합주의에 근거한 계급 간 합의]의 쇠퇴와 탈조직자본주의의 등장 [포스트 포드주의(post Fordism)으로 의 이행, 다국적 기업 등 초국가적 권력 단위에 의한 국민국가의 잠식] 속에서 국가·자본·노동 간의 삼각 동맹관계를 정착시켜 왔던 독일과 스웨덴 등의 조합주의 국가들이 다양한 사적이익 집단 (중앙집권화된 거대 이익집단)의 참여를 통해 세계화, 포스트 포드주의(post Fordism)으로의 이행을 의미한다(임현백).

2. 다국적 기업과 같은 산업조직들이 국가와 긴밀한 동맹 관계를 가지고 이들이 경제 및 산업정책을 함께 만들어간다는 이론이다.

6. 관료적 권위주의

종속이론과 조합주의를 기초로 한 이론으로, 산업화 단계에 있는 제3세계 후발자본주의 상황을 분석하여, 이들 국가는 민간부문이 정치적으로 배제되면서 국가권력에 의한 경제발전양상을 보인다고 한다.

7. 신중상주의

관료적 권위주의가 남미국가를 중심으로 주장된 이론인 것에 비해, 신중상주의는 한국을 비롯한 동아시아 신흥공업국의 국가 주도의 경제발전을 설명한다.

8. 마르크스주의❶

경제적 부를 소유한 지배 계급(자본가 계급)이 정책을 지배한다는 주장이다.

9. 신마르크스주의

자본가 계급뿐만 아니라 국가도 어느 정도 자율성을 지니고 있음을 인정한다.

❶ 국가 중심적 접근방법과
  사회 중심적 접근방법
1. 국가 중심적 접근방법
  · 베버주의(국가주의)
  · 국가조합주의
2. 사회 중심적 접근방법
  · 다원주의
  · 마르크스주의

5	정책의제설정에 영향을 미치는 요인

1 문제의 특징

문제의 중요성 (사회적 유의성, 기간의 적실성)		· 사회문제가 중대하고 심각한 경우(피해자가 많고, 피해의 강도가 큰 경우)는 정책의제화가 용이함 · 문제가 장기적으로 지속될 것으로 예상되는 경우 의제화가 용이하나, 해결책이 없으면 정부의제로 채택될 가능성은 낮아짐
문제의 외형적 특징 (기술의 복잡성, 구체성)		· 문제가 단순하여 쉽게 이해되고, 문제가 구체적일수록 정책의제화가 용이함 · 반대견해: 문제가 구체적일수록 비용부담집단의 조기 가시화로 저항이 이루어지기 때문에 의제화가 어려움
문제의 내용상 특징	배분정책	재화나 서비스를 향유할 집단들은 의제채택에 적극적이므로 의제화가 용이함
	규제정책	비용을 부담할 집단이 특정화되어 있으므로, 이들의 반대(저항)가 큰 경우에는 의제채택이 어려움
	재분배정책	소득계층 간 갈등을 유발하므로, 정치적 분위기의 변화와 전국적 차원의 지지가 요구됨
선례와 유행성		과거에 비슷한 선례가 있거나, 일종의 유행처럼 되어 있는 문제는 의제화가 용이함
쟁점화의 정도		관련 집단 간에 첨예하게 쟁점화된 문제일수록 의제채택이 용이함
극적사건과 위기		문제를 극적으로 부각시키는 사건·위기·재난 등은 정치적 사건과 더불어 문제를 정책의제화시키는 양대 점화장치임

2 주도집단과 참여자

1. 공식 참여자의 중요성

(1) 주도집단이 정부 내의 공식적 결정자인 경우는 자동적으로 정부의제화가 된다. 즉, 대통령 등 공식적인 주도집단이 정치적으로 강력하면 특정의 사회문제가 정책의제화될 가능성이 크다.

(2) 체제이론에서 말하는 문지기가 원하는 경우, 콥과 로스(Cobb & Ross)가 말하는 동원형과 내부접근형의 경우에 정책의제화가 용이하다.

(3) 킹던(Kingdon)에 따르면, 미국과 같은 다원주의 국가에서도 정부의제설정 과정에서 의회의 유력한 지도자들과 행정부의 지도자들이 가장 중요한 역할을 한다.

2. 외부 주도집단

(1) 외부집단이 주도하는 경우, 자원(규모·응집력·재정력 등)이 클수록 정책의제설정의 가능성이 높아진다.

(2) 정치적 자원이 풍부한 집단은 그 규모가 작더라도 쉽게 그들의 문제를 정책의제화시킬 수 있다.

3 정치적 요인

1. 정치체제의 구조와 정치문화

(1) **집권·권위주의 체제**
동원형 또는 내부접근형이 일반적이다.

(2) **분권화된 민주주의 체제**
외부주도형이 일반적이다.

2. 정치이념과 분위기

(1) **정치이념**
사회주의보다는 자유주의일 경우, 정책의제설정이 좀 더 개방적으로 나타날 수 있다.

(2) **분위기**
각국의 분위기에 따라 어떤 문제는 의제화되고 어떤 문제는 의제화되지 못한다.

3. 정치적 사건

사회적 관심을 불러일으킬 정치적 사건(정권교체 등)은 정책의제설정 과정에서 점화장치(triggering device)의 역할을 한다.

01 다음 중 어떠한 정책문제가 정책의제로 채택될 가능성이 가장 낮은 경우는? 2015년 국가직 9급

① 정책문제의 해결가능성이 높은 경우

② 이해관계자의 분포가 넓고 조직화 정도가 낮은 경우

③ 선례가 있어 관례화(routinized)된 경우

④ 정책의제화를 요구하는 집단의 규모가 큰 경우

PART 2 정책학 해커스공무원 명품 행정학 기본서

정답 및 해설

01 이해관계자가 넓게 분포하고 조직화의 정도가 낮은 경우에는 집단행동의 딜레마(1/N)가 생기기 때문에 의제화가 용이하지 않다.

| 오답체크 |
① 정책문제의 해결가능성이 높은 경우, ③ 선례가 있어 관례화(routinized)된 경우, ④ 정책의제화를 요구하는 집단의 규모가 큰 경우는 의제채택이 용이한 경우이다.

❶ 의제채택이 용이한 경우

문제의 중요성 (사회적 유의성, 기간의 적실성)	• 사회문제가 중대하고 심각한 경우(피해자가 많고, 피해의 강도가 큰 경우)는 정책의제화가 용이 • 문제가 장기적으로 지속될 것으로 예상되는 경우 의제화가 용이하나, 해결책이 없으면 정부의제로 채택될 가능성은 낮아짐
문제의 외형적 특징 (기술의 복잡성, 구체성)	• 문제가 단순화하여 쉽게 이해되고, 문제가 구체적일수록 정책의제화가 용이 • 반대견해: 문제가 구체적일수록 비용부담집단의 조기 가시화로 저항이 이루어지기 때문에 의제화가 어려움
문제의 내용상 특징	• 배분정책: 재화나 서비스를 향유할 집단들은 의제채택에 적극적이므로 의제화가 용이 • 규제정책: 비용을 부담할 집단이 특정화되어 있으므로 이들의 반대(저항)가 큰 경우에는 의제채택이 어려움 • 재분배정책: 소득계층 간 갈등을 유발하므로 정치적 분위기의 변화와 전국적 차원의 지지가 요구됨
선례와 유행성	과거에 비슷한 선례가 있거나, 일종의 유행처럼 되어 있는 문제는 의제화가 용이
쟁점화의 정도	관련 집단 간에 첨예하게 쟁점화된 문제일수록 의제체택이 용이
극적사건과 위기	문제를 극적으로 부각시키는 사건·위기·재난 등은 정치적 사건과 더불어 문제를 정책의제화시키는 양대 점화장치임

정답 01 ②

02 정책의제의 설정에 영향을 미치는 요인에 대한 설명으로 옳지 않은 것은? 2014년 서울시 9급

① 일상화된 정책문제보다는 새로운 문제가 보다 쉽게 정책의제화된다.

② 정책 이해관계자가 넓게 분포하고 조직화 정도가 낮은 경우에는 정책의제화가 상당히 어렵다.

③ 사회 이슈와 관련된 행위자가 많고, 이 문제를 해결하기 위한 정책의 영향이 많은 집단에 영향을 미치거나 정책으로 인한 영향이 중요한 것일 경우 상대적으로 쉽게 정책의제화된다.

④ 국민의 관심 집결도가 높거나 특정 사회 이슈에 대해 정치인의 관심이 큰 경우에는 정책의제화가 쉽게 진행된다.

⑤ 정책문제가 상대적으로 쉽게 해결될 것으로 인지되는 경우에는 쉽게 정책의제화 된다.

03 메이(May)는 정책의제설정의 주도자와 대중의 관여 정도에 따라 정책의제설정 과정을 네 가지 유형(A~D)으로 구분하였는데, 이에 대한 설명으로 옳지 않은 것은? 2016년 지방직 7급

대중의 관여 정도 정책의제설정의 주도자	높음	낮음
민간	A	B
정부	C	D

① A는 외부 집단이 주도하여 정책의제 채택을 정부에게 강요하는 경우로, 허쉬만(Hirschman)이 말하는 '강요된 정책문제'에 해당된다.

② B의 경우 정책결정에 영향력을 가진 집단은 대중들에게 정책을 공개하여 지지를 획득하려고 한다.

③ C에서는 이미 민간 집단의 광범위한 지지가 형성된 이슈에 대하여 정책결정자가 지지의 공고화(consolidation)를 추진한다.

④ D는 정부의 힘이 강하고 이익집단의 역할이 취약한 후진국에서 일반적으로 많이 나타난다.

04 홀릿(Howlett)과 라메쉬(Ramesh)의 모형에 따라 정책의제설정 유형을 분류할 때, (가)~(라)에 대한 설명으로 옳지 않은 것은?

2022년 지방직 9급

공중의 지지 의제설정주도자	높음	낮음
사회 행위자(societal actors)	(가)	(나)
국가(state)	(다)	(라)

① (가) – 시민사회단체 등이 이슈를 제기하여 정책의제에 이른다.

② (나) – 특별히 의사결정자들에게 접근할 수 있는 영향력 있는 집단이 정책을 주도한다.

③ (다) – 이미 공중의 지지가 높기 때문에 정책이 결정된 후 집행이 용이하다.

④ (라) – 정책결정자가 이슈를 제기하면 자동적으로 정책의제화 되기 때문에 성공적인 집행을 위한 공중의 지지는 필요 없다.

정답 및 해설

02 선례가 없는 새로운 문제보다 일상화된 문제가 더 쉽게 정책의제화된다.

| 오답체크 |
② 이해관계가 넓게 분포되고 조직화 정도가 낮은 경우에는 응집력이 약화되어 의제화가 곤란하다(단, 이해관계집단의 규모가 클 때는 의제화가 용이하나, 이해관계가 복잡하게 얽혀 있을 때에는 의제화가 곤란함).
③ 영향을 받는 집단이 많고 문제의 내용이 대중적이고 중요한 것일수록 의제화 가능성이 높다.
④ 국민적·정치적 관심이 큰 경우 의제화가 용이하다.
⑤ 해결가능성이 높을수록 의제화가 용이하다.

03 A는 외부주도형, B는 내부접근형, C는 굳히기형, D는 동원형에 각각 해당한다. 다만, B의 내부접근형은 일반 대중에게 공개하여 지지를 획득하려는 공중의제화 전략을 하지 않는다.

| 오답체크 |
① 외부주도형을 강요된 의제라 한다.
③ 굳히기형은 대중의 지지가 높은 것을 결정자가 주도하는 모형이다.
④ 동원형은 주로 후진국에서 나타나는 모형이다.

04 홀릿(Howlett)과 라메쉬(Ramesh)는 메이(P. J. May)와 함께 정책의제설정모형을 공중의 지지와 의제설정주도자에 따라 4가지로 구분·제시하였다. 동원형은 정부가 주도적으로 PR 등을 통하여 공중의 지지를 이끌어 내는 모형이다.

| 오답체크 |
① 외부주도형에 대한 설명으로 옳은 지문이다.
② 내부접근형에 해당하며, 특정 외부집단이 주도하여 이들이 최고 정책결정자에게 접근해 문제를 의제화하는 경우이다.
③ 공중의 지지가 높고 국가가 의제설정을 주도하는 모형으로 의제채택 및 집행이 매우 용이하다.

❶ 메이[(P. J. May), 1991], 홀릿과 라메쉬[(Howlett & Ramesh), 2003]의 의제설정모형

대중의 지지 논쟁의 주도자	높음	낮음
사회 행위자(societal actors)	외부주도형	내부접근형
국가(state)	굳히기형	동원형

정답 02 ① 03 ② 04 ④

05 정책의제설정 모형에 대한 설명으로 옳지 않은 것은?　　　　　2020년 국가직 7급

① 내부접근형(inside access model)에서 정부기관 내부의 집단 혹은 정책결정자와 빈번히 접촉하는 집단은 공중 의제화하는 것을 꺼린다.

② 동원형(mobilization model)에서는 주로 정부 내 최고 통치자나 고위정책결정자가 주도적으로 정부의제를 만든다.

③ 외부주도형(outside initiative model) 정책의제 설정은 다원화된 정치체제에서 많이 나타난다.

④ 공고화형(consolidation model)은 대중의 지지가 낮은 정책문제에 대한 정부의 주도적 해결을 설명한다.

06 엘리트이론과 다원주의이론에 대한 설명으로 옳지 않은 것은?　　　　　2023년 지방직 9급

① 고전적 엘리트이론에서 엘리트들은 다른 계층에 대해 책임을 지지 않는다.

② 밀즈(Mills)는 명성접근법을 사용하여 엘리트들을 분석한다.

③ 달(Dahl)은 권력이 분산되어 있음을 전제로 다원주의론을 전개한다.

④ 바흐라흐와 바라츠(Bachrach & Baratz)는 무의사결정이 의제설정과정뿐만 아니라 정책결정과정에서도 발생할 수 있다고 주장한다.

07 다원주의론은 기본적으로 집단과정이론과 다원적 권력이론으로 크게 구분되는데, 이들 이론에 공통된 다원주의의 주요 특성으로 가장 옳지 않은 것은?　　　　　2019년 서울시 7급(2월 추가)

① 이익집단들 간의 경쟁은 정치체제의 유지에 순기능적이라고 본다.

② 권력의 원천이 특정 세력에 집중되어 있는 것이 아니고 각기 분산된 불공평성을 띤다.

③ 이익집단들 간에 상호 경쟁적이지만 기본적으로는 게임의 규칙을 준수해야 하는 데 합의를 하고 있다고 본다.

④ 다양한 이익집단은 정부의 정책과정에 동등한 접근 기회를 가지고 있으며 이익집단들 간의 영향력에 차이가 있음을 인정하지 않는다.

08 정책과정을 설명하는 이론의 내용으로 옳은 것은?

① 현대 엘리트이론은 국가가 소수의 지배자와 다수의 피지배자로 구분되기 어렵다고 본다.

② 공공선택론은 사적 이익보다는 집단 이익을 위한 합리적 선택에 초점을 둔다.

③ 다원주의이론은 정부정책을 다양한 행위자들 간의 협상과 경쟁의 결과로 본다.

④ 조합주의이론은 정책과정에서 국가의 역할이 소극적·제한적이라고 본다.

정답 및 해설

05 메이(P. May)는 정책의제설정모형을 4가지(외부주도형, 내부접근형, 굳히기=공고화모형, 동원형)로 구분하였다. 공고화모형(굳히기형)은 대중적 지지가 높은 정책문제에 대한 정부의 주도적인 해결을 설명한다. 즉, 대중의 지지가 높은 것이며 낮은 것이 아니다.

| 오답체크 |
① 내부접근형(inside access model)은 사회문제가 정책 담당자들에 의해 바로 정책의제로 채택되나, 공중의제화가 억제되는 의사결정과정이다.
② 동원형(mobilization model)에서는 주로 정치지도자의 지시에 의하여 바로 정부의제로 채택되고, 일반대중의 지지를 얻고자 정부의 PR 활동을 통해 공중의제로 확산시키는 의제설정 과정이다.
③ 외부주도형(outside initiative model) 정책의제 설정은 민주적이고 다원화된 선진국의 정치체제에서 많이 나타난다.

① 메이(May)의 의제설정모형

대중 지지 논쟁 주도자	높음	낮음
사회적 행위자	외부주도형	내부접근형
국가	굳히기형	동원형

06 명성접근법은 헌터(Hunter)가 1950년대 주장한 접근법이다. 밀스는 지위접근법을 사용하여 엘리트들의 행태를 분석하였다.

| 오답체크 |
① 고전적 엘리트이론에서 엘리트들은 다른 계층에 대해서 책임을 지지 않는 집단의 성격을 띤다.
③ 달(Dahl)은 정치적 자원이 분산되어, 동일한 사회계층 출신의 소수 엘리트가 전체 지역사회를 지배하지 못하고 정책영역별로 영향력을 행사하는 엘리트들이 각기 다르고 엘리트 간 서로 경쟁과 갈등이 일어나며, 대중도 선거나 정치참여를 통해 엘리트나 정책에 영향력을 행사할 수 있다고 본다.
④ 무의사결정은 정책의제설정과정뿐만 아니라 정책의 전 과정에서도 발생한다고 본다.

07 다원주의는 다양한 이익집단들은 정부의 정책과정에 동등한 접근 기회를 가지고 있다고 주장하지만, 영향력에는 차이가 있음을 인정한다. 다원주의이론에는 다원주의에 해당하는 이익집단론(집단과정이론)과 이를 바탕으로 연구된 달(Dahl)의 다원주의론(다원적 권력이론)이 있다.

| 오답체크 |
① 다원주의에서 이익집단들 간의 경쟁은 정치체제의 유지와 민주주의 발전의 동력이라고 본다.
② 다원주의에서는 권력의 원천이 특정 세력에 집중되어 있는 것이 아니고 다양하게 분산되어 불공평성을 띠지만, 사회 전체적으로는 균형을 이룬다.
③ 이익집단들 간에 상호 경쟁적이지만 기본적으로는 게임의 규칙을 준수해야 하는 데 합의를 하고 있다고 본다.

08 다원주의이론은 다양한 집단 행위자들 간의 투쟁을 통한 협상·합의의 결과를 정책으로 본다.

| 오답체크 |
① 엘리트이론은 국가는 권력을 가진 소수 지배자(엘리트)와 권력을 가지지 못한 다수의 피지배자(일반대중)로 구분된다고 전제한다.
② 공공선택론은 집단의 이익보다는 사적 이익을 위한 합리적 선택에 초점을 둔다.
④ 조합주의이론은 국가의 자율성을 강조하므로, 국가의 역할이 적극적·능동적이라고 본다.

정답 05 ④ 06 ② 07 ④ 08 ③

09 신엘리트이론에 대한 설명으로 옳지 않은 것은? 2018년 국가직 7급

① 엘리트들에게 안전한 이슈만을 논의하고 불리한 문제는 거론조차 못하게 봉쇄하는 무의사결정론과 밀접하게 연결되어 있다.

② 모스카(Mosca)나 미헬스(Michels) 등에 의해 대표되는 고전적 엘리트이론과 달리 밀즈(Mills)의 지위접근법이나 헌터(Hunter)의 명성적 접근방법을 도입하였다.

③ 정책결정에 영향을 미치는 정치권력은 두 가지 얼굴이 있다고 주장하며, 이 가운데 하나의 측면만을 고려하는 다원주의를 비판하였다.

④ 엘리트는 정책문제의 정의와 의제설정 과정에서 은밀한 영향력을 행사하기 때문에 실증적 분석방법론의 활용이 어렵다고 주장하였다.

10 바흐라흐(Bachrach)와 바라츠(Baratz)의 무의사결정론에 대한 설명으로 옳지 않은 것은? 2023년 국가직 9급

① 무의사결정의 행태는 정책과정 중 정책문제 채택단계 이외에서도 일어난다.

② 기존 정치체제 내의 규범이나 절차를 동원하여 변화 요구를 봉쇄한다.

③ 정책문제화를 막기 위해 폭력과 같은 강제력을 사용하기도 한다.

④ 엘리트의 두 얼굴 중 권력행사의 어두운 측면을 고려하지 못한다고 비판했기 때문에 신다원주의로 불린다.

11 다국적 기업과 같은 중요 산업조직이 국가 또는 정부와 긴밀한 동맹관계를 형성하고 이들이 경제 및 산업정책을 함께 만들어 간다고 설명하는 이론은? 2013년 국가직 9급

① 신마르크스주의이론   ② 엘리트이론

③ 공공선택이론   ④ 신조합주의이론

12 정책결정의 장에 대한 이론 설명으로 가장 옳지 않은 것은?

① 다원주의는 소수의 개인이나 집단이 아니라 다수의 집단이 정책결정의 장을 주도하고 이들이 정치적 조정과 타협을 거쳐 도달한 합의가 정책이 된다고 본다.

② 엘리트주의는 대중에게 영향력을 행사할 수 있는 위치에 있는 소수의 리더들에 의해서 정책결정이 지배된다고 본다.

③ 정책결정에서 정부의 역할을 줄이고 이익집단과의 상호협력을 보다 중시하는 이론이 조합주의이다.

④ 철의 삼각(iron triangle) 논의는 정부관료, 선출직 의원, 그리고 이익집단의 3자가 장기적이고 안정적이며 우호적인 연합을 형성하면서 정책결정을 지배하는 것으로 본다.

정답 및 해설

09 신엘리트이론은 무의사결정론을 의미하며, 밀즈(Mills)나 헌터(Hunter) 는 신엘리트론이 아니라 초기 미국 엘리트이론을 주장하였다.

| 오답체크 |

① 엘리트들에게 불리한 문제를 거론조차 못하게 봉쇄하는 무의사결정 론은 신엘리트론을 의미한다.

③ 권력의 두 얼굴이란 엘리트들이 가지고 있는 어두운 얼굴과 밝은 얼굴을 말하는데, 다원주의는 이 중 엘리트들이 선호하는 문제들만 의제화 된다는 밝은 얼굴 측면만을 고려하였다고 비판한다.

④ 엘리트는 불리한 문제가 처음부터 제기되지 못하도록 은밀하게 영향력을 행사하기 때문에 신엘리트이론은 실증적이지 못하다는 비판이 따른다.

10 무의사결정론은 『권력의 두 얼굴(two faces of power)』이라는 저서에서 달(Dahl)이 권력행사의 어두운 측면을 고려하지 못한다고 비판한 신엘리트이론이다.

| 오답체크 |

① 무의사결정은 정책의제설정 과정뿐만 아니라 정책의 전 과정에서도 발생한다고 본다.

② 현존하는 정치체재 내의 지배적 규범이나 절차를 강조하여 변화를 위한 주장을 꺾는 방법이다. 이를 편견의 동원이라고 한다.

③ 기존 질서의 변화를 주장하는 요구가 정치적 이슈가 되지 못하도록 테러행위(구타, 암살, 처벌 등)를 가하는 방법이다. 이를 폭력이라 한다.

11 국가가 이익집단을 지배하고 억압하는 것이 조합주의라면, 신조합주의는 특히 다국적 기업의 영향력을 강조한다. 신조합주의는 다국적 기업과 국가 또는 정부가 긴밀한 협력관계를 유지하는 모델이다.

12 정책결정에서 정부의 역할을 줄이고 이익집단과의 상호협력을 보다 중시하는 이론은 다원주의다. 조합주의는 정책과정에서 국가와 관료의 적극적 역할을 강조한다.

| 오답체크 |

① 다원주의는 다수의 이익집단이 정치적 조정과 타협을 거쳐 도달한 합의가 정책이 된다고 본다.

② 엘리트주의는 소수의 리더들(지배계층)에 의해서 정책결정이 이루어진다고 본다.

④ 철의 삼각(iron triangle)은 정부관료, 선출직 의원, 이익집단의 3자가 안정적인 연합을 형성하여 정책결정을 지배하는 것으로 본다.

정답 09 ② 10 ④ 11 ④ 12 ③

❶ 정책분석가의 유형과 역할 인식 –
젠킨스와 스미스(Jenkins & Smith)
정책분석가 스스로가 자신의 역할에 대하여 어떠한 역할 인식을 갖고 있는지, 정책체계 내에서 어떠한 위치에 있는지에 따라서 그들의 역할 범위는 달라지고 아울러 분석 결과의 제시 또는 다양한 형태로 나타날 수 있다.

정책분석가의 유형	역할 인식	관심의 초점
객관적 기술자모형	객관적 정보제공자	경제성
고객옹호자 모형	분석의뢰자에 대한 봉사자	분석의뢰자의 이익
쟁점옹호자 모형	정책창도자	바람직한 가치 추구
정책토론 옹호자모형	정책토론의 촉진자	정책토론의 자료 개발

1 정책분석의 의의

1 정책분석❶의 개념

정책분석이란 정책결정에 필요한 지식과 정보를 창출·제공하는 합리적·체계적인 방법과 기술이다.

2 정책분석의 특징

(1) 정책결정 과정에서 사전적으로 이루어지므로 사후적 정책평가와는 다르다.

(2) 정책이 지향하는 기본적 가치를 추구하고 장기적 목표를 연구한다.

(3) 정책대안의 쇄신을 강조한다.

(4) 복잡하고 광범위한 문제도 취급한다.

(5) 정치적 변수를 고려한다.

(6) 계량적 측면뿐만 아니라 질적·비합리적 측면도 고려하여 사회현상을 세심하게 관찰·이해한다.

2 관리과학과 체제분석 및 정책분석의 비교

❷ 관리과학, 체제분석, 정책분석의 관계

1 관리과학❷

1. 의의

관리과학은 조직이 당면한 문제의 해결이나 의사결정에서 최적의 대안을 탐색하는데 활용되는 과학적·계량적 원리나 기법을 이용하는 접근방법이다.

2. 주요 기법

(1) PERT(계획의 평가조사기법)와 CPM(경로망 관리기법)

① 의의: PERT(Program Evaluation and Review Technique)와 CPM(Critical Path Method)은 '특정의 대규모 프로젝트에 대한 일정과 순서를 계획적으로 관리하는 기법'으로, 대표적인 일정관리기법이다. 즉, '경로설계+공정관리'의 의미를 내포하고 있는 것이다.

② 거대한 프로젝트를 요소작업별로 세분하고 전체적인 통일성을 가질 수 있도록 네트워크를 형성함으로써 자원의 최적 할당과 계획의 합리화를 모색하는 기법이라고 할 수 있다. 따라서 PERT와 CPM을 네트워크 기법이라고도 한다.

③ 비정형적·비반복적인 대규모 사업에 적합하다.

④ PERT의 '주활동'에 해당하는 개념을 CPM에서는 '주공정(critical path)'이라고 한다. 주활동 또는 주공정이란 각 공정단계 중 최장기간이 소요되는 활동경로를 말하며, 이 기간을 최소화시키는 것이 PERT와 CPM의 목적이다.

(2) 선형계획(LP)

① **의의**: 선형계획(LP: Linear Programming)은 주어진 제약조건 아래서 생산량이나 편익을 극대화하거나 비용을 극소화할 수 있는 자원들의 최적 배분점을 알아내기 위한 기법이다.

② 제약조건을 알고 있는 확실한 상태에서 이루어지는 의사결정을 분석하는 기법으로, 그래프를 이용하거나 심플렉스(simplex)* 기법을 이용하여 해를 구한다.

(3) 민감도분석

① **의의**: 선형계획의 분석 결과의 신뢰성은 가용자원 등 여러 파라미터 값들의 불확정성의 정도에 따라 크게 영향을 받게 되는데, 민감도분석은 파라미터 값들의 변화에 따라 최적해가 어떻게 영향을 받는지를 계량적으로 분석하는 것을 말한다.

② 선형계획으로 도출된 결과를 분석하고 해석을 내리는 데 강력한 분석의 수단을 제공해 주고 통찰력을 높여 줄 수 있는 방법이다.

(4) 게임이론(game theory)

① **의의**: 게임이론이란 불확실한 상황하에서 복수의 의사결정자의 입장이 상충될 때의 의사결정 문제를 다루는 것이다.

② 특정의 행동안의 선택 결과가 다른 의사결정자의 행동안의 선택에 좌우될 때의 이론적 분석체계이다.

(5) 대기행렬이론(queuing theory, 줄서기 분석)

① **의의**: 대기행렬이론은 하나의 서비스 체계에서 고객이 도래하는 수가 시간마다 일정하지 않을 때, 대기행렬의 길이와 서비스를 받고자 하는 단위들의 대기시간을 통제하기 위해 적정한 시설규모·서비스 절차와 통로의 수 및 대기 규칙 등을 발견하기 위한 이론이다.

② 고객의 대기행렬은 사회적 비용이라는 전제하에 이를 최소화시키기 위한 분석을 수행하는 것이다.

(6) 시계열분석

① **의의**: 시계열분석은 과거의 변동추이를 시간적으로 분석하여 그것을 토대로 미래의 결과를 전망(추정)해 보기 위한 기법을 말한다.

② 시간을 독립변수로 하여 미래를 예측하려는 동태적인 분석방법이다.

③ 변화 경향이 명료하고 비교적 안정적이며, 이에 관한 자료들이 함축되어 있을 때 활용할 수 있는 예측방법이다.

📖 **용어**

심플렉스(simplex)*: 선형계획법에서 최적해를 구하는 계획법의 하나

(7) 회귀분석

① 의의: 시계열 자료나 통제적 결과를 토대로 둘 이상의 변인(varriables) 간에 상관관계(회귀직선 또는 회귀방정식)를 도출하여, 이를 근거로 미래예측 및 추정하는 방법을 말한다.

② 독립변수와 종속변수 간의 인과관계를 분석하려는 것으로, 독립변수의 값이 변할 때 종속변수의 미래 변화를 예측하는 통계적 기법이다.

(8) 모의실험(simulation)

① 의의: 모의실험은 미래에 발생할 수 있는 사건·문제들을 예측하기 위하여 복잡한 현실과 유사하고 적합하게 가상적인 모의실험장치, 즉 모형을 만들어 실험하고 그 결과를 이용하여 실제 현상의 특징을 예측하려는 수리적 기법(시뮬레이션기법)을 말한다.

② 위험(risk)적 불확실성하에서 적합한 미래예측기법이라고 할 수 있다.

③ 모의실험의 결과와 실제는 일치하지 않는다.

(9) 계층화분석법(AHP)❶

① 의의: 1970년대 사티(Saaty) 교수가 개발한 예측기법으로, 불확실한 상황하에서 확률 추정이 불가능한 경우에 대안 간 우선순위를 따져서 미래를 예측하는 기법이다.

② 각 계층에 포함된 하위목표 또는 평가기준으로 표현되는 구성요소들을 둘씩 짝을 지어, 바로 상위계층의 어느 한 목표 또는 평가 기준에 비추어 평가하는 쌍쌍비교를 시행한다.

3. 관리과학의 특징 및 한계

(1) 특징

① 계량적 기법에 치중한다.

② 기본적으로 규범적인 성격을 갖는다.

③ 개방모형이 아니라 폐쇄모형에 입각하여 최적대안을 탐색한다.

④ 수학적 모형을 설정하여 상호관계와 목표를 규정한다.

(2) 한계

① 정책이 이루어지는 제도적 맥락을 소홀히 하고 있다.

② 정치적 요인에 민감하지 못하다.

③ 비합리적인 현상(이데올로기, 카리스마 등)을 다루기 곤란하다.

④ 계량적으로 다루기 쉬운 범위 내에서만 대안을 탐색하므로, 쇄신적인 대안을 탐색하기 곤란하다.

⑤ 예측 능력의 한계가 있다.

⑥ 복잡한 사회문제나 가치문제에 대한 분석이 어렵다.

---

❶ 계층화분석법의 분석 단계
1. 1단계: 문제를 몇 개의 계층 또는 네트워크 형태로 구조화한다.
2. 2단계: 구성요소들을 둘씩 짝을 지어, 상위 계층의 어느 한 목표 또는 평가 기준에 따라 평가하는 쌍대비교를 시행한다.
3. 3단계: 각 계층에 있는 요소별 우선순위를 설정하고, 이를 바탕으로 최종적인 대안 간 우선순위를 설정한다.

2 체제분석(SA)

1. 의의

의사결정자가 문제해결을 위한 대안을 선택하는 데 도움을 주기 위한 체계적·과학적인 접근방법으로, 그 핵심적인 수단은 비용·편익분석과 비용·효과분석이다.

2. 체제분석의 특징

(1) 합리모형의 기법

① 관련된 문제를 체제적 관점에서 조직적·체계적으로 분석하며, 가능한 한 문제의 분석에 있어서 합리적·계량적 방법을 강조한다.

② 비용·편익분석 등 최적화를 추구하는 미시적이고 폐쇄적인 합리모형의 제기법이 이에 해당한다.

(2) 능률성 및 경제적 합리성 추구

여러 대안 및 행동방안을 검토하는 기준(criteria)으로, 능률성이나 경제적 합리성을 중시한다.

(3) 관리과학의 보완

상황 변화에 의하여 대안의 결과가 어떻게 달라지는지를 분석하는 민감도 분석에 의하여 불확실한 환경이나 요인까지도 고려한다.

(4) 정책분석의 기초

문제를 명확히 하고 대안을 발견하여 각 대안의 비교·검토를 통하여 결정자의 판단에 도움이 되는 기초를 제공한다.

(5) 핵심수단

비용·편익분석과 비용·효과분석이 핵심수단이 된다.

3. 비용·편익분석(cost-benefit analysis)[1]

(1) 의의

비용·편익(B/C)분석은 공공투자사업에 대한 정책결정에 있어서 투자사업의 효과(편익)가 비용보다 많은지의 여부를 체계적으로 분석하여, 공공사업의 경제적 타당성을 검토하는 분석기법이다.

(2) 비용·편익분석의 절차

① **대안의 식별**: 설정된 목표를 달성하는 데 기여할 수 있는 모든 대안을 식별해 낸다.

② **사업의 수명 결정**: 비용의 소요기간과 편익이 발생하는 기간을 측정한다.

③ **비용과 편익의 확인·측정**: 비용과 편익의 유형을 확인하고 그 크기를 추정한다.

④ **할인**: 할인율을 적용하여 장래의 총비용과 총편익을 현재가치로 환산한다.

⑤ **민감도분석**: 대안의 우선순위에 영향을 줄 수 있는 상황변수의 변화에 따른 비용·편익의 영향을 계량적으로 측정한다.

⑥ **대안의 우선순위 제시**: 각 대안들을 비교 및 평가한 후 우선순위를 제시한다.

[1] **현재가치 계산**

$$PV = \frac{FV}{(1+r)^n}$$

1. PV: 현재가치
2. FV: 미래가치
3. r: 할인율
4. n: 연차

❶ 기회비용
특정 대안의 선택으로 선택 기회가 포기된 사업의 생산 비용을 의미한다.

❷ 매몰비용
현재 진행 중에 있는 정책이나 계획에 따라 이미 투입된 경비나 노력·시간 등으로, 합리적 결정을 제약하는 요인이다.

❸ 잠재가격
시장가격을 사용할 수 없을 때, 편익과 비용의 화폐가치에 대해 주관적인 판단을 하는 절차이다.

❹ 보상비용
환경은 시장에서 거래가 되지 않기 때문에 환경의 편익은 환경이 파괴되었을 시 복구비용을 편익으로 추정하는 잠재가격의 일종이다.

❺ 소비자잉여
어떤 상품에 대해 소비자가 최대한 지불해도 좋다고 생각하는 가격에서 실제로 지불하는 가격을 뺀 차액으로, 소비자가 지불해도 좋다고 생각하는 금액과 실제 지불한 금액과의 차이를 의미한다.

(3) 비용·편익의 추정

① **비용**: 기회비용❶의 개념을 사용하며, 매몰비용❷은 제외한다. 기회비용 산정 시에는 잠재가격❸❹을 사용한다.

② **편익**: 소비자잉여❺(재화에 대하여 지불하고자 하는 값과 실제 지불한 값과의 차이)를 통하여 도출하게 된다. 이는 긍정적 효과와 부정적 효과 등이 있으며, 금전적 편익이나 비용이 아닌 실질적 비용과 편익을 측정해야 한다.

(4) 할인율의 결정

① 공공사업의 비용과 편익은 장기간에 걸쳐 발생하기 때문에 그 사업의 비용과 편익을 비교하기 위해서는 각기 다른 시점에서의 비용과 편익을 현재가치로 환산하여야 한다. 이때 여기에 적용되는 이자율을 할인율이라 한다.

② 할인율이란 장래 투입될 비용이나 장래 발생할 편익을 현재가치로 표시하기 위한 교환비율을 의미한다.

③ 할인율이 낮을수록 현재 가치는 높다.

④ 할인율의 종류

  ㉠ **민간할인율**: 민간자본시장의 시장이자율(시중금리)을 근거로 결정된다.

  ㉡ **사회적 할인율**: 공공사업에 적용할 할인율을 의미한다.

  ㉢ **자본의 기회비용**: 공공사업의 자원이 공공사업에 사용되지 않고 민간사업에 사용되었을 때 획득할 수 있는 수익률이다.

⑤ 공공사업의 경우 공공사업이 창출하는 외부효과 등을 감안하여, 사회적 할인율이 시장이자율보다 낮아야 한다는 주장이 지배적이다.

⑥ 할인율이 낮을 경우 장기투자가, 높을 경우 단기투자가 유리하다.

(5) 대안의 비교·평가기준

순현재가치 (NPV: Net Present Value)	· **계산 방법**: NPV = 편익의 현재가치 – 비용의 현재가치 · 0보다 크면 그 사업은 타당성 있는 사업이므로 채택할 수 있으며, 복수의 사업인 경우 순현재가치가 가장 큰 사업을 선택 · 대규모 사업에 유리(소규모 사업인 경우 B/C Ratio 적용이 유리)
편익비용비 (B/C Ratio)	· **계산 방법**: B/C = 편익의 현재가치/비용의 현재가치 · 1보다 크면 투자 가능 · 예산제약이 있는 경우 보조적인 선택 기준이 됨
내부수익률 (IRR: Internal Rate of Return)	· 불확실성이 심하여 시장이나 사회적 할인율을 알지 못하는 경우에 사용하는 일종의 예상수익률 · NPV가 0이 되도록 하는 할인율 · 할인율을 몰라 현재가치를 계산할 수 없을 때 쓰이는 기법 · 내부수익률이 일정판정수익률을 상회할 때 투자 · 내부수익률이 통상적으로 사용되는 시장이자율보다 크다면 그 투자사업은 타당성 있는 것으로 평가
회수기간법	· 일정한 사업에 투입되는 비용을 회수할 수 있는 가장 짧은 대안을 선택하는 방법 · 할인율을 모르는 경우 유용한 방법 · 단기적인 시계를 가진다는 한계가 있음

핵심 OX

01 할인율이 낮을수록 미래 금액의 현재가치는 높다. (O, X)

02 사회적 할인율이 낮을수록 정책이 타당하다. (O, X)

03 사회적 할인율은 민간할인율에 비해서 높을수록 타당하다. (O, X)

04 내부수익률은 높을수록 타당하다. (O, X)

01 O
02 O
03 X 사회적 할인율은 낮을수록 타당하다.
04 O

(6) 평가기준의 구체적 적용

① 동일한 상황에서도 어떤 기준(B-C, B/C, 내부수익률 등)을 적용하느냐에 따라 사업의 '채택 여부'는 달라지지 않지만, 사업의 '우선순위'는 달라질 수 있다. 따라서 자원의 제약 여부 등 의사결정 상황에 따라 위의 기준들을 선택적으로 고려하여야 한다.

② 비용·편익분석이 공공사업 채택을 위한 최종적 도구나 절대적 기준은 아니다.

③ **부(負)의 편익 문제**

　㉠ 편익비용비(B/C) 기준은 부(負)의 편익을 비용의 증가에 포함시킬지, 편익의 감소에 포함시킬지 여부에 따라 사업의 우선순위가 달라질 수 있다.

　㉡ 비용 = 100억, 편익 = 150억, 부(負)의 편익 = 30억인 사업이 있을 때, 부(負)의 편익을 비용의 증가에 포함시키느냐 아니면 편익의 감소에 포함시키느냐에 따른 분석결과는 다음과 같다.

편익비용비(B/C)	비용의 증가	B/C = 150/(100 + 30) = 15/13
	편익의 감소	B/C = (150 − 30)/100 = 12/10

(7) 비용·편익분석의 효용

① **이질적 정책의 비교 가능**: 비용과 편익이 단일척도인 화폐가치로 비교되므로, 정책 간의 경계를 넘어 다양한 정책이나 사업 간의 정책 우선순위를 비교할 수 있다.

② **복잡한 문제의 과학적·체계적인 정리·분석으로 객관적·과학적인 의사결정에 공헌**: 불확실성 감소 및 의사결정의 객관화에 기여한다.

(8) 비용·편익분석의 한계

① 편익의 계량화가 어렵다.

② 능률성·경제성 분석은 가능하나, 화폐가치로 환산할 수 없는 가치판단의 영역이나 공평성 기준에 대해서는 적용하는 데 한계가 있다.

③ 비용과 편익의 가치에 대한 개인 간의 비교가 곤란하다.

4. 비용·효과분석(cost-effectiveness analysis)

(1) 의의

비용과 편익을 화폐가치로 측정할 수 없는 정책대안들에 대한 경제적 평가를 위한 기법이다.

(2) 비용과 효과의 계산

비용은 화폐단위로, 효과는 재화단위나 용역단위 또는 기타 가치있는 효과단위로 측정한다.

(3) 비용·효과분석의 기준

① **최소비용기준**: 일정한 효과수준을 최소비용으로 달성 가능한 정책대안을 선택하는 방법이다.

② **최대효과기준**: 일정한 비용으로 최대의 효과를 달성할 수 있는 정책대안을 선택하는 방법이다.

(4) 효용

① 화폐가치로 측정하지 않기 때문에 비교적 적용이 용이하다.

② 시장가격을 매길 수 없는 집합재(공공재)나 준집합재를 다룰 수 있다.

(5) 한계

비용과 효과가 서로 다른 단위로 측정되므로, 총효과가 총비용을 초과하는지 여부에 대한 직접적인 근거를 제시할 수 없다.

5. 비용·편익분석과 비용·효과분석의 비교

비교	비용·편익분석(B/C분석)	비용·효과분석(E/C분석)
측정 단위	비용·편익 모두 화폐가치로 측정	· 효과(편익)의 현재가치 계산이 힘들 때 사용 · 효과(산출·결과)를 물건·서비스 단위 등으로 표현 · 측정단위가 다양함
	비용과 편익을 동일기준(NPV, B/C)으로 비교	비용과 효과(편익)의 측정단위가 달라 동일 기준으로 양자의 비교가 곤란한 경우 사용
변화 요소	· 가변비용 또는 가변편익의 문제유형 · 분석: 비용과 편익이 같이 변화	· 고정비용 또는 고정효과의 문제유형 · 분석: 비용이나 효과 중 하나가 반드시 고정 　– 비용 일정 시 최대효과 　– 효과 일정 시 최소비용
적용 범위	동종사업 간이나 이종사업 간 비교에 모두 활용	· 동종사업 간 비교 시 사용 · 이종사업 간 비교가 곤란
중점	· 경제적 합리성에 치중 · 능률성 중시	· 목표·수단 간 기술적·도구적 합리성에 치중 · 효과성 분석
시관	장기분석에 이용	단기분석에 이용
이용 대상	양적 분석에 적합	· 외부경제, 무형적 질적 가치의 분석에 적합 · 공공재나 준공공재에 적용하기 용이함

3 체제분석과 정책분석 비교

1. 유사점

(1) 문제의 대안을 체제의 관점에서 관찰한다.

(2) 여러 대안 중 최선의 대안을 선택한다.

(3) 계량적 분석기법의 활용을 통해 경제적 접근을 시도한다.

2. 차이점

체제분석	정책분석
· 사실문제 중시, 가치선택 문제는 고려하지 않음 · 정책결정 자체에 관심	· 정책이 함축하는 가치문제(기본가치·목적가치) 중시 · 정책결정 이후 집행·관리의 측면에도 관심

자원배분의 효율성, 비용·편익의 비교·평가	비용·편익의 사회적 배분을 고려한 거시적 통합
경제적 합리성(경제적 실현가능성, 능률성, 효과성)	경제적 합리성 + 정치적 요인 (정치적 합리성·실현가능성, 공평성, 공익)
부분적 최적화(optimization): 대안의 객관적 최적화 추구	정책의 선호화(preferization) 추구
· 계량적 분석(B/C 분석) 위주 · 복잡한 정치적 문제의 해결에는 역효과	· 계량적 분석 + 질적 분석 · 비합리적 요소, 인간의 경험적 지식(인지·직관) 고려 · 복잡한 정치문제, 장기적 안목에서 보다 나은 결정

3 정책분석의 오류

1 정책분석 오류의 의의

정책이 원래 의도했던 변화, 즉 정책효과를 가져오지 못하게 되거나 또는 기대했던 것과는 다른 변화를 가져오게 되는 것을 정책분석의 오류라고 한다.

2 정책분석 오류의 유형

1. 제3종 오류(메타오류, 근본적 오류) – 정책문제 구성상의 오류

(1) 정책문제의 정의나 목표설정을 잘못하여 대안을 잘못 선택하는 오류이다.

(2) 수단적 기획관의 한계를 극복하기 위해 대두되었다.

2. 제1종 오류 및 제2종 오류 – 정책대안 식별상의 오류

(1) 제1종 오류

통계학적으로 옳은 영(귀무)가설[1]을 기각하여 나타나는 오류로, 정책대안의 결과예측 과정에서 정책대안이 실제로 효과가 없는데도 효과가 있다고 잘못 평가하여 잘못된 대안을 채택하는 오류를 의미한다.

(2) 제2종 오류

통계학적으로 틀린 영(귀무)가설을 인용하여 나타나는 오류로, 정책대안의 결과예측 과정에서 정책대안이 실제로 효과가 있는데도 효과가 없다고 잘못 평가하여 올바른 대안을 채택하지 않는 오류를 의미한다.

[1] 귀무가설과 대립가설
1. 의의
· 귀무가설: 일반적으로 기각될 것이 예상되어 세워진 가설를 의미한다.
· 대립가설: 검증하려는 가설은 귀무가설에 대해서 대립가설로 불린다.
2. 귀무가설과 대립가설의 관계
· 귀무가설 채택 = 대립가설 기각
· 귀무가설 기각 = 대립가설 채택

핵심 OX

01 제3종 오류는 정책 문제를 잘못 정의한 오류이다. (O, X)

02 제3종 오류는 합리적 대안의 선정 과정상의 오류이다. (O, X)

01 O
02 X 합리적 대안 선택 시 오류는 제1종, 제2종 오류이다.

3 정책분석오류(심화)

1. 정책오류의 유형

1종오류(알파에러)	2종오류(베타에러)	3종오류
옳은 귀무가설을 기각하는 오류	틀린 귀무가설을 인용하는 오류	정책문제를 잘못 인지하여 정책문제가 해결되지 못하는 근원적인 오류
틀린 대립가설을 채택하는 오류	옳은 대립가설을 기각하는 오류	
틀린 대안을 채택하는 오류	옳은 대안을 채택하지 않는 오류	
정책효과가 없는데 있다고 판단하는 오류	정책효과가 있는데 없다고 판단하는 오류	

2. 신뢰수준과 검정력

$1-\alpha$	신뢰수준	· 옳은 귀무가설을 인용하여 올바른 결정을 할 수 있는 확률(통계치를 믿을 수 있는 신뢰구간) · α는 유의수준(1종오류를 범할 확률) · $1-\alpha$는 1종오류를 범하지 않을 확률
$1-\beta$	검정력	· 가설의 참·거짓과 관계없이 귀무가설(영가설: null hypothesis)을 기각시킬 확률 · β는 2종오류를 발생시킬 확률 · $1-\beta$란 틀린 귀무가설을 기각하여 2종오류를 범하지 않을 확률

01 정책, 사업 등에 대한 타당성을 평가하는 비용·편익분석(Cost Benefit Analysis) 결정을 위한 기준에 해당하지 않는 것은?

2019년 서울시 7급(10월 추가)

① 편익·비용비율(Benefit/Cost ratio)

② 생산싱(Productivity) 지표

③ 순현재가치(Net Present Value)

④ 내부수익률(Internal Rate of Return)

02 비용·편익분석에 대한 설명으로 옳지 않은 것은?

2020년 지방직 9급

① 분야가 다른 정책이나 프로그램은 비교할 수 없다.

② 정책대안의 비용과 편익을 모두 가시적인 화폐 가치로 바꾸어 측정한다.

③ 미래의 비용과 편익의 가치를 현재가치로 환산하는데 할인율(discount rate)을 적용한다.

④ 편익의 현재가치가 비용의 현재가치를 초과하면 순현재가치(NPV)는 0보다 크다.

정답 및 해설

01 비용·편익분석의 평가기준으로는 순현재가치, 비용·편익비율, 내부수익률, 자본회수기간이 있다.

02 비용과 편익이 단일척도인 화폐가치로 비교되므로 정책 간의 경계를 넘어 다양한 정책이나 사업 간의 정책 우선순위를 비교할 수 있다.

| 오답체크 |
② 비용·편익분석은 비용과 편익을 모두 금전적 가치로 표시하여 비교한다.
③ 비용·편익분석은 할인율을 적용하여 비용과 편익을 현재가치로 환산하여 비교·평가한다.
④ 비용·편익분석의 평가기준 중 순현재가치에 대한 옳은 설명이다.

정답 01 ② 02 ①

03 공공사업의 경제성분석에 대한 설명으로 옳은 것만을 모두 고르면? 2021년 국가직 9급

> ㄱ. 할인율이 높을 때는 편익이 장기간에 실현되는 장기투자사업보다 단기간에 실현되는 단기투자사업이 유리하다.
>
> ㄴ. 직접적이고 유형적인 비용과 편익은 반영하고, 간접적이고 무형적인 비용과 편익은 포함하지 않는다.
>
> ㄷ. 순현재가치(NPV)는 비용의 총현재가치에서 편익의 총현재가치를 뺀 것이며 0보다 클 경우 사업의 타당성을 인정할 수 있다.
>
> ㄹ. 내부수익률은 할인율을 알지 못해도 사업평가가 가능하도록 하는 분석기법이다.

① ㄱ, ㄴ

② ㄱ, ㄹ

③ ㄴ, ㄷ

④ ㄱ, ㄷ, ㄹ

04 비용편익분석에 대한 내용으로 옳지 않은 것은? 2018년 국가직 7급

① 재화에 대한 잠재가격(shadow price)의 측정과정에서 실제가치를 왜곡할 수 있다.

② 내부수익률(internal rate of return)은 순현재가치를 영으로 만드는 할인율을 말한다.

③ 칼도-힉스 기준(Kaldor-Hicks criterion)은 재분배적 편익의 문제를 중시한다.

④ 정책대안이 가져오는 모든 비용과 편익을 측정하려고 하며, 화폐적 비용이나 편익으로 쉽게 측정할 수 없는 무형적인 것도 포함된다.

05 비용효과(cost-effectiveness)분석에 대한 설명으로 옳은 것은? 2022년 지방직 7급

① 정책대안의 비용과 효과는 모두 화폐단위로 측정된다.

② 분석결과는 사회적 후생의 문제와 쉽게 연계시킬 수 있다.

③ 시장가격의 메커니즘에 전적으로 의존한다.

④ 국방, 치안, 보건 등의 영역에 적용할 수 있다.

06 정책분석(PA: Policy Analysis)과 체제분석(SA: System Analysis)의 차이점에 관한 설명 중 가장 적절하지 않은 것은?

2014년 경찰간부

① 정책분석은 비용과 효과의 사회적 배분을 중시하지만 체제분석은 자원배분의 효율성을 중시한다.

② 정책분석은 대안의 평가기준에서 정치적 합리성을 강조하지만 체제분석은 경제적 합리성에 주안점을 둔다.

③ 정책분석은 비용편익분석의 양적 분석에 치중하지만 체제분석은 질적 분석을 중요시한다.

④ 정책분석에 활용되는 기본과학은 정치학, 행정학, 사회학 등이지만 체제분석에서는 경제학과 응용과학 등이다.

07 제3종 오류(Type Ⅲ error)에 대한 설명으로 옳지 않은 것은?

① 수단주의적 기획관의 한계를 나타내는 오류 유형이다.

② 문제선택 자체가 잘못된 경우의 오류를 의미한다.

③ 메타오류(meta error)라고도 한다.

④ 주로 문제해결을 위한 합리적인 대안의 선정 과정에서 나타난다.

정답 및 해설

03 옳은 설명은 ㄱ, ㄹ이다.

ㄱ. 할인율이 낮을 경우 장기투자가, 높을 경우 단기투자가 유리하다.

ㄹ. 불확실성이 심하여 시장이나 사회적 할인율을 알지 못하는 경우에 사용하는 일종의 예상수익율이다.

| 오답체크 |

ㄴ. 간접적이고 무형적인 비용과 편익까지도 모두 포함한다.

ㄷ. NPV = 편익의 현재가치 - 비용의 현재가치이며, 0보다 클 경우 사업의 타당성을 인정할 수 있다.

04 칼도 - 힉스 보상기준(Kaldor-Hicks criterion)은 파레토 기준과 더불어 능률성을 평가하는 기준으로, 사회총편익이 사회총비용보다 크다면 사업의 타당성을 인정한다. 따라서 형평성이나 재분배적 편익의 문제를 다루지는 못한다.

| 오답체크 |

① 잠재가격은 시장가격이 존재하지 않거나 활용할 수 없을 때 분석가가 가치를 주관적으로 추정하는 것이므로 왜곡이 있을 수 있다.

② 내부수익률은 편익과 비용의 현재가치를 같게 만들어 주는 때의 할인율로, 순현재가치(B - C)를 0으로, 편익비율비(B/C)를 1로 만들어주는 할인율을 말한다.

④ 비용편익분석은 모든 비용과 편익을 금전적 가치로 표현하되, 무형적인 것은 물론 실질적이고 총체적인 비용과 편익을 모두 포함시켜야 한다.

05 비용효과분석은 목표달성 정도를 화폐가치로 표현할 수 없는 사업에 자원을 어떻게 가장 능률적으로 투입할 것인가의 문제에 적용하기 좋은 사업으로서, 특히 국방, 경찰행정, 운수, 보건 영역에서 사용되고 있다.

| 오답체크 |

① 비용효과분석은 비용과 편익을 화폐가치로 측정할 수 없는 정책대안들에 대한 경제적 평가를 위한 기법이다.

② 비용효과분석의 단점은 비용과 효과가 서로 다른 단위로 측정되므로, 총효과가 총비용을 초과하는지 여부에 대한 직접적인 근거를 제시할 수 없다는 것이다.

③ 비용효과분석은 목표달성 정도를 화폐가치로 표현할 수 없는 사업에 적용되기 때문에 시장가격의 메커니즘에 전적으로 의존한다는 것은 틀린 지문이다.

06 정책분석은 비용·편익분석의 정치적·사회적·질적 분석에 치중하지만, 체제분석은 경제적·양적 분석을 중요시한다.

ⓘ 체제분석과 정책분석 비교

체제분석	정책분석
사실문제 중시, 가치선택 문제는 고려하지 않음	정책이 함축하는 가치문제 (기본가치·목적가치) 중시
자원배분의 효율성, 비용·편익의 비교·평가	비용·편익의 사회적 배분을 고려
경제적 합리성 (경제적 실현가능성, 능률성, 효과성)	경제적 합리성 + 정치적 요인 (정치적 합리성·실현가능성, 공평성, 공익도 고려)
계량적 분석(B/C 분석) 위주	계량적 분석 + 질적 분석

07 제3종 오류(meta error)는 문제를 잘못 정의하는 것으로, 합리적 대안 선택과 관련된 수단적 기획관의 한계를 극복하기 위해 대두되었다.

| 오답체크 |

① 대안선택과 관련된 제1종, 제2종 오류의 한계를 극복하기 위해 대두된 것이 제3종 오류이다.

②, ③ 문제를 잘못 정의한 것이 제3종 오류이며, 메타오류라고도 한다.

1 정책결정의 의의

정책문제의 파악·정의
① 정책문제의 원인과 결과(인과관계) 파악
② 정책문제의 특성(문제의 심각성·피해범위) 파악

⇩

정책목표 설정
정책목표의 요건
① **내용의 적합성(appropriateness)**: 다양한 목표 중 가장 바람직한 목표를 채택했는가 여부
② **목표수준의 적절성(adequacy)**: 정책목표의 채택수준이 적당한지 여부
※ 잘못된 정책 문제정의·목표설정의 결과 ⇨ 3종 오류(meta 오류)

⇩

정책대안의 탐색·개발
정책대안의 원천(source)
① **과거의 정책, 현존 정책**: 동일하거나 유사한 정책문제에 대하여 과거 채택했거나 현재 시행 중인 정책에 대한 정책목록(policy list)을 참조
② **타 정부의 정책**: 지방정부나 다른 국가의 정책을 참조
③ **이론·모형의 활용**: 정책목표와 정책수단 간 인과관계를 내포하는 과학적 지식·이론으로부터 대안 도출
④ **주관적·직관적 방법**: 여러 전문가의 의견을 물어 대안 탐색[브레인스토밍(brainstorming), 델파이(delphi)]

⇩

정책대안의 미래 예측 (결과 예측)
정책대안을 집행·실시했을 경우 나타날 결과(정책효과와 정책비용)를 미리 예상하는 것
① **비합리적·비분석적·주관적·직관적·질적 방법**: 브레인스토밍(brainstorming), 델파이(delphi)
② **합리적·분석적·객관적·양적 방법**: 모형작성, 정책실험

⇩

정책대안의 비교·평가
대안 간 우선순위 비교평가 기준
① **소망성(desirability)**: 능률성, 민주성, 효과성, 형평성, 적합성, 적절성, 주민의 만족도, 대응성, 체제유지, 일관성, 노력
　※ **경제적 합리성 평가기준**: BC분석(B/C율, 순현재가치(NPV), 내부수익률(IRR)
② **실현가능성(feasibility)**
　㉠ **기술적 실현가능성**: 현존 기술의 제약(과학기술의 발전수준, 전문인력)
　㉡ **경제적·재정적 실현가능성**: 예산 또는 사회적 자원의 제약
　㉢ **행정적 실현가능성**: 집행조직, 집행요원 등의 행정능력
　㉣ **법적 실현가능성**: 타 법률의 내용과의 일관성
　㉤ **윤리적 실현가능성**: 도덕적·윤리적 타당성
　㉥ **정치적 실현가능성**: 정치체제에 의한 대안의 채택·집행 가능성, 현존 정치세력의 정치적 지지 정도

⇩

정책문제의 파악·정의

1 정책결정의 개념

정책결정이란 '정책문제를 해결하여 달성할 목표를 설정하고, 이 목표를 달성할 수 있는 여러 대안들을 고안·검토하여 하나의 정책대안을 채택하는 활동'이라고 할 수 있다. 이러한 정책결정의 산물이 바로 정책이다.

2 정책결정과 의사결정의 비교

1. 유사점

(1) 정책결정과 의사결정은 문제해결이나 목표달성을 위하여 여러 대안 중에서 하나의 대안을 선택하는 점에서는 동일하다.

(2) 기법·절차 등에 있어 본질은 같으며, 의사결정이 정책결정보다 더 일반적이고 포괄적인 개념이다.

2. 차이점

구분	정책결정	의사결정
주체	정부	정부·기업·개인
결정사항	정부활동지침	모든 합리적 대안 선정
성격	공적 성격	공·사적 성격
근본이념	공익성	공익에 근거하지 않음
계량화	곤란	용이

3 정책결정의 특징

1. 공식성·공공성

정책결정의 주체는 공식적인 정부 또는 공공기관이며, 공익을 추구한다.

2. 정치성

정책결정은 정치적 환경하에서 진행되며 가치판단을 필요로 하는 정치적 영역으로, 정치행정일원론에서 중시한다.

3. 미래지향성

정책결정은 미래의 바람직한 행동대안을 선택하는 것이다.

4. 복잡성·동태성

정책결정은 복잡하게 얽힌 이해관계가 상호작용하는 역동적인 과정이며, 시간에 따라 변동하는 동태적 과정이다.

5. 가치성 · 규범성

정책결정은 바람직한 미래의 방향을 제시하는 것이다.

6. 의사결정의 한 형태

정책결정은 합리성을 추구하는 의사결정의 한 형태이다.

2 합리적 정책결정 과정의 단계

일반적인 정책결정 과정은 다음과 같은 순서로 이루어진다.

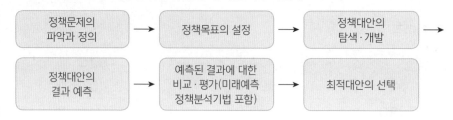

1 정책문제의 파악과 정의

1. 개념

하나의 정책문제가 해결되기 위해서는 정책문제의 내용이 무엇인지 과학적 · 체계적으로 정리하고, 그것의 원인과 결과 간의 인과관계를 파악하는 것과 이를 토대로 무엇이 문제인지를 정확히 규정하는 것을 의미한다.

2. 정책문제의 속성

(1) 공공성

정책문제는 공공성을 띠며, 정부가 나서야 할 만큼 많은 사람들과 관련되어 있다.

(2) 주관성 · 인공성

① 정책문제는 주관적이고 인공적인 성격을 띤다.

② 문제를 유발하는 외부적 상황은 선택적으로 정의되고 분류되며, 설명되고 평가된다. 즉, 정책문제는 객관적 문제상황이 사람들의 주관적인 판단과정을 통해 걸러진 것이다.

③ 주관적이라는 면에서 볼 때 정책문제는 관련된 개인 및 집단 · 사회의 영향 아래 인공적으로 만들어진 것이기도 하다.

(3) 복잡성·상호의존성

정책문제는 복잡·다양하고 상호의존적이며 복합요인에 의해 동시다발적으로 생겨나므로, '문제들의 덩어리' 형태로 다룰 필요가 있다.

(4) 역사성

정책문제는 역사적 산물인 경우가 많으며, 현재의 문제는 오랜 기간 동안 형성되어 온 것일 수 있다.

(5) 동태성

정책문제는 동태적 성격을 가지며 여러 문제와 얽혀 있고, 환경변화에 따라 그 성격과 해결책이 달라진다.

3. 정책문제의 파악과 정의의 중요성

정책문제의 파악을 통해 타당한 정책목표의 설정과 정책대안의 탐색 방향이 결정되게 된다. 그러나 필요한 정보가 부족하고 문제의 중요성을 파악하는 데 편견이나 선입견이 작용함으로써 '제3종 오류'를 범할 수 있다.

4. 정책문제의 분석기법(정책문제의 구조화 방안)

(1) 경계분석

문제의 존속기간이나 형성과정, 관련 문제 및 이해당사자들을 추출·파악하여 문제의 위치와 범위를 찾는 분석이다.

(2) 계층분석

문제 상황의 발생에 영향을 줄 수 있는 가깝고 먼 다양한 원인(근인과 원인)들을 찾아내기 위한 방법으로, 간접적이고 불확실한 원인부터 시작하여 차츰 확실한 원인까지 차례로 확인해 나간다.

① 가능성이 있는 원인(possible causes)
  ㉠ 멀기는 하지만 주어진 문제 상황의 발생에 기여하는 사건이나 행동이다.
  ㉡ 문제의 발생 원인을 제거·통제·조작할 수 없는 경우를 포함한다. 이 경우에는 원인은 손대지 않고 문제의 심각성을 완화하는 방향으로 정책수단(대안)을 개발한다.

② 개연적 원인(plausible causes)
  ㉠ 과학적 연구나 직접적인 경험에 입각하여 문제 상황의 발생에 중요한 영향을 끼쳤다고 믿어지는 원인이다.
  ㉡ '가능성이 있는 원인'과 대조적인 것이다.

③ 행동가능한 원인(actionable causes): 정책결정자에 의하여 통제·제거·조작될 수 있는 원인을 의미한다.

(3) 유추분석(synectics)

① 과거에 등장하였거나 다루어 본 적이 있는 문제와 유사한 문제에 대한 분석을 위해 활용될 수 있는 방법으로, 정책문제 간의 유사성을 조사·분석하여 정책문제 구조화에 유추와 비유를 창조적으로 활용할 수 있게 해주는 기법이다.

② 새로운 문제처럼 여겨지는 것들도 단지 과거에 등장했던 문제를 새롭게 인식한 것에 불과하기 때문에, 현재의 문제를 해결하기 위해서는 지금 다루고자 하는 문제와 유사한 과거의 문제를 제대로 이해하면, 문제의 해결대안을 쉽게 찾을 수 있을 것으로 가정한다.

    ㉠ **개인적(인적) 유추(personal analogies):** 분석가가 정책결정자 또는 고객집단과 같이 마치 그 자신들이 문제를 경험하고 있는 것처럼 상상하는 것으로, 문제 상황의 정치적 차원을 파헤치는 데 유용하다.

        ⑩ 교통 문제를 분석하기 위해 만원버스를 타고 이용객들의 불편을 직접 겪어보는 것 등

    ㉡ **직접적 유추(direct analogies):** 분석가가 두 개 이상의 실제 문제 상황 사이의 유사한 관계를 탐색하는 것이다.

        ⑩ 약물 중독의 문제를 구조화하기 위하여 전염병의 통제 경험으로부터 직접 유추하는 것 등

    ㉢ **상징적 유추(symbolic analogies):** 주어진 문제 상황과 어떤 상징적 대용물(모형 또는 시뮬레이션) 사이의 유사한 관계를 찾아내어 분석하는 것이다.

        ⑩ 일정한 기준에 따른 정책의 순환적 결정 과정을 설명하기 위해 자동온도조절장치에 비유하는 것 등

    ㉣ **환상적(가상적) 유추(fantasy analogies):** 문제 상황과 어떤 상상적인 상태 사이의 유사성을 자유롭게 상상하고 탐색하는 것이다.

        ⑩ 국방정책분석가가 가상적인 핵공격 상태를 전제로 문제를 유추해 보는 것 등

(4) 가정분석

① 정책과정 참여자들 간 정책문제에 대한 가정(관점)의 일치가 없을 때 이해관계자의 확인, 가정들의 노출, 가정들에 대한 비판적 평가, 가정통합 등의 과정을 통해 정책문제에 대한 상충적 가정들의 통합을 도모하는 방법이다.
② 가장 포괄적인 분석기법이다.

(5) 분류분석

① 문제 상황을 분류하고 정의하는 데 사용하는 개념 명료화의 기법으로, 귀납적 사고과정을 통하여 구체적 상황에 대한 경험으로부터 일반적 개념을 도출한다.
② 두 가지 주요절차인 논리적 분할(어떤 하나의 부류를 선택하여 그것을 구성요소로 나누는 것)과 논리적 분류(여러 상황이나 대상을 더 큰 집단 또는 부류로 결합시키는 것)에 토대를 두고 있다. 이러한 과정을 거쳐 문제의 구성요소를 식별한다.

(6) 복수관점분석(multiple perspective analysis)

① 문제 상황에 여러 가지 관점(기술적 관점·조직적 관점·개인적 관점)을 체계적으로 적용하여 문제의 잠정적 해결방안에 대해 보다 큰 통찰력을 얻으려는 방법이다.
② 이는 정부의 정책결정·회사의 전략기획·지역개발·기술평가 등 복잡한 문제를 다루는 데 유용한 방법이다.

2 정책목표의 설정

1. 정책목표의 의의와 기능

(1) 의의

정책목표란 정책을 통하여 달성하고자 하는 바람직한 상태를 의미한다.

(2) 기능

① 다양한 정책수단의 선택 기준이 된다.
② 정책집행 과정상의 지침이 된다.
③ 정책평가의 기준이 된다.

2. 정책목표의 설정 기준

(1) 정책목표의 적합성(appropriateness)

달성할 가치가 있는 여러 가지 목표들 중에서 가장 바람직한 것을 목표로 채택했는 가, 즉 가장 중요한 문제요소를 선택했는지 여부를 의미한다.

(2) 정책목표의 적절성(adequacy)

정책목표의 수준이 지나치게 높거나 낮지 않고 정당한 수준인지 여부를 의미한다.

3. 목표의 변동

(1) 목표의 전환(displacement)

① 개념
  ㉠ 목표의 전환은 목표와 수단의 우선순위가 뒤바뀌는 것으로, 종국적 가치를 수단적 가치가 대치하는 것을 의미한다.
  ㉡ 수단이 목표가 되고 목표가 수단이 되는 것이라고 할 수 있는데, 목표의 왜곡·대치·전도라고도 한다.

② 발생원인
  ㉠ **동조과잉**: 수단·규칙·절차에 집착하여 목표가 망각되고 수단·절차 등이 목표로 인식되는 현상이다[머튼(Merton)].
  ㉡ **소수 간부의 권력욕(과두제의 철칙)**: 소수의 간부가 일단 권력을 장악한 후 목표를 전환시켜 자신의 권력이나 지위를 강화시키는 과두제의 철칙[미헬스(Michels)]이다.
  ㉢ **행정의 내부성**: 조직의 대사회적 목표를 망각하고 내부문제에만 집착하는 현상이다.
  ㉣ **목표의 무형성(유형적 목표의 추구)**: 무형적 목표는 구성원의 구체적 행동기준이 되지 못하기 때문에 유형적 목표를 추구하게 된다.
  ㉤ **목표의 과다측정(over measurement)**: 계량적으로 측정할 수 있는 목표를 중시하다 보면, 본질적 목표인 무형적 목표를 망각하고 수단적 목표인 유형적 목표에 집착하게 된다.
  ㉥ **할거주의**: 자기가 속한 부서의 목표나 이득만 중시하는 현상이다.

(2) 목표의 승계(succession)

① 개념: 목표의 승계는 조직의 목표가 달성되었거나 혹은 달성될 수 없을 경우, 조직이 새로운 목표를 재설정하는 것을 말한다.

② 목표의 승계는 동태적 보수주의를 초래하여 목표달성 후에도 조직이 존속하는 요인으로 작용한다.

(3) 목표의 확대

① 개념: 목표의 확대는 목표 자체를 상향 조정하는 것을 말한다.

② 목표 자체의 양을 늘리거나. 목표달성이 낙관적일 때 목표의 수준을 보다 더 높이는 것이다.

(4) 목표의 다원화

① 개념: 목표의 다원화는 본래의 목표에 새로운 목표를 추가하는 것을 말한다.

② 조직이 종래의 목표에 질적으로 새로운 목표를 추가하는 것이다.

(5) 목표의 비중 변동

① 개념: 목표의 비중 변동은 복수목표에 있어서 목표 간의 비중이나 우선순위가 변경되는 현상을 말한다.

② 목표나 이념이 시대적으로 우선순위가 바뀌는 현상이 해당한다.

3 정책대안의 탐색 · 개발 및 결과예측

1. 정책예측의 의의와 기능

(1) 의의

정책예측이란 어떤 문제를 해결하기 위하여 필요한 미래의 정책 내용과 그 결과, 정책체제 및 그 환경의 미래 상태 등을 합리적으로 파악하는 것을 말한다.

(2) 기능

정책목표 설정 후에 이를 잘 달성할 것으로 예상되는 정책수단들을 개발하고 탐색하는 작업이 요구되는데, 서로 다른 정책목표와 정책수단의 배합들인 정책대안은 그 배합방법에 따라 다양하게 도출될 수 있다.

2. 정책대안의 탐색과 개발방법

크게 점증주의적 접근방법과 새로운 접근방법이 있다.

(1) 점증주의적 접근방법

기존의 정책이나 지방 · 외국 정부의 정책으로부터 정책대안의 원천을 찾는 방법이다.

(2) 새로운 접근방법

이론이나 모형 또는 주관적 판단(브레인스토밍, 정책델파이)에 의하여 정책대안의 원천을 찾는다.

3. 정책대안의 결과예측 접근방법

접근방법	근거	기법	결과적 산출물
추세연장법	· 경향분석 · 귀납적 추론	· 전통적 시계열 분석 · 최소자승경향추정 · 지수가중법 · 자료전환, 재난법	투사 (projection)
이론적 예측	· 이론, 모형 · 연역적 추론	· 이론지도 · 경로분석 · 투입 – 산출분석 · 선형계획, 회귀분석 · 상관분석 · 시나리오분석[1]	예견 (prediction)
직관적 · 주관적 예측	주관적 판단	· 전통적 델파이 · 정책델파이, 명목집단법 · 교차영향분석 · 실현가능성 평가기법	추측 (conjecture)

[1] 시나리오분석
시나리오는 정책대안이 채택되면 결과가 어떻게 나올 것인지, 집행과정상의 문제는 없는지 등, 미래에 대한 스토리를 각본으로 작성하여 미래를 예측하는 기법이다. 일반적으로 시나리오분석이란, 조직이 처할 수 있는 유·불리한 상황을 설정하고, 각각의 상황하에서 투자안의 순현재가치와 기본적인 상황에서의 순현재가치를 비교하여 투자에 따른 위험을 추출하는 기법으로, 계량적이고 객관적인 예측기법이다. 또한 이론적 예측인 예견에 해당한다.

핵심정리 **직관적 · 주관적 미래예측기법**

1. 브레인스토밍(brain storming)
   ① 의의
      ㉠ 오스본(Osborne)에 의해 제시된 이 기법은 즉흥적이고 자유분방하게 여러 가지 기발한 아이디어를 창안하는 활동이다.
      ㉡ 아이디어를 모으는 과정에서 평가를 하지 않는 것이 중요하며, 대안들의 평가·종합을 통해 실현가능성이 없는 대안들을 제거하는 과정으로 전개된다.
   ② 특징
      ㉠ 자유로운 분위기에서 아이디어를 도출하기 때문에 아이디어에 대한 비판을 금지한다.
      ㉡ 직관적 예측인 아이디어의 양(갯수)을 중시하기 때문에 무임승차(=편승기법)를 허용한다.

2. 델파이기법
   ① 의의: 델파이기법은 원래 1948년 랜드(RAND) 연구소에서 개발되어 전문가들의 주관적 판단에 의한 미래예측을 위해서 주로 사용되어 오다가, 오늘날에는 조직의 목표설정 및 정책결정에 이르기까지 그 적용영역이 점차 확대되고 있다. 델파이는 전문가들의 의견을 종합하여 보다 합리적인 아이디어를 도출하려는 방법으로 원래 위원회, 기타 집단토의 등 회의방식의 약점*을 제거하기 위해 고안된 방법이다.
      *기존 대면식 집단토의의 문제점: 대면식 토의기법은 갈등이 심하고, 고집부리기·체면세우기·성격마찰·감정대립·지배적 성향을 가진 사람의 독주·집단사고 등에 의해 주관적 판단을 흐리게 한다.
   ② 기본적인 특징
      ㉠ 익명성: 모든 전문가들은 익명이 엄격히 보장된 실제로 분리된 개개인으로서 답변하도록 한다.
      ㉡ 반복과 환류: 제시된 의견들은 통계 처리의 과정을 거쳐 다른 모든 사람에게 제공된다. 다른 사람들의 의견을 검토하고 각자는 다시 자신의 의견을 제시한다. 이와 같은 방법으로 의견들을 회람시키는 것을 몇 차례 되풀이한다.
      ㉢ 합의: 몇 차례의 회람 후에 결국은 전문가들이 합의하는 아이디어를 만들어 내도록 유도한다.

③ 장점
　㉠ 응답은 주관적으로 예측하지만, 응답 결과는 통계적으로 처리된다.
　㉡ 응답자들의 익명성이 유지되어 외부적 영향력으로 결론이 왜곡되는 것을 방지한다.
　㉢ 집단적 상호작용을 통해 보다 많은 지식교환이 가능해진다.
　㉣ 통제된 환류 과정의 반복으로 주제에 대한 관심이 커진다.
　㉤ 미래예측에 대한 위험이 경감된다.
④ 단점
　㉠ 응답자가 불성실한 대답을 하거나 조작 가능성이 있다.
　㉡ 소수의 의견이 묵살될 가능성이 있다.
　㉢ 설문 방식에 따라 응답이 크게 좌우된다.
　㉣ 개인의 주관적, 직관적 판단에 의존하기 때문에 추상성을 극복하기 힘들다.

3. 정책델파이기법

① 의의
　㉠ 정책델파이(policy delphi)란 델파이 기본논리를 적용하여 정책문제를 해결하기 위한 것으로, 정책대안을 개발하고 정책대안의 결과를 예측하기 위한 방법이다.
　㉡ 델파이기법과 달리 정책문제 해결을 둘러싸고 발생할 수 있는 대립된 의견을 드러내고자 하는 의도에서 개발된 것이다.
② 델파이와 유사점: 반복적 조사, 통제된 환류이다.
③ 델파이와 차이점: 선택적 익명성, 식견 있는 다수의 창도, 양극화된 통계처리, 구성된 갈등, 컴퓨터 회의방식 등이다.

구분	델파이	정책델파이
개념	일반문제에 대한 예측	정책문제에 대한 예측
응답자	동일영역의 일반전문가를 응답자로 선정	정책전문가와 이해관계자 등 다양한 대상자 선정
익명성	철저한 격리성과 익명성의 보장	선택적 익명성 보장 (중간에 공개적인 상호교차 토론 보장)
응답자 상호 간의 갈등	갈등 조성을 원치 않음	의도적으로 갈등을 조성
통계 처리	의견의 대푯값 · 평균치(중위값), 분산도 중시	의견 차이나 갈등을 부각시키는 통계 처리 (극단적이거나 대립된 견해를 존중하고 이를 유도)

4. 기타의 직관적(판단적) 예측기법

① 변증법적 토론(dialectical discussion method)
　㉠ 토론집단을 대립적인 두 개의 팀으로 나누어 토론을 진행하는 과정에서 합의를 형성해내는 기법이다.
　㉡ 한 팀은 특정 대안에 대해 찬성하는 역할을, 다른 한 팀은 반대하는 역할을 맡는다.
　㉢ 각자 자기 역할에 충실한 토론을 하는 과정에서 대안의 장점과 단점을 최대한 노출시키고, 이어 의견 수렴의 과정을 거쳐 합의를 형성한다.
② 지명반론자기법(devil's advocate method): 작위적으로 특정 조직원들 또는 집단을 반론을 제기하는 집단으로 지정해 반론자 역할을 부여하고, 이들이 제기하는 반론과 이에 대한 제안자의 옹호 과정을 통해 의사결정을 유도하는 기법이다.

③ 명목집단기법(nominal group method)
  ⊙ 집단적 문제해결에 참여하는 개인들이 개별적으로 해결방안에 대해 구상을 하고, 그에 대해 제한된 집단적 토론만을 한 다음 해결방안에 대해 표결을 하는 기법이다.
  ⓒ 토론이 비조직적으로 방만하게 진행되는 것을 막고, 좋은 의견이 고루 개진되는 것을 보장하기 위한 방법이다.
④ 교차영향분석(cross-impact analysis)
  ⊙ 교차영향분석은 다른 관련된 사건의 발생을 촉진하거나 억제하는 사건을 식별하기 위해 사용되는 것으로, 연관된 다른 사건이 일어났느냐 일어나지 않았느냐에 기초하여 미래의 어떤 사건이 일어날 확률에 대하여 식견 있는 판단을 이끌어내는 직관적인 기법이다. 델파이기법과 밀접하게 관련된 기법으로, 전통적 델파이기법을 보완하기 위하여 고안된 것이다.
  ⓒ 사건상의 상호관련성을 식별하는 데 도움을 주며, 특히 구조화가 잘 안 된 문제의 복잡한 상호의존성을 밝혀내고 분석하는 데 이용될 수 있다.
  ⓒ 조건확률을 이용한다. 조건확률이란 한 사건의 발생확률이 다른 사건에 종속적이라는 것을 의미한다.
  ② 여러 가지 다른 예측 결과 간의 상호작용을 비교·분석하는 교차영향행렬(cross-impact matrix)이 사용된다.
⑤ 실현가능성분석
  ⊙ 정책관련자들의 미래행태를 추측(예측)하는 직관적 예측기법으로, 정책분석가로 하여금 여러 정책대안들의 채택이나 집행을 지지하거나 반대함에 있어서 정책관련자들이 예상되는 영향에 관하여 예측하는 것을 도와주는 것이다.
  ⓒ 정치적 갈등이 심하고 권력이나 자원배분이 동등하지 않은 조건하에서 정책대안을 합법화시키려는 시도의 예상되는 결과를 가늠하는 문제에 적합한 기법이다.
  ⓒ 특히 '정치적 실현 가능성'을 중시한다.
⑥ Q방법론: 윌리엄 스티븐슨(Stephenson)이 제시한 방법론으로, 인간의 주관성 연구를 위해 심리학은 물론 사회과학 전반에 걸쳐 사용되고 있는 접근방법이다.

4 결과예측의 한계 – 불확실성의 존재

1. 정책분석에서의 불확실성의 의의

(1) 의의
정책분석에서의 불확실성은 정책대안의 성공에 영향을 미치는 요소들에 대한 예측 불가능성으로, 우리가 알고자 하는 것에 대해 잘 모른다는 사실을 의미한다.

(2) 유발요인
결과예측과 관련해서는 문제 상황에 대한 모형의 부정확성과 변수에 대한 자료의 부족 등이 불확실성을 유발시킨다.

2. 불확실성의 대처방안
크게 적극적 방안과 소극적 방안으로 구분된다.

(1) 적극적 방안
① 의의: 불확실한 것을 확실하게 하려는 방법이다.
② 방법
  ⊙ 정보획득을 통해 불확실성을 극복한다.
  ⓒ 환경과 흥정 및 연합 등을 통해 불확실한 상황 자체를 통제한다.

(2) 소극적 방안

① **의의**: 불확실성을 감안하여 정책을 결정하는 방법이다.

② **방법**

ㄱ **보수적 방법**: 불확실한 상황에서의 최악의 상태를 전제하여 결과를 예측하고 최선의 대안을 선택하는 방법이다.

ㄴ **가외성**: 위험 발생의 사태에 대비하여 추가적인 안전장치를 확보하는 방법, 단기적인 환류를 통해 정책대안을 수정·보완하는 방법 등이 해당한다.

ㄷ **민감도분석**: 정책대안의 결과들이 모형상의 파라미터 변화에 얼마나 민감한지를 파악하는 방법이다.

ㄹ **상황의존분석**: 외생변수인 정책상황의 변화 및 발생확률에 얼마나 민감한지를 파악하는 방법이다.

ㅁ **악조건가중분석**: 최선의 정책대안에서는 최악의 상태가, 나머지 대안에서는 최선의 상태가 발생한다고 가정한 경우, 여전히 최초의 우수한 대안이 가장 우수하다면 이를 채택하는 방법이다.

ㅂ **분기점분석**: 악조건가중분석의 결과 대안의 우선순위가 달라질 경우, 대안들이 동등한 결과를 가져오기 위해서는 어떤 가정이 필요한지를 밝히는 분석이다.

ⓒ 개념PLUS 불확실성하의 의사결정 기준

1. 낙관적 기준

가장 좋은 상황이 발생한다는 가정하에서 각 대안에 대한 최선의 조건부 값을 서로 비교하여 최적대안을 선택한다.

① maximax(최대극대화) 기준(criterion): 이익의 최대치가 가장 최대인 대안을 선택한다.

② minimin(최소극소화) 기준: 비용(손실)의 최소치가 가장 최소인 대안을 선택한다.

2. 비관적 기준

가장 비관적 상황만 발생할 것이라는 가정에서 각 대안에 대한 최악의 조건부 값을 비교하여 최적대안을 선택하는 방법이다.

① maximin(최소극대화) 기준: 편익의 최소치가 가장 최대인 대안을 선택한다.

② minimax(최대극소화) 기준: 비용의 최대치가 가장 최소인 대안을 선택한다.

구분	조건부 값이 이익	조건부 값이 비용
낙관적 기준	maximax	minimin
비관적 기준	maximin	minimax

3. 후르비츠(Hurwicz) 기준

낙관적 혹은 비관적 측면을 동시에 고려한다는 가정하에서 낙관적 상황이 발생할 정도를 의미하는 낙관계수를 이용하는 방법이다.

4. 라플라스(Laplace) 기준

불확실한 상황에서 각 조건부 값(예상수익률)을 합한 값을 평균하여 구한 평균기대값을 비교하여 최선의 대안을 선택하게 된다.

5. 세비지(Savage) 기준 – minimax regret criterion(미니맥스 후회 기준)

의사결정자가 미래의 상황을 잘못 판단함으로써 가져오는 손실 혹은 비용을 최소화하는 것을 목적으로, 최대기회비용(최대후회값)이 최소인 대안을 선택한다.

5 예측결과의 비교·평가

1. 정책대안의 비교·평가 기준

정책대안들이 개발되고 나면 각각의 대안들이 가져올 예상 결과를 예측하고, 또 어떤 대안이 더 바람직한가를 비교·평가함으로써 정책대안들의 우선순위를 정해야 한다. 이러한 정책대안들을 비교하여 정책대안들 간의 우선순위를 정하는 일정한 기준을 정책대안의 평가기준이라 하며, 자주 거론되는 기준이 소망성(desirability)과 실현가능성(feasibility)이다.

2. 소망성 기준

소망성은 대안의 예측되는 결과가 얼마나 바람직스러운가 하는 정도를 의미한다.

(1) 효과성
① 정책목표 달성의 정도를 의미한다.
② 정책목표를 극대화할 수 있는 대안을 선택할 수 있는 장점이 있으나 정책비용을 무시한다는 단점이 있다.

(2) 능률성
① **의의**: 투입과 산출의 비율(산출/투입)이다. 능률성을 기준으로 정책대안을 선택하면 자원의 최적배분을 도모할 수 있다.
② **한계**: 평등성, 공평성 등을 고려할 수 없다.
③ **기준**
　㉠ **파레토(Pareto) 최적**: 어떤 정책을 집행한 결과, 아무에게도 손실을 끼치지 아니하면서 어느 한 사람이라도 더 좋은 상태로 만들 때, 이러한 변화를 경제적 능률성을 향상시키는 변화라고 부르고 이를 파레토 최적 변화라 한다.
　㉡ **칼도-힉스(Kaldo-Hicks) 기준**: 파레토 최적 기준의 약점을 보완하기 위한 것으로, 어떤 정책의 집행 결과, 효용의 증가를 가져오는 사람들의 효용의 합계가 효용의 감소를 가져오는 사람들의 손실을 보상하고도 남을 때 그러한 정책은 상황의 개선을 가져온다고 할 수 있다.

(3) 공평성
① **의의**: 공정성 또는 정의를 뜻하는 것으로, ㉠ 동일한 것을 동일하게 취급하고(수평적 공평성), ㉡ 서로 다른 경우에는 서로 다르게 취급하는 것(수직적 공평성, ⑩ 누진세율 등)으로 정의한다.
② 수직적 공평성은 롤스(Rawls)의 배분적 정의에 부합한다.
③ 효과성이나 능률성은 사회전체적인 총량의 입장에서 평가하는 객관적·경제적인 것이나, 공평성은 정책효과나 비용의 배분에 있어서 개개인을 고려하는 주관적·정치적 가치이다.
④ 공평성의 향상은 소득계층 간의 향상이나 국민통합에 기여하게 되며 정치적 안정과 체제의 정치적 능력 향상에 기여하게 되나, 주관이 개입된다는 한계를 가지고 있다.

(4) 대응성

정책대상 집단의 정책만족도와 관련시켜 평가하는 기준이다. 정책의 대상인 주민이 만족해야 하며, 정책실행자가 만족한다고 해서 좋은 정책이 될 수는 없다.

(5) 기타

이외에도 소망성 기준에는 노력, 체제유지, 합리성, 적합성, 적정성 등이 있다.

3. 실현가능성 기준

실현가능성은 정책대안이 채택되어 그 내용이 충실히 집행될 가능성을 의미한다.

(1) 기술적 실행가능성

정책이나 정책대안이 현재 이용가능한 기술로써 실현이 가능한 정도를 의미한다.

(2) 경제적 실행가능성

이용가능한 재원으로 정책대안이 실현가능한지 여부로, 특히 예산상의 제약이 문제가 된다.

(3) 행정적 실행가능성

정책집행을 위해서 필요한 집행조직·인력 등의 이용가능성을 의미한다.

(4) 법적·윤리적 실행가능성

정책의 내용이 타법률의 내용과 모순되지 않을 것과 정책의 실현이 도덕·윤리적으로 사회적 규범에 제약을 받지 않을 가능성을 의미한다.

(5) 정치적 실행(생존)가능성

정치체제에 의하여 정책대안이 채택되고 집행될 가능성, 즉 정책대안의 채택과 집행에서 정치적 지원을 받을 가능성을 의미한다.

6 최적대안의 선택

상대적으로 최대의 이익, 상대적으로 최소의 불이익을 가져올 것으로 생각되는 대안을 목표에 비추어 선택한다.

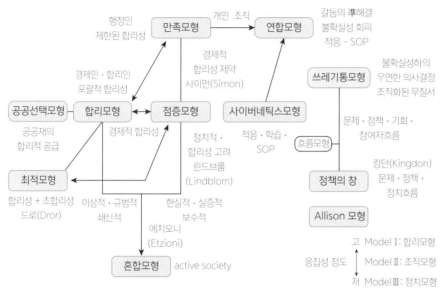

행정인
제한된 합리성

만족모형 ——개인 조직→ 연합모형

갈등의 準해결
불확실성 회피
적응 – SOP

경제인 · 합리인
포괄적 합리성

경제적
합리성 제약
사이먼(Simon)

쓰레기통모형

불확실성하의
우연한 의사결정
조직화된 무질서

공공선택모형 ← 합리모형 ↔ 점증모형   사이버네틱스모형

문제 · 정책 · 기회 ·
참여자흐름

공공재의
합리적 공급

경제적 합리성

정치적 ·
합리성 고려
린드브룸
(Lindblom)

적응 · 학습 ·
SOP

흐름모형

킹던(Kingdon)
문제 · 정책 ·
정치흐름

최적모형

합리성 + 초합리성
드로(Dror)

이상적 · 규범적
쇄신적

현실적 · 실증적
보수적

정책의 창

에치오니
(Etzioni)

혼합모형   active society

Allison 모형

고 Model Ⅰ: 합리모형

응집성 정도   Model Ⅱ: 조직모형

저 Model Ⅲ: 정치모형

▲ 정책결정 모형 간 관계

정책결정이란 설정된 목표를 달성하기 위하여 복잡하고 동태적인 과정을 거쳐 바람직한 정부의 미래대안을 작성·선택하는 방법이다. 다만 실제의 정책결정상황은 수많은 의사결정체의 집합체이므로, 이에 대한 이론모형 또한 매우 다양하게 존재하며 그 특징도 다르다.

1. 정책결정자의 지적 측면

합리적으로 의사결정을 하는지 여부에 따라 합리모형과 인지모형으로 나뉜다. 합리모형은 규범적 측면이 강하며, 인지모형은 실증적·경험적 측면이 강하다.

구분	규범적	실증적
합리적	선형계획, 비용편익분석	가격이론, 게임이론, 공공선택론
인지적	점증주의	만족모형, 점증주의, 회사모형

2. 개인적 차원과 조직적 차원의 모형

개인적 차원	합리모형, 만족모형, 점증모형, 혼합주사모형, 최적모형
조직적 차원	공공선택모형, 쓰레기통모형, 앨리슨(Allison)모형, 회사·조직모형, 사이버네틱스(cybernetics)모형

1 합리모형

1. 의의

정책결정자가 고도의 이성과 합리성에 근거하여 결정하고 행동한다고 보며, 목표달성을 위해 합리적 대안을 탐색·선택한다고 보는 이상적·규범적 접근방법이다. 또한 인간을 합리적 사고방식을 따르는 경제인으로 가정하는 것으로부터 출발한다.

2. 기본전제

(1) 목표와 가치, 수단과 사실이 엄격히 구분되며, 대안선택의 기준이 정해져 있다.

(2) 모든 대안 탐색

정책결정이 합리적으로 이루어지는 결정체제가 존재하고, 인적·물적 자원이 풍부하다.

(3) 미래예측

의사결정자는 대안결과를 정확히 알 수 있는 예측능력과 비용·편익을 계산할 수 있는 능력(전지전능한 존재)을 가지고 최선의 대안을 선택한다.

3. 내용

의사결정자는 **(1)** 문제를 분명히 인식하고 → **(2)** 명확한 목표를 세워 → **(3)** 문제해결을 위한 모든 대안들을 체계적·포괄적으로 탐색하고 → **(4)** 각 대안들의 결과를 가능한 모든 정보를 동원하여 분석·예측한 후 → **(5)** 각 대안들의 결과를 B/C분석 등을 통해 체계적으로 비교·평가하여 → **(6)** 그 중에서 최적의 대안을 선택한다.

4. 주요 특징

(1) 목표·수단분석 모형

목표와 수단의 연쇄관계(goals-means chain)를 인정하지 않으며, 가치·목표와 사실·수단을 엄격히 구분하여 분석하는 '목표·수단분석(goals-means analysis)'을 실시한다. 목표·가치는 주어진 것으로서 고정되어 있다고 가정하며, 목표를 먼저 확인(검토)하고 수단을 분석(검토)한다.

(2) 계획적(의도적)·단발적 의사결정

치밀한 계획하에 분석하여 최선의 대안이 선택되면 대안에 대한 계속적 분석을 전개할 필요가 없다고 본다.

(3) 절대적 합리성·경제적 합리성의 추구

정해진 목표나 가치를 가장 완전하게 달성할 수 있는 대안을 절대적 합리성·경제적 합리성에 근거하여 추구한다.

(4) 전체적 최적화

합리모형에서는 부분적 최적화가 아닌 전체적 최적화를 추구한다. 즉, 포괄적·총체적인 문제의 인지와 목적의 설정을 중시하고, 대안 또한 총체적·체계적으로 검토한다.

(5) 기타 수리적·연역적·미시경제학적·순수 이론적 지식에 많이 의존하고 있다.

5. 평가

(1) 공헌

① 보다 나은 정책결정에 기여하고, 합리성에 대한 저해요인을 밝혀줌으로써 정책 분석에 매우 유용하며 개발도상국에 적용 가능성이 높다.

② 최적모형은 기본적으로 합리모형에 가깝고, 공공선택모형과 앨리슨(Allison)모형의 모델 I 도 합리모형이 근간이다.

(2) 한계

전제와 내용이 지나치게 이상적 · 규범적이어서 현실의 정책결정상황을 설명하기에 비현실적이다.

① 현실의 의사결정자는 인지능력 · 미래예측능력 · 문제해결능력 등에 한계를 가진다.

② 공평성 등 다른 기준과 갈등이 유발될 경우 그 완화 방안을 제시하지 못한다.

③ 정책목표의 유동성을 고려하지 못한다.

④ 현실의 이용가능한 정보는 대부분 불완전함을 간과하고 있다.

⑤ 분석과정의 비용과 시간의 문제가 있다.

⑥ 계량화할 수 없는 질적 요인의 분석이 곤란한 측면이 있다.

2 만족모형

1. 의의

(1) 만족모형은 사이먼(Simon)과 마치(March)에 의해 사회 · 심리학적으로 접근된 이론이다.

(2) 인간의 인지능력 · 시간 · 비용 · 정보의 부족 등으로 합리모형이 가정하는 포괄적 합리성이 제약을 받아, 최선의 대안보다는 현실적으로 만족할 만한 대안을 선택하게 된다는 이른바 '제한된 합리성'을 가정한다.

2. 주요 내용 및 특징

(1) 제한된 합리성

완전무결한 합리성이 아닌 '제한된 합리성(bounded rationality)'을 바탕으로 한다.

(2) 행정인의 가정

경제인이 아닌 인지능력상의 한계를 지닌 '행정인'의 가정에 기초하고 있다.

(3) 만족화의 기준

습득 가능한 몇 개의 대안을 순차적 관심에 의하여 단계적 · 우선적으로 검토하여 현실적으로 만족하다고 생각하는 선에서 대안을 선택한다고 본다.

(4) 접근방법의 성격

현실적 · 실증적 · 귀납적 접근방법이라고 할 수 있다.

3. 합리모형과 만족모형의 비교

내용	합리모형	만족모형
목표 설정	극대화	만족 수준
대안 탐색	모든 대안	몇 개의 대안
결과 예측	복잡한 상황 고려	상황의 단순화
대안 선택	최적 대안	만족할 만한 대안

4. 평가

(1) 공헌

실제 의사결정에 대한 비교적 정확한 설명을 하고 있으며, 의사결정에 있어서 비용의 중요성을 지적하고 있다.

(2) 한계

① 만족할 만한 수준에서 대안 탐색을 중단하기 때문에 중요한 대안이 무시될 수 있고 현상유지적·보수적이며, 쇄신적·창조적 대안이나 최선의 대안 발굴을 포기해 버리기 쉽다.

② 만족화의 기준이 지나치게 주관적이다.

3 점증모형

1. 의의

(1) 린드브롬(Lindblom)과 윌다브스키(Wildavsky)가 주로 제창한 정책결정의 현실적·실증적 모형이다.

(2) 이 모형은 인간의 지적 능력의 한계와 정책결정 수단의 기술적 제약을 인정하고, 정책결정 과정에 있어서의 대안의 선택이 종래의 정책이나 결정의 점진적·순차적 수정 내지 약간의 향상으로 이루어지며, 정책수립과정을 '그럭저럭 헤쳐나가는 (muddling through)' 과정으로 이해한다.

(3) 점증모형은 정치적 다원주의의 입장을 취하여 경제적 합리성보다 정치적 합리성을 중요시한다.

(4) 윌다브스키(Wildavsky)는 점증모형을 예산과정의 분석에 적용하면서 규범주의적 합리모형이 비합리적·자의적 요인으로서 배격한 정치적 요인을 적극적으로 평가하였다.

2. 점증주의 결정의 선호 이유와 적용 조건

(1) 선호 이유

① 시간, 비용, 노력이 절약된다.

② 정책체제와 정책담당자의 보수성 때문이다.

③ 선례를 존중하거나 강요당하는 경우 선호된다(정치적 실현가능성).

④ 대안창출 능력이 부족하기 때문이다.

⑤ 위험 부담을 줄이기 위한 방편으로 이용될 수 있다.

⑥ 매몰비용의 문제가 있다.

⑦ 한번 태어난 정책은 스스로 생명력을 갖는 경향이 있다.

(2) 적용 조건

① 사회집단 간에 상호조절이 원활하게 이루어진다.

② 다원적 정치·사회구조가 유지될 수 있다.

③ 행정체제에 대한 투입기능이 활발하다.

④ 정부관료제가 국가발전을 주도할 필요성이 절실하지 않아야 한다.

3. 주요 내용 및 특징

(1) 기존의 정책±α식 결정

현재 시행 중 또는 시행한 적이 있는 과거의 정책에 약간의 가감을 하여 정책을 결정한다. 즉, 정책결정자는 모든 대안을 포괄적으로 분석·평가하기보다 현존 정책에 비하여 약간 향상된 정책에만 관심을 가지며, 비교적 한정된 수의 정책대안만 검토하고 각 대안에 대하여 한정된 수의 중요한 결과만 평가한다.

(2) 분석의 대폭적 제한

점증주의에서는 정책대안을 모두 분석하지 않으며, 일부만을 제한적으로 분석·비교하게 된다.

(3) 계속적 정책결정

상황 변화를 고려해서 여러 차례 결정을 수행해 나간다.

(4) 참여집단의 합의 중시

기존의 큰 틀이 유지되는 상황에서 매우 좁은 범위의 구체적인 내용들에 대해서만 논란을 벌이는 경우가 많다. 점증적 정책결정은 수정적 성격을 띠고 있으며, 장래의 사회목표 추구보다 현재의 구체적인 사회 결함을 경감시키는 데 목적을 둔다.

(5) 부분적·분산적 정책결정

정책대안의 분석·평가가 사회적으로 분산된다는 것으로, 정책결정 자체가 부분적·분산적으로 이루어짐을 의미한다.

(6) 전략적 선택 – 린드브롬(Lindblom)의 점증주의 수정

린드브롬(Lindblom)은 점증주의 분석을 기존의 단순한 점증주의(현 상태로부터 약간만 다른 정책대안을 분석), 분할적 점증주의 외에 전략적 분석(strategic analysis)을 추가하였다. 전략적 분석은 복잡한 문제를 단순화하기 위해 신중히 선택된 대안만을 분석한다는 의미이다.

(7) 정치적 합리성 추구

경제적 합리성보다는 이해관계의 원만한 타협과 조정을 통한 정치적 합리성을 중시한다.

(8) 그럭저럭 헤쳐나가는(muddling through) 과정

정책과정을 비합리적인 '그럭저럭 헤쳐 나가는' 진흙탕 싸움으로 간주한다.

4. 평가

(1) 공헌

① 기술적·경험적 측면

　㉠ 정책결정의 실상을 정확하게 기술하여 많은 사람들에게 정책결정의 특징을 이해하는 데 도움을 주었다.

　㉡ 합리적 정책결정의 논리에 대한 문제점을 지적하였다.

② 처방적·규범적 측면

　㉠ 정책결정 시에는 비용이 소요된다는 점을 명백히 하였다.

　㉡ 상황이 복잡한 상황에는 소폭적인 변화에 의한 정책결정을 통해 불확실성을 극복할 수 있다는 논리를 제공하고 있다.

　㉢ 정치적 실현가능성을 중시함으로써 정치적 갈등을 줄인다.

　㉣ 점진적인 변화를 통한 정책의 계속성·지속성·안정성을 도모할 수 있다.

(2) 한계

① 기존 정책이 잘못된 것이면 악순환을 초래한다. 계획성이 결여되고 정책결정의 평가 기준이 없다.

② 사회가치의 근본적인 재배분을 필요로 하는 정책보다 항상 정치적으로 실현가능한 임기응변적 정책을 모색하는 데 집중하게 된다. 따라서 단기정책에만 관심을 갖게 되고 장기정책은 등한시하게 된다.

③ 민주적 다원주의가 확립되어 있을 때 바람직하다. 권력·영향력이 강한 집단이나 강자에게 유리하고, 약자에게 불리하다.

④ 보수적 성격으로 쇄신이 강력히 요구되거나 과감한 정책 전환이 요구되고, 경제·사회발전이 시급한 발전도상국에는 적절하지 않다.

⑤ 환경 변화에 대한 적응력이 약하고, '눈덩이 굴리기식'으로 결정이 오래 지속되다 보면 그 정책의 축소·종결 작업이 매우 곤란해진다.

5. 점증모형과 합리모형의 비교

구분	점증모형	합리모형
대안의 범위	수는 한정, 현상과의 괴리 적음	수는 무한정, 현상과의 괴리 큼
목표와 수단의 상호작용	목표는 수단에 합치되도록 수정 (뚜렷한 목표의식 없이 최선의 대안을 선택하는 경우의 기준은 정책에 대한 동의)	수단은 목표에 합치되도록 선택 (목표의 명확한 정의)
분석·평가 과정	계속적	단발적
정책의 평가 기준	바람직하지 않은 상황 수정 (정치적 합리성)	목표의 달성도(경제적 합리성)
분석·평가 주체	· 다양한 이해관계 집단 · 비분석적·비통일적	· 의사결정자 · 분석적·통일적·포괄적
변화·쇄신 추구 여부	변화·쇄신 추구 곤란	변화·쇄신 추구 가능
분석의 범위	부분적·분산적 의사결정	부분적·분산적 의사결정 통일 (포괄적 분석)

4 혼합주사(탐사)모형

1. 의의

(1) 에치오니(Etzioni)가 제시한 것으로, 합리모형의 비현실성과 점증모형의 보수성을 탈피하여 양자의 장점을 합치자는 이론이다.

(2) 그는 합리모형이 전체주의 사회체제, 점증모형은 민주주의 사회체제에 각각 적합하며, 혼합모형의 경우 능동적 사회에 적용되어야 할 전략이라고 주장하였다.

2. 내용

(1) 근본적(맥락적) 결정 – 합리모형

목표달성을 위한 대안을 거시적·포괄적으로 탐색하나(합리모형), 대안의 결과는 중요한 것만 개괄적으로 예측한다(합리모형의 완화).

(2) 세부적 결정 – 점증모형

기본적 결정의 범위 안에서 점증적으로 결정하는데(점증모형), 기본적 결정의 구체화 또는 집행이라고 할 수 있다.

(3) 혼합탐사모형의 종합적 내용

결정의 유형	예시	대안의 고려	대안의 결과 예측
근본적 결정	넓게 개괄적으로 볼 수 있는 렌즈	·중요한 대안을 포괄적으로 모두 고려(포괄적 합리모형) ·범사회적 지도체계라 부름	·중요한 결과만 개괄적 예측 ·미세한 과목은 무시(합리모형의 지나친 엄밀성을 극복)
세부적 결정	좁고 정밀하게 보는 렌즈	근본적 결정의 테두리 내에서 소수의 대안만 고려	여러 가지 결과 예측의 세밀한 분석

3. 평가

(1) 이론적 독자성이 없고 합리모형과 점증모형의 단순한 결합으로, 그 결함을 극복하지 못하고 있다.

(2) 근본적 결정과 세부적 결정의 구별 기준을 제시하지 못하고 있다.

5 최적모형(optimal model)

1. 의의

(1) 드로(Dror)❶가 제창한 모형으로, 경제적 합리성과 아울러 직관·판단력·창의력과 같은 초합리적 요인을 고려하는 정책결정모형이다.

(2) 제한된 자원·불확실한 상황·지식 및 정보의 결여 등으로 합리성 및 경제성이 제약을 받게 되므로, 합리적 요소 이외에 결정자의 직관·판단·영감·육감 등과 같은 초합리적 요인도 고려해야 한다는 것이다.

❶ 드로(Dror) 패러다임의 특징
1. 묵시적 지식을 강조한다.
2. 거시적 수준에 초점을 둔다.

2. 정책결정의 단계(stage)

드로(Dror)는 정책결정의 단계를 크게 4단계로 구분하고 있다.

(1) 초정책결정 단계(meta-policy making stage)

고도의 초합리성이 작용하는 단계로, '정책결정에 대한 결정'이 이루어지는 단계이다. 즉, 정책결정을 어떻게 해야 할 것인가에 관한 결정으로, 정책문제의 파악·상위 목표와 우선순위의 설정·자원의 동원가능성을 확인하고, 바람직한 정책결정체제의 설계와 문제·자원·가치를 각 기관에 배분하고 전략을 결정한다.

(2) 정책결정 단계(policy making stage)

본래 의미의 정책결정이 이루어지는 단계로, 합리모형의 합리적 분석방법과 유사하며 과학적 합리성이 결정 기준으로 작용한다.

(3) 정책결정 이후 단계(post-policy making stage)

작성된 정책을 실제에 적용하고자 정책을 집행하고, 그 결과를 평가한다.

(4) 의사전달과 환류 단계(communication & feedback stage)

의사전달과 환류의 과정을 통하여 정책결정의 국면을 상호연계하고 개선해 나가는 단계이다.

3. 주요 내용 및 특징

(1) 초합리성의 강조

불확실한 상황하에서 선례가 없는 복잡한 문제에 대해서는 직관·판단력·통찰력과 같은 초합리성이 중요하다는 것을 강조한다.

(2) 초정책결정(meta-policy-making)의 중시

정책을 어떻게 결정할 것인가에 관한 결정, 즉 정책결정 체계를 설계하고 정책결정 전략을 결정하는 것의 중요성을 강조한다. 정책결정 지식·방법·체계에 대한 가장 중요한 정책결정으로 결정에 대한 규칙을 내포하며, 고도의 초합리성이 작용한다.

(3) 양적인 동시에 질적인 모형

정책은 경제적 합리성과 정치적 합리성의 양자택일의 문제가 아니라고 보고, 합리적 요인과 초합리적 요인을 동시에 다루므로 양적인 동시에 질적인 모형(이종수 외)이라고 할 수 있다. 단, 전체적으로 보면 질적 모형에 더 가깝다(박성복 외)다.

(4) 경제성을 감안한 합리성

대안의 선택에 있어서 기본적으로 합리성을 증가시키기 위한 노력을 강조하지만, 제한된 인적·물적 자원의 범위 내에서 가장 합리적인 최적안을 선택하는 것이 중요하다고 본다. 순수합리모형을 따르기에는 제약요인이 많으므로 합리성을 추구하되, 경제적인 합리성을 추구하자는 것이다.

(5) 확장된 환류과정

집행과정이나 그 이후의 정보교류와 환류를 전개하여 환류 차원의 결정을 통해서 정책결정자의 결정 능력을 최적수준까지 향상시켜야 한다고 강조하고 있다.

(6) 점증모형의 개선

점증모형은 개선될 수 있고 반드시 개선되어야 한다고 주장한다. 드로(Dror)는 종래의 의사결정은 위의 모든 요인들을 고려하지 못하였기 때문에 정책이 최적의 수준까지 도달하지 못하게 된다고 비판하였다.

4. 평가

(1) 공헌

직관이나 통찰력과 같은 초합리적 요소가 중요하고, 초정책결정(meta-policy making)과 후정책결정(post-policy making) 단계 모두 중요하며, 특히 초정책결정 단계의 중요성을 부각시켰다.

(2) 한계

① 혁신적 정책결정의 이론적 근거를 제시하여 거대한 정책 패러다임을 형성하였으나, 반무의식적 요소를 강조하여 신비주의에 빠질 가능성이 있다.

② 최적의 의미가 불투명하고 정책이 실제 결정되는 사회적 과정에 대한 고찰이 부족하다.

6 회사모형

1. 의의

(1) 사이어트(Cyert)와 마치(March)가 개인적 차원의 만족모형을 발전시켜 조직의 의사결정에 적용한 집단적 의사결정모형으로, 실증적 모형이다.

(2) 집단적 의사결정론은 앨리슨(Allison)모형 중 모델Ⅱ의 핵심적인 내용이기도 하다.

2. 내용

회사조직의 목표, 기대, 선택이라는 세 가지 변수는 갈등의 준해결, 문제 중심의 탐색, 불확실성의 회피, 조직의 학습, 그리고 표준운영절차(SOP)라는 연결요소와 결합되어 회사조직의 독특한 의사결정 양식을 보여준다.

(1) 갈등의 준해결(quasi-solution)

회사모형에서는 독립된 제약조건으로서의 목표, 국지적 합리성, 받아들일 만한 수준의 의사결정, 목표에 관한 순차적 관심 때문에 갈등의 완전한 해결은 불가능하여 준해결에 머무른다.

(2) 문제 중심의 탐색

문제에 의해 촉발되는 탐색, 단순한 탐색, 탐색상의 편견에 의해 조직은 문제가 발생한 후에 탐색이 시작되어 문제의 해결방법을 찾는 방향으로 향하게 된다.

(3) 불확실성의 회피❶

단기적 환류에 의존하는 의사결정절차를 이용하고, 환경과의 타협에 의해 문제 상황의 불확실성을 회피한다.

❶ 불확실성의 회피 방법

1. 단기적 환류에 의한 단기적 반응: 장기적 예측과 전략은 부정확하기 때문이다.
2. 환경과의 타협: 거래 관행 형성, 장기계약, 카르텔 등 능동적으로 불확실성을 통제한다.

(4) 조직의 학습

조직은 과거의 경험에 의하여 목표를 설정하고 문제해결의 방법을 탐색한다.

(5) 표준운영절차(SOP: Standard Operation Procedure)

과업수행규칙, 기록과 보고, 정보처리 규칙, 계획과 기획에 관한 규칙을 활용한다.

3. 평가❶❷

(1) 공헌

① 현실적인 상황에서의 조직의 의사결정모습을 잘 서술하고 있다.

② 조직 내 하위 조직들 간의 상이한 목표로 인한 갈등에 대해 협상을 통한 해결가능성을 제시하였다.

③ 하위조직 간의 갈등의 준해결을 강조하고 있다.

④ 표준운영절차(SOP)를 강조하고 있다.

⑤ 단기적 환류에 의한 의사결정방법을 제시하고 있다.

(2) 한계

① 표준운영절차(SOP)에 의거한 의사결정은 안정된 상황을 전제하고 있으므로 보수적이다.

② 민주적·분권적 조직관에 근거하고 있으므로 권위주의적 조직에 적용하기에는 한계를 지닌다.

7 앨리슨(Allison)모형

1. 의의

(1) 앨리슨(Allison)의 3가지 모형은 집단적 의사결정을 성질별로 분류하여 국가적 정책결정에 적용한 대표적인 이론이다.

(2) 그는 쿠바 미사일 사건과 관련된 외교정책과정의 분석을 통하여 미국이 왜 해상봉쇄라는 대안을 채택했는지를 설명하면서, 현실의 정책과정을 설명하기 위해 종합적 접근을 시도하였다.

2. 내용

(1) 합리모형(모형Ⅰ)

① 한 나라의 정부를 단일적·합리적인 행동주체로 파악하여 정부의 의사결정을 분석하려는 모형이다.

② 엄밀한 통계적 분석에 치중하는 결정방식으로, 응집성이 강하다.

③ 합리모형은 국가의 존립과 관련된 외교정책이나 국방정책의 경우에 설명력이 있다.

(2) 조직과정모형(모형Ⅱ)

① 정부의 행동을 목표에 부합되는 합리적 선택보다는 정부를 구성하는 다양한 조직의 표준운영절차에 따르는 정형적 행동의 표출로 본다.

---

❶ 반대에 의한 결정[앤더슨(Anderson)]
쿠바 미사일 위기사건을 연구한 또 다른 결정모형으로, 아무리 최적의 대안 또는 만족할 만한 대안이라도 성공할 확률이 적으면 선택하지 않는다. 따라서 문제해결의 가장 중요한 판단기준은 문제를 해결해줄 수 있는 대안인가가 아니라, 비경쟁적인 대안 간의 찬반 결정을 순차적으로 전개함으로써 문제를 악화시킬 확률이 적은 대안을 선택한다는 것이다.

❷ 집단사고
1. 의의: 개인들이 집단 응집성과 합의에 대한 압력으로 비판적인 사고가 억제되어, 각자의 의견을 발현하지 못하고 획일적인 방향으로 의사결정하는 현상(만장일치에 대한 도덕적 환상, 집단동조의식 등)을 말한다.
2. 예방전략
· 리더는 구성원들에게 모든 제안에 대한 반론과 의문을 제기하도록 권장한다.
· 리더가 자신의 선호를 표명하는 것을 삼가거나 표방한다면 최후에 말해야 한다.
· 외부전문가를 초빙하여 집단토론에서 나오는 구성원의 견해에 대한 반론을 제기하도록 고무시킨다.
· 집단을 여러 개의 하위조직으로 나누어 각각 토론하도록 한 다음 다시 모여서 차이를 조정한다.
· 회의 때마다 적어도 한 사람은 다른 구성원들의 아이디어를 비판만 하는 역할을 한다.
· 일정한 시간 간격을 두고 회의를 반복해서 실시한다.

② 조직과정모형에서 정부는 느슨하게 연결된 준독립적인 하위조직의 집합체로 간주된다.

③ 서로 다른 목표들의 갈등으로 인해 협상과 타협을 통해 문제를 준해결하게 된다.

(3) 관료정치모형(bureaucratic politics model, 모형 Ⅲ)

① 정부의 의사결정이 참여자 간의 타협·흥정으로 이루어지는 정치활동으로 보고, 참여자의 서로 다른 인지구조·문제에 대한 상이한 인식과 해석·옹호할 목표 내지 대안의 차이 존재를 전제하며, 각자의 고유한 신념체계와 자기 소속 부처의 이익이 의사결정에 작용한다고 본다. 즉, 정책결정 주체는 다원화된 참여자들 개인이다.

② 집단구성원의 응집성이 매우 낮고 재량권이 많은 조직상위계층에 적용될 수 있으나, 정부 내의 정치를 관료에 국한시킬 수는 없다고 보아야 하며 행정수반의 역할을 과소평가하고 있다.

③ 정책은 무계획적으로 이루어진다는 코헨(Cohen), 마치(March), 올슨(Olsen) 등의 쓰레기통모형과 유사하다.

(4) 앨리슨(Allison)모형의 비교

구분	합리모형	조직과정모형	관료정치모형
조직관	조정과 통제가 잘 된 유기체	느슨하게 연결된 하위조직들의 연합체	독립적인 개인적 행위자들의 집합체
권력의 소재	조직의 두뇌와 같은 최고지도자가 보유	반독립적인 하위조직들이 분산 소유	개인적 행위자들의 정치적 자원에 의존
행위자의 목표	조직 전체의 목표	조직 전체의 목표 + 하위 조직들의 목표	조직 전체의 목표 + 하위 조직들의 목표 + 개별 행위자들의 목표
목표의 공유도	매우 강함	약함	매우 약함
정책결정 양태	최고지도자가 조직의 두뇌와 같이 명령하고 지시	표준운영절차(SOP)❶에 대한 프로그램 목록에서 대안 추출	정치적 게임의 규칙에 따라 타협, 흥정, 지배 (정치적 표결이 아님에 주의)
정책결정 일관성	매우 강함 (항상 일관성 유지)	약함 (자주 바뀜)	매우 약함 (거의 일치하지 않음)
적용 계층	일정 조건하에 있는 모든 계층	하위 계층	상위 계층

3. 평가

(1) 공헌

① 실제 정책결정에 대한 종합적 시각(세 가지 모형 모두 적용)을 제시한다.

② 국제정치나 위기 시의 정책뿐만 아니라, 국내 정책의 경우에도 적용이 가능하다.

③ 계층별 적용가능성을 제시하고 있다(합리모형 – 조직의 전 계층, 조직과정모형 – 하위 계층, 관료정치모형 – 조직 상층부에 적용).

❶ 표준운영절차(SOP: Standard Operation Procedure)
조직이 과거 적응 과정에서의 경험에 기초하여 유형화된 업무추진의 절차로, 조직 내 많은 관련 활동들을 조정·통제하는 수단이다.

핵심 OX

01 조직과정모형은 조직의 상위계층에 적용된다. (O, X)

02 관료정치모형은 표준운영절차(SOP)에 의해 프로그램 목록에서 대안을 추출한다. (O, X)

01 X 조직과정모형은 하위계층에 적용된다.
02 X 조직과정모형이 표준운영절차(SOP)에서 대안을 추출한다.

(2) 한계

① 정책유형에 따른 적용가능성에 대한 체계적 분석이 결여되어 있다.

② 정책결정권이 대통령이나 최고관리층에게 집중되어 있는 권위주의 정부에는 적용상에 한계가 있다.

8 쓰레기통모형

1. 의의

(1) 조직화된 무질서 상태에서 응집성이 매우 약한 조직이 어떤 의사결정행태를 나타내는가에 분석초점을 둔 코헨(Cohen), 마치(March), 올슨(Olsen) 등이 제시한 모형으로, 대학을 그 예로 들고 있다.

(2) 실제 정책결정은 일정한 규칙에 따르지 않고 쓰레기통 속처럼 복잡하고 혼란하게 얽혀 있는 조직화된 혼란 상태에서 이루어진다고 본다.

2. 조직화된 무질서 상태의 특징

(1) 문제성 있는 선호

어떤 선택이 바람직한가에 대한 합의가 없고, 참여자 자신이 무엇을 좋아하는지 모르면서 의사결정에 참여한다.

(2) 불명확한 기술

대안과 결과 간의 인과관계에 관한 지식과 기술이 불분명하다. 또한, 목표를 달성하기 위한 수단을 알지 못한다.

(3) 유동적 참여자의 속성

문제에 따라 참여자가 다르고, 참여도 간헐적 · 일시적이다.

3. 의사결정의 4가지 요소

의사결정이 이루어지려면 네 가지의 요소, 즉 **(1)** 문제(problem), **(2)** 해결책(solution), **(3)** 참여자(participant), **(4)** 의사결정의 기회(chance)가 구비되어야 하는데, 이 네 가지 요소들이 아무 관계없이 독자적으로 움직이다가 어떤 계기로 우연히 만나게 될 때 의사결정이 이루어진다고 본다.

(1) 결정해야 할 문제

정부가 정책을 통해 해결해야 할 중요한 사회문제나 정책문제가 있다.

(2) 문제의 해결책

정책문제를 구체적으로 해결하기 위한 해결책으로서의 정책대안이 있다.

(3) 참여자

의사결정을 할 수 있는 지위에 있거나 이해관계에 따라 참여하려는 자가 있다.

(4) 의사결정의 기회(선택기회)

구체적인 의사결정이 이루어지는 순간이나 상황을 의미한다.

4. 의사결정의 방식

조직화된 무정부 상태에서 의사결정이 이루어지기 위해서는 네 가지 요소가 합쳐지기 위한 점화장치(triggering device), 즉 ① 문제를 부각시키는 극적 사건과 ② 정권의 변동 등과 같은 정치적 사건이 요구된다. 조직의 여유분이 없는 경우, 다음과 같은 의사결정 방식이 이루어진다.

(1) 진빼기 결정(choice by flight)

해결해야 할 문제와 이와 관련된 문제들이 함께 있을 때, 관련된 문제들이 스스로 다른 의사결정 기회를 찾아 떠날 때까지 기다린 후에 결정을 하는 방법이다.

(2) 날치기 통과(choice by oversight)

관련되어 있는 다른 문제가 제기되기 전에 재빨리 정책결정을 해 버리는 방식이다.

5. 평가

(1) 공헌

① 상하관계가 분명하지 않은 대학이나 다당제로 이루어진 의회 또는 여러 부처가 관련되는 정책의 결정 등에 적용이 용이하다.

② 쓰레기통모형은 조직화된 무정부 상태의 체계적 분석과 결정 이론의 일반화에 기여하였다.

(2) 한계

① 극히 동태적인 정책결정상황을 전제로 하고 있으나, 조직화된 무정부 상태가 모든 조직에서 나타나는 것은 아니다.

② 공공기관에서 흔히 볼 수 있는 것은 아니기 때문에 공공기관에서 흔히 볼 수 있는 정형화된 의사결정과정을 설명하는 데는 한계가 있다.

9 정책의 창모형(흐름창모형)

1. 의의

(1) 킹던(Kingdon)의 정책창(policy wondow)모형(1984)에서 '정책창'은 '정책주창자들이 그들의 관심대상인 정책문제에 주의를 집중시키고, 그들이 선호하는 대안을 관철시키기 위해서 열려지는 기회'로 정의된다.

(2) 쓰레기통모형이 진화된 모형이다.

2. 흐름(줄기)의 세 가지 요소

(1) 문제의 흐름

문제의 특징이다.

(2) 정책의 흐름

특정 대안이 긴 연성화 과정을 거치면서 관심의 대상으로 부각되는 과정이다.

핵심 OX

01 쓰레기통모형은 선호가 존재하지 않는 조직화된 무질서 상태의 의사결정 모형이다. (O, X)

01 X 선호가 존재하지 않는 것은 무질서이다.

(3) 정치적 흐름

국가적 분위기나 선거 등으로 인한 정치적 영향력의 변화(⑩ 정권교체, 의석수 변경, 국민여론의 변동 등) 속에서 이루어지는 협상 과정으로, 정책창은 이 정치 줄기의 변화에 의해 열리는 경우가 가장 많다.

3. 특징

(1) 정책창이 열려져 있다는 것은 정책의제설정에서부터 최고 의사결정까지의 과정에 필요한 여러 가지 여건들이 성숙되어 있다는 것을 의미한다.

(2) 정책창은 우연한 사건에 의해서 열려지기도 하지만, 일반적으로 정책과정의 세 줄기(문제·정책·정치) 중에서 정치의 변화(정권교체 등)에 의하여 열리는 경우가 가장 많다.

(3) 정책창은 의사결정에 필요한 요소가 흘러 다니다가 우연히 만나 열리는 것이므로, 창이 열려있는 기간이 짧다.

10 사이버네틱스모형

1. 의의

(1) 기계와 같이 인간이 중요 변수의 일정 범위 내 유지라는 목표달성을 위해 자신의 행동을 정보와 환류를 통해 조정해 나가면서 행하는 의사결정을 말한다.

(2) 이 모형은 합리모형과 가장 극단적으로 대립되는 의사결정모형이다.

2. 사이버네틱스적인 의사결정의 내용

(1) 적응적 의사결정(습관적 의사결정)

고차원의 목표가 반드시 사전에 존재한다고 전제하지 않으며, 일정한 중요변수의 유지를 위한 끊임없는 적응에 초점을 둔다.
⑩ 자동온도조절장치 등

(2) 불확실성의 통제

환류 채널을 통해 들어오는 몇 가지 정보에 따라 시행착오적인 적응을 하는 것으로, 그것이 사전에 설정된 범위를 벗어났는가 아닌가의 여부만을 판단하여 그에 상응하는 행동을 반응 목록에서 찾아낸 후, 해당 정보에 대응하는 조치를 프로그램대로 취하게 된다.

(3) 집단적 의사결정

조직의 결과가 어떤 '허용할 만한 수준'의 범위 내에 있는 한 그 조직은 계속 프로그램화된 활동을 일상적으로 수행하지만, 이 범위를 벗어나면 기존의 정책목록에 없는 새로운 대안을 찾게 되는 의사결정을 한다.

(4) 사이버네틱스 패러다임에서의 도구적 학습

의사결정자가 어떤 문제에 대응하여 취하는 대안 중에서 어느 한 가지를 채택하여 좋은 효과를 보면 계속해서 그 대안을 채택하며, 나쁜 효과를 보면 다른 대안을 채택하여 어떤 것이 보다 나은 해결도구가 되는가를 습득해 나가는 도구적 학습이다.

3. 합리모형과 사이버네틱스모형의 비교

구분	합리모형(분석적 모형)	사이버네틱스모형
성격	완전한 합리성	제한된 합리성
결정	분석적 결정	적응적, 습관적 결정
학습	인과적 학습	도구적 학습(시행착오적 학습)
해답	최선의 답 추구	그럴 듯한 답 추구
인간관	전지전능인	인지능력의 한계 인정
대안 분석	동시적 분석	순차적 분석

11 딜레마이론[1]

1. 의의

정책딜레마모형은 양립 불가능한 두 대안 간의 선택상황에서 한 대안의 선택으로 인해 다른 대안이 가져올 기회손실이 크기 때문에 제약된 시간 내에 어느 하나도 선택이 곤란한 상황을 의미한다.

2. 딜레마의 발생 조건

딜레마이론은 딜레마의 논리적 구성 요건으로서 분절성(discreteness), 상충성(trade-off), 균등성(equality), 선택불가피성(unavoidability)을 제시하고, 이 요건들이 모두 충족되어야 딜레마가 초래된다고 한다.

분절성	대안 간 절충이 불가능하다는 것
상충성	대안의 상충으로 인해 하나의 대안만 선택해야 한다는 것
균등성	대안이 가져올 결과의 가치가 균등해야 한다는 것
선택의 불가피성	최소한 하나의 대안을 반드시 선택해야 한다는 것

3. 딜레마의 유형

(1) 일치된 딜레마

주어진 딜레마를 주관적으로도 딜레마로 설정하는 것이다.

(2) 무시된 딜레마

주어진 딜레마를 주관적으로 딜레마로 파악하지 않는 것이다.

(3) 의사 딜레마

딜레마가 아닌 상황을 딜레마로 파악하는 것이다.

[1] 위기 시 의사결정의 특징(노화준)
1. **집권화**: 위기상황에서 의사결정은 집권화의 경향을 띠게 된다.
2. **비공식적 결정**: 공식적인 규칙이나 절차는 비공식적인 과정과 즉시적인 결정으로 대치된다.
3. **관료정치**: 위기상황하에서는 관료적 정치가 성행하게 된다.
4. **의사소통의 증가**: 상향적 및 하향적 커뮤니케이션의 양이 증가하고, 그 속도도 빨라지게 된다.
5. **정보의 소스에 의존**: 의사결정자는 정보의 내용보다 정보의 소스에 더 높은 우선순위를 두게 되며, 자연히 믿을 만하고 평소에 좋아하던 소스에 의존하는 경향을 띠게 된다.
6. **정보의 통제 문제**: 의사결정자는 유입되는 데이터와 요구되는 정보의 과잉과 과소의 양자를 모두 극복할 필요가 있으며, 정보처리에 있어서 정보의 흐름을 통제하여야 하는 중대한 문제에 직면하게 된다.
7. **상황의 재정의 곤란**: 빠른 의사결정을 내려야 하는 위기상황하에서의 의사결정자들은 집단사고(group thinking)에 빠질 우려가 높다. 집단사고란 응집력이 강한 집단이 '집단적 바보짓'을 저지르는 경향을 말한다.

4. 의사결정자의 대응방안

(1) 두 개의 대안 중 한 개의 대안을 선택하는 방법

(2) 제한된 시간이 지날 때까지 선택을 최대한 보류하거나 지연하는 방법

(3) 선택 상황이 주는 압력을 버티지 못하고 결정권을 포기하는 방법, 즉 선택상황에서 탈출하는 방법 등

12 증거기반 정책결정

1. 의의

(1) 증거기반 정책결정은 문자 그대로 '정책결정 과정에서 관련 증거에 기반하여 정책대안을 선택하거나 관련 사항을 결정하는 것'으로 정의된다.

(2) 이는 정책이 이념, 신념, 의견 등에 기반하거나 과학적 사실이 부족한 담론 등에 의한 정책결정을 지양한다는 의미를 담고 있다.

(3) 아직 학술적 합의에 이르지는 않고 있으나 여기서 활용되는 '증거'는 엄밀한 과학적 방법론을 활용한 과학적 지식을 의미한다는 견해와 과학적 지식뿐만 아니라 전문가의 견해, 정책집행 경험, 정치적 측면의 암묵지, 정책 당사자들의 이해관계 등 정책결정과 관련된 다소 넓은 범위의 정보와 지식이 포함된다는 견해가 대두되어 있다.

2. 증거기반 정책결정의 실제

(1) 증거기반 정책결정의 적용이 상대적으로 용이한 분야는 보건정책 분야, 사회복지정책 분야, 교육정책 분야, 형사정책 분야 등을 들 수 있다.

(2) 소위 휴먼 서비스 정책 관련 분야로 명명되는 이 분야들은 증거 분석이 가능한 기존 정책결정 접근방법이 다른 영역보다 더 확고하게 정립되어 있고, 인간의 보편적 존엄을 구현한다는 관점에서 이념적 다툼이 상대적으로 적어 성공 가능성이 큰 것으로 간주되고 있다.

3. 비판

(1) 증거기반 정책결정은 좋은 과학적 연구 결과가 곧 정책결정 과정이 단선적이어야 할 뿐만 아니라 사회환경의 변화도 영향을 미치지 않아야 한다는 순진한 접근방법이라는 것이다.

(2) 증거기반이론이 정책결정 현실을 충분히 반영하지 못하고 있다는 지적이다. 정책결정 현장에서는 이상적이고 엄밀하나 과학적 분석에 기반하여 정책이 결정되기보다는 정책결정자들이 이해관계의 조정이나 정책수용성 등 정치적 결정과정을 거치는 경우가 많다는 것이다.

✅ 개념PLUS **우리나라 정책결정의 일반적 방식 – 품의제**

1. 개념

품의제란 부하가 의견을 제시하고 상관이 그 의견을 검토하되, 부하와 상의하여 최종결정을 내리는 계선 중심의 의사결정방식(하의상달)이다.

2. 기본원리

품의제는 ① 하급자가 기안하는 상승적 형태를 취하고, ② 상급자가 원하는 의사결정 내용이 될 때까지 기안 내용을 계속 수정·보완하게 되며(결재 전의 회람), ③ 최고관리자가 기안용지에 서명함으로써 효력을 갖는다.

3. 장단점

장점	단점
· 종적인 참여제도로, 소속감·참여감 제고 · 부하와 상관의 접촉기회의 증대 · 상관의 하위조직에의 중요한 의사결정의 파악 용이 · 중요한 문제에 대한 정보 공유 · **부하에게 관리자 훈련의 기회 제공:** 일종의 현장훈련(on-the-job training)의 역할담당 · 사전심사 및 조정	· 과도한 시간의 소요 · 회의·토의를 통한 합리적·분석적 의사결정의 회피 · 상관의 일상적인 업무에의 노력과 시간 소모 · 정책결정에 대한 책임 소재가 불명확 · 횡적 업무 협조의 저조(할거성의 강화) · 문서과다화 초래

01 정책문제의 구조화 기법과 설명이 바르게 연결된 것은? 2014년 국가직 9급

> A. 경계분석(boundary analysis)
> B. 가정분석(assumption analysis)
> C. 계층분석(hierarchy analysis)
> D. 분류분석(classification analysis)

> ㄱ. 정책문제와 관련된 여러 구조화되지 않은 가설들을 창의적으로 통합하기 위해 사용하는 기법으로 이전에 건의된 정책부터 분석한다.
> ㄴ. 간접적이고 불확실한 원인으로부터 차츰 확실한 원인을 차례로 확인해 나가는 기법으로 인과관계 파악을 주된 목적으로 한다.
> ㄷ. 정책문제의 존속기간 및 형성과정을 파악하기 위해 사용하는 기법으로 포화표본추출(saturation sampling)을 통해 관련 이해당사자를 선정한다.
> ㄹ. 문제상황을 정의하기 위해 당면문제를 그 구성요소들로 분해하는 기법으로 논리적 추론을 통해 추상적인 정책문제를 구체적인 요소들로 구분한다.

	A	B	C	D
①	ㄱ	ㄷ	ㄴ	ㄹ
②	ㄱ	ㄷ	ㄹ	ㄴ
③	ㄷ	ㄱ	ㄴ	ㄹ
④	ㄷ	ㄱ	ㄹ	ㄴ

02 정책문제의 구조화기법에 대한 설명으로 옳은 것만을 모두 고르면? 2024년 지방직 9급

> ㄱ. 가정분석: 문제상황의 가능성 있는 원인, 개연성(plausible)있는 원인, 행동가능한 원인을 식별하기 위한 기법
> ㄴ. 계층분석: 정책문제에 관해 서로 대립되는 가정의 창조적 종합을 목표로 하는 기법
> ㄷ. 시네틱스(유추분석): 문제들 사이에 유사한 관계를 인지하는 것이 분석가의 문제해결능력을 크게 증가시킬 것이라는 가정에 기초한 기법
> ㄹ. 분류분석: 문제상황을 정의하고 분류하기 위해 사용되는 개념을 명확하게 하기 위한 기법

① ㄱ, ㄴ   ② ㄱ, ㄹ
③ ㄴ, ㄷ   ④ ㄷ, ㄹ

03 정책문제의 특징으로 보기 어려운 것은?

① 공공성

② 인공성

③ 상호의존성

④ 주관성

⑤ 소망성

04 조직의 목표가 달성되었거나 혹은 달성될 수 없을 경우 조직이 새로운 목표를 재설정하는 것은?

① 목표의 승계

② 목표의 전환

③ 목표의 확대

④ 목표의 추가

정답 및 해설

01 ㄱ. 가정분석(B)에 해당한다.

ㄴ. 계층분석(C)에 해당한다.

ㄷ. 경계분석(A)에 해당한다. 포화표본추출이란 다양한 의견을 가진 이해관계자들을 식별하는 추출기법으로, 최초 이해관계자를 찾아낸 다음 그에게 자기 의견과 같이하는 사람을 한 명씩 더 추천하도록 하는 방식을 계속하여, 어떤 문제와 연관된 이해관계자들을 식별해내는 추출기법이다. 눈덩이 추출기법이라고도 한다.

ㄹ. 분류분석(D)에 해당한다.

❶ 정책문제의 구조화 기법

경계분석	· 문제의 위치와 범위를 찾는 것 · 문제의 존속기간이나 형성과정, 관련 문제 및 이해당사자들을 추출·파악
계층분석	문제와 그 원인의 인과관계를 중심으로 문제의 원인을 단계(계층)별로 찾아나가는 것
분류분석	추상적인 문제상황을 구체적 구성요소로 분류
유추분석	유사한 문제의 분석을 통해 문제 정의
가정분석	대립되는 여러 가정(가설)들을 창조적으로 통합

02 정책문제의 구조화기법에 대한 설명으로 옳은 것은 ㄷ, ㄹ이다.

ㄷ. 시네틱스(유추분석)는 과거에 등장하였거나 다루어 본 적이 있는 문제와 유사한 문제에 대한 분석을 위해 활용될 수 있는 방법으로서 정책문제 간의 유사성을 조사·분석하여 정책문제 구조화에 유추와 비유를 창조적으로 활용할 수 있게 해주는 기법이다. 새로운 문제처럼 여겨지는 것도 단지 과거에 등장했던 문제를 새롭게 인식한 것에 불과하기 때문에 현재의 문제를 해결하기 위해서는 지금 다루고자 하는 문제와 유사한 과거의 문제를 제대로 이해하면 문제의 해결대안을 쉽게 찾을 수 있을 것으로 가정한다.

ㄹ. 분류분석은 문제상황을 분류하고 정의하는 데 사용하는 개념 명료화의 기법으로서, 귀납적 사고과정을 통하여 구체적 상황에 대한 경험으로부터 일반적 개념을 도출한다.

| 오답체크 |

ㄱ. 계층분석에 대한 설명이다.

ㄴ. 가정분석에 대한 설명이다.

03 정책문제의 특성으로는 정치성, 주관성, 인공성, 상호의존성(동태성), 역사성, 공공성을 들 수 있다. 소망성과 실현가능성은 정책분석 시 고려해야 할 가치이다.

04 조직의 목표가 달성되었거나 혹은 달성될 수 없을 경우, 조직이 새로운 목표를 재설정하는 것은 목표의 승계이다.

| 오답체크 |

② 목표의 전환이란 '목표와 수단의 우선순위가 뒤바뀌는 것'으로, 종국적 가치를 수단적 가치가 대치하는 것을 의미한다.

③ 목표의 확대란 '목표 자체를 상향조정 하는 것'을 말한다.

④ 목표의 추가란 '본래의 목표에 새로운 목표를 추가하는 것'을 말한다.

정답 01 ③ 02 ④ 03 ⑤ 04 ①

05 정책을 세웠으나 인력부족으로 실현할 수 없을 때 어떤 실현가능성을 고려하지 못한 것인가? 2007년 경남 9급

① 기술적 실현가능성

② 정치적 실현가능성

③ 재정적 실현가능성

④ 행정적 실현가능성

06 다음 집단의 의사결정기법에 대한 설명 중 가장 옳은 것은? 2016년 서울시 7급

① 델파이(Delphi)기법은 미래 예측을 위해 전문가가 아닌 일반인 다수를 활용하는 의사결정 기법이다.

② 브레인스토밍(brainstorming)은 아이디어가 많은 소수에게 여러 개 주제에 대해 아이디어를 제시하도록 해 좋은 아이디어를 발굴하는 기법이다.

③ 지명반론자기법(devil's advocate method)은 작위적으로 특정 조직원들 또는 집단을 반론을 제기하는 집단으로 지정해 반론자 역할을 부여하고 이들이 제기하는 반론과 이에 대한 제안자의 옹호 과정을 통해 의사결정을 유도하는 기법이다.

④ 명목집단기법(nominal group technique)은 관련자들이 의사결정에 직접 참여하여 대안에 대한 아이디어를 제출하도록 하고 충분한 토의를 거쳐 투표로 의사결정을 하는 기법이다.

07 다음 설명에 해당하는 정책분석기법은? 2024년 지방직 9급

관련 사건이 일어났느냐 일어나지 않았느냐에 기초하여 미래에 어떤 사건이 일어날 확률에 대해서 식견 있는 판단 (informed judgments)을 끌어내는 방법이다.

① 브레인스토밍

② 교차영향분석

③ 델파이기법

④ 선형경향추정

08 정책델파이에 대한 설명으로 옳지 않은 것은? 2012년 지방직 9급

① 일반적인 델파이와 달리 개인의 이해관계나 가치판단이 개입될 수 있다.

② 정책문제 해결을 위한 정책대안을 개발하고 그 결과를 예측하기 위해 만들어진 방법이다.

③ 대립되는 정책대안이나 결과가 표면화되더라도 모든 단계에서 익명성이 보장되어야 한다.

④ 정책문제의 성격이나 원인, 결과 등에 대해 전문성과 통찰력을 지닌 사람들이 참여한다.

09 미래에 대한 불확실성을 주어진 조건으로 보고 그 안에서 결과를 예측하는 방법으로, 미래에 발생할 수 있는 최악의 상황을 전제하고 정책대안의 결과를 예측하는 방법은?

2010년 국가직 9급

① 중복적 또는 가외적 대비(redundancy)

② 민감도분석(sensitivity analysis)

③ 보수적 결정(conservative decision)

④ 분기점분석(break-even analysis)

정답 및 해설

05 조직이나 인력 등이 허용되지 않아 추진하지 못하는 경우는 행정적 실현 가능성을 고려하지 못한 것이다.

| 오답체크 |

① 기술적 실행가능성이란 정책이나 정책대안이 현재 이용 가능한 기술로써 실현이 가능한 정도를 의미한다.

② 정치적 실행(생존)가능성이란 정치체제에 의하여 정책대안이 채택되고 집행될 가능성, 즉 정책대안의 채택과 집행에서 정치적 지원을 받을 가능성을 의미한다.

③ 재정적(경제적) 실행가능성이란 이용 가능한 재원으로 정책대안이 실현가능한지 여부로, 특히 예산상의 제약이 문제가 된다.

06 | 오답체크 |

① 델파이기법은 미래 예측을 위해 관련 분야의 전문가들을 활용하는 방법이다. 그러므로 일반인은 참여하지 못한다.

② 브레인스토밍은 소수가 아닌 여러 사람에게 하나의 주제에 대해 아이디어를 제시하도록 해 예측하는 방법이다.

④ 명목집단기법은 집단적 문제해결에 참여하는 개인들이 개별적으로 해결방안에 대해 구상을 하고, 그에 대해 제한된 집단적 토론만을 한 다음 해결방안에 대해 표결을 하는 기법이다.

07 교차영향분석은 다른 관련된 사건의 발생을 촉진하거나 억제하는 사건을 식별하기 위해 사용되는 것으로서, 연관된 다른 사건이 일어났느냐 일어나지 않았느냐에 기초하여 미래의 어떤 사건이 일어날 확률에 대하여 식견 있는 판단을 이끌어내는 직관적인 기법이다. 델파이기법과 밀접하게 관련된 기법으로써 전통적 델파이기법을 보완하기 위하여 고안된 것이다.

| 오답체크 |

① 브레인스토밍은 즉흥적이고 자유분방하게 여러 가지 기발한 아이디어를 창안하는 활동이다.

③ 델파이기법은 원래 1948년 랜드(RAND) 연구소에서 개발되어 전문가들의 주관적 판단에 의한 미래예측을 위해서 주로 사용되어 오다가, 오늘날에는 조직의 목표설정 및 정책결정에 이르기까지 그 적용영역이 점차 확대되고 있다. 델파이기법은 전문가들의 의견을 종합하여 보다 합리적인 아이디어를 도출하려는 방법으로 원래 위원회, 기타 집단토의 등 회의 방식의 약점을 제거하기 위해 고안된 방법이다.

④ 선형경향추정은 추세연장기법의 예측기법 중 하나이다.

08 정책델파이는 선택적 익명성을 특징으로 한다. 정책대안이나 결과가 표면화되면, 참여자들 간의 공개적인 토론이 허용된다.

ⓘ 델파이와 정책델파이 비교

구분	델파이	정책델파이
개념	일반문제에 대한 예측	정책문제에 대한 예측
응답자	동일 영역의 일반전문가를 응답자로 선정	정책전문가와 이해관계자 등 다양한 대상자 선정
익명성	철저한 격리성과 익명성의 보장	선택적 익명성 보장 (중간에 상호교차 토론 보장)
통계 처리	의견의 대푯값·평균치(중위값) 중시	의견차이나 갈등을 부각시키는 통계처리 (극단적이거나 대립된 견해를 존중하고 이를 유도)

09 모든 대안의 최악의 불확실성을 가정하고 대안을 모색하는 방식은 보수적 결정에 해당한다. 악조건가중분석은 최선의 대안만 최악의 경우를 가정한다.

| 오답체크 |

① 중복적 또는 가외적 대비(redundancy)란 위험 발생의 사태에 대비하여 추가적인 안전장치를 확보하는 방법, 단기적 환류를 통한 정책대안의 수정·보완하는 방법이다.

② 민감도분석(sensitivity analysis)이란 정책대안의 결과들이 모형상의 파라미터 변화에 얼마나 민감한지를 알아보려는 분석기법이다.

④ 분기점분석(break-even analysis)이란 악조건가중분석의 결과 대안의 우선순위 결과가 달라질 경우, 대안들이 동등한 결과를 가져오기 위해서는 어떤 가정이 필요한지를 밝히는 분석이다.

정답 **05** ④ **06** ③ **07** ② **08** ③ **09** ③

10 드로어(Dror)의 최적모형(optimal model)에서 말하는 메타정책결정(metapolicy making)에 대한 설명으로 가장 옳은 것은? 2018년 서울시 7급(6월 시행)

① 정책을 어떻게 평가할 것인가를 결정하는 '정책평가를 위한 정책결정'을 의미한다.

② 정책을 어떻게 집행할 것인가를 결정하는 '정책집행을 위한 정책결정'을 의미한다.

③ 정책을 어떻게 결정할 것인가를 결정하는 '정책결정을 위한 정책결정'을 의미한다.

④ 정책을 어떻게 종결할 것인가를 결정하는 '정책총결을 위한 정책결정'을 의미한다.

11 사이먼(H. A. Simon)의 정책결정만족모형에 대한 설명으로 옳지 않은 것은? 2020년 군무원 9급

① 사이먼(H. A. Simon)은 합리모형의 의사결정자를 경제인으로, 자신이 제시한 의사결정자를 행정인으로 제시한다.

② 경제인은 목표달성의 극대화를, 행정인은 만족하는 선에서 그친다.

③ 경제인은 합리적 분석적 결정을, 행정인은 직관, 영감에 기초한 결정을 한다.

④ 경제인은 복잡하고 동태적인 모든 상황을 고려하지만, 행정인은 실제 상황을 단순화시키고, 무작위적이고 순차적으로 대안을 탐색한다.

12 정책결정모형에 대한 설명으로 옳지 않은 것은? 2017년 지방직 7급

① 점증주의모형은 정책이 결정되는 현실적인 모습을 반영하고 있다.

② 쓰레기통모형은 정책결정의 우연성을 강조하여 정책결정이 이루어지게 되는 계기에 주목한다.

③ 혼합주사모형에서 세부적 결정은 합리모형의 의사결정방식으로 개선된 대안을 제시한다.

④ 최적모형은 계량적 분석뿐만 아니라 직관적 판단에 의한 결정의 중요성을 강조한다.

13 사이버네틱스(cybernetics) 의사결정모형에 대한 설명으로 옳지 않은 것은? 2018년 국가직 9급

① 주요 변수가 시스템에 의하여 일정한 상태로 유지되는 적응적 의사결정을 강조한다.

② 문제를 해결하고 목표를 달성하기 위해 정보와 대안의 광범위한 탐색을 강조한다.

③ 자동온도조절장치와 같이 사전에 프로그램된 메커니즘에 따라 의사결정이 이루어진다.

④ 한정된 범위의 변수에만 관심을 집중함으로써 불확실성을 통제하려는 모형이다.

14 혼합주사모형(mixed-scanning model)에 대한 설명으로 옳은 것은? 2018년 국가직 7급

① 정책 결정과정을 이미 프로그램화되어 있는 특정한 상태를 유지하기 위한 것으로 파악한다.

② 정책의 결정을 근본적 결정과 세부적 결정으로 구분한다.

③ 갈등의 준해결, 문제 중심의 탐색, 불확실성의 회피, 조직의 학습, 표준운영절차(SOP)의 활용 등을 특징으로 한다.

④ 상황 변화에 따른 새로운 정보에 초점을 맞추는 것이 아니라 극히 제한된 투입 변수의 변동에 주의를 집중하여 의사결정을 한다.

정답 및 해설

10 드로어(Dror)가 말하는 상위정책(메타정책)의 결정이란, 정책결정을 어떻게 할 것인지 정책결정을 위한 전략이나 체제를 결정하는 근원적인 정책결정을 말한다.

| 오답체크 |
①, ②, ④ 모두 상위정책결정이 아닌 정책결정 이후의 결정(post policy making stage)에 해당한다.

11 경제인은 합리적 분석적 결정을, 행정인은 제한된 합리성에 기초한 결정을 한다. 직관, 영감과 같은 초합리성에 기초한 결정을 강조하는 것은 드로어(Y. Dror)의 최적모형이다.

| 오답체크 |
① 사이먼(H. A. Simon)은 합리모형의 경제인이 아닌 인지능력상의 한계를 지닌 '행정인'의 가정에 기초하고 있다.
④ 행정인은 습득 가능한 몇 개의 대안을 순차적 관심에 의하여 단계적·우선적으로 검토하여, 현실적으로 만족하다고 생각하는 선에서 대안을 선택한다고 본다.

12 혼합주사모형에 따르면 기본적이고 근본적인 결정은 합리모형에 의하고, 세부적인 결정은 점증모형에 의한다.

| 오답체크 |
① 점증주의는 현실을 반영하는 실증적인 모형이다.
② 쓰레기통모형은 의사결정에 필요한 4가지 요소(문제, 해결책, 선택기회, 참여자)가 우연한 계기에 의하여 만날 때 의사결정이 이루어진다는 모형이다.
④ 최적모형은 양적인 동시에 질적인 모형으로, 합리성과 초합리성을 동시에 고려하는 모형이다.

13 모든 정보와 대안을 광범위하게 탐색하려는 합리모형과 달리, 사이버네틱스모형은 환류 채널을 통해 들어오는 몇 가지 정보에 따라 시행착오적인 적응적 결정을 한다.

| 오답체크 |
①, ③ 고차원의 목표가 반드시 사전에 존재하는 것으로 전제하지 않으며, 중요변수의 일정한 유지를 위한 끊임없는 적응에 초점을 둔다(예 자동온도조절장치 등).

14 혼합주사모형은 정책을 근본적 결정과 세부적 결정으로 나누어 근본적 결정은 합리모형, 세부적 결정은 점증모형에 의하여 결정한다.

| 오답체크 |
①, ④ 사이버네틱스모형의 특징에 해당한다. 사이버네틱스모형은 환류 채널을 통해 들어오는 몇 가지 정보에 따라 시행착오적인 적응을 하는 것으로, 그것이 사전에 설정된 범위를 벗어났는가, 아닌가의 여부만을 판단하여 그에 상응하는 행동을 반응 목록에서 찾아낸 후, 해당 정보에 대응하는 조치를 프로그램대로 취하게 된다.
③ 회사모형에 해당한다.

정답 10 ③ 11 ③ 12 ③ 13 ② 14 ②

15 <보기>는 정책결정에 관한 어떤 모형을 설명하고 있다. 이 모형을 제안한 학자는? 2019년 서울시 7급(2월 추가)

─〈보기〉─

이 모형은 조직화된 혼란상태에서의 의사결정을 다루고 있다. 이 모형은 합리모형이 전제하고 있는 것처럼 모든 대안을 비교, 평가해 최선의 대안을 선택할 수 없다고 전제하고 문제의 선호, 불분명한 기술, 유동적 참여의 세 가지 요인이 의사결정 기회를 찾아 끊임없이 움직이며 이들의 흐름이 교차하는 시점에서 의사결정이 이루어진다고 설명한다.

① 드로(Y. Dror)

② 스미스와 메이(Smith & May)

③ 코헨, 마치와 올슨(Cohen, March & Olsen)

④ 에치오니(A. W. Etzioni)

16 다음 중 정책결정모형에 대한 설명으로 가장 옳지 않은 것은? 2016년 서울시 7급

① 점증모형에서는 기존 정책을 수정·보완해 약간 개선된 상태의 정책대안을 채택하는 것이 일반적이다.

② 사이버네틱스(cybernetics)모형은 습관적 의사결정을 설명하는 데에 활용된다.

③ 최적모형(optimal model)은 기존의 계량적 분석뿐만 아니라 직관적 판단에 의한 결정도 중요시한다.

④ 합리모형은 제한된 합리성(bounded rationality)에 의거하여 효용을 계산하며 효용을 극대화할 수 있는 대안을 선택한다.

17 다음 중 점증모형의 논리적 근거로 가장 거리가 먼 것은? 2023년 군무원 9급

① 매몰비용

② 실현가능성

③ 제한적 합리성

④ 정보접근성

18 의사결정 모형에 대한 설명으로 옳지 않은 것은?

2022년 국가직 9급

① '최적모형'은 정책결정자의 합리성뿐 아니라 직관·판단·통찰 등과 같은 초합리성을 아울러 고려한다.

② '쓰레기통모형'은 대학조직과 같이 조직구성원 사이의 응집력이 아주 약한 상태, 즉 조직화된 무정부상태 (organized anarchy)에서 의사결정이 이루어지는 과정을 설명하려고 시도한다.

③ '점증모형'은 실제 정책의 결정이 점증적인 방식으로 이루어질뿐 아니라 정책을 점증적으로 결정하는 것이 바람직하다는 입장을 견지한다.

④ '회사모형'은 조직의 불확실한 환경을 회피하고 조직 내 갈등을 극복하기 위하여 장기적인 전략과 기획의 중요성을 강조한다.

정답 및 해설

15 <보기>는 코헨, 마치와 올슨(Cohen, March & Olsen)의 쓰레기통모형을 설명하고 있다.

16 합리모형은 제한된 합리성이 아닌 완전한 합리성을 가정하고, 목표나 가치가 명확하게 고정되어 있다는 가정하에 목표달성의 극대화를 위해 최선의 대안 선택을 추구하는 결정모형이다.

| 오답체크 |

① 점증모형은 인간의 지적 능력의 한계와 정책결정 수단의 기술적 제약을 인정하고, 정책결정 과정에 있어서의 대안의 선택이 종래의 정책이나 결정의 점진적·순차적 수정 내지 약간의 향상으로 이루어지며, 정책수립 과정을 '그럭저럭 헤쳐나가는(muddling through)' 과정으로 이해한다.

② 목표가 반드시 사전에 존재한다고 전제하지 않으며, 일정한 중요변수의 유지를 위한 끊임없는 적응에 초점을 둔 사이버네틱스모형은 적응적 의사결정(습관적 의사결정)모형이다.

③ 최적모형은 정책을 경제적 합리성과 정치적 합리성의 양자택일의 문제가 아니라고 보고, 합리적 요인과 초합리적 요인을 동시에 다루므로 양적인 동시에 질적인 모형(이종수 외)이라고 할 수 있다.

17 완전한 정보접근성을 전제로 하는 것은 합리모형이다.

| 오답체크 |

① 매몰비용의 문제는 점증모형을 선호하는 이유이다.

② 선례의 존중 또는 강요당하는 경우 정치적 실현가능성 확보가 용이한 것이 점증모형이다.

③ 점증모형은 인간의 지적능력의 한계와 정책결정수단의 기술적 제약을 인정하고 정책결정 과정에 있어서의 대안의 선택이 종래의 정책이나 결정의 점진적·순차적 수정 내지 약간의 향상으로 이루어지며, 정책수립과정을 '그럭저럭 헤쳐나가는(muddling through)' 과정으로 이해한다.

18 회사모형은 불확실한 환경을 회피·통제하고 조직 내의 갈등을 극복하기 위하여 장기적인 전략보다는 단기 전략(단기 SOP)을 중요시한다.

| 오답체크 |

① 최적모형은 불확실한 상황하에서 선례가 없는 복잡한 문제에 대해서는 직관·판단력·통찰력과 같은 초합리성이 중요하다는 것을 강조한다.

② 코헨(Cohen), 마치(March), 올슨(Olsen) 등이 제시한 쓰레기통모형은 조직화된 무질서상태에서 응집성이 매우 약한 조직이 어떤 의사결정행태를 나타내는가에 분석의 초점을 둔 모형으로, 대학을 그 예로 들고 있다.

③ 점증모형은 인간의 지적 능력의 한계와 정책결정 수단의 기술적 제약을 인정하고 정책결정 과정에 있어서의 대안의 선택이 종래의 정책이나 결정의 점진적·순차적 수정 내지 약간의 향상으로 이루어지며, 정책수립과정을 '그럭저럭 헤쳐나가는(muddling through)' 과정으로 이해한다. 따라서 현실적으로 정책이 대폭 변화되기는 힘들고 점진적으로 이루어질 수밖에 없을 뿐 아니라, 대폭적인 변화는 바람직하지도 않다는 입장을 취한다.

정답 15 ③ 16 ④ 17 ④ 18 ④

19 다음에서 제시하는 정책결정모형에 대한 설명으로 옳은 것은? 2021년 지방직 7급

> • 정책의 본질이 미래지향적 문제 해결에 있고, 정책결정에서 가치비판적 발전관에 기초한 가치지향적 행동 추구의 중요성을 고려할 때 매우 중요한 의의가 있다.
> • 대안을 선택할 수 있는 기준이 명확해야 한다.
> • 기존 정책이나 사업의 매몰 비용으로 인해 현실 적합성이 떨어지는 한계가 있다.

① 시간의 흐름에 따라 환류되는 정보를 분석하여 잘못된 점이 있으면 수정·보완하는 방식이다.

② 문제성 있는 선호(problematic preferences), 불명확한 기술(unclear technology), 일시적 참여자(part-time participants)가 전제조건이다.

③ 갈등을 완전히 해결하지 못하고, 타협을 통한 봉합을 모색한다.

④ 같은 비용으로 최대의 목표산출을 얻을 수 있는 대안을 선택하는 행위를 의미한다.

20 정책결정모형에 대한 설명으로 가장 옳지 않은 것은? 2022년 군무원 9급

① 합리모형은 합리적인 경제인을 가정하며 정책과정의 역동성을 고려하지 않는다.

② 만족모형은 조직 차원의 합리성과 정책결정자 개인 차원의 합리성 사이에 존재하는 괴리를 인정한다.

③ 점증모형은 정책을 이해관계자들 사이에 이루어지는 타협과 조정의 산물로 본다.

④ 최적모형은 합리모형의 한계를 극복하기 위해 만족모형과 점증모형의 강점을 취하고자 한다.

21 앨리슨(Allison)의 관료정치모형(모형 III)에 대한 설명으로 옳은 것은? 2023년 국가직 9급

① 정책결정은 준해결(quasi-resolution)적 상태에 머무르는 경우가 많다.

② 정책결정자들은 국가 전체의 이익이나 전략적 목표를 극대화하기 위한 결정을 한다.

③ 정책결정에 참여하는 구성원들 간의 목표 공유 정도와 정책결정의 일관성이 모두 매우 낮다.

④ 정부는 단일한 결정주체가 아니며 반독립적(semi-autonomous) 하위조직들이 느슨하게 연결된 집합체이다.

22 재니스(Janis)의 집단사고(groupthink)의 특성에 해당하지 않는 것은? 2023년 국가직 9급

① 토론을 바탕으로 한 집단지성의 활용

② 침묵을 합의로 간주하는 만장일치의 환상

③ 집단적 합의에 대한 이의 제기에 대한 자기 검열

④ 집단에 대한 과대평가로 집단이 실패할 리 없다는 환상

23 정책결정모형에 대한 설명으로 옳은 것은?

① 혼합주사모형(mixed scanning approach)은 1960년대 미국의 쿠바 미사일 위기사건을 설명하기 위해 연구된 모형이다.

② 사이버네틱스모형을 설명하는 예시로 자동온도조절장치를 들 수 있다.

③ 쓰레기통모형은 갈등의 준해결, 문제 중심의 탐색, 불확실성 회피, 표준운영절차의 활용을 설명하는 모형이다.

④ 합리모형은 만족할 만한 수준에서 의사결정이 이루어진다고 설명하는 모형이다.

정답 및 해설

19 제시문은 합리모형에 대한 설명이다. 합리모형은 의사결정자는 ⊙ 문제를 분명히 인식하고 → ⓒ 명확한 목표를 세워 → ⓒ 문제해결을 위한 모든 대안들을 체계적·포괄적으로 탐색하고 → ⓔ 각 대안들의 결과를 가능한 모든 정보를 동원하여 분석·예측한 후 → ⓜ 각 대안들의 결과를 B/C분석 등에 의해 체계적으로 비교·평가하여 → ⓫ 그 중에서 최적의 대안을 선택한다.

| 오답체크 |
① 사이버네틱스모형의 특징이다.
② 쓰레기통모형의 특징이다.
③ 회사모형의 특징이다.

20 에치오니(Etzioni)가 제시한 것으로, 혼합모형은 합리모형의 비현실성과 점증모형의 보수성을 탈피하여 양자의 장점을 합치자는 모형이다. 최적모형은 양적모형과 질적모형을 결합시킨 모형이다.

| 오답체크 |
① 합리모형은 이성과 고도의 합리성에 따라 결정하는 합리적 경제인을 가정하고, 모든 수단과 목표, 환경이 명확하고 고정되어 있다는 가정하에 목표달성 극대화를 추구하는 이상적 규범적 모형이지만, 정책과정의 역동성, 변화 가능성을 고려하지 못한다는 한계가 있다.
② 만족모형의 제한된 합리성은 개인적·심리적 차원의 모형으로 지나치게 주관적이며, 이로 인해 조직 차원의 합리성으로 설명하기 곤란하다는 한계가 있다.
③ 점증모형은 정치적 합리성을 추구하며, 다양한 이해관계를 적절히 조정·타협하며 정책을 결정하는 다원주의적 과정을 강조한다.

21 앨리슨(Allison)의 관료정치모형은 집단구성원의 응집성이 매우 낮고, 재량권이 많은 조직상위계층에 적용될 수 있는 모형이다.

| 오답체크 |
① 갈등의 준해결 상태는 조직과정모형(모형Ⅱ)에 해당한다.
② 합리적 행위자모형(모형Ⅰ)에 해당한다.
④ 조직과정모형(모형Ⅱ)에서 정부는 느슨하게 연결된 준독립적인 하위조직의 집합체로 간주된다.

22 집단사고(Group-thinking)는 개인들이 집단 응집성과 합의에 대한 압력으로 비판적인 사고가 억제되어 각자의 의견을 발현하지 못하고 획일적인 방향으로 의사결정하는 현상(만장일치에 대한 도덕적 환상, 집단동조의식 등)이다. 따라서 반대의견 표출이 억압되는 상황에서는 토론을 바탕으로 한 집단지성이 형성되기 힘들다.

| 오답체크 |
②, ③, ④ 집단사고의 특성에 대한 옳은 지문들이다.

23 사이버네틱스모형은 고차원의 목표가 반드시 사전에 존재하는 것으로 전제하지 않으며, 일정한 중요변수의 유지를 위한 끊임없는 적응에 초점을 둔다. 대표적인 예로 자동온도조절장치를 들 수 있다.

| 오답체크 |
① 앨리슨(Allison)의 의사결정모형에 대한 설명이다.
③ 회사모형의 전제조건이다.
④ 사이먼(Simon)의 만족모형에 해당한다.

정답 19 ④ 20 ④ 21 ③ 22 ① 23 ②

1 정책집행의 의의

1 의의

(1) 정책집행이란 '정책의 내용을 실현하는 과정' 또는 '정부가 결정한 정책내용 및 정부 사업계획을 실천해 가는 활동'을 말한다.

(2) 1930년대 정치행정일원론과 그 이후의 정책과학에서는 집행은 극히 단순하고 기계적인 것으로 간주되었으나, 1970년대 프레스만과 윌다브스키(Pressman & Wildavsky)의 『Implementation(집행론)』(1973) 출간 이후 집행 연구가 본격화되었다.

2 특징

1. 정치적 성격

다양한 행위자들이 관여하며, 상호 복잡하게 얽힌 행위들의 상호작용 속에서 이루어지므로 애초의 정책 의도와는 다른 결과를 초래할 수 있다.

2. 순환적 성격

법률의 제정을 비롯하여 지침개발, 자원배분, 평가를 거치는 순환적 특징을 가진다.

3. 정책결정과의 상호관련성

정책결정과의 관계에서 정책집행은 명확히 구분되지 않고, 정책집행 과정에서도 계속적인 결정이 이루어진다.

4. 정책대상집단에 대한 실질적 영향

정책은 발표만 해도 대상 집단에 많은 영향을 미치는 경우도 있지만, 집행을 통하여 대상 집단에 실질적 영향을 미치게 된다.

5. 계속적·구체적 결정

정책결정의 추상성을 극복하기 위하여 집행단계에서 계속적으로 정책안을 구체화시켜 나간다.

2　정책집행과 정책결정

1　의의

1. 정치행정이원론
의회입법주의에서는 정책결정을 국민의 대표기관인 의회에서 하고, 정책집행은 행정부에서 한다고 보았다. 행정과 정치가 분리되던 시기에는 정책결정과 정책집행의 차이점이 더욱 강조되었다.

2. 정치행정일원론
그러나 행정부가 실질적인 정책결정을 하게 되면서 정책결정과 정책집행의 유사점이 강조되었다.

2　공통점과 차이점

1. 업무의 성질
(1) 공통점
① 다양성과 복잡성을 지닌다.
② 의사결정을 요구한다.
③ 정치적 성격을 지닌다.

(2) 차이점
① 정책결정이 정책집행보다 정책과정 전반에 영향을 미친다.
② 정책집행은 계획의 실행을 위한 행동·활동·강제력의 발동에 초점을 두며, 보다 기술적·기계적 전문성을 필요로 한다.

2. 담당 주체
(1) 공통점
기존의 일선행정기관, 하위 행정기관, 지방정부도 재량권이 확대되면서 실질적인 정책결정자의 역할을 한다는 점에서는 공통점을 가진다.

(2) 차이점
일반적으로 의회나 대통령을 정책결정자로 본다면, 행정각부는 정책집행자라 할 수 있다.

정책집행자란 정책결정자로부터 법적 권한·제도적 권한·공적 권한 등을 부여받아 정책의 내용을 수행하는 행위자를 의미하지만, 현실적으로 누가 정책결정자이고 누가 정책집행자인지를 구분하는 것은 상대적이다. 이를 구분한 학자에는 대표적으로 나카무라(Nakamura)와 스몰우드(Smallwood)가 있다.

1 의의

(1) 나카무라와 스몰우드(Nakamura & Smallwood)는 정책결정자와 정책집행자의 관계를 중심으로 정책집행의 유형을 다섯 가지로 구분하여 설명하고 있다.

(2) 고전적 기술관료형에서 관료적 기업가형으로 나아갈수록 정책결정자의 통제는 약해지고 정책집행자의 재량적 역할이 커진다고 본다.

구분			고전적 기술자형	지시적 위임자형	협상자형	재량적 실험가형	관료적 기업가형
정책집행자의 역할	정책목표	추상적 목표 결정	×	×	협상 결과에 따라 역할 분담	×	○
		구체적 목표 결정	×	×		○	○
	정책수단	행정적 수단 결정	×	○		○	○
		기술적 수단 결정	○	○		○	○
정책집행자의 재량			재량권 적음 ◀—————————————▶ 재량권 많음				

2 유형

1. 고전적 기술관료형(classical technocrats)

(1) 의의

정책결정과 정책집행을 업무성질 및 담당주체면에서 엄격히 분리하여 정책집행자는 정책결정자가 결정한 정책내용을 충실히 집행하는 유형이다.

(2) 특징 및 전제조건

① 정책결정자는 정책목표를 명확히 결정하여 구체적으로 설정하고, 집행자들은 이 목표를 지지한다. 정책결정자는 구체적인 정책목표와 세부 정책내용까지 결정한다.

② 정책결정자는 계층제적인 지휘명령체계를 구축하고 집행자를 통제하며, 정책집행자들에게 정책목표의 달성을 위해서 필요한 조치(정책수단의 마련 등)를 강구할 수 있는 기술적 권한(technical authority)을 위임한다.

③ 집행자들은 정책목표를 달성할 수 있는 기술적 능력 또는 전문지식에 입각한 전문적 권위를 가지고 합리적인 정책수단을 마련하여, 이를 집행할 수 있는 능력을 소유하고 있다.

2. 지시적 위임가형(instructed delegates)

(1) 의의

정책결정자들에 의해 목표가 수립되고 대체적인 방침만 정해진 뒤, 나머지 부분은 집행자들에게 위임된다. 고전적 기술관료형보다 집행자가 보다 많은 재량권을 행사하는 경우로, 재량권은 주로 정책수단의 선택에서 행사된다.

(2) 특징

① 정책결정자가 집행자에게 정책집행에 필요한 여러 가지 규정과 규칙을 제정할 수 있는 행정적 권한(administrative authority)을 위임한다.

② 고전적 기술관료형과 마찬가지로 정책결정자는 명백한 목표를 설정하고, 집행인은 이러한 목표를 지지한다.

③ 집행자들은 정책목표를 성취하는 데 필요한 기술적 · 행정적 · 협상적 능력을 소유하고 있다.

3. 협상자형(bargainers)

(1) 의의

다섯 가지 유형 중에서 가운데에 해당하는 것으로, 정책집행자가 정책수단만이 아니라 정책목표에 대해서도 정책결정자와 협상 · 흥정을 한다.

(2) 특징

① 정책결정자는 정책의 목표를 설정하지만, 결정자와 집행자는 정책목표의 방향에 대해 반드시 의견이 일치하지는 않는다.

② 집행자들은 정책목표와 정책수단에 대해 결정자와 협상을 한다.

4. 재량적 실험가형(discretionary experimenters)

(1) 의의

정책결정자가 막연하고 추상적인 정책목표를 결정하고, 정책집행자에게 정책목표와 수단 등의 구체적인 내용 결정에서 광범위한 재량권을 위임한다.

(2) 특징

① 정책결정자가 불확실성 · 정보의 부족 등으로 인하여 일반적이고 추상적인 목표의식은 가지고 있지만, 목표를 명확하게 표명하지는 못한다.

② 정책결정자는 집행자에게 광범위한 재량권을 주어 그들로 하여금 목표를 명확하게 하고 성취 수단을 재량적으로 개발 · 활용하게 한다.

③ 집행자에 대한 권한의 대폭적인 위임이 이루어지며, 집행자는 이러한 업무를 수행할 능력도 의지도 가지고 있다. 그리고 집행자는 자발적이고 성실한 자세로 이러한 과업을 수행한다.

5. 관료적 기업가(혁신가)형(bureaucratic entrepreneur)

(1) 의의

정책집행자가 정책결정자의 결정권을 장악하고 정책과정 전반을 완전히 통제하는 유형이다. 나카무라와 스몰우드(Nakamura & Smallwood)는 고전적 기술관료형을 정책결정자가 가장 강력하게 집행자를 통제하는 유형으로 제시하고, 그 정반대의 유형으로 관료적 기업가형을 제시하고 있다.

(2) 특징 및 전제조건

① 정책집행자가 정책목표를 설정하고 공식적인 정책결정자를 설득 또는 강제하여 이 정책목표를 받아들이도록 한다.

② 정책집행자는 정책목표 달성에 필요한 정책수단을 확보하기 위해서 정책결정자와 협상·흥정을 한다.

③ 정책집행자는 자신들의 정책목표를 성실하게 성취하려고 노력한다.

④ 정책결정자에서 정책집행자로 권력 이동이 일어난다. 즉, 개별적 집행자들이 기업가적·정치적인 재능을 발휘해서 정책과정을 지배한다.

> **✓ 개념PLUS** 나카무라(Nakamura)와 스몰우드(Smallwood)의 분류

구분	정책결정자의 역할	정책집행자의 역할	정책평가 기준
고전적 기술자형	·구체적인 목표 설정 ·정책집행자에게 기술적인 권한을 위임	정책결정자의 목표를 지지하고, 그 목표를 달성하기 위한 기술적 수단을 강구	목표달성도
지시적 위임자형	·구체적인 목표를 설정 ·정책집행자에게 행정적인 권한을 위임	정책결정자의 목표를 지지하며, 목표달성을 위해 집행자 상호 간 행정적 수단에 관하여 교섭을 벌임	능률성
협상자형	·목표를 설정 ·집행자와 목표 또는 목표 달성을 위한 수단에 관하여 협상	목표달성에 필요한 수단에 관하여 정책결정자와 협상을 벌임	주민 만족도
재량적 실험가형	·추상적 목표를 지지 ·집행자가 목표달성 수단을 구체화시킬 수 있도록 광범 위한 재량권을 위임	정책결정자를 위해 목표와 수단을 명백히 함(재정의)	수익자 대응성
관료적 기업가형	정책집행자가 설정한 목표와 목표달성 수단을 지지	목표와 그 목표달성을 위한 수단을 형성시키고, 정책결정자로 하여금 그 목표를 받아들이도록 설득	체제 유지도

4 정책집행의 절차[리플리와 프랭클린(Ripley & Franklin)]

1 정책집행의 절차

정책집행은 다음 단계로 이루어진다.

2 표준운영절차(SOP: Standard Operation Procedure)[0]

1. 의의

표준운영절차(SOP)란 조직이 과거 적응과정에서의 경험에 기초하여 유형화된 업무추진의 절차로, 조직 내 많은 관련 활동들의 조정·통제수단을 의미한다.

2. 유형

(1) 일반적 표준운영절차(SOP)

장기적인 규칙으로서 장기적인 환류에 따라 변해간다.

(2) 개별적 표준운영절차(SOP)

일반적 표준운영절차(SOP)를 집행하기 위한 단기적인 업무수행규칙, 기록과 보고, 정보처리규칙, 계획상의 규칙 등이 있다.

3. 장단점

장점	단점
·조직의 안정성 유지와 불확실성의 극복: 변화하는 외부상황에 대처하는 방식을 사전에 확보 ·시간과 노력의 절약 ·공정성의 확보: 재량 축소, 전국적으로 동일한 기준 적용 ·조직운영의 합리화: 체계적인 업무 추진과 통제	·동일시의 위험과 조직의 타성: 새로운 상황에 대해서도 동일한 기준 적용 ·시간적 지연(red tape): 과도한 문서처리, 형식주의 ·상황적응성의 결여: 상황변화에 대한 신속한 적응에 한계 ·개별적 특수성의 무시

❶ 표준운영절차의 적용

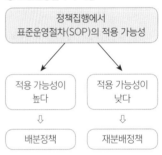

중앙통제적 정형적 전략	현지 적응적 전략
• 정책의도의 실현 강조 • 명확한 정책지침, 참여 제한, 집행자의 재량 최소화	• 집행관련 집단의 욕구 충족 강조 • 신축적 정책지침, 참여 보장, 집행자의 재량 확대

	정책관련자 간 정책내용에 대한 의견	
합의 ⇦ 안정적 · 구조화된 상황 ⇦ 전국적 보편성 강조 ⇦	• 정책관련자 간 정책내용에 대한 의견 • 집행상황 • 집행현장의 성격	⇨ 대립 · 갈등 ⇨ 유동적 · 동태적 상황 ⇨ 특수성 강조
구체적 집행수단을 밝힐 수 있음 ⇦ 참여가 적음 ⇦	• 기존이론 · 기술의 효용 • 중간매개집단, 집행관련집단의 참여	⇨ 구체적 집행수단을 밝히기 곤란 ⇨ 참여가 많아 이들의 협조 필요

하향적 · 전방향적 접근법의 적용	상향적 · 후방향적 접근법의 적용
• 하나의 정책이 지배적으로 집행 현장을 좌우하는 경우 • 정책집행의 평균적 · 일반적 과정 고찰 • 정책결정 · 정책내용 · 집행조직의 특성의 집행에의 영향 파악	• 중요성이 비슷한 여러 정책이 경쟁적으로 집행 중인 경우 • 여러 지역 간 정책집행상 차이의 파악 • 집행현장에서 발생하는 문제와 현상 파악

정책집행 연구는 프레스만(Pressman)과 윌다브스키(Wildavsky), 더식(Derthick) 등에 의해서 1970년대 초부터 본격적 연구가 시작되었다. 초기의 연구는 하향적 접근방법과 상향적 접근방법라는 두 가지 대립되는 접근방법을 중심으로 발전하였고, 이후 일선관료의 재량과 집행 과정의 적응적 성격을 강조한 연구 · 정책결정과 연계성을 분석한 연구 등이 등장하였다.

❶ 반 미터와 반 혼(Van Meter & Van Horn)의 정책집행과정 연구

1. 대표적인 하향적 집행론에 해당한다.
2. 정책집행을 정책과 성과를 연결해주는 매개변수로 보고, 정책과 성과를 연결하는 모형에 정책기준과 목표, 집행에 필요한 자원, 조직 간 의사소통과 집행활동(enforcement activities), 집행기관의 특성, 경제 · 사회 · 정치적 조건, 정책집행자의 성향(disposition)이라는 변수를 제시하였다.

1 고전적 집행론[하향적 집행론 = 정형적 = 전(방)향적]❶

(1) 행정이란 곧 정책집행이라는 관점에서 행정조직의 내부운영측면이 강조되고, 정책집행이 조직 외부의 관련 집단 간의 관계 속에서 구체화된다는 측면을 간과한다.

(2) 고전적 집행론은 정치행정이원론 · 막스 베버(Weber)의 관료제를 기반으로 하고 있으며, 정책이 기계적 · 자동적으로 충실히 집행되면 행정이념으로서의 능률성이 보장된다는 특징을 가지고 있다.

(3) 정책결정과 집행은 분리되어 결정과 집행의 순차성 · 단일방향성이 강조된다.

2 현대적 집행론[상향적 집행론 = 적응적 = 후(방)향적]

(1) 1960년대 미국 정책집행의 혼란으로 기존의 고전적 집행론에 대해 그 실효성에 의문이 제기되자 정치행정일원론에 입각한 현대적 집행론이 등장하였다.

(2) 현대적 집행론에서는 정책집행은 정책결정과 의사결정이라는 점에서 본질적 동질성을 가진다.

(3) 집행을 통해서 정책결정의 내용이 수정 · 보완되며 상호 영향을 주고받는 순환적 과정으로 파악하고 있다.

(4) 정책집행에 영향을 미치는 요인, 정책유형에 따른 정책집행 및 정책부집행에 관한 연구 등이 본격화되었다.

3 현대적 집행론의 연구 단계

1. 1세대 정책집행 연구

(1) 현대적인 정책집행론에서 정책집행은 정책의 내용을 구체화시키는 의사결정이자, 정치적 성격을 지니고 있다. 이러한 점에서 정책결정과 정책집행은 본질적으로 유사한 성질을 지니고 있는 과정이다. 결과적으로 정책결정과 정책집행은 단절된 별개의 과정이 아니라 상호영향을 주고받는 순환적 성격을 가지고 있으며, 각 과정의 담당자인 정책결정자와 정책집행자도 주어진 상황에서 상호적응적 협력과 교류를 한다.

(2) 이러한 연구의 경향을 현대적 정책집행의 1세대 연구라고 하며, 그들은 주로 정책의 실패요인을 규명하는 데 목적을 두었다. 대표적으로 1973년 프레스만과 윌다브스키(Pressman & Wildavsky)는 『The Implementation(집행론)』이라는 책에서 오클랜드(Oakland)시의 정책집행 사례의 실패요인을 분석하고 있다.

> **⊘ 개념PLUS**　『The Implementation(집행론)』(1973)
>
> **1. 오클랜드 사업**
> 흑인 빈민을 취업시키기 위한 이 사업은 1966년 시행되었다. 거액을 투자하여 항만시설, 비행장 등을 건설하여 새로운 일자리를 창출하는 것을 목표로 했지만 마련된 일자리가 겨우 20여 개 정도로 충격적이었다. 이 정책이 실패한 원인을 프레스만(Pressman)과 윌다브스키(Wildavsky)가 『집행론』을 통해 분석한 것이다.
>
> **2. 실패요인**
> 미국 연방정부가 1966년에 시범적으로 실시한 오클랜드(Okland) 사업이 실패하자 프레스만과 윌다브스키(Pressman & Wildavsky)는 『집행론』을 통해 그 실패요인을 다음과 같이 분석하였다.
> ① 집행과정에 참여기관 및 참여자의 수가 너무 많아 거부점(veto point)의 역할
> ② 정책추진 집단의 빈번한 교체로 인한 정책집행에 대한 기존의 협조·지지 상실
> ③ 정책결정 시 집행수단에 대한 고려 미흡
> ④ 적절하지 않은 기관(EDA)이 집행을 담당

2. 2세대 정책집행 연구

(1) 주로 정책집행의 성공요인을 분석하는 데 주안점을 두었다.

(2) 정책집행의 성공사례 분석을 통하여 상당히 긍정적 입장에서 미시적 분석을 시도하면서 정책의 유형에 따라 집행의 모습 또한 달라져야 함을 연구하였다.

(3) 하향적 접근, 상향적 접근, 통합적 접근이 연구되었다.

3. 3세대 정책집행 연구

(1) 정부 간 관계를 정책집행의 주요 연구대상으로 삼아 연방정부의 정책이 지방정부로 원활하게 전달되지 않음을 연구하였다.

(2) 집행에 영향을 미치는 수많은 변수들의 인과적 복잡성을 분석하면서 집행의 동태 성과 다양성을 강조하였다.

(3) 연역적이고 과학적인 접근을 시도했다.

> ### ✅ 개념PLUS 정책학습
>
> **1. 의의**
> 정책학습은 올바른 결론을 유도할 수 있는 지식의 축적과 응용 과정으로, 정책실패를 통해 더 나은 정책을 결정할 수 있는 방법을 얻게 되는 것을 말한다.
>
> **2. 등장배경**
> 1980년대 중반 이후 정책의 실패를 새로운 학습을 위한 바탕으로 인식하려는 노력이 일어났다. 정책실패는 일종의 학습과정을 통해 정책의 변화를 유도할 수 있게 한다.
>
> **3. 방법**
> 정책집행자들이 정책수행 과정에서 얻게 된 시행착오나 정책실패들을 바탕으로 지속적인 경험과 학습을 함으로써, 단기적인 실패를 맛보더라도 장기적인 측면에서 경험과 정보를 축적하여 정책의 성공을 유도하게 된다.
>
> **4. 유형**
> ① **수단적인 정책학습**: 수단적인 정책학습은 정책개입이나 집행설계의 실행가능성을 말한다. 집행수단과 기법을 적용한 후, 환류 과정을 분석하고 설계에 따른 변화가 일어나 성과가 구체적으로 드러나면 정책학습이 성공적으로 일어난다고 본다.
> ② **사회적 정책학습**: 정책 또는 사업의 사회적 구성에 관한 학습을 말한다. 정책관리기법을 문제 그 자체에 맞추고 사업목표에 대한 태도·정부활동의 본질과 타당성까지 검토한다.
> ③ **정치적 정책학습**: 정치적 변화에 대한 찬성과 반대의 주장을 통해 새로운 정치적 정보를 받아들이기 위하여 그들의 전략과 전술을 변화시킬 때 나타난다. 주어진 정책적 사고나 문제를 주장함으로써 그러한 주장을 더욱 정교하게 하기 위한 전략이다.

4 정책집행의 접근방법

구분	하향식 접근방법	상향식 접근방법
연구 방향	전방향적 연구	후방향적 연구
연구 목적	거시적 사회관리(능률성)	참여민주주의 확보
연구의 초점	정책의도의 구현	집행 현장에서의 적응
집행 전략	중앙통제적	현지 적응적
정책관련집단의 참여	참여 축소	참여 확대
일선관료의 재량	재량 통제(순응 강조)	재량 필요
적용상황	구조화된 상황	동태적 상황
버만(Berman)의 견해	정형적 집행	적응적 집행
엘모어(Elmore)의 견해	전향적 집행	후향적 집행
나카무라와 스몰우드 (Nakamura & Smallwood) 견해	고전적 기술자형, 지시적 위임가형	재량적 실험가형, 관료적 기업가형

5 통합모형

하향식 접근방법과 상향식 접근방법은 각 집행 현실의 부분적인 면만을 강조할 뿐 포괄적인 집행연구 방법으로는 부족한 점이 많아 각 접근방법의 변수들을 통합하려는 연구가 전개되었다. 엘모어(Elmore), 사바티어(Sabatier), 매틀랜드(Matland), 윈터(Winter) 등이 대표적인 통합모형 학자이다.

1. 사바티어(Sabatier)의 연구

(1) 비교우위접근법(comparative advantage approach)

하향적 또는 상향적 방법 중 상대적으로 적용가능성이 높은 조건을 발견하여, 그러한 조건에 따라 하나의 접근방법을 개별집행연구의 이론적 틀로 이용하자는 것이다.

(2) 정책지지연합모형(advocacy coalition framework)❶

① 정책하위체제 안에 신념 체계를 공유하는 정책지지연합이 있는데, 이들이 경쟁하는 과정에서 정책변동이 발생한다.

② 상향적 접근방법 측면에서의 정책하위시스템의 지지연합 간의 갈등 및 타협과정과 하향적 측면에서의 정책하위시스템 참여자들의 활동에 영향을 미치는 요소들을 결합하여 정책은 '정책결정 → 집행 → 재결정 → 재집행'이라는 정책변동차원에서 정책집행을 이해하고자 하였다.

③ 정책지지연합모형은 기본적으로 상향식 접근방법을 기본으로 하여 하향식 접근방법을 가미한 것이다.

④ 정책지지연합모형은 정책집행을 기본적으로 정책하위체계에 중점을 두고, 정책(집행)을 변화와 학습 과정으로 이해하는 모형이다(정정길 외 『정책학원론』).

2. 매틀랜드(Matland)의 통합모형

(1) 의의

① 매틀랜드(Matland)의 연구는 집행에 영향을 미치는 변수를 찾는 데 중점을 둔 것이 아니라, 양 접근방법이 어떠한 조건하에서 더 잘 적용되며 이 때 중요해지는 집행변수가 무엇인지를 탐색하였다(1995).

② **한계**: 어떤 논리적 근거로 모호성과 갈등이라는 변수가 선정되었는지 불분명하다.

(2) 내용

구분		갈등	
		낮음	높음
정책목표의 모호성	낮음	관리적 집행	정치적 집행
	높음	실험적 집행	상징적 집행

① **관리적 집행**: 정형화된 결정(SOP)이 나타나고, **하향적 접근방법**이 가능하다.

② **정치적 집행**: 매수, 담합, 날치기 통과 등이 나타나는 경우이다.

③ **실험적 집행**: 정책을 학습으로 보며, 정책 결과는 맥락적인 조건에 의해 결정되는 경우이다.

❶ 정책지지연합모형에서의 신념체계

규범적 핵심	모든 정책에 적용되는 근본 가치로서 쉽게 변동되지 않음
정책 핵심	규범적 핵심을 달성하기 위한 기본전략
부차적 측면	행정규칙, 예산배분, 규정해석 등으로 쉽게 변동됨

핵심 OX

01 사바티어(Sabatier)의 정책지지연합모형은 상향적 접근법을 기본으로 하향적 측면을 가미한 것이다. (O, X)

02 매틀랜드(Matland)는 관리적 집행 영역에서 정형화된 결정(SOP)이 적용 가능하다고 본다. (O, X)

01 O
02 O

④ **상징적 집행**: 상향적 접근방법이 유용한 경우로, 집행과정은 목표와 수단을 해석하는 과정으로 본다. 여기에서는 참여자에 대한 직업적인 훈련과정이 중요한 영향을 미친다고 본다.

3. 엘모어(Elmore)의 통합모형

(1) 의의

정책결정자는 하향식 접근방법에 의하여 정책목표를 설정하되, 상향식 접근방법에서 사용하는 방법을 수용하자는 모형이다.

(2) 내용

구분	정책집행의 성공요건	모형
체제관리모형	효율적인 관리통제체제	규범모형
관료과정모형	조직의 루틴과 새로운 정책의 통합 여부	현실모형
조직발전모형	정책결정자와 정책집행자 간의 합의 여부	규범모형
갈등협상모형	협상과정의 존속 여부	현실모형

4. 윈터(Winter)의 통합모형

(1) 정책결정과 집행의 연계성을 강조한 이론으로, 집행의 실패요인은 정책집행뿐만 아니라 정책의 결정과정에서도 나타나고 있음을 파악하였다.

(2) 윈터(Winter)는 정책집행에 영향을 주는 요인으로 정책형성 국면·조직과 조직 간 집행 국면·일선관료의 행태변수·대상 집단의 행태 및 사회경제적 변수를 들고 있다.

5. 윌다브스키(Wildavsky)의 통합모형

통제적 모형	· 통제 중심의 모형 · 목표나 계획의 합리성 내지 중요성을 인식하고 집행을 계획에 흡수시켜 그 독자적인 역할을 거의 인정하지 않으려는 입장 · 정책이 완전히 집행됨
상호작용모형	· 권위적으로 채택된 정책은 앞서는 단순한 언어의 집합에 불과하다고 봄 · 목표나 계획의 중요성을 적극화하면서 집행을 집행자의 상호작용에 흡수시키는 모형
진화론적 모형	· 통제모형과 상호작용모형의 중간 모형 · 정책은 잠재적인 가능성으로만 존재하고, 그 실현은 내적·외적 상황에 의존한다고 보는 입장

6. 버만(Berman)의 정책집행 유형

상황론적 집행모형의 대표적인 학자인 버만(Berman)은 집행현장을 거시적 집행구조와 미시적 집행구조로 구분하여 이해한다.

(1) 거시적 집행구조 ❶

① 느슨하게 연계된 연합체의 성격을 갖는다. 이 구조에서는 실질적인 집행이 가능하여 의도한 효과가 발생하도록 하위 집행구조를 설계하고 프로그램을 어느 정도 구체화하는 것을 의미한다.

② 중앙정부와 지방자치단체의 관계, 중앙부처의 부처 간의 관계 등을 강조한다.

(2) 미시적 집행구조 ❷

① 지방정부가 채택한 사업을 실행하는 것을 의미한다. 미시적 집행구조에 따라 동일한 정책이라 할지라도 그 결과는 달라진다.

② 현지 집행조직을 배경으로 연구하는 것이다.

6 정책집행 연구의 새로운 이론적 틀 – 립스키(Lipsky)의 일선집행관료이론

1. 의의

(1) 일선관료는 '정책의 최종적 과정에서 고객과 접촉하며 업무를 수행하는 하위직 관료'를 말하고, 이들로 구성된 공공서비스 조직을 일선관료제라고 한다. 일선관료에는 교사, 경찰, 복지요원(caseworker), 하급 판사 등이 있다.

(2) 흔히 일선관료가 단순한 집행업무만을 기계적으로 수행하는 것으로 보기 쉽지만, 립스키[Lipsky(1976)]는 일선관료가 상당한 재량권을 가지고 매우 복잡한 업무를 수행한다고 본다.

(3) 고객과 접촉하는 일선관료가 실질적으로 공공정책을 결정한다는 상향적 정책집행 접근법을 중시한다. 특히 복지행정에서는 일선관료가 중요한 역할을 수행하나, 지금껏 이에 대한 연구가 부족했다고 비판하였다.

2. 일선관료의 특징

막스 베버(Weber)의 일반관료제의 특징과 비교하여 립스키(Lipsky)는 일선관료의 특징을 다음과 같이 정리하고 있다.

(1) 사람을 대면

일반관료들이 서면처리를 하는 데 비해 일선관료들은 사람을 대면한다(즉, 일선관료들은 항상 주민을 상대해야 함).

(2) 재량권의 행사

일반관료들과는 달리 일선관료들은 대상 집단에 대한 제재나 혜택의 제공 과정에서 그 성격·양·질 등을 결정하는 데 많은 재량권을 행사한다.

(3) 과도한 업무량과 부족한 자원

대부분의 일선관료들은 과도한 업무량과 부족한 자원의 어려움에 봉착하고 있다.

3. 일선관료제의 중요성

(1) 일선관료는 고객과 직접 접촉하는 접점(서민층일수록 일선관료들의 공공 복지행정의 중요성이 증대)이다.

❶ 버만(Berman)의
거시적 집행구조 통로

행정	정책결정을 구체적인 정부 프로그램으로 전환하는 것
채택	행정을 통해 구체화된 정부 프로그램이 집행을 담당하는 지방정부 사업으로 받아들여지는 것
미시적 집행	지방정부가 채택한 사업을 실행사업으로 변화시키는 것
기술적 타당성	정책성과가 산출되기 위한 마지막 통로로, 정책목표와 정책수단 간의 인과관계

❷ 버만(Berman)의
미시적 집행구조 통로(3단계)

동원	집행조직에서 사업을 채택하고 실행계획을 세우는 국면	
전달자의 집행	project와 집행조직의 SOP 간 상호적응과정	부집행
		적응적 흡수
		기술적 학습
		상호적응
제도화	채택된 사업을 정형화·지속화 시켜 나가는 것	

핵심 OX

01 버만(Berman)의 미시적 집행구조는 중앙정부와 지방정부와의 관계를 중시한다. (O, X)

01 X 미시적 집행구조는 현지 집행 조직을 강조하고, 설명은 거시적 집행구조가 강조하는 영역이다.

(2) 일선관료들이 상당한 재량권을 보유하는 이유

① **복잡한 상황**: 일선행정관료들이 처한 업무상황은 일률적으로 정형화시키기에는 너무나 다양하고 복잡하다.

② **인간적인 차원**: 일선행정관료들의 업무는 기계적이기보다는 인간적인 차원에서 대처해야 할 상황이 많다.

③ **자부심**: 재량권은 일선행정관료들이 고객들의 복지에 아주 중요한 역할을 하고 있다고 믿게 하고 싶은 그들의 욕망을 충족시켜 줌으로써 그들의 자부심을 높여 준다.

④ **전문지식의 독점**: 일선관료의 전문지식 독점은 중앙관료에 대항할 수 있는 무기가 된다.

❶ 일선관료의 문제성 있는 3대 업무 환경
1. 자원의 부족
2. 권위에 대한 도전
3. 모호하고 대립되는 기대

4. 작업환경❶

(1) 자원의 부족

과중한 업무량에 비하여 제공되는 인적·물적 자원이나 시간적·기술적 자원은 만성적으로 부족하다.

(2) 권위에 대한 도전과 위협

(3) 기대의 모호와 대립

일선관료의 집행 성과에 대한 기대는 모호하고 대립되며 비현실적인 경우가 많다.

(4) 평가 기준의 결여

업무 성과를 객관적으로 평가할 기준이 결여되어 있고, 고객집단도 비자발적이어서 관료들의 성과를 평가할 위치에 있지 아니하거나 능력이 없으며, 효과적인 통제장치도 없다.

(5) 업무관행(단순화, 정형화, 관례화)

일선관료들은 과다한 업무량과 직무의 복잡성에 대처하기 위해 업무의 단순화, 정형화, 관례화를 꾀한다.

---

6 성공적 정책집행에 영향을 미치는 요인

1 성공적인 정책집행 판단 기준

성공적인 정책집행이 이루어지기 위한 구체적인 기준은 다음과 같다.

1. 실질적·내용적 기준

효과성, 능률성, 공평성 등

핵심 OX

01 일선관료들은 고객의 요구에 민감한 반응을 보인다. (O, X)

02 일선관료이론은 상향적 접근법을 중시한다. (O, X)

01 X 고객의 요구에 민감한 반응을 보이는 것이 아니라 단순화·정형화한다.

02 O

2. 주체적 · 절차적 기준

(1) 정책 의도의 실현(합법적 명제)

(2) 관료적 합리성(합리적 · 관료적 명제)

(3) 정책관련집단의 요구 충족(대응성 · 합의 명제)

2 성공적인 정책집행 요인

1. 해결할 정책문제의 성격 – 문제관련변수

(1) 문제의 기술적 측면

문제해결의 적절한 기술이 존재해야 집행이 용이하다.

(2) 대상집단 행태의 다양성

대상집단의 행태가 다양하고 복잡할수록 집행이 곤란해진다.

(3) 요구되는 행태변화의 정도

행태변화의 크기가 클수록 집행이 곤란해진다.

(4) 대상집단의 규모

변화시켜야 할 대상집단의 규모가 작고 구분이 명확할수록 집행이 용이해진다.

2. 법적 요인 – 정책의 내용(정책집행을 구조화할 수 있는 능력)

(1) 법규상 목표와 우선순위의 명확성

목표와 그 우선순위가 명확할수록 집행이 용이하다.

(2) 타당한 인과모형의 존재

목표달성과 개입방법 간의 인과관계가 적절해야 집행이 용이하다.

(3) 집행기관의 계층적 통합성(hierarchical integration)

집행기관 간 계층적 통합성(계층적 질서)이 약화되면, 집행과 관련된 많은 독립기관 간의 갈등으로 인하여 조정 · 집행이 방해받게 된다. 오늘날 관료제적 계층성의 약화는 정책집행을 곤란하게 하는 경향이 있다.

(4) 집행기관의 결정규칙

목표에 부합되도록 결정규칙을 공식화 · 표준화하게 되면 집행이 용이해진다. 그러나 지나친 표준화는 도리어 새로운 정책집행의 걸림돌이 될 수도 있다.

(5) 집행담당 공무원 및 집행기관의 자세

목표달성을 위한 집행관료의 적극적인 자세와 지도력이 성공적인 집행의 관건이다.

3. 정치적 요인 – 정책환경(유리한 외부적 상황)

(1) 일반 대중의 지지

여론의 지지가 높으면 집행이 용이해진다.

(2) 관련 집단의 지원 및 태도

조직화된 지원을 이끌어 낼 수 있는 정책지원조직의 구축과 활성화는 집행을 용이하게 해준다.

(3) 지배기관의 후원과 관심

행정수반, 의회, 상급기관 등 정책결정기관의 지원·관심은 집행을 용이하게 한다.

(4) 사회·경제·기술적 상황과 여건

정책집행은 사회·경제적 상황변화와 기술변화의 영향을 받는다.

(5) 대중매체의 관심

언론은 일반대중과 정치엘리트 사이에서 매개변수의 역할을 한다.

4. 기타 요인

(1) 정책목표가 명료하고 일관성이 높을수록 집행이 용이해 진다.

(2) SOP(표준운영절차)는 환경이 안정적이고 변동이 적을 경우에는 집행을 용이하게 하고 자원을 절감하는 등의 장점이 있으나, 변화에 대처하지 못한다는 단점도 있다.

(3) 내적 요인과 외적 요인의 비교

내적 요인	외적 요인
· 정책목표의 명확성 · 의사소통의 효율성(조직구조) · 집행책임자의 리더십과 능력문제 · 집행자의 성향(소극적·적극적, 법규 중심적·문제해결 중심적 등) · 자원(예산, 인력, 정보, 권한) · 정책집행절차, 표준운영절차(SOP)	· 환경적 여건의 변화 · 정책대상집단의 태도(순응 여부)와 정치력 · 대중매체의 관심과 여론의 지지 · 정책결정기관의 지원(특히 우리나라의 경우 대통령의 관심과 지지 중요)

✔ 개념PLUS   정책설계

1. 의의

① 정책설계란 주어진 문제의 해결을 위한 올바른 수단을 선택하는 과정 또는 정책목표의 달성을 위하여 일련의 정책수단을 조합하는 과정이다.

② 정책형성 과정의 연장선상에 있는 정책설계와 주어진 목표를 단순 실행하는 의미의 전통적 정책집행은 밀접한 관계가 있다. 왜냐하면 정책설계 과정에서 이루어진 선택이 정책이 집행되는 방법에 큰 영향을 주고, 또한 정책설계와 정책집행 과정은 정책 과정의 연속선상에 있으며 상호작용하는 관계이기 때문이다. 그 결과 정책이 집행 중이라도 다른 유사한 정책으로부터의 경험을 통해 필요하다면, 집행활동 도중 정책설계를 변경하는 경우도 종종 발생한다.

2. 구성요소

① **정책 목적의 명확화(정책의 구체적 목표)**: 정책 목적은 내용이 모호해 하위목표 간에 충돌이 발생하고 목적설정 과정에 상당한 갈등을 유발하므로 더욱 구체화해야 한다.

② **적절한 인과모형**: 인과모형이란 정책문제를 야기한 원인과 원인을 제거할 수 있는 수단이 무엇인지를 설명하고자 하는 이론을 말한다.

③ **정책의 수단**: 정책 수단이란 정부가 정책 목적을 달성하기 위해 사용하는 통제의 방법으로, 바람직한 결과를 가져올 수 있는 정책 수단을 선택해야 한다.

④ **정책의 집행**: 집행단계에서는 집행체계를 마련한 집행 주체를 정하고 상향적·하향적 집행 방법 중 하나를 선택해야 한다.

1 의의

1. 순응

순응이란 정책집행자나 정책대상집단이 정책결정자의 의도나 정책 또는 법규의 내용에 일치되는 행위를 하는 것을 의미한다.

2. 불응

순응과 상반되는 행위를 불응이라 하며, 구체적 형태는 다음과 같다.

(1) 의사전달에 대한 고의적 조작

원하지 않는 지시나 관련정보를 전달하지 않거나 유리한 것만을 전달하는 경우이다.

(2) 지연

집행을 유보하거나 지연시켜 정책결정자가 교체되면 집행 자체를 종결시켜 버리는 형태이다.

(3) 정책의 임의변경

재량권을 이용하여 자기에게 유리한 방향으로 정책목표·내용·절차를 변경시켜 버리는 형태이다.

(4) 부집행

스스로의 판단으로 결정자가 원하지 않을 것이라고 생각해 아예 집행을 포기하는 경우이다.

(5) 형식적 순응

형식적으로 명령에 따르는 경우이다.

(6) 정책 자체의 취소

2 순응과 불응의 원인 및 순응의 확보방안

1. 순응과 불응의 원인

(1) 순응의 원인
① 권위의 존중
② 합리적·의식적 수용
③ 정부의 정통성
④ 자기이익의 추구
⑤ 처벌·제재의 가능성
⑥ 정책집행의 기간 장기화

(2) 불응의 원인

① 기존 가치체계와의 갈등

② 법에 대한 선택적 불응

③ 집단에의 소속감

④ 금전상의 이익

⑤ 정책의 모호성

2. 순응의 확보방안

(1) 교육과 설득 활동을 한다.

(2) 선전에 의한 호소를 한다.

(3) 정책을 수정하거나 관행을 채택한다.

(4) 제재수단을 사용한다.

(5) 적극적 편익(보상)을 제공한다.

학습 점검 문제

01 정책옹호연합모형(advocacy coalition framework)에 대한 설명으로 옳지 않은 것은? 2021년 지방직 9급

① 외적인 환경변수를 정책 과정과 연계함으로써 정책변동을 설명한다.

② 정책학습을 통해 행위자들의 기저 핵심 신념(deep core beliefs)을 쉽게 변화시킬 수 있다.

③ 옹호연합 사이에서 정치적 갈등 발생 시 정책중개자가 이를 조정할 수 있다.

④ 옹호연합은 그들의 신념 체계가 정부 정책에 관철되도록 여론, 정보, 인적자원 등을 동원한다.

02 사바티어(Sabatier)의 통합모형에 대한 설명으로 가장 옳지 않은 것은? 2019년 서울시 7급(10월 추가)

① 정책변화 이해에 가장 유효한 분석 단위는 정책하위시스템이다.

② 정책하위시스템에는 서로 다른 목표를 가진 지지연합이 있다.

③ 정책하위시스템 참여자의 활동에 영향을 미치는 요소는 상향식 접근방법으로 도출하였다.

④ 정책집행을 한 번의 과정이 아니라 연속적인 정책변동으로 보았다.

정답 및 해설

01 정책옹호연합모형(advocacy coalition framework; 정책지지연합모형)은 행위자들의 기저 핵심 신념(deep core beliefs)은 쉽게 변화되지 않는다고 본다.

| 오답체크 |
① 외부환경변수를 정책 과정과 연계하여 정책변동을 설명하였다.
③ 옹호연합 간 갈등 발생 시 정책중개자가 이를 조정하는 중요한 역할을 한다.
④ 정책옹호연합(정책지지연합)은 자신들의 신념 체계를 관철시키기 위하여 여론, 정보, 인적자원 등을 동원한다.

02 상향적 접근방법 측면에서의 정책하위시스템의 지지연합 간의 갈등 및 타협과정과 하향적 측면에서의 정책하위시스템 참여자들의 활동에 영향을 미치는 요소들을 결합하여, 정책은 '정책결정 → 집행 → 재결정 → 재집행'이라는 정책변동차원에서 정책집행을 이해하고자 하였다.

| 오답체크 |
① 정책변화를 이해하기 위한 분석단위로 정책하위체제에 중점을 둔다.
② 정책하위시스템 내의 서로 다른 목표를 가진 경쟁적인 정책지지연합 간 갈등과 타협과정에 있다고 본다.
④ 정책변화과정은 점진적 정책변동으로, 연속적인 정책변동이나 정책학습 과정으로 보았다.

정답 01 ② 02 ③

03 표준운영절차(SOP)에 대한 설명으로 옳은 것은?

2018년 지방직 9급

① 업무 담당자가 바뀌게 되면 표준운영절차로 인해 업무처리의 연속성을 유지하는 것이 어렵게 된다.

② 표준운영절차는 업무처리의 공평성을 확보하는 데 기여한다.

③ 표준운영절차에 따른 업무처리는 정책집행 현장의 특수성을 반영하기에 용이하다.

④ 정책결정모형 중 앨리슨(Allison)모형의 Model I은 표준운영절차에 따른 의사결정을 가정한다.

04 프레스만(J. Pressman)과 윌다브스키(A. Wildavsky)가 지적한 정책집행의 실패요인과 가장 거리가 먼 것은?

2005년 군무원 9급

① 적절한 집행수단이 결여되었다.

② 집행과정에서 참여자가 너무 적었다.

③ 집행담당기관의 선택이 부적절하였다.

④ 집행담당자의 교체가 너무 잦았다.

05 립스키(Lipsky)의 '일선관료제'에서 일선관료들이 처하는 업무환경의 특징으로 옳지 않은 것은?

2022년 국가직 9급

① 자원의 부족

② 일선관료 권위에 대한 도전

③ 모호하고 대립되는 기대

④ 단순하고 정형화된 정책대상집단

06 버만(Berman)의 '적응적 집행'에 대한 설명으로 옳은 것은?

2018년 지방직 9급

① 미시집행 국면에서 발생하는 정책과 집행조직 사이의 상호적응이 이루어질 때 성공적으로 집행된다.

② 거시적 집행구조는 동원, 전달자의 집행, 제도화의 세 단계로 구분된다.

③ '행정'은 행정을 통해 구체화된 정부프로그램이 집행을 담당하는 지방정부의 사업으로 받아들여지는 것을 의미한다.

④ '채택'은 지방정부가 채택한 사업을 실행사업으로 변화시키는 것을 의미한다.

07 다음 <보기> 중 정책집행의 상향적 접근(bottom-up approach)에 대한 설명으로 옳은 것을 모두 고르면?

2018년 국회직 8급

─〈보기〉─

ㄱ. 합리모형의 선형적 시각을 반영한다.

ㄴ. 집행이 일어나는 현장에 초점을 맞춘다.

ㄷ. 일선공무원의 전문지식과 문제해결능력을 중시한다.

ㄹ. 고위직보다는 하위직에서 주도한다.

ㅁ. 공식적인 정책목표가 중요한 변수로 취급되므로 집행실적의 객관적 평가가 용이하다.

① ㄱ, ㄴ, ㄷ

② ㄱ, ㄷ, ㅁ

③ ㄴ, ㄷ, ㄹ

④ ㄴ, ㄹ, ㅁ

⑤ ㄷ, ㄹ, ㅁ

정답 및 해설

03 표준운영절차(SOP: Standard Operation Process)란 업무처리과정을 표준화·공식화하는 것으로, 업무처리의 객관성과 공평성이 확보된다.

| 오답체크 |

① 표준운영절차가 만들어지면 업무 담당자가 바뀌어도 정해진 절차로 업무를 처리함으로써 업무처리의 연속성을 유지하는 것이 가능하게 된다.

③ 표준운영절차에 따른 정형적인 업무처리는 정책집행 현장의 특수성 반영을 곤란하게 한다.

④ 앨리슨(Allison)모형의 Model Ⅱ (조직과정모형)가 표준운영절차에 따른 의사결정을 가정한다.

04 참여자가 너무 많아 거부점으로서 역할을 했다.

❶ **미국 연방정부의 오클랜드(Okland) 사업 실패요인 분석(1966)**

· 집행과정에 참여기관 및 참여자의 수가 너무 많아 거부점(veto point)으로 역할함

· 정책추진집단의 빈번한 교체로 인한 정책집행에 대한 기존의 협조·지지 상실

· 정책결정 시 집행수단에 대한 고려 미흡

· 적절하지 않은 기관(EDA)이 집행을 담당

05 고객들은 대체로 비자발적이지만, 단순하고 정형화된 서비스를 원하는 집단은 아니다.

❶ **일선관료의 3대 업무환경의 특성**

· 자원의 부족

· 권위에 대한 도전

· 모호하고 대립되는 기대

06 버만(Berman)은 정책집행을 정형적(거시적) 집행과 적응적(미시적) 집행으로 구분하였으며, 여기서 미시적 집행은 채택한 사업을 실행하는 것을 의미한다. 미시적 집행구조에 따라 동일한 정책이라 할지라도 그 결과는 달라진다고 보므로, 정책과 집행조직 사이의 상호적응이 이루어질 때 성공적으로 집행된다고 본다.

| 오답체크 |

② 거시적 집행구조의 통로는 행정(administration), 채택(adoption), 미시적 집행(micro-implementation), 기술적 타당성(technical validity) 네 가지로 구성된다.

③ 행정이 아니라 채택에 해당하는 개념이다.

④ 채택이 아니라 미시적 집행에 해당하는 개념이다.

07 정책집행의 상향적 접근(bottom-up approach)에 대한 내용으로 ㄴ, ㄷ, ㄹ만 옳다.

| 오답체크 |

ㄱ. 상향적 접근은 제한된 합리성, 적응적 합리성을 추구하는 입장으로, 합리모형의 선형적 시각을 반영하지는 않는다. 합리모형의 선형적 시각이란 문제정의 → 대안탐색 → 대안분석 → 대안선택의 일련의 선형적·단계적 과정을 말하는 것으로, 하향적 집행과 관련된다.

ㅁ. 공식적인 정책목표가 중요한 변수로 취급되므로 집행실적의 객관적 평가가 용이한 것은 하향식 집행의 특징이다. 상향식 집행에서는 공식적 정책목표가 무시되므로 집행결과에 대한 객관적인 평가가 어렵다.

정답 03 ② 04 ② 05 ④ 06 ① 07 ③

08 정책집행의 상향적 접근방법에 대한 설명으로 옳은 것은? 2017년 국가직 9급(4월 시행)

① 대표적인 모형은 사바티어(Sabatier)의 정책지지연합모형(Advocacy Coalition Framework)이다.

② 정책결정과 정책집행은 뚜렷하게 구분된다고 본다.

③ 집행 현장에서 일선관료의 재량과 자율을 강조한다.

④ 안정되고 구조화된 정책 상황을 전제로 한다.

09 정책집행의 하향식 접근(top-down approach)에 대한 설명으로 옳은 것만을 모두 고르면? 2020년 지방직 9급

> ㄱ. 집행이 일어나는 현장에 초점을 맞춘다.
>
> ㄴ. 일선공무원의 전문지식과 문제해결능력을 중시한다.
>
> ㄷ. 하위직보다는 고위직이 주도한다.
>
> ㄹ. 정책결정자는 정책집행에 영향을 미치는 정치적·조직적·기술적 과정을 충분히 통제할 수 있다.

① ㄱ, ㄴ   ② ㄱ, ㄷ

③ ㄴ, ㄹ   ④ ㄷ, ㄹ

10 정책집행의 접근방법에 대한 설명으로 옳은 것은? 2020년 국가직 7급

① 하향식 접근방법에서는 정책목표의 신축적 조정이 효과적인 정책집행을 가져온다고 하였다.

② 사바티어(Sabatier)와 매즈매니언(Mazmanian)은 상향식 접근방법의 대표적인 모형을 제시하였다.

③ 엘모어(Elmore)가 제안한 전방향적 연구(forward mapping)는 상향식 접근방법과 유사하다.

④ 고긴(Goggin)은 통계적 연구설계의 바탕 위에서 이론의 검증을 시도하는 제3세대 집행 연구를 주장하였다.

11 나카무라(Nakamura)와 스몰우드(Smallwood)의 정책결정자와 정책집행자의 관계에 따른 정책집행의 유형에 대한 설명으로 옳지 않은 것은? 2022년 국가직 9급

① '고전적 기술자형'은 정책결정자가 구체적인 목표를 설정하면, 정책집행자는 그 목표를 지지하고 목표달성을 위한 기술적인 수단을 강구하는 역할을 담당한다고 본다.

② '재량적 실험형'은 정책결정자가 추상적인 목표를 설정하면, 정책집행자는 정책결정자를 위해 목표와 수단을 명확하게 하는 역할을 담당한다고 본다.

③ '관료적 기업가형'은 정책집행자가 목표와 수단을 강구한 다음 정책결정자를 설득하고, 정책결정자는 정책집행자가 수립한 목표와 수단을 기술하는 역할을 담당한다고 본다.

④ '지시적 위임형'은 정책결정자가 구체적인 목표와 수단을 설정하면, 정책집행자는 정책결정자의 지시와 위임을 받아 정책대상집단과 협상하는 역할을 담당한다고 본다.

정답 및 해설

08 고객과 접촉하는 일선관료가 자율과 재량을 가지고 실질적으로 공공정책을 결정한다는 것은 상향적 정책집행 접근방법의 주요 특징이다.

| 오답체크 |
① 정책지지연합모형은 통합모형에 해당한다.
② 정책결정과 정책집행이 뚜렷하게 구분된다고 보는 것은 하향식 접근이다.
④ 안정되고 구조화된 정책 상황을 전제로 하는 것은 하향식 접근이다.

09 하향식 집행은 ㄷ. 정책을 집행하는 일선하위직보다는 정책을 결정하는 고위직이 정책 과정을 주도한다. 또한 ㄹ. 정책결정자가 정책의 모든 과정을 전반적으로 장악하고 충분히 통제할 수 있다고 가정한다.

| 오답체크 |
ㄱ. 집행현장에 초점을 맞추는 것은 상향식 접근에 해당한다.
ㄴ. 일선공무원의 전문지식과 문제해결능력을 중시하는 것은 상향식 집행에 해당한다.

10 정책집행 연구는 3단계로 이루어졌는데 이 중 고긴(Goggin)과 오툴(O'Toole)은 이론의 검증을 시도하는(=과학성을 추구하는) 제3세대 집행 연구를 주장하였다.

| 오답체크 |
① 하향식 접근방법에서는 정책목표의 안정성과 일관성이 효과적인 정책집행을 가져온다고 본다. 정책목표의 신축적 조정이 효과적인 정책집행을 가져온다고 보는 것은 상향적 집행론이다.
② 사바티어(Sabatier)와 매즈매니언(Mazmanian)은 통합모형을 주장하였다.
③ 엘모어(Elmore)가 제안한 전방향적 연구(forward mapping)는 상향식이 아니라 하향식 접근방법과 유사하다.

11 지시적 위임가형은 고전적 기술관료형과 마찬가지로 정책결정자가 명백한 목표를 설정한다고 본다. 집행자는 수단과 관련된 행정적 권한을 가지므로, '정책결정자가 구체적인 목표와 수단을 설정한다'는 부분은 옳지 않다. 또한 지시적 위임자형에서 협상은 주로 집행자 상호 간의 협상을 의미한다.

| 오답체크 |
① 고전적 기술자형에서 정책결정자는 정책목표를 명확히 결정하여 구체적으로 설정하고, 집행자들은 이 목표를 지지한다. 정책결정자는 구체적인 정책목표와 세부 정책내용까지 결정한다. 또한 정책결정자는 계층제적인 지휘명령체계를 구축하고 집행자를 통제하며, 정책집행자들에게 정책목표의 달성을 위해서 필요한 조치(정책수단의 마련 등)를 강구할 수 있는 기술적 권한(technical authority)을 위임한다.
② 재량적 실험가형은 정책결정자가 불확실성·정보의 부족 등으로 인하여 일반적이고 추상적인 목표의식은 가지고 있지만, 목표를 명확하게 표명하지는 못한다고 본다. 정책결정자는 집행자에게 광범위한 재량권을 주어 그들로 하여금 목표를 명확하게 하고, 성취 수단을 재량적으로 개발·활용하게 한다.
③ 관료적 기업가형은 정책집행자가 정책목표를 설정하고, 공식적인 정책결정자를 설득 또는 강제하여 이 정책목표를 받아들이도록 한다고 본다.

1 정책평가의 의의

1 정책평가의 개념

(1) 정책이 좋은지 나쁜지를 비판적으로 검토하는 활동이다.

(2) 정책수단과 정책목표 사이의 인과관계에 대한 아직 검증되지 않은 가설을 검증하는 활동이다.

(3) 정책의 내용이나 집행 및 그 영향을 정책목표와 관련해서 객관적·체계적으로 재검토하는 과정이다.

2 정책분석과의 비교

1. 정책분석
정책결정에 필요한 정보를 제공하는 사전적·기대적 분석이다.

2. 정책평가
사후적·회고적 분석이다.

3 정책평가의 목적

(1) 보다 종합적·체계적인 정책분석을 통하여 합리적 정책결정·집행에 도움이 되는 지식과 정보를 제공한다.

(2) 정보분석을 통한 사업계획의 수정·변동과 자원의 재분배이다.

(3) 행정인의 관리상 능률향상과 행정활동 방법을 개선한다.

(4) 정책에 대한 법적·국민적 책임성을 확보한다.

(5) 정책수단과 결과에 대한 학문적 인과성을 확보한다.

4 정책평가의 기준

나카무라와 스몰우드(Nakamura & Smallwood)의 분류에 의하면 정책평가의 기준으로 **(1)** 능률성, **(2)** 정책목표달성도, **(3)** 수익자 대응성, **(4)** 주민 만족도, **(5)** 체제 유지도 등을 들 수 있다.

능률성	· 적은 투입·비용으로 산출의 극대화를 달성했는지 여부 · 비용과 관련시켜 성과의 질과 양을 파악하려는 것 · 투입과 수단의 극대화에 중점
정책목표 달성도 (효과성)	· 정책이 의도한 본래 목표를 어느 정도 달성했는지 여부 · 결과에 초점을 두고 목표의 명확성이 요구되는 기준 · 측정단위는 정책이 산출한 서비스의 양
수익자 대응성	수익자(고객)에 대한 정책혜택이 수익자의 욕구를 어느 정도 충족시켰는지 여부
주민 만족도	· 일반주민의 지지기반 확보 정도 · 정치적 조정
체제 유지도	· 정당화를 추구하면서 체제를 유지하려는 속성이 어느 정도인지 여부(제도 적합성) · 가장 포괄적인 기준

2 | 정책평가의 종류

1 주체에 의한 분류

조직 내부인사에 의한 내부평가와 외부인사에 의한 외부평가로 나눌 수 있다.

2 방법에 의한 분류

비계량적인 방법에 의한 비과학적 평가와 계량적 방법에 의한 과학적 평가로 나눌 수 있다.

3 대상에 의한 분류

1. 총괄평가(사후평가)

(1) 정책평가의 핵심으로, 정책이 집행되고 난 후에 정책이 사회에 미친 영향 또는 정책결과 중에서 의도한 정책효과가 정책으로 인해서 발생했는지를 판단하는 활동을 말한다.

(2) 총괄평가의 내용으로는 ① 효과성 평가, ② 능률성 평가, ③ 공평성 평가 등이 있다.

(3) 총괄평가는 외부평가가 원칙이다.

2. 과정평가[1]

정책집행 및 활동을 분석하여 이를 근거로 좀더 효율적인 집행전략을 수립하거나 정책내용을 수정·변경하며, 정책의 중단·축소·유지·확대 여부의 결정에 도움을 준다. 과정평가는 협의의 과정평가와 집행과정평가로 나눌 수 있다.

[1] 형성적 평가
정책이 집행되는 도중에 프로그램이 유동적일 때, 프로그램을 수집·형성·수정하기 위하여 이루어지는 평가로, 과정평가와 많은 부분이 중복된다.

(1) 협의의 과정평가

① 정책수단이 구체적으로 어떠한 경로를 거쳐서 정책효과를 발생시켰는지 파악하려는 것이다.

② 구체적인 인과관계 경로를 검증한다.

(2) 집행과정평가❶

① 정책이 의도했던 대로 집행이 되었는지를 확인·점검하는 것이다.

② 평가(점검, 모니터링)의 중점을 어디에 두느냐에 따라 프로그램 모니터링과 성과 모니터링으로 구분한다.

3. 평가성 사정(평가성 검토)

(1) 평가성 사정(평가성 검토)은 본격적인 평가를 하기에 앞서 효율적인 평가를 위하여 평가대상과 평가방법에 대한 전략을 마련하는 것을 말한다.

(2) 평가성 사정은 평가의 실행가능성과 평가의 유용성을 알아보는 일종의 예비평가로, 평가의 소망성과 가능성·필요성·평가결과의 활용가능성·평가범위 등을 검토하는 사전적 과정평가에 해당한다.

(3) 던(Dunn)은 의사(擬似)평가❷(pseudo evaluation; 사이비 평가)를 막기 위하여 평가성 사정이 필요하다고 주장하였다.

(4) 평가성 사정은 평가수행 전, 즉 평가기획단계에서 이루어지는 활동으로, 엄밀히 말하면 정책평가 자체는 아니라고 할 수 있다.

4. 평가종합

(1) 평가결산은 평가결과에 대해서 기존 평가자가 아닌 제3자가 다시 평가하는 것을 말한다. 즉, 평가결과를 다시 평가하는 '평가에 대한 평가'라고 할 수 있다.

(2) 평가결산은 주로 영향평가에 대해서 수행되는데, 상급감독기관이나 외부전문가와 같은 제3의 기관에서 실시한다.

(3) 평가결산은 사후적 총괄평가에 해당하는 것으로, 2차적 평가, 상위평가, 메타평가라고도 한다.

5. 착수직전분석 – 평가기획

(1) 착수직전분석은 '프로그램의 개시를 결정하기 직전에 수행하는 평가 작업'으로, 프로그램의 수요·개념의 적합성·운영적 측면에서의 실행가능성 등을 미리 평가해보는 것이다. 또한 착수직전분석을 '새로운 프로그램 평가를 기획하기 위하여 평가를 착수하기 직전에 수행되는 평가작업'이라고 보는 경우도 있다.

(2) 착수직전분석은 사전분석이라고도 하며, 사전적 총괄평가에 해당한다.

3 　정책평가의 절차

정책평가의 절차는 정책평가의 유형이나 결과의 활용 목적·평가방법 등에 따라 달라지는데, 일반적으로 (1) 평가의 목적 확인 → (2) 평가성 검토 → (3) 평가설계 → (4) 자료의 수집과 분석 → (5) 의사교류 및 평가결과의 제시 → (6) 평가결과의 활용 등의 순서로 이어진다.

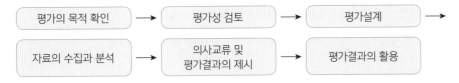

4 　정책평가의 타당성

1 의의 및 관계

1. 의의

(1) 타당성
　정책평가의 타당성은 정책평가가 정책의 효과를 얼마나 진실에 가깝게 추정해 내고 있느냐 하는 정도를 나타내는 개념이다.

(2) 신뢰성(일관성)
　신뢰성이란 동일한 측정도구가 동일한 프로그램(정책)을 반복해서 측정하는 경우에 동일한 결과가 나오는 정도를 의미한다.

2. 신뢰성과 타당성과의 관계
신뢰성은 타당성의 필요조건으로, 신뢰성이 낮으면 타당도가 낮아지나, 신뢰성이 높다고 해서 타당성이 높은 것은 아니다. 따라서 측정에 있어서는 타당성이 우선적으로 확보되어야 한다.

2 타당성의 유형 - 쿡과 캠벨(Cook & Campbell)의 분류

1. 구성개념 타당성(construct validity)
(1) 처리, 결과, 모집단 및 상황들에 대한 이론적 구성요소들이 성공적으로 조작화된 정도를 의미한다.

(2) 연구자가 측정하고자 하는 추상적 개념이 실제로 측정도구에 의해서 제대로 측정되었는지의 정도를 말하는 것으로, 정책평가에 사용된 이론적 구성개념과 이를 측정하는 도구가 얼마나 일치되는지의 정도를 의미한다.

2. 통계적 결론의 타당성(statistical conclusion validity)

(1) 정책의 결과가 존재하고 이것이 제대로 조작되었다고 할 때, 이에 대한 효과를 찾아낼 만큼 충분히 정밀하고 강력하게 연구 설계가 이루어진 정도를 말한다.

(2) 연구의 설계가 처리효과를 찾아내기에 충분할 만큼 정밀하고 강력한 것인가의 정도를 말하는 것으로, 제1종 및 제2종 오류가 발생하지 않을 정도를 의미한다.

❶ 인과관계 조건
1. **시간적 선행성:** 독립변수(정책)는 종속변수(목표 달성)보다 시간적으로 선행해야 한다.
2. **공동 변화:** 독립변수와 종속변수는 같이 변화해야 한다.
3. **비허위적 관계:** 정책 이외의 다른 경쟁적 요인이 종속변수에 영향을 미치지 않았음을 입증해야 한다.

3. 내적 타당성(internal validity)❶

(1) 내적 타당성이란 조작화된 결과에 대하여 찾아낸 효과가 다른 경쟁적인 원인들에 의해서라기보다, 조작된 처리에 기인된 것이라고 볼 수 있는 정도를 말한다.

(2) 처치(정책)와 결과(효과) 사이의 관찰된 결과로부터 도달하게 된 인과적 결론의 적합성 정도를 말하는 것으로, 외적 타당성에 앞서 1차적으로 확보되어야 할 타당성이다.

4. 외적 타당성(external validity)

(1) 조작화된 구성요소들 가운데에서 관찰된 효과들이 당초의 연구가설에 구체화된 것 이외에 다른 이론적 구성요소들에까지도 일반화될 수 있는 정도를 의미한다.

(2) 어떤 특정한 상황에서 내적 타당성을 확보한 정책평가가 다른 상황에도 그대로 적용될 수 있는가의 정도를 말한다.

❷ 허위변수의 예시

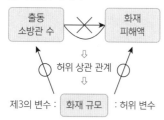

> **◉ 핵심정리** | **정책평가의 타당성을 저해하는 변수(제3의 변수)**
>
> **1. 허위변수**❷
> 두 변수 간에 전혀 관계가 없는데도 상관관계가 있는 것처럼 나타나도록 두 변수에 모두 영향을 미치는 변수이다.
>
> **2. 혼란변수**
> 두 변수 간에 일부 상관관계가 있는 상태에서 두 변수 모두에 영향을 미치는 변수이다.
>
> **3. 매개변수**
> 독립변수와 종속변수 사이에서 독립변수의 결과인 동시에 종속변수의 원인이 되는 변수이다.
>
> **4. 선행변수**
> 인과관계에서 독립변수에 앞서면서 독립변수에 유효한 영향력을 행사하는 변수이다.
>
> **5. 억제변수**
> 두 변수 간에 상관관계가 있는데도 없는 것으로 나타나게 하는 변수이다.
>
> **6. 왜곡변수**
> 두 변수의 사실상의 관계를 정반대의 관계로 나타나게 하는 변수이다.

3 내적 타당성

1. 의의
내적 타당성은 원인변수와 결과변수 간의 관찰된 관계로부터 도달하게 된 인과적 관계 추론의 정확도를 말한다. 이를 저해하는 요소들은 평가연구 수행에 대하여 외재적 요인(선발요인)과 평가연구를 수행하는 과정에서 결과에 스며들어가는 내재적 요인(나머지 저해요인)들로 구분된다.

2. 저해요인

(1) 선정효과(selection, 선발요인)
① 의의: 선정효과는 실험집단과 통제집단을 구성할 때 두 집단에 서로 다른 개인들을 선발하여 할당함으로써 오게 될지도 모르는 편견을 말한다. 이를 외재적 요인이라고도 한다.
② 이는 실험집단과 통제집단의 표본선정 과정상의 오류라고 할 수 있다.

(2) 상실요소(mortality)
① 의의: 상실요소는 정책의 수행 중에 대상집단의 일부가 탈락하는 경우를 말한다. 정책집행기간 중 대상집단의 일부가 탈락하여 남아 있는 대상이 처음과 달라지면 효과 추정이 어려워진다.
② 실험집단과 비교집단에서 서로 다른 성격과 비율로 탈락하여 생긴 두 집단 간의 구성상 변화에 의한 오차를 상실요소에 의한 오차라고 한다.

(3) 회귀인공요소(regression artifact)
① 의의: 회귀인공요소는 실험 직전의 측정결과를 토대로 집단을 구성할 때, 평소와는 달리 유별나게 좋거나 나쁜 결과를 얻은 사람들이 선발될 수 있는데, 이런 사람들이 실험 진행중에 자신의 원래 위치로 돌아가게 되는 것을 말한다. 이러한 회귀인공요소가 작용할 경우, 측정결과에 대한 해석이 제대로 되지 않을 수 있다.
② 실험 직전 단 한번의 측정만으로 극단적인 값을 가지는 구성원으로 실험집단을 구성하는 경우, 나중에 재측정하면 평균으로 회귀하는 경향이 있는데, 이렇게 실험이 진행되는 동안 구성원들이 원래 자신의 성향으로 돌아갈 경우에 나타나는 오차를 회귀인공요소에 의한 오차라고 한다.

(4) 성숙효과(maturation, 성장효과)
① 의의: 성숙효과는 실험대상집단이 단순한 시간의 경과에 따라 자연히 성장하거나 발전하는 것을 말한다. 즉, 실험집단구성원들이 정책의 효과와는 관계없이 자연적으로 성장하거나 발전함으로써 나타날 수 있는 효과를 말한다.
② 실험기간이 길어질수록 성숙효과(성장효과)가 나타날 가능성이 높다.

(5) 역사요인(history, 사건효과)
① 의의: 역사요인은 실험기간 동안에 실험자의 의도와는 관계없이 일어난 역사적 사건을 말한다. 이러한 역사요인이 작용할 경우, 정책이나 실험의 정확한 효과 추정이 어려워진다.
② 실험기간이 길어질수록 역사적 사건이 나타날 가능성이 높아진다.

(6) 측정(검사)요소(testing, 시험효과)

① 측정 경험이 축적되어 처치 후의 동일한 측정에 영향을 주는 현상이다.

② 동일한 테스트 문제들이 프로그램 전과 후에 사용되는 경우, 대상자들이 이들 문제들을 기억하거나 프로그램 집행 후의 테스트에 앞서 이 문제들을 토의함으로써 테스트 점수가 높아질 수도 있다는 것이다.

(7) 도구요인(instrumentation, 측정수단요인)

① 의의: 도구요인은 측정수단(도구) 자체가 실험결과에 영향을 미치는 것으로, 프로그램이나 정책의 집행 전과 집행 후에 사용하는 측정절차나 측정도구가 변화됨으로써 나타나는 현상을 말한다.

② 측정절차나 측정도구에 변화가 있을 경우, 평가대상에 나타난 변화가 정책의 효과에 기인된 것인지, 아니면 단지 측정절차나 측정도구가 달라짐에 따라 나타난 것인지 구분이 어려워진다.

(8) 선발과 성숙의 상호작용

실험집단과 통제집단의 동질성이 확보되지 못했을 뿐만 아니라, 두 집단의 성숙의 비율이 다를 수도 있다. 이로 인해서 효과를 제대로 측정하지 못하는 경우가 발생할 수도 있다.

(9) 처치와 상실의 상호작용

① 실험집단과 통제집단에 무작위 배정이 이루어진 경우라 할지라도 이들 집단들에 서로 다른 처치가 행해짐으로써 처치기간 동안에 두 집단에서 서로 다른 성질의 구성원들이 상실(탈락)될 수 있다.

② 남아있는 구성원들을 대상으로 처치의 효과를 추정할 경우, 그 결과가 왜곡될 수 있다.

(10) 누출효과

처리가 통제집단에게 누출되어 발생하는 현상을 말한다.

(11) 모방효과

통제집단의 구성원이 실험집단 구성원의 행동을 모방하는 것을 말한다.

> **✓ 개념PLUS** 내적 타당성 저해요인

표본의 대표성	선정(선발)요인 (selection)	· 실험집단과 통제집단의 구성원이 다르기 때문에 발생 · 조사자의 주관적 판단에 의한 배정이나 프로그램에 대상자가 지원하는 경우(자기선정요인; self-selection) 강하게 나타남
	회귀요인 (regression)	극단적인 측정값들을 재측정하는 경우, 평균값으로 회귀하여 처음과 같은 극단적인 측정값이 나타날 확률이 줄어드는 현상
	상실요인 (mortality)	조사기간 중 대상집단의 일부가 탈락·상실(이사·전보 등)됨으로써 남아있는 집단이 처음의 집단과 다른 특징을 갖는 경우

관찰 및 측정 요인	측정요인 (testing)	정책·프로그램 전후 유사한 검사를 반복 시, 검사에 대한 참여자들의 친숙도가 높아져 측정값에 영향을 주는 경우
	측정수단요인 (instrumentation)	정책이나 프로그램의 집행 전과 집행 후에 측정하는 절차나 측정도구가 달라지는 것
대상 집단의 특징 변화	역사요인 (history)	연구기간 동안에 일어나는 사건이 개인이나 집단에 영향을 미쳐 대상 변수에 중요한 영향을 미치는 경우
	성숙요인 (maturation)	· 시간의 경과 때문에 조사대상집단 자체의 특징 변화 · 측정 전후의 시간간격이 길수록 영향력 증대

3. 내적 타당도 제고를 위한 변수의 통제방법

(1) 무작위 배정에 의한 통제

홀짝추첨 방식의 무작위 추출(배정)로 실험집단과 통제집단을 동질적으로 구성하여 외생변수의 영향이 두 집단에 동일하게 나타나도록 하는 실험(진실험 방법)이다.

(2) 축조에 의한 통제

특정 정책이 실시되는 지역과 실시되지 않는 지역이 구분되어 무작위 배정을 하기 어려운 연구대상을 비슷한 대상끼리 둘씩 짝을 지어 배정하는 매칭(matching)에 의한 방법(준실험 방법)을 말한다.

(3) 재귀적 통제 ≒ 단절적 시계열 분석

정책이 전국적으로 실시되기 때문에 실험집단과 통제집단을 구분하기가 곤란한 경우, '별도의 통제집단 없이' 동일한 집단에 대하여 정책을 집행한 후에 일정기간 동안 나타난 산출의 변화를 정책실시 전의 일정기간 동안 나타났던 산출의 변화와 비교하는 방법(준실험 방법)이다.

(4) 통계적 통제

통계적 기법을 활용하여 외생변수를 추정 및 제거하는 방법(비실험 방법)이다.

(5) 잠재적 통제

잠재적 집단(전문가·패널)의 판단과 비교한 후 통제하는 방법(비실험 방법)이다.

4 외적 타당성

1. 의의

외적 타당성은 특정상황에서 내적 타당성을 확보한 정책평가가 다른 상황에서도 적용될(일반화) 가능성을 말한다.

2. 저해요인

(1) 표본의 대표성 부족

실험집단과 통제집단 간에 동질성이 있더라도, 그 구성원들의 사회적 대표성이 없을 경우 일반화가 곤란하다.

(2) 실험조작의 반응효과(호손효과)

① 인위적인 실험환경에서 얻은 실험적 변수의 결과를 일반화하기 어려운 점이 있는데 이는 호손효과 때문이다. 호손효과(Hawthorne effect)란, 실험집단의 구성원들이 실험의 대상이라는 사실을 인식하고 있는 경우, 심리적 긴장감으로 인하여 평소와는 다른 행동을 보이는 현상을 말한다.

② 호손효과는 외적 타당성을 저해하는 대표적 요인이다. 즉, 호손효과로 인해 실험결과가 왜곡되어 나타났을 때 이 결과를 일반화시키기 힘들다는 것이다. 이 경우 실험결과를 모집단에 적용하면 호손효과가 사라질 수 있기 때문이다.

(3) 다수적 처리에 의한 간섭

① 동일집단에 여러 번의 실험적 처리(treatment)를 실시하는 경우, 대상자들이 실험조작에 익숙해져서 측정값이 영향을 받을 수 있다.

② 실험조작에 익숙해진 실험집단으로부터 얻은 결과를 그러한 처치를 전혀 받지 않은 일반적인 모집단에 일반화하기가 곤란한 경우가 생길 수 있다.

(4) 실험조작과 측정의 상호작용

① 실험 전 측정(pretest)이 피조사자의 실험조작에 대한 감각에 영향을 줄 수 있다.

② 이렇게 하여 얻은 결과를 일반적인 모집단에도 일반화할 수 있는가가 문제될 수 있다.

(5) 크리밍(creaming) 효과

효과가 크게 나타날 대상만 실험집단으로 배정하는 것을 말한다. 이러한 경우 그 결과를 일반화하기 어렵다.

3. 확보 방안

무작위 추출 방법(random sampling), 표본추출에서 계획적으로 이질적인 요소를 포함하는 방법, 대표적 사례만을 표본으로 선정하는 방법을 통해 외적 타당성을 확보할 수 있다.

> **5**　정책평가의 방법

1 진실험적 방법

1. 개념 및 특징

엄격한 외생변수의 통제하에 독립변수(정책)를 조작화하여 인과관계를 밝히는 설계유형이다. 실험집단과 통제집단의 동질성(동일한 구성·경험·성향)을 확보하기 위하여 무작위 추출을 시행한다.

2. 장단점

(1) 장점

① 특정정책의 순수한 영향인 순효과(독립변수의 효과)를 파악하는 데 중점을 둘 수 있다.

② 변수의 조작화가 가능하고 재현가능성이 높은 유용성을 제고할 수 있다.

③ 정책이나 프로그램의 효과와 사회상황의 변화와의 인과관계에 관해 신뢰할 수 있는 증거를 제공하여 실험집단의 비동질성으로 인한 내적 타당성의 여러 문제를 극복하게 한다.

(2) 단점

① 통제집단이 실험집단의 태도를 모방하는 효과, 즉 확산효과·오염이 나타난다.

② 평가의 성과가 밝혀지는 데에는 많은 시간과 비용이 소요된다.

③ 표본이 적은 경우 무작위 추출의 의미가 상실된다.

④ 윤리적 문제로 실험이 불가능한 경우가 발생한다.

⑤ 독립변수의 강도가 실제 세계에서만큼 크게 작용하지 못한다.

⑥ 대상자들이 실험대상으로 관찰되고 있다는 사실을 알게 되면 평소와 다른 행동을 하게 되는 호손효과가 나타나게 되어, 외적 타당성과 실행 가능성에 심각한 문제가 발생할 수 있다.

2 준실험적 방법❶

1. 개념 및 특징

(1) 진실험 방법이 갖는 정치적·기술적 문제를 완화하기 위한 방법으로, 실제 상황에서 가능한 한 외생변수를 통제하고 독립변수를 조작화함으로써 실험변수의 효과를 검증하려는 실험설계이다.

(2) 실험집단과 통제집단의 동질성을 확보하기 어려운 경우, 즉 무작위 배정에 의한 통제에 의하여 평가를 하기 어려운 경우에 준실험적 방법에 의한 정책평가를 하게 된다.

2. 장단점

(1) 장점

① 실제 상황에서 이루어지므로 독립변수의 강도가 강하게 발현된다.

② 실제 문제해결에 적용될 수 있다.

③ 융통성이 있으며 외적 타당성이 높은 방법이다.

(2) 단점

① 현장에서는 대상의 무작위화와 독립변수의 조작화가 곤란하다.

② 외생변수의 개입 때문에 순수한 독립변수 효과 파악이 어렵다.

③ 현장에서 실험이 불가능한 경우가 발생한다.

④ 내적 타당성이 저해된다.

❶ 회귀불속 설계와 단절적 시계열 설계

1. **회귀불속 설계(준실험설계):** 실험집단과 통제집단에 실험대상을 배정할 때, 분명하게 알려진 자격 기준을 적용하는 방법이다. 예컨대 장학금을 지급받은 학생이 지급받지 않은 학생에 비하여 성적이 상승하였는지 판단 시 평점 3.5가 장학금 지급과 비지급 구분점이라 한다면, 실험집단과 통제집단 배정 기준을 그 평점 기준으로 하는 것이다. 이때 두 회귀직선의 불연속의 크기는 장학금 지급의 효과를 나타낸다.

2. **단절적 시계열 설계·분석(준실험설계):** 여러 시점에서 관찰되는 자료를 통하여 실험변수의 효과를 추정하기 위한 방법이다. 각 시점에서 관찰된 단일단위가 정의될 수 있고 계량적 관찰이 가능하며, 이러한 관찰이 정책 실시 전후의 여러 시점에 걸쳐서 가능할 때 적용 가능한 방법이다. 각 시점에 대하여 하나의 자료가 주어져 있기 때문에 시계열이라 하고, 독립변수가 조작되는 점에서 분명한 구분선이 존재하기 때문에 단절적 시계열이라고 한다. 전체적인 시계열 자료를 통하여 여러 시점에 걸쳐서 관찰함으로써, 극단적인 점수에 대한 일시적인 반응이나 성장률에 있어 식별되지 않은 변화 등으로 인해 진정한 프로그램의 효과에 혼란을 가져오는 경우가 감소될 수 있을 것이다.

핵심 OX

01 준실험설계는 진실험에 비해 내적 타당도가 높다. (O, X)

01 X 진실험이 준실험에 비해 내적 타당성이 높다.

3 비실험적 방법

(1) 인과적 추론의 세 가지 조건을 모두 갖추지 못한 설계, 즉 진실험 또는 준실험적 설계를 제외한 인과관계의 추론방법을 말한다.

(2) 비교집단 없이 실험을 하는 경우가 대표적이다.

(3) 인과적 추론을 위한 비실험적 방법에는 통계적 통제에 의한 방법(회귀 분석), 포괄적 통제에 의한 평가, 잠재적 통제에 의한 평가 등이 포함된다.

4 실험설계[1]

(1) 사회실험이 실험이 되기 위해서는 반드시 비교집단이 있어야 하며, 진실험과 준실험이 사회실험에 해당한다(비실험은 사회실험이 아님).

(2) 실험은 정책이 실시되기 전에 그 결과를 예측하기 위해 사용되는 것이다. 예컨대 신약이 개발된 후에 그 효과를 일반인에게 실시할 수는 없다. 일부 집단을 대상으로 검증하여, 그 타당성이 확보된 후에 정책이 실시되는 것이다.

● 진실험 · 준실험 · 비실험의 개념 및 차이점

구분	진실험	준실험	비실험
개념	· 실험집단-통제집단 · 집단 간 동질성	· 실험집단-통제집단 · 집단 간 비동질성	· 실험집단 · 통제집단이 없음
내적 타당성	높음	중간	낮음
외적 타당성	낮음	중간	높음
실현 가능성	낮음	중간	높음

구분	준실험	진실험
집단 간의 동질성	비동질성	동질성
설계방식	· 짝짓기(매칭) · 단절적 시계열분석 · 회귀불연속설계	무작위배정
시간관	과거지향적, 회고적 (준실험설계는 연구자가 사전에 두 집단 간 동질성을 확보하지 못하여, 주로 과거에 발생한 실험처리의 효과를 추정하는 경우가 많기 때문에 과거지향적인 경우가 많음)	미래지향적 (진실험설계는 정책이 집행되기 전부터 미리 준비된 평가라는 점에서 연구자가 사전에 계획하여 실험집단과 통제집단을 무작위적으로 배정할 수 있기 때문에 미래지향적인 성격이 강함)

6 사회지표

1 개념

사회지표(사회회계 · 사회보고 · 사회정보)는 사회의 주요 국면의 상태와 조건에 대한 간결하면서도 포괄적이고 균형있는 판단을 제공할 수 있는 규범적 통계이며, 복지의 직접적인 측정수단이다.

2 대두배경

(1) 최초의 지표는 1932년에 실시된 경제지표로, 대공황에 대처하는 데 필요한 정보를 제공하기 위하여 작성되었다.

(2) 초기 경제지표 위주의 지표개발에 반발하여 삶의 질(QOL)의 관점에서 국민생활에 대한 포괄적인 이해와 파악을 위해 1960년대 사회지표 운동이 전개되었다.

3 사회지표의 성격(바람직한 지표의 요건)

1. 인본주의적 성격

인간의 삶의 질에 관한 정보를 중시한다.

2. 규범 지향적 성격

사회적인 가치와 목표에 관한 정보를 내포하고, 민주적인 정책의 형성과 평가를 돕게 된다.

3. 종합적 성격

인간의 삶의 질이라는 관점에서 사회상태를 종합적으로 파악한다.

4. 변동성

인간의 삶의 질의 시차적 변화를 파악하고 비교할 수 있는 시차 적응적 성격을 갖는다.

5. 개인 수준의 고려 및 산출(결과·성과)지향적 성격

정책지표는 사회상태에 대한 개괄적인 정보뿐만 아니라 개인수준의 정보도 중시하며, 가급적이면 정책환경의 투입물보다는 산출물을 측정할 수 있는 성과 중심의 정보를 중시하는 성격을 갖는다.

> **◈ 핵심정리** **성과지표**
>
> 1. 투입지표(input)
>   사업에 투입된 시간이나 비용 노력의 절감여부를 기준으로 하는 것으로, 도로건설사업의 경우 투입된 장비 인력 예산 등이 이에 해당한다.
>
> 2. 과정지표(process)
>   사업추진을 단계적으로 나누어 각 단계의 목표달성 여부를 평가하는 지표로, 도로건설사업의 경우 공사진척률이나 공사과정에서 나타난 민원해결 건수 등이 이에 해당한다.
>
> 3. 산출지표(output)
>   1차적인 성과를 의미하는 것으로, 도로건설사업의 경우 도로 증가율이 이에 해당한다.
>
> 4. 결과지표(result)
>   산출이 가져온 환경상의 변화, 즉 정책대상자에게 나타난 직접적인 변화나 최종적인 결과를 의미하는 것으로, 도로건설사업의 경우 차량통행속도 증가율이 이에 해당한다.
>
> 5. 영향지표(impact)
>   사회에 미친 궁극적인 효과나 최종적인 영향을 의미하는 것으로, 도로건설사업의 경우 지역사회 경쟁력 제고 등이 이에 해당한다.

1 의의

(1) 정책변동이란 정책과정의 전체단계에 걸쳐 얻게 되는 정보·지식을 서로 다른 단계로 환류시켜, 정책목표·정책수단·정책대상집단 등과 관련되는 정책내용과 정책집행 담당조직·정책집행절차와 관련되는 정책집행방법에 변화를 가져오는 것이다.

(2) 정책변동론은 정책을 독립변수로서 파악하고 정책순환의 최종단계를 중시하면서, 단일 정책의 점증적 변동이 아닌 다수 정책의 동태적 변동에 초점을 둔다.

2 유형[호그우드와 피터스(Hogwood & Peters)]

1. 정책혁신

정부가 과거에 관여하지 않았던 분야에 개입하고자 새로운 정책을 결정하는 것이다.

2. 정책승계❶❷

기존 정책의 목표는 변경시키지 않고 내용의 일부 또는 전부를 변경시키는 것이며, 정책변동 중에서 가장 중요한 유형이다. 정책공간의 과밀화로 완전히 새로운 정책의 등장은 거의 불가능하다는 점에서 그 중요성이 강조된다.

3. 정책유지

본래의 정책목표를 달성하기 위해 정책의 기본적 특징을 그대로 유지하면서, 상황의 변화에 능동적으로 적응하는 것을 말한다.

4. 정책종결

정책을 비롯하여 정책관련조직과 예산이 소멸되고 다른 정책으로 대체되지 않는 것을 의미하며, 정책당국의 개입은 전면적으로 중단된다.

3 정책변동모형

1. 정책흐름모형[킹던(Kingdon): 전통적 정책변동모형]

문제의 흐름, 정치의 흐름, 정책의 흐름들이 상호 독립적인 경로를 따라 진행되다가 어떤 계기로 서로 교차될 때 정책의 창이 열리고 정책변동이 이루어진다.

2. 정책지지연합모형[사바티어(Sabatier)의 연구]

장기간에 걸쳐 신념 체계에 기초한 지지연합 간의 상호작용과 정책학습 및 정치체제의 변화, 사회경제적 환경변화로 인해 정책이 변동한다고 본다. 이 모형은 특히 정책지향적 학습이 정책변동의 중요한 요소임을 강조하며, 점진적인 정책변동을 설명한다.

❶ 목표의 승계
조직의 목표가 달성되었거나 혹은 달성될 수 없을 경우, 조직이 새로운 목표를 재설정하는 것을 의미한다.

❷ 정책승계의 유형

정책대체 (선형승계)	정책목표를 변경하지 않는 범위 내에서 정책내용을 완전히 새로운 것으로 바꾸는 것
부분종결	일부의 정책을 유지하면서 일부는 완전히 폐지하는 것(정책유지+정책종결)
복합적 정책승계	정책유지, 정책대체, 정책종결 또는 정책추가 등 3개 이상의 정책승계가 복합적으로 나타나는 것
우발적 정책승계	타 분야의 정책변동에 연계하여 우발적인 변화가 나타나는 형태의 정책승계
정책통합	유사한 목표를 가진 2개의 정책이 하나의 정책으로 통합되는 것
정책분할	정책담당기관의 분리 등으로 하나의 정책이 두 개 이상으로 분리되는 것

3. 정책패러다임변동모형[홀(Hall)]

(1) 정책목표, 정책수단, 정책환경의 세 가지 변수 중 정책 목표와 정책 수단에 급격한 변화가 발생하는 정책변동을 '정책 패러다임 변동'으로 개념화한 이론이다.

(2) 정책 패러다임은 정책결정자들이 정책문제의 본질을 파악하고 정책목표와 정책수단을 구체화하는 데 있어서 적용하는 일정한 사고와 기준의 틀이다.

4. 단절균형모형

역사적 신제도주의의 제도 변화 이론이다. 역사적 신제도주의는 제도의 정체 상태를 강조하며, 정책변동(제도변화)은 사회경제적 위기나 군사적 갈등과 같은 강력한 외부적 충격(중요한 분기점)에 의해 단절적으로 급격하게 발생한다고 본다.

5. 무치아로니(Mucciaroni)의 이익집단위상 변동모형

(1) 개념 및 의의

무치아로니(Mucciaroni)는 『위상의 반전: 공공정책과 이익집단(1995)』에서 이익집단의 위상 변화 양상과 그에 따른 정책변동의 양상을 고찰하고 있다. 또한 이익집단의 위상 변동을 설명하는 틀로 이슈맥락과 제도맥락이라는 개념을 사용한다.

(2) 내용

① **이슈맥락**: 정책의 유지 또는 변동에 영향을 미치는 정책요인을 말한다. 이는 이념·경험·환경적 요인을 망라한 것으로, 이슈맥락에서의 정책 정당성에 따라 정책의 유지 또는 변동에 영향을 미친다는 정책이슈 측면에서의 분석이다.

② **제도맥락**: 이슈맥락과는 달리 정책결정 그룹의 제도적 선호 패턴을 좀 더 제도적 측면에서 바라보는 것이다.

6. 레빈(Levin)의 정책종결의 원인

구분	내적 요인	외적 요인
정치적 요인	정치적 취약성	문제의 고갈
경제적·기술적 요인	조직의 위축	환경적 엔트로피

(1) 조직의 내적 요인

① **정치적 취약성**: 정부조직이 예산절감이나 감축요구에 대해 저항할 수 있는 내적 능력으로, 매우 취약한 경우에 발생한다.

② **조직의 위축**: 조직이 환경으로부터 정보처리 및 문제해결능력을 갖추지 못하여 변화에 대한 적응력이 감소할 경우, 조직이 위축되고 기구 및 인원과 예산감축 등 기능적 종결이 일어난다.

(2) 조직의 외적 요인

① **문제의 고갈**: 문제가 해결되거나 더이상 그 중요성을 잃게 됨으로써 공적 개입을 필요로 하지 않게 되는 경우 기존 정책이 종결된다.

② **환경적 엔트로피**: 환경이 조직의 기존 활동을 현 수준에서 유지할 수 있도록 지원할 능력이 없을 때 발생한다.

1 의의

1. 정부업무평가

정부업무평가란 '국정운영의 능률성·효과성 및 책임성을 확보하기 위하여 중앙행정기관·지방자치단체·공공기관 등의 정책·사업·업무 등에 관해 계획의 수립과 집행과정 및 결과 등을 점검·분석·평정하는 것'을 말한다.

2. 「정부업무평가 기본법」

2001년 「정부업무 등의 평가에 관한 기본법」을 제정·시행해 오다가 통합적인 성과관리체계의 구축을 위해 2006년 4월부터 「정부업무평가 기본법」이 새롭게 제정·시행되었다.

2 원칙

1. 통합적 평가제도 운영

중앙행정기관 및 그 소속기관에 대해 종전 개별법에 의해 분산 실시되었던 다수의 평가를 통합적으로 실시함으로써 평가 대상과 시기를 조정하고, 평가 방법 및 평가지표를 개선하여 평가의 효율성을 제고하고 피평가기관의 평가업무 부담을 경감하도록 했다.

2. 자체평가 중심의 자율적 평가 역량 강화

중앙행정기관장은 국무총리가 정한 매년도 '정부업무평가 시행계획'을 토대로 자체평가계획을 수립하고, '자체평가위원회'를 구성하여 평가를 실시하는 등 자체평가를 시행하고 있다.

3. 투명한 평가제도의 운영

정부업무평가는 평가대상이 되는 정책 등의 관련자가 참여할 수 있는 기회를 보장하고 그 결과를 공개하는 등 투명하게 운영해야 한다. 이러한 것을 효과적으로 수행하기 위해 전자통합평가체계를 구축·운영하고 있다.

3 정부업무평가위원회

(1) 정부업무평가의 실시와 평가기반의 구축을 체계적·효율적으로 추진하기 위해 국무총리 소속하에 정부업무평가위원회를 둔다.

(2) 위원회는 위원장 2인(국무총리와 민간위원 중에서 대통령이 지명하는 자)을 포함한 15인 이내의 위원으로 구성하는데, 민간위원의 임기는 2년으로 하되 1차에 한하여 연임할 수 있다.

(3) 위원은 행정안전부장관·기획재정부장관·국무조정실장 이외에 대통령이 위촉하는 민간위원들로 구성된다.

4 정부업무평가기본계획의 수립

(1) 국무총리는 위원회의 심의·의결을 거쳐 정부업무의 성과관리 및 정부업무평가에 관한 정책목표와 방향을 설정한 정부업무평가기본계획을 수립하여야 한다.

(2) 국무총리는 정부업무평가기본계획을 최소한 3년마다 수정·보완하여야 한다.

5 대상기관별 정부업무평가의 종류

> **개념PLUS** 정부업무평가 대상기관
>
> 1. 중앙행정기관
> 2. 지방자치단체
> 3. 중앙행정기관 또는 지방자치단체의 소속기관
> 4. 공공기관

1. 중앙행정기관 평가

(1) 자체평가

① 중앙행정기관의 장은 그 소속기관의 정책 등을 포함하여 자체평가를 실시하여야 한다.

② 중앙행정기관의 장은 자체평가조직 및 자체평가위원회를 구성·운영하여야 한다. 이 경우 평가의 공정성과 객관성을 확보하기 위하여 자체평가위원의 3분의 2 이상은 민간위원으로 하여야 한다.

(2) 자체평가 결과에 대한 재평가

국무총리는 중앙행정기관의 자체평가 결과를 확인·점검한 후, 평가의 객관성·신뢰성에 문제가 있어 다시 평가할 필요가 있다고 판단되는 때에는 위원회의 심의·의결을 거쳐 재평가를 실시할 수 있다. 국무총리의 재평가는 임의사항이다.

2. 지방자치단체 평가

(1) 자체평가

① 지방자치단체의 장은 그 소속기관의 정책 등을 포함하여 자체평가를 실시하여야 한다.

② 지방자치단체의 장은 자체평가조직 및 자체평가위원회를 구성·운영하여야 한다. 이 경우 평가의 공정성과 객관성을 담보하기 위하여 자체평가위원의 3분의 2 이상은 민간위원으로 하여야 한다.

(2) 행정안전부장관은 평가의 객관성 및 공정성을 높이기 위해 평가지표, 평가방법, 평가기반의 구축 등에 관하여 지방자치단체를 지원할 수 있다.

3. 특정평가

국무총리는 2 이상의 중앙행정기관 관련 시책·주요 현안시책·혁신관리 및 대통령령이 정하는 대상부문에 대하여 특정평가를 실시하고, 그 결과를 공개하여야 한다.

4. 국가위임사무 등에 대한 평가

(1) 지방자치단체 또는 그 장이 위임받아 처리하는 국가사무, 국고보조사업 그 밖에 대통령령이 정하는 국가의 주요시책 등에 대하여 국정의 효율적인 수행을 위하여 평가가 필요한 경우에는 행정안전부장관이 관계중앙행정기관의 장과 합동으로 평가를 실시할 수 있다.

(2) 행정안전부장관은 지방자치단체에 대한 합동평가를 효율적으로 추진하기 위하여 행정안전부장관 소속하에 지방자치단체합동평가위원회를 설치·운영할 수 있다.

(3) 합동평가위원 위원장은 행정안전부장관이 민간위원 중 지명한다.

5. 공공기관에 대한 평가

(1) 공공기관에 대한 평가는 공공기관의 특수성·전문성을 고려하고 평가의 객관성 및 공정성을 확보하기 위하여 공공기관 외부의 기관이 실시하여야 한다.

(2) 공공기관에 대한 평가는 개별 공공기관 관련 법률에 의한 평가를 실시한 경우에는 「정부업무평가 기본법」에 의한 공공기관평가로 본다.

6 평가결과의 환류 및 활용

1. 평가결과의 공개 및 보고

(1) 국무총리·중앙행정기관의 장·지방자치단체의 장 및 공공기관평가를 실시하는 기관의 장은 평가결과를 전자통합평가체계 및 인터넷 홈페이지 등을 통하여 공개하여야 한다.

(2) 국무총리는 매년 각종 평가결과보고서를 종합하여 이를 국무회의에 보고하거나 평가보고회를 개최하여야 한다.

(3) 중앙행정기관의 장은 전년도 정책 등에 대한 자체평가 결과를 지체 없이 국회 소관 상임위원회에 보고하여야 한다.

2. 평가 결과의 활용

(1) 중앙행정기관의 장은 평가 결과를 조직·예산·인사 및 보수체계에 연계·반영하여야 한다.

(2) 중앙행정기관의 장은 평가의 결과에 따라 정책 등에 문제점이 발견된 때에는 지체 없이 이에 대한 조치계획을 수립하여 당해 정책 등의 집행 중단·축소 등 자체감사를 실시하고 그 결과를 위원회에 제출하여야 한다.

(3) 중앙행정기관의 장은 평가의 결과에 따라 우수사례로 인정되는 소속 부서·기관 또는 공무원에게 포상·성과급 지급·인사상 우대 등의 조치를 하고, 그 결과를 위원회에 제출하여야 한다.

학습 점검 문제

01 정책평가의 논리모형에 대한 설명으로 옳지 않은 것은?

① 정책프로그램의 요소들과 해결하려는 문제들 사이의 논리적 인과관계를 투입(input) – 활동(activity) – 산출 (output) – 결과(outcome)로 도식화한다.

② 산출은 정책집행이 종료된 직후의 직접적인 결과물을 의미하며, 결과는 산출로 인해 나타나는 변화를 의미한다.

③ 과정평가이기 때문에 정책프로그램의 목표달성 여부를 보여주지는 못한다는 한계가 있다.

④ 정책프로그램과 관련된 다양한 이해관계자의 이해도를 높일 수 있다.

02 정책실험에서 내적 타당성을 위협하는 요인 중 다음 설명에 해당하는 것은?

> 사전측정을 경험한 실험 대상자들이 측정 내용에 대해 친숙해지거나 학습 효과를 얻음으로써 사후측정 때 실험집단의 측정값에 영향을 주는 효과이며, '눈에 띄지 않는 관찰'방법 등으로 통제할 수 있다.

① 검사요인　　　　　　　　　　　② 선발요인

③ 상실요인　　　　　　　　　　　④ 역사요인

정답 및 해설

01 정책평가에 있어서 논리모형이란 프로그램의 인과경로를 구축하여 프로그램의 핵심적 목표와 연계된 평가이슈, 평가지표를 인식하고, 이론 실패와 실행 실패를 구분할 수 있게 함으로써 평가의 타당성을 제고시켜 주는 집행과정 평가모형이다. 즉, '목표달성 여부를 보여주지는 못한다는 한계'는 옳지 않은 설명이다.

| 오답체크 |

① 정책평가에서 논리모형은 정책을 구성하는 프로그램의 요소들과 해결되어야 할 문제들 간의 핵심적인 논리적 인과관계 등을 투입 – 활동 – 산출 – 결과의 단계로 표현한다.

② 산출은 집행이 종료된 후 나타난 직접적인 결과물이고, 결과는 산출로 인하여 정책대상자에게 나타난 변화를 의미한다.

④ 정책평가에서 논리모형은 다양한 이해관계자의 이해도를 높일 수 있다.

02 제시문은 내적 타당성 저해요인 중 검사요인(= 측정요소, 측정요인, 검사요소, 시험효과)에 해당하는 내용으로 대상집단에 측정경험이 축적되어 처치 후의 동일한 측정에 영향을 주는 현상을 의미한다.

| 오답체크 |

② 선발요인(선정효과)는 실험집단과 통제집단의 표본선정과 정상의 오류라고 할 수 있다.

③ 상실요인(상실요소)은 대상집단의 일부가 탈락하는 경우를 말한다.

④ 역사요인(사건효과)은 실험기간 동안 실험자의 의도와 상관없이 일어난 역사적 사건을 의미한다.

정답 01 ③ 02 ①

03 정책평가의 내적 타당성과 외적 타당성에 대한 설명으로 옳은 것은? 2018년 국가직 7급

① 역사요인, 성숙요인, 회귀요인은 모두 외적 타당성 저해요인이다.

② 준실험이 갖는 약점은 주로 외적 타당성보다는 내적 타당성에 관한 것이다.

③ 실험대상자들이 실험의 대상으로 자신들이 관찰되고 있다는 사실을 알게 되어 평소와는 다른 행동을 함으로써 발생하는 효과는 내적 타당성의 저해요인이다.

④ 정책집행과 정책효과 사이의 인과관계를 정확히 파악할 수 있는 평가는 외적 타당성을 갖추었다고 볼 수 있다.

04 정책평가와 관련하여 실험결과의 외적 타당성을 저해하는 요인으로 옳지 않은 것은? 2021년 국가직 9급

① 연구자의 측정기준이나 측정도구가 변화되는 경우

② 표본으로 선택된 집단의 대표성이 약할 경우

③ 실험집단 구성원 자신이 실험대상임을 인지하고 평소와 다른 특별한 반응을 보일 경우

④ 실험의 효과가 크게 나타날 것으로 예상되는 집단만을 의도적으로 실험집단에 배정하는 경우

05 다음 중 정책평가의 타당성 검토에 대한 설명으로 가장 옳지 않은 것은? 2017년 서울시 7급

① '청렴'이라는 이론적 구성요소에 대한 측정 지표가 성공적으로 조작화되어 있는가를 살펴본다.

② '까마귀 날자 배 떨어진다'는 속담에서처럼 정책의 효과가 우연히 나타난 것은 아닌지, 다시 말해서 오직 정책에 기인한 것인지를 살펴본다.

③ 서울특별시를 대상으로 시범실시하여 효과적으로 나타난 A사업을 전국 광역시를 대상으로 확대 실시한 경우에도 효과적인지를 검토한다.

④ 정책의 대상집단과 내용 등이 동질적이나 정책평가 시기를 달리하는 경우, 각 시기별 정책결과 측정값의 상관관계를 분석한다.

| ㄱ. 실험효과 | ㄴ. 회귀효과 | ㄷ. 성숙효과 | ㄹ. 역사효과 |

A. 순전히 시간의 경과 때문에 발생하는 조사대상 집단의 특성 변화가 나타나는 경우
B. 정책 및 프로그램의 실시 전후 유사한 검사를 반복하는 경우에 시험에 친숙도가 높아져 측정값에 영향을 미치는 경우
C. 특정 프로그램 처리가 집행된 즈음에 발생한 다른 어떤 외부적 사건 때문에 나타난 효과
D. 극단적인 점수를 얻은 실험 대상들이 시간이 흐름에 따라 보다 덜 극단적인 상태로 표류하게 되는 경향

	ㄱ	ㄴ	ㄷ	ㄹ			ㄱ	ㄴ	ㄷ	ㄹ
①	B	A	D	C		②	B	D	A	C
③	D	C	B	A		④	D	C	A	B

정답 및 해설

03 실험집단과 통제집단의 동질성을 확보하는 진실험에 비하여, 준실험은 실험집단과 통제집단 간에 동질성을 확보하지 못한 실험으로, 진실험에 비하여 상대적으로 외적 타당성은 높지만 내적 타당성은 낮다.

| 오답체크 |
① 역사·성숙·회귀요인 모두 내적 타당성 저해요인이다.
③ 호손효과(실험 직전 반응효과)에 대한 설명으로, 호손효과는 외적 타당성 저해요인이다.
④ 인과관계 추론의 정확성은 내적 타당성에 대한 설명이다.

04 ①은 측정도구요인으로, 외적 타당성이 아니라 내적 타당성을 저해하는 요인이다.

05 ④는 타당성이 아니라 신뢰성에 해당하는 개념이다.

| 오답체크 |
① 구성개념 타당성, ② 내적 타당성, ③ 외적 타당성에 해당하는 개념으로 옳은 설명이다.

06 ㄱ. 실험효과(측정요소)란 측정 그 자체가 실험에 영향을 주는 것으로, 사례와 같이 실시 전후 유사한 검사를 반복하는 경우에 사후에는 시험의 점수가 높게 나타날 수 있다. → B
ㄴ. 회귀효과는 프로그램 집행 전의 1회 측정에서 극단적인 점수를 얻은 개인들을 선발하게 되면, 다음의 측정에서 그들의 점수가 덜 극단적인 방향으로 이동하게 되는 현상이다. → D
ㄷ. 성숙효과란 시간 경과에 따라 실험집단 특성이 자연스럽게 성장하여 실험에 영향을 미치는 것이다. → A
ㄹ. 역사효과란 실험기간 동안에 일어난 비의도적인 사건 발생이 실험에 영향을 미치는 것을 말한다. → C

내적 타당성 저해요인

표본의 대표성과 관련된 요인	선정(발)요인 (selection)	·실험집단과 통제집단의 구성원이 다르기 때문에 발생 ·조사자의 주관적 판단에 의한 배정이나 프로그램에 대상자가 지원하는 경우(자기선정요인; self-selection) 강하게 나타남
	회귀요인 (regression)	극단적인 측정값들을 재측정하는 경우, 평균값으로 회귀하여 처음과 같은 극단적인 측정값이 나타날 확률이 줄어드는 현상
	상실요인 (mortality)	조사기간 중 대상집단의 일부가 탈락·상실(이사·전보 등)됨으로써 남아있는 집단이 처음의 집단과 다른 특징을 갖는 경우
관찰 및 측정 요인과 관련된 요인	측정요인 (testing)	정책이나 프로그램 전후에 유사한 검사를 반복시, 검사에 대한 참여자들의 친숙도가 높아져 측정값에 영향을 주는 경우
	측정수단요인 (instrumentation)	정책이나 프로그램의 집행 전과 집행 후에 측정하는 절차나 측정도구가 달라지는 것
대상 집단의 특징 변화	역사요인 (history)	연구기간 동안에 일어나는 사건이 개인이나 집단에 영향을 미쳐 대상 변수에 중요한 영향을 미치는 경우
	성숙요인 (maturation)	·시간의 경과 때문에 조사대상집단 자체의 특징 변화 ·측정 전후의 시간간격이 길수록 영향력 증대

정답 **03** ② **04** ① **05** ④ **06** ②

07 정책평가의 내적 타당성을 저해하는 요인들 중 외재적 요인은? 2014년 지방직 9급

① 선발요인

② 역사요인

③ 측정요인

④ 도구요인

08 정책분석 및 평가연구에 적용되는 기준 중 내적 타당성에 대한 설명으로 옳은 것은? 2023년 국가직 9급

① 분석 및 평가 결과를 다른 상황에서도 적용할 수 있는 정도를 의미한다.

② 이론적 구성요소들의 추상적 개념을 성공적으로 조작화한 정도를 의미한다.

③ 집행된 정책내용과 발생한 정책효과 간의 관계에 대한 인과적 추론의 정확성 정도를 의미한다.

④ 반복해서 측정했을 때 일관성 있는 결과를 얻는 정도를 의미한다.

09 정책평가방법에 대한 설명으로 옳지 않은 것은? 2014년 지방직 9급

① 진실험설계는 정책을 집행하는 실험집단과 집행하지 않는 통제집단을 구성하되, 두 집단이 동질적인 집단이 되도록 한다.

② 정책의 실험과정에서 실험대상자와 통제대상자들이 서로 접촉하는 경우에는 모방효과가 나타날 수 있다.

③ 준실험설계는 짝짓기(matching) 방법으로 실험집단과 통제집단을 구성하여 정책영향을 평가하거나, 시계열적인 방법으로 정책영향을 평가한다.

④ 준실험설계는 자연과학 실험과 같이 대상자들을 격리시켜 실험하기 때문에, 호손효과(Hawthorne effect)를 강화시킨다.

10 정책평가를 위한 사회실험에 대한 설명으로 옳지 않은 것은?

① 통제집단 사전·사후 설계는 검사효과를 통제할 수 있다.

② 준실험은 진실험에 비해 실행 가능성이 높다는 장점이 있다.

③ 회귀불연속 설계는 구분점(구간)에서 회귀직선의 불연속적인 단절을 이용한다.

④ 솔로몬 4집단 설계는 통제집단 사전·사후 설계와 통제집단 사후 설계의 장점을 갖는다.

정답 및 해설

07 내적 타당성을 저해하는 요인에는 외재적 요인과 내재적 요인이 있다. 외재적 요인이란 실험에 들어가기 전 집단을 구성할 때 발생하는 요인으로, 제시된 요인 중 선발요인이 유일하다.

| 오답체크 |
② 역사요인, ③ 측정(검사)요인, ④ 도구요인은 내적 타당성을 저해하는 내재적 요인이다.

08 내적 타당성이란 정책처리와 발생한 정책효과 사이의 관계에 관한 인과적 추론의 정확성을 의미한다.

| 오답체크 |
① 평가결과가 다른 상황에서도 적용할 수 있는 정도 즉, 일반화의 정도는 외적 타당성이다.
② 이론적 구성요소들의 추상적 개념을 성공적으로 조작화한 정도는 구성적 타당도이다.
④ 측정값의 일관성은 신뢰도이다.

09 준실험이 아니라 실험집단과 통제집단의 동질성을 강조하는 진실험의 한계에 해당하며, 진실험에서는 인위적인 통제에 의하여 실험이 진행되므로 호손효과가 발생하여 외적 타당성을 저하시킨다.

| 오답체크 |
① 진실험은 실험집단과 통제집단의 동질성 확보가 특징이다.
② 두 집단 구성원들이 접촉할 경우, 정책효과의 누출이나 모방 등 오염효과가 발생하여 내적 타당성을 저하시킨다.
③ 짝짓기란 축조(construction)에 의한 설계(사전테스트 또는 사후테스트 비교집단설계)를 말하며, 시계열 분석을 이용한 준실험설계(단절적 시계열 분석 등)는 재귀적 통제에 의한 설계에 해당하는 것으로, 모두 준실험설계에서 사용한다.

10 통제집단 사전·사후설계는 진실험의 일종으로, 실험집단과 통제집단을 나누어 정책을 실시하기 전과 후 상태를 측정하여 이를 비교하는 실험방법이다. 통제집단 사전·사후설계는 사전에 측정한 사실이 사후 측정값에 영향을 미칠 수 있다는 검사효과(Testing)를 통제할 수 없다는 단점이 있다. 이러한 문제점을 보완하고자 개발된 실험방법이 솔로몬 4집단 설계방식이다.

| 오답체크 |
② 준실험은 진실험에 비하여 실행 가능성과 외적타당도가 높다는 장점이 있다.
③ 회귀불연속 설계는 준실험의 한 방법으로, 회귀분석결과 회귀직선의 불연속의 크기를 정책의 효과로 본다.
④ 솔로몬 4집단 설계는 통제집단 사전·사후 비교 설계와 통제집단 사후 설계의 장점을 결합하기 위한 모형이다. 무작위 할당을 통해 실험집단과 통제집단을 구분하고, 사전검사를 한 실험집단과 통제집단, 하지 않은 실험집단과 통제집단, 4개의 집단을 비교하는 형태로 인과관계를 가장 정확하게 설명해 줄 수 있는 실험 설계방식이다.

정답 07 ① **08** ③ **09** ④ **10** ①

11 정책의 효과를 확인하기 위한 평가설계에 대한 설명으로 옳은 것만을 모두 고르면?

> ㄱ. 동일 정책대상집단에 대해 정책집행을 기준으로 여러 번의 사전, 사후측정을 하여 정책효과를 추정하는 '단절적 시계열설계'는 준실험설계 유형 중 하나이다.
> ㄴ. 내적 타당성을 위협하는 역사요인은 정책집행 기간이 상대적으로 길고 징책대상이 사람일 때 주로 나타나며 시간의 경과 때문에 발생하는 조사대상 집단의 특성변화가 정책의 효과에 혼재되어 나타나는 경우를 말한다.
> ㄷ. 정책실험을 할 수 없는 경우, 통계분석 기법을 이용해서 정책효과의 인과관계를 추론하는 것을 비실험적 정책평가설계라고 하며 회귀분석이나 경로분석 등이 있다.

① ㄱ

② ㄱ, ㄷ

③ ㄴ, ㄷ

④ ㄱ, ㄴ, ㄷ

12 실험설계에 대한 설명으로 옳지 않은 것은?

① 특정 정책의 효과성 판단을 위한 인과관계 입증에 활용될 수 있다.

② 진실험(true experiment)과 준실험(quasi-experiment)의 차이는 실험집단과 통제집단의 무작위배정에 의한 동질성 확보 여부이다.

③ 회귀-불연속 설계나 단절적 시계열 설계는 과거지향적(retrospective)인 성격을 갖는 진실험설계(true experiment)에 해당된다.

④ 짝짓기(matching)를 통하여 제3의 요인에 관하여 실험집단과 통제집단을 동등화시킬 수 있다.

13 호그우드(Hogwood)와 피터스(Peters)의 정책변동에 대한 설명으로 옳지 않은 것은?

2018년 국가직 7급

① 정책혁신은 기존의 조직과 예산을 활용하여 이전에 관여한 적이 없는 새로운 정책분야에 개입하는 것이다.

② 정책종결은 현존하는 정책을 완전히 소멸시키는 것으로 정책수단이 되는 사업과 지원 예산을 중단하고 이들을 대체할 다른 수단을 결정하지 않은 경우이다.

③ 과속차량 단속이라는 목표를 변경하지 않고 기존에 경찰관이 현장에서 직접 단속하는 수단을 무인 감시카메라 설치를 통한 단속으로 대체하는 것은 정책승계 중 선형적(linear) 승계에 해당한다.

④ 정책유지는 현재의 정책을 기본적으로 유지하면서 정책수단의 부분적인 변화만 이루어지는 경우를 말한다.

PART 2 정책학 해커스공무원 명품 행정학 기본서

정답 및 해설

11 ㄱ. 단절적 시계열분석에 의한 평가는 준실험 방법이다.
　　ㄷ. 인과적 추론을 위한 비실험적 방법에는 통계적 통제에 의한 방법(회귀분석, 경로분석), 포괄적 통제에 의한 평가, 잠재적 통제에 의한 평가 등이 포함된다.

| 오답체크 |
ㄴ. 시간의 경과 때문에 발생하는 조사대상 집단의 특성변화가 정책의 효과에 혼재되어 나타나는 경우는 성숙효과이다.

12 회귀 - 불연속 설계나 단절적 시계열 설계는 진실험설계가 아니라 준실험설계 방식이다.

| 오답체크 |
① 실험설계는 내적 타당성을 확보를 통하여 특정 정책의 효과성 판단을 위한 인과관계 입증에 활용된다.
② 진실험(true experiment)과 준실험(quasi-experiment)의 차이는 실험집단과 통제집단 간 동질성 확보여부로, 진실험은 무작위배정에 의하여 두 집단 간 동질성을 확보하지만, 준실험은 무작위배정을 하지 않기 때문에 비동질적인 통제집단을 둔다.
④ 짝짓기(매칭)란 특정 정책이 실시되는 지역과 실시되지 않는 지역이 구분되어 무작위 배정을 하기 어려운 연구대상을 비슷한 대상끼리 둘씩 짝을 지어 배정하는 매칭(matching)에 의한 방법을 말한다. 비슷한 대상끼리 둘씩 짝을 지어 배정한다는 측면에서 제3의 요인에 관하여 실험집단과 통제집단을 비교적 동등화시킬 수 있게 된다.

13 정책혁신이란 정부가 과거에 관여하지 않았던 분야에 개입하기 위해 새로운 정책을 결정하는 것을 말한다. 따라서 기존의 조직과 예산을 활용한다는 표현 때문에 옳지 않은 지문이다.

| 오답체크 |
② 정책종결은 정책을 비롯하여 정책관련 조직과 예산이 소멸되고 다른 정책으로 대체되지 않는 것을 의미하며, 정책당국의 개입은 전면적으로 중단된다.
③ 정책목표는 변동되지 않는 상태에서 정책수단을 대체하는 것은 선형적 승계로, 정책승계의 가장 전형적인 형태이다.
④ 정책유지는 현재 정책을 기본적으로 유지하지만 정책수단에 있어서는 부분적인 변화가 있을 수 있다.

정답 11 ② 12 ③ 13 ①

14 다음과 같은 내용을 모두 포괄하는 정책변동의 유형은? 2017년 국가직 7급(10월 추가)

- 정책수단의 기본 골격이 달라지지 않으며, 주로 정책산출부분이 변한다.
- 정책 대상집단의 범위가 변동된다거나 정책의 수혜수준이 달라지는 경우와 관련이 있다.
- 저소득층 자녀에 대한 교육비 보조를 그 바로 위 계층의 자녀에게 확대하는 사례에 해당한다.

① 정책통합(policy consolidation)

② 정책분할(policy splitting)

③ 선형적 승계(linear succession)

④ 정책유지(policy maintenance)

15 홀(Hall)에 의해 제시된 정책변동모형으로 정책목표, 정책수단, 정책환경의 세 가지 변수 중 정책목표와 정책수단에 급격한 변화가 발생하는 정책변동모형은? 2016년 지방직 9급

① 쓰레기통모형

② 단절균형모형(Punctuated Equilibrium)

③ 정책지지연합모형(Advocacy Coalition Framework)

④ 정책패러다임변동모형

16 「정부업무평가 기본법」상 정책평가에 대한 설명으로 옳지 않은 것은? 2019 국가직 9급

① 지방자치단체의 장은 정부업무평가시행계획에 기초하여 자체평가계획을 매년 수립하여야 한다.

② 국무총리는 2 이상의 중앙행정기관 관련 시책, 주요 현안시책, 혁신관리 및 대통령령이 정하는 대상부문에 대하여 특정평가를 실시하고, 그 결과를 공개하여야 한다.

③ 중앙행정기관 또는 지방자치단체의 소속기관이 행하는 정책은 정부업무평가의 대상에 포함된다.

④ 정부업무평가위원회는 위원장 1인과 14인 이내의 위원으로 구성한다.

17 「정부업무평가 기본법」상 정부업무평가제도에 대한 설명으로 옳은 것은?

① 기획재정부장관은 중앙행정기관의 자체평가 결과를 확인·점검 후 평가의 객관성과 신뢰성에 문제가 있어 다시 평가가 필요하다고 판단되는 경우, 위원회의 심의·의결을 거쳐 재평가를 실시할 수 있다.

② 중앙행정기관의 장은 자체평가조직 및 자체평가위원회를 구성·운영하여야 하며, 이 경우 평가의 공정성과 객관성을 확보하기 위하여 자체평가위원의 3분의 2 이상은 민간위원으로 하여야 한다.

③ 행정안전부장관은 둘 이상의 중앙행정기관 관련 시책, 주요 현안 시책, 혁신관리 및 대통령령이 정하는 부문에 대하여 특정평가를 실시하고 그 결과를 공개하여야 한다.

④ 지방자치단체 또는 그 장이 위임받아 처리하는 국가사무, 국고보조사업 그리고 국가의 주요 시책사업 등에 대해 국무총리는 관계 중앙행정기관의 장과 합동으로 평가를 실시할 수 있다.

정답 및 해설

14 정책수단의 기본골격이 달라지지 않으면서 정책투입, 대상집단의 범위 또는 정책산출에 있어서 일부 변화가 초래되는 것은 정책유지에 해당한다.

| 오답체크 |

① 정책통합은 둘 이상의 정책이 하나로 통합되는 것이다.

② 정책분할은 하나의 정책이 둘 이상의 정책으로 분할되는 것이다.

③ 정책승계란 정책목표는 변동이 되지 않으면서 정책의 근본적 성격이 바뀌거나 새로운 정책으로 대체되는 것이다. 성책승계에는 선형적 승계와 비선형적 승계가 있는데, 선형적 승계는 정책목표를 변경시키지 않는 범위 내에서 정책내용을 완전히 새로운 내용으로 바꾸는 것이고, 비선형적 정책승계는 정책유지·선형적 승계·정책종결·정책추가 등이 복합적으로 나타나는 정책승계를 말한다.

15 제시문은 홀(Hall)에 의해 제시된 정책패러다임변동모형으로, 급격한 정책변동 현상을 초래하는 모형이다.

| 오답체크 |

① 쓰레기통모형은 조직화된 무질서 상태에서 응집성이 매우 약한 조직이 어떤 의사결정행태를 나타내는가에 초점을 둔다.

② 단절균형모형은 점증주의에 대한 반발로, 정책변동을 설명하고자 하는 모형이다. 점진적 정책변동의 대표적인 모형으로 사바티어(Sabatier)의 정책지지연합모형이 있고, 급격한 정책변동모형의 예로 홀(Hall)의 정책패러다임변동모형이 있다.

③ 정책지지연합모형은 정책변동모형으로, 정책하위시스템 내에서 신념체계를 공유하는 대상자들이 상향적 접근방법 측면에서는 정책하위시스템의 지지연합 간 갈등 및 타협 과정과 하향적 측면에서의 정책하위시스템 참여자들의 활동에 영향을 미치는 요소들을 결합하여, 정책결정 → 집행 → 재결정 → 재집행이라는 정책변동 차원에서 정책집행을 이해하고자 하였다.

16 정부업무평가위원회는 위원장 2인을 포함한 15인 이내의 위원으로 구성한다.

| 오답체크 |

① 지방자치단체의 장은 정부업무평가시행계획에 기초하여 소관정책 등의 성과를 높일수 있도록 자체평가계획을 매년 수립하여야 한다(「정부업무평가 기본법」 제18조 제3항).

② 국무총리는 2 이상의 중앙행정기관 관련 시책·주요 현안시책·혁신관리 및 대통령령이 정하는 대상부문에 대하여 특정평가를 실시하고, 그 결과를 공개하여야 한다(「정부업무평가 기본법」 제20조 제1항).

③ 중앙행정기관의 장은 그 소속기관의 정책 등을 포함하여 자체평가를 실시하여야 한다.

17 중앙행정기관장은 자체평가를 하고자 할 경우 자체평가위원회를 구성하여야 하고 이 경우 평가의 공정성과 객관성을 확보하기 위하여 자체평가위원의 2/3 이상은 민간위원으로 구성하여야 한다.

| 오답체크 |

① 국무총리는 중앙행정기관의 자체평가결과를 확인·점검 후 평가의 객관성·신뢰성에 문제가 있어 다시 평가할 필요가 있다고 판단되는 때에는 위원회의 심의·의결을 거쳐 재평가를 실시할 수 있다(「정부업무평가 기본법」 제17조).

③ 국무총리는 2 이상의 중앙행정기관 관련 시책, 주요 현안시책, 혁신관리 및 대통령령이 정하는 대상부문에 대하여 특정평가를 실시하고, 그 결과를 공개하여야 한다(「정부업무평가 기본법」 제20조).

④ 지방자치단체 또는 그 장이 위임받아 처리하는 국가사무, 국고보조사업 그 밖에 대통령령이 정하는 국가의 주요시책 등에 대해 행정안전부장관이 관계중앙행정기관의 장과 합동으로 평가를 실시할 수 있다(「정부업무평가 기본법」 제21조).

정답 **14** ④ **15** ④ **16** ④ **17** ②

1 기획의 의의

1 기획의 개념

(1) 기획은 바람직하다고 생각되는 목표를 설정하고 그러한 목표를 달성할 수단으로 제재와 프로그램 활동들을 설계하며, 이들 양자 간의 관계를 구체화하는 목적지향적이고 동태적인 활동이다.

(2) 기획은 정책결정 기능이 중시된 정치행정일원론과 발전행정론에서 중시되었다.

2 기획의 특징

기획은 (1) 미래지향성, (2) 목표지향성(기획은 목표나 정책을 구체화하는 과정), (3) 집단적 의사결정과정, (4) 계속적 준비 과정, (5) 정치적 성격 등을 가진다. 또한 (6) 합리적 과정이지만, 가치관 내지 무형적 요인과도 관련된다. 더불어 이를 통해 (7) 국민의 동의 · 지지를 획득할 수 있는 수단이며, (8) 통치의 정당성을 확보하는 수단이다.

3 기획의 과정

1. 목표설정

문제에 대한 진단을 통해 도출된 목표는 가능한 한 구체적이고 양적으로 제시되어 측정가능하고, 인적 · 물적 자원 등 여러 가지 제약조건에 비추어 실현가능한 것이어야 한다.

2. 상황분석

기획대상의 현황을 정보의 수집 · 분석을 통하여 파악하고, 현황에 대한 정확한 판단을 내려야 한다.

3. 기획전제의 설정

기획전제(planning premise)란 계획수립의 기초가 될 주요 가정이나 미래예측을 의미하며, 올바른 기획가정을 세우려면 올바른 예측이 이루어져야 한다. 따라서 기획전제는 기획에 중대한 영향을 미치는 변수들을 빠짐없이 포함하여야 하며, 전제를 설정함에 있어 이용가능한 정보와 예측들이 충분히 수집 · 분석되어야 한다.

4. 대안의 비교·분석·평가

대안의 탐색에 있어서 실현가능성에 유의하여야 하며, 과거의 선례를 따르기 보다는 창의적·쇄신적 대안을 찾도록 해야 한다. 평가에 있어서는 가용자원의 동원가능성, 계획안의 질적 요인, 기본정책에의 부합 여부 등을 고려하여 평가하여야 한다.

5. 최종안의 선택

여러 대안 중 객관적이고 현실적인 대안을 선택하여야 하며, 기획의 신축성에 대한 고려도 행해져야 한다.

4 기획과 민주주의

1. 국가기획 반대론

하이에크(Hayek)는 1944년에 발간된『노예로의 길(The Road to Serfdom)』에서 국가기획과 개인의 자유는 양립불가능하고, 국가기획은 국민을 노예로의 길에 접어들게 할 것이라고 하면서 국가기획을 반대하였다.

2. 국가기획 찬성론

파이너(Finer)는 1945년 발간된『반동으로의 길(The Road to Reaction)』에서 하이에크(Hayek)의 이론을 사실·역사·이론 등으로 나누어 조목조목 비판하면서, 기본적으로 자유와 기획은 양립할 수 있다는 주장을 하고 있다.

2 기획의 유형

각각의 기획 유형은 독립되어 있는 것이 아니라 상호 밀접한 관련이 있다.

1 고정성 여부 기준

1. 고정 계획

(1) 계획기간이 고정된 계획이다.

(2) 그 예로는 과거 한국의 경제개발 5개년 계획 등이 있다.

2. 연동 계획(rolling plan)

(1) 계획 집행상의 융통성을 유지하기 위하여 매년 계획내용을 수정·보완하되, 계획기간을 계속해서 1년씩 늦추어 가면서 계획을 유지해 나가는 제도이다.

(2) 장단점

장점	단점
· 기획과 예산의 유기적 통합 · 계획을 계속적으로 수정함으로써 변동대응성과 현실적합성 제고 · 실현가능성과 타당성 제고 가능	· 목적성취 및 종료에 대한 기대가 없으므로 국민이나 정치가들에게 호소력이 없음 · 매년 계획의 목표가 달라지기 때문에 계획의 의미 경시 · 매년 중장기 계획을 수립 · 수정하므로, 방대한 물적 · 인적 자원을 소모

2 허드슨(Hudson)의 분류(SITAR)

1. 총괄적(Synoptic) 접근방법

합리적 · 종합적 접근으로, 문제를 체제접근의 관점에서 관련 변수들을 단순화시켜 모형을 구성하고 계량적 분석을 활용한다.

2. 점진적(Incremental) 접근방법

계속적인 조정과 적응을 추구하는 전략적 · 단편적 접근방법이다.

3. 교류적(Transactive) 접근방법

어떤 결정에 의해 영향을 받는 사람들과 대면접촉을 통하여 계획을 수립하며, 개인 및 조직의 발전과정에 초점을 둔다.

4. 창도적(Advocacy) 접근방법

법적 피해구제 절차를 중시하며, 지역사회 주민집단의 이익을 대변하는 성격을 가진다.

5. 급진적(Radical) 접근방법

자발적 행동주의에 기초하여 단기간 내에 구체적인 성과를 가져올 수 있는 집단행동을 실현시키려는 접근방법이다.

3 전략적 기획

1. 대두 배경 및 개념

(1) 전통적인 기획은 바람직한 미래상태를 달성하기 위한 목표를 설정하고, 목표 달성을 위한 실천 방법들을 설계하는 일련의 과정이다. 전통적인 기획이 성공적으로 운영되기 위해서는 안정적인 정책환경이 필수적이다.

(2) 전략적 기획은 급변하는 환경 변화를 체계적으로 분석하고 조직 내부의 현황을 종합적으로 진단하여 조직의 비전과 미션을 구체화하고, 우선순위가 높은 핵심적인 실행 대안을 선택하는 과정을 거쳐 실천 가능성이 높은 기획을 실현하는 것을 말한다.

(3) 이런 전략적 기획 과정을 통하여 조직의 성과를 향상시킨다는 것은 급격한 환경 변화에 직면하는 현대사회의 조직에서 매우 필요한 것이 되었다.

2. 전략적 기획의 과정

전략적 기획의 핵심적인 과정은 (1) 전략적 기획에 대한 합의, (2) 미션과 비전의 확인, (3) 환경분석(SWOT), (4) 주요 전략적 이슈 분석, (5) 전략적 기획의 평가로 요약해 볼 수 있다.

> **⊘ 개념PLUS** **기획의 그레샴의 법칙[1]**
>
> **1. 개념**
>
> 일상적·반복적 업무가 기획업무를 구축한다.
>
> **2. 원인**
>
> 목표의 무형성, 예측 능력의 부족, 환경요소의 무시, 자원의 부족, 과두제의 철칙, 표준운영절차(SOP)에의 의존, 환경의 불확실성 등에 기인한다.

[1] 그레샴의 법칙
1. 악화가 양화를 구축한다는 것을 의미한다.
2. 원래의 화폐 유통 법칙으로서의 의미는 퇴색되었고, 주로 불량한 것이 좋은 것을 압도하는 경우를 지칭한다.

01 다음 중 기획이 시장 질서를 교란시키고 국민의 자유권을 침해하며 자유민주주의에 위배된다고 주장한 학자는?

2012년 서울시 9급

① 하이에크(F. A. Hayek) ② 파이너(H. Finer)

③ 오스트롬(V. Ostrom) ④ 사이몬(H. Simon)

⑤ 테일러(F. Taylor)

02 다음 중 연동계획에 관한 설명으로 타당하지 못한 것은?

2004년 서울시 9급

① 계획의 이상과 현실을 조화시키려는 것이다.

② 장기계획과 단기계획을 결합시키는데 이점이 있다.

③ 집권당의 선거공약을 제시하는데 효과적이다.

④ 방대한 인적 자원과 물적 자원이 요구된다.

⑤ 점증주의 전략에 입각하고 있다.

03 허드슨(Hudson)이 분류한 다섯 가지 기획 중 창도적 기획(advocacy planning)의 특징에 해당하는 것은?

2004년 국회직 8급

① 계속적인 조정과 적응 추구

② 개인 상호간의 대화 중시

③ 법적 피해구제절차 중시

④ 인간의 존엄성 중시

⑤ 단기간에 성과를 가져올 수 있는 급진적 개혁

04 기획의 절차 중 미래에 대한 예측을 의미하는 단계는? 1998년 경찰간부

① 문제의 인지

② 정보의 수집·분석

③ 기획전제의 설정

④ 대안의 탐색

정답 및 해설

01 하이에크(Hayek)는 기획이 시장 질서를 교란시키고 국민의 자유권을 침해하며, 자유민주주의에 위배된다고 주장하였다.

02 연동계획은 호소력이 없기 때문에 선거공약으로는 매력이 없다.

03 허드슨(Hudson)에 의하면 ① 계속적인 조정과 적응 추구는 점진적 기획, ②, ④ 개인 상호 간의 대화 중시와 인간의 존엄성 중시는 교류적 기획, ③ 법적 피해구제 절차 중시는 창도적 기획, ⑤ 단기간에 성과를 가져올 수 있는 급진적 개혁은 급진적 기획이다.

04 기획전제(planning premise)란 계획 수립의 기초가 될 주요 가정이나 미래예측을 의미한다.

정답 **01** ① **02** ③ **03** ③ **04** ③

⏱ 10초만에 파악하는 **5개년 기출 경향**

▌최근 5개년(2024~2020) 출제율

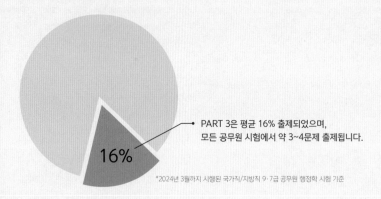

16%

PART 3은 평균 16% 출제되었으며,
모든 공무원 시험에서 약 3~4문제 출제됩니다.

*2024년 3월까지 시행된 국가직/지방직 9·7급 공무원 행정학 시험 기준

▌CHAPTER별 출제율

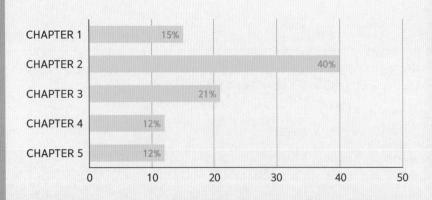

CHAPTER 1	15%
CHAPTER 2	40%
CHAPTER 3	21%
CHAPTER 4	12%
CHAPTER 5	12%

0   10   20   30   40   50

PART 3

행정조직론

1 의의

1. 조직의 개념

조직은 '공동의 목표를 달성하기 위하여 많은 사람의 활동을 합리적으로 조정하는 인간의 집합체'이다.

2. 조직의 일반적 특징

(1) 목표지향성을 지니고 있다.

(2) 행위자들로 구성된 사회적 실체이다.

(3) 보다 큰 사회 체제의 하위체제이다.

(4) 외부환경과 끊임없는 상호작용한다.

(5) 식별가능한 경계를 지니고 있다.

(6) 각 구성원의 존재와는 별개의 실체를 지닌다.

(7) 의도적으로 구조화된 활동체제를 지니고 있다.

(8) 장기적인 지속성을 지닌다.

3. 현대 행정조직의 특징

(1) 대규모화(행정기능의 확대, 행정기구의 팽창, 공무원의 수 증가, 재정규모의 팽창)가 일어났다.

(2) 복잡화가 진행되었다.

(3) 신속한 변화(기동화)가 가능하다.

4. 조직의 요소

조직은 구조, 구성원, 목표, 기술, 환경 등으로 구성된다.

2 유형

조직의 유형화란 다양한 조직들이 갖고 있는 공통점과 특수성을 설명하고 이해하기 위해 여러 사회조직을 기능·규모·역사·목표 등의 기준에 따라 분류하는 것을 말한다.

1. 블라우(Blau)와 스콧(Scott)의 분류 – 수혜자를 기준으로 한 분류

(1) 호혜적 조직(mutual benefit association, 상호조직)

① 조직의 구성원이 주된 수혜자가 되는 조직으로, 구성원의 이익 제고를 중시한다.

② 호혜적 조직에서 가장 중요한 문제는 조직 내에서 구성원의 참여와 구성원에 의한 통제를 보장하는 민주적 절차를 유지하는 것이다.

③ 조직구성원 스스로가 수혜자이기 때문에 자신들의 이익을 추구하는 과정에서 부패의 가능성이 있고, 갈수록 집권화가 될 가능성이 높기 때문에 통제절차가 중요하다.

㉔ 정당, 노동조합, 종교단체 등

(2) 기업조직(business concerns, 사업조직)

① 조직의 소유자(owner)가 주된 수혜자가 되는 조직이다.

② 기업조직에서의 핵심문제는 경쟁적인 상황 속에서 운영의 능률을 극대화하는 것이다.

(3) 봉사조직(service organization, 서비스 조직)

① 조직과 정기적 · 직접적 관계를 맺고 있는 고객집단이 주된 수혜자가 되는 조직으로서 고객에 대한 서비스를 중시한다.

② 고객에 대한 전문적 봉사와 행정적 절차 사이에 갈등이 존재한다.

㉔ 병원, 학교, 사회사업기관 등

(4) 공익조직(commonwealth organization, 공공복리조직)

① 일반국민이 주된 수혜자가 되는 조직이다.

② 공익조직에서는 국민에 의한 외재적 통제가 가능하도록 민주적 장치를 발전시키는 문제가 중요하다.

㉔ 행정기관, 군대조직, 소방서, 경찰조직 등

2. 에치오니(Etzioni)의 분류❶ – 권력과 관여의 정도를 기준으로 한 분류

(1) 강제적 조직

물리적인 힘에 의하여 구성원을 통제하며 질서목표를 추구하고, 구성원들이 조직에 대해 소외감을 느끼는 조직이다.

㉔ 교도소, 강제수용소 등

(2) 공리적(功利的) 조직

물질적 보상을 주요 통제수단으로 하며 경제목표를 추구하고, 조직구성원들이 타산적 이해관계에 따라 소속감을 가지는 조직이다.

㉔ 민간기업체, 이익집단, 평상시의 군대조직 등

(3) 규범적 조직

통제의 수단이 규범이며 문화목표를 추구하고, 구성원들이 조직에 대하여 높은 일체감을 가지는 조직이다.

㉔ 이데올로기적 정치조직, 종교단체, 자선단체 등

❶ 에치오니(Etzioni)의 분류

분류	목표
강제적 조직	질서목표
공리적 조직	경제목표
규범적 조직	문화목표

핵심 OX

01 정당은 공익조직이다. (O, X)

02 호혜조직은 분권화의 경향이 나타난다. (O, X)

01 X 정당은 호혜조직이다.
02 X 호혜조직은 집권화의 경향이 나타난다.

3. 파슨스(Parsons)의 분류① – 조직의 사회적 기능을 기준으로 한 분류

(1) 경제조직

적응기능(Adaptation)을 수행하는 조직으로, 사회가 소비하게 될 재화·용역의 생산을 담당한다. 예 회사, 공기업 등

(2) 정치조직

목표달성기능(Goal attainment)을 수행하는 조직으로, 사회의 목표를 설정하고 수행한다. 예 행정기관 등

(3) 통합조직

통합기능(Integration)을 수행하는 조직으로, 사회적 통합을 담당한다.
예 경찰서, 사법기관 등

(4) 형상유지조직

형상유지기능(Latent pattern maintenance)을 수행하는 조직으로, 형상유지를 담당한다. 예 교회, 학교 등

4. 민츠버그(Mintzberg)의 분류 – 다차원적 분류

(1) 의의

민츠버그(Mintzberg)는 조직의 양태를 결정하고 그 효율성에 영향을 미치는 요인은 조직의 주요 구성부분·조정 메커니즘·상황적 요인이라고 주장하면서, 개방체제적 관점과 다차원적 시각에서 조직을 5가지로 유형화하였다(1979).

(2) 조직의 주요 구성부분

① **최고관리층(strategic apex, 전략정점):** 조직에 관한 전반적인 책임을 지는 사람들로, 조직의 사명과 전략적 방향을 결정한다.

② **중간계선(middle line, 중간층):** 최고관리층과 작업계층을 연결하는 관리자로, 운영핵심을 감독하고 통제하며 자원을 공급한다.

③ **작업계층(operating core, 운영핵심):** 생산업무에 직접 종사하는 직원(작업중추)으로, 상품과 서비스를 생산·공급한다.

④ **기술구조(technostructure):** 작업설계와 변경, 그리고 그에 관한 직원훈련을 담당하는 전문가로, 산출물과 산출 과정을 검사하고 업무의 표준화를 담당한다.

⑤ **지원참모(support staff):** 위의 4가지 구성부분이 필요로 하는 것을 지원하는 참모로, 주로 운영핵심의 업무를 간접적으로 지원한다.

(3) 조정 메커니즘

① **직접적 감독:** 상관의 지시에 의한 조정이다.

② **작업과정의 표준화:** 작업방법과 순서 등을 정한 작업과정의 표준화에 의한 조정이다.

③ **작업기술의 표준화:** 직무교육을 통하여 작업자들의 업무수행에 일관성이 유지되게 하는 작업기술의 표준화에 의한 조정이다.

④ **산출물의 표준화:** 부처별 산출물의 양과 종류를 표준화하는 조정이다.

⑤ **상호조절:** 비공식적 의사전달에 의한 조정이다.

(4) 상황적 요인

① **조직의 규모**: 조직의 규모가 커지면 구조적 분화가 심화되고, 공식화 수준이 높아진다.

② **기술**: 기술이 복잡할수록 행정구조가 커진다.

③ **환경**: 환경의 변동이 심할수록 유기적 구조가 적합하다.

④ **권력체제**: 최고관리층의 권력욕이 강하면 집권화가 촉진된다.

⑤ **조직의 역사(나이)**: 조직의 역사가 오래될수록 조직의 융통성이 떨어지고, 공식화 수준이 높아진다.

(5) 조직의 유형❶

① **단순구조(simple structure)**

ⓐ **의의**: 단순하지만 동적인 환경하에서 엄격한 통제가 요구되는 초창기의 소규모 조직으로, 최고관리층에 권력이 집중된 유기적 구조를 띤다.
   ㉐ 신설된 행정조직, 독재조직 등

ⓑ **특징**: 낮은 분화, 낮은 공식화, 높은 집권화, 높은 융통성 등

② **기계적 관료제(machine bureaucracy)**

ⓐ **의의**: 단순하고 안정적인 환경하에서 지배적 구성부분이 복합적이며, 기술구조가 가장 중요한 위치를 차지하는 조직이다. 다만, 최고관리층도 상당한 권력을 행사하며 지원참모의 수가 많은 대규모 조직이다. 또한 작업과정의 표준화를 중시한다. ㉐ 은행, 대량생산 제조업체 등

ⓑ **특징**: 높은 분화, 높은 공식화, 높은 집권화(단, 기술구조는 수평적 분권), 계선과 참모의 구별 등

③ **전문적 관료제(professional bureaucracy)**

ⓐ **의의**: 복잡하고 안정적인 환경하에서 전문성이 높은 작업계층이 가장 중요하고 많은 조직이다. 전문가들로 구성된 핵심운영층이 오랜 경험과 훈련으로 내면화된 표준적 기술을 이용하여 자율권을 가지고 과업을 조정한다. 작업기술의 표준화를 중시한다. ㉐ 종합대학교, 종합병원 등

ⓑ **특징**: 높은 수평적 분화, 낮은 공식화, 높은 분권화, 전문가 중심의 민주적 조직 등

④ **사업부제 구조(divisionalized form, 할거적 구조)**

ⓐ **의의**: 단순하고 안정적인 환경에서 중간계선이 지배적이며, 중간관리자들이 부서를 독자적으로 관리하는 조직이다. 제한된 수직적 분권화 구조로, 고객이나 시장의 다양성하에서 각 사업부는 스스로 책임하에 있는 시장을 중심으로 자율적인 영업활동을 수행한다. 산출물의 표준화를 중시하므로 성과관리에 적합한 조직이다. ㉐ 합병된 대기업, 대학분교 등

ⓑ **특징**: 중간 수준의 분화(산출물의 종류별로 시장이 분화), 높은 공식화, 다소간의 분권, 본부와 부서 간의 역할 분담 등

❶ 조정의 방식과 환경과의 관계

1.
단순구조	애드호크라시
⇩	⇩
조정: 직접 감독	상호조절

환경이 동태적

2.
기계적 관료제	전문 관료제	사업부제
⇩	⇩	⇩
조정: 직접 과정의 표준화	작업기술 표준화	산출물 표준화

환경이 안정적

⑤ 애드호크라시(adhocracy, 임시특별조직)
　　㉠ **의의**: 복잡하고 급격히 변동하는 환경하에서의 표준화를 거부하는 분권화된 유기적 구조를 말한다. 창의적 업무수행에 적합하며, 지원참모의 역할이 중요하고 지배적이다. 계선과 참모의 구별이 모호하고 최고관리층 · 중간계층 · 작업계층이 혼합되어 있다. 모든 면에서 기계적 관료제와 반대되는 것이라고 할 수 있다. ⑩ 첨단기술연구소, 우주센터 등
　　㉡ **특징**: 낮은 수직적 분화, 높은 수평적 분화, 낮은 공식화, 선택적 분권, 높은 융통성 등

(6) 상황조건과 조직유형의 설계

구분	조정기제	구성 부분	상황 요인	장단점
단순 구조	직접 통제	최고관리층이 가장 중요한 위치 차지	· 규모: 소규모 · 기술: 단순 · 환경: 단순 · 동태적 · 권력: 최고관리층 · 역사: 신생조직	· 장점: 신축성 · 적응성의 제고 · 단점: 장기적 전략 결정 소홀
기계적 관료제	작업과정의 표준화	기술구조가 가장 중요	· 규모: 대규모 · 기술: 비교적 단순 · 환경: 단순 · 안정적 · 권력: 기술관료 · 역사: 오래된 조직	· 장점: 효율성 제고 · 단점: 상하 간 갈등, 환경 부적응
전문적 관료제	작업기술의 표준화	작업계층이 가장 중요	· 규모: 대규모 · 기술: 복잡 · 환경: 복잡 · 안정성 · 권력: 전문가 · 역사: 가변적	· 장점: 전문성 제고 · 단점: 환경 부적응
사업 부제	산출물의 표준화	중간계층이 가장 중요	· 규모: 대규모 · 기술: 가변적 · 환경: 단순 · 안정적 · 권력: 중간층 · 역사: 오래된 조직	· 장점: 탄력적 적응 가능 · 단점: 권한 간 마찰 가능성
애드호 크라시 (adho-cracy)	구성원의 상호 조절	지원참모의 역할이 중요	· 규모: 가변적(소규모) · 기술: 매우 복잡 · 환경: 복잡 · 동태적 · 권력: 전문가 · 역사: 신생조직	· 장점: 창의성 · 융통성 높음, 성과관리 용이 · 단점: 책임 불분명, 갈등 유발

5. 대프트(Daft)의 조직유형

(1) 조직구조의 특성 – 기계적 구조 vs 유기적 구조
　① 조직구조의 특성은 크게 기계적 구조(mechanistic structure)와 유기적 구조(organic structure)로 개념화된다.
　　㉠ 막스 베버(Weber)의 관료제 모형으로 대표되는 기계적 구조는 내적 통제에 따른 예측가능성의 장점이 있다.

ⓛ 팀제·네트워크 조직·학습조직으로 대표되는 유기적 구조는 환경에 대한 뛰어난 적응성이라는 장점이 있다.

② 조직구조의 모형은 크게 기능구조·사업구조·매트릭스구조·수평구조·네트워크구조로 구분되는데, 이들 모형은 배타적으로 기계적 또는 유기적 구조에 해당하는 것이 아니라 양자의 특징을 부분적으로 갖고 있다. 기능구조 → 사업구조 → 매트릭스구조 → 수평구조 → 네트워크구조로 갈수록 유기적 구조의 모습을 갖게 된다.

구분	기계적 구조	유기적 구조
주안점	예측 가능성	적응성
조직 특성	· 좁은 직무범위 · 표준운영절차 · 분명한 책임관계 · 계층제 · 공식적·몰인간적 대면관계	· 넓은 직무범위 · 적은 규칙과 절차 · 모호한 책임관계 · 채널의 분화 · 비공식적·인간적인 대면관계
상황 조건	· 명확한 조직목표와 과제 · 분업적 과제 · 단순한 과제 · 성과측정이 가능 · 금전적 동기부여 · 권위의 정당성 확보	· 모호한 조직목표와 과제 · 분업이 어려운 과제 · 복합적 과제 · 성과측정이 어려움 · 복합적 동기부여 · 도전받는 권위

① 기계적 구조 ② 기능구조 ③ 사업구조 ④ 매트릭스구조 ⑤ 수평구조 ⑥ 네트워크구조 ⑦ 유기적구조

⇐ 수직성·안정성·능률성 증가   수평성·학습성·신축성 증가 ⇒

(2) 기능구조

① 의의: 기본적으로 수평적 조정의 필요성이 낮을 때 효과적인 조직구조로, 조직의 전체 업무를 공동 기능별로 부서화한 것이다. 고위관리자가 집권적 권한을 가지며, 좁고 전문화된 직무와 부서 간 팀워크가 적게 요구되는 기계적 구조에 속한다.

② 장단점

장점	단점
· 기능 내에서 규모의 경제를 추구(중복과 낭비 예방) · 유사 기능을 수행하는 조직구성원 간에 분업을 통해 전문기술을 발전시킴 · 부서 내 의사소통과 조정에 유리	· 부서들 간의 조정과 협력이 요구되는 환경 변화에 둔감 · 의사결정의 상위 집중화로 인한 고위관리자들의 업무 과부하 · 전문화의 심화에 따른 비효율

핵심 OX

01 기능구조는 수평적 조정이 용이한 조직이다. (O, X)

01 X 기능구조는 수평적 조정이 되지 않기 때문에 수평적 조정의 필요성이 낮을 때 효과적이다.

(3) 사업구조

① 의의: 사업구조는 산출물에 기반을 둔 사업부서화 방식의 조직구조 유형이다. 사업구조의 각 부서는 한 제품을 생산하거나 서비스를 제공하는 데 필요한 모든 기능적 직위들이 부서 내로 배치된 자기완결적 단위(self-contained unit)로 기능 간 조정이 극대화될 수 있는 조직구조이다. 사업구조는 기능 간 조정이 용이하기 때문에 불확실한 조직환경, 부서 간에 상호의존성이 높은 경우 적합하다.

② 장단점

장점	단점
· 부서 내의 기능 간 조정이 용이하고 환경변화에 신축적 · 특정 산출물별로 운영되기 때문에 다양한 고객만족도 제고 · 성과책임의 소재가 분명해져 성과관리체제에 유리 · 조직구성원들의 포괄적인 목표관 (기능구조에 대비)	· 산출물별 생산라인의 중복에 따른 규모의 불경제와 비효율 · 기술적 전문지식 축적과 기술 발전에 불리 · 부서 간 조정이 곤란 · 사업부서 간 경쟁이 심화될 경우 조직 전반적인 목표달성 곤란

(4) 매트릭스구조

① 의의: 매트릭스구조(matrix structure)는 기능구조와 사업구조의 화학적 결합을 시도하는 조직구조이다. 매트릭스구조의 기본적 특성은 이원적 권한체제이다. 즉, 수직적으로는 기능부서 통제권한이 구성되고, 수평적으로는 사업부서 간 조정권한이 구성된다. 매트릭스구조는 신축성과 대응성이 요구되는 불안정하고 급변하는 조직환경에 효과적인 구조이다.

② 매트릭스조직에 적합한 조건

㉠ 생산라인 간에 부족한 자원을 공유해야 할 압력이 존재하는 경우

㉡ 두 개 이상의 핵심적 산출물에 대해 기술적 품질성과 수시적 제품개발의 압력이 있는 경우

㉢ 조직환경 영역이 복잡하고 불확실할 경우

③ 한계: 명령계통의 이원화에 따른 책임한계가 모호해진다.

(5) 수평구조

① 의의: 수평구조는 조직구성원을 핵심업무과정 중심으로 조직화하는 것으로, 팀제를 전반적으로 채택하여 수직적 계층과 부서 간 경계를 실질적으로 제거한 매우 유기적인 조직구조이다.

② 특징

㉠ 조직구조가 핵심과정에 기초한다.

㉡ 기본 구성단위는 과업수행에 필요한 자원에 접근하고 의사결정 권한을 갖는 자율팀이다.

㉢ 핵심과정에 대한 전체적인 책임은 각 과정의 조정자에게 있다.

(6) 네트워크구조

네트워크구조는 조직의 자체기능을 핵심역량 위주로 합리화하고, 여타 기능은 외부 기관들과 계약관계를 통해 수행하는 조직구조 방식이다.

2 조직이론의 전개

1 고전적 조직이론(과학적 관리론)

1. 의의

고전적 조직이론은 과학적 관리론을 배경으로 성립된 기계적 조직관으로, 1930년대 완성된 정치행정이원론과 행정관리론의 입장에서 행정을 규명하던 시기의 전통적 조직이론을 말한다.

2. 특징

(1) 단일가치 기준으로서 능률을 추구한다.

(2) 조직 속의 인간을 합리적 경제인으로 간주한다.

(3) 공식적·합리적 구조와 과정을 중시한다.

(4) 조직을 폐쇄체제로 파악한다.

3. 관련 이론

테일러(Taylor)의 과학적 관리론, POSDCoRB와 조직원리를 제시한 귤릭(Gulick), 어윅(Urwick)·윌슨(Wilson) 등이 주도한 행정관리학파, 베버(Weber)의 이념형 관료제이론 등이 있다.

2 신고전적 조직이론(인간관계론)

1. 의의

(1) 대두 배경

신고전적 조직이론은 고전적 조직이론이 전제한 기계적 조직관과 합리적 경제인에 대한 반발로 등장하였다.

(2) 의의

메이요(Mayor)에 의해 1930년대에 호손(Hawthorne)실험이 행해지고, 호손실험의 결과를 중심으로 등장한 인간관계론이 신고전적 조직이론에 해당한다.

2. 특징

(1) 조직 내 사회적 능률을 강조한다.

(2) 사회적 인간관에 근거를 둔다.

(3) 조직의 비공식적 구조나 요인에 초점을 둔다.

(4) 고전적 조직이론과 동일하게 조직을 폐쇄체제로 파악한다.

3. 대표적인 학자

메이요(Mayor), 페욜(Fayol), 버나드(Barnard) 등이 있다.

3 현대적 조직이론

1. 의의

(1) 정의

현대적 조직이론은 개인을 다양한 욕구와 변이성을 지닌 자아실현인·복잡인으로 간주하고, 조직을 '복잡하고 불확실한 환경 속에서 정해진 목표를 효과적으로 달성하기 위해 개성이 강한 인간행동을 종합하는 활동'으로 정의한다.

(2) 관련 이론

비교론적 조직이론·행태론적 조직이론·체제론적 조직이론·상황론적 조직이론 등이 있고, 가장 최근의 조직이론으로는 조직경제학(대리인이론·거래비용이론)과 조직군생태론·자원의존이론·신제도론·혼돈이론 등이 있다.

2. 특징

(1) 조직을 환경과 상호 작용하는 동태적·유기체적 개방체제로 파악한다.

(2) 상황이론(contingency theory)*을 주장한다.

(3) 구조보다는 인간행태나 발전적·쇄신적 가치관을 중시하며, 인간을 자아실현인·복잡인으로 파악한다.

(4) 가치의 다원화 및 행정현상의 다양성을 인정한다.

(5) 조직에서 변동·갈등의 순기능을 인정하고, 조직발전(OD)을 중시한다.

(6) 효과성·생산성·민주성·대응성·사회적 적실성과 종합적인 행정개혁을 중시한다.

(7) 종합과학적 성격을 갖는다.

📖**용어**

상황이론*: 조직구조의 유일한 최선의 방법(the best way)이 없다는 입장으로, 조직 구조의 설계의 경우 상황요인(규모·환경·기술) 등을 고려해야 한다는 이론

⊙**핵심정리**　왈도(Waldo)와 스콧(Scott)의 조직이론 분류

1. 왈도(Waldo)의 조직이론 분류

구분	고전적 조직이론	신고전적 조직이론	현대적 조직이론
인간관	합리적·경제적 인간관	사회적 인간관	복잡한 인간관
추구하는 가치	기계적 능률성	사회적 능률성	다원적 목표·가치·이념
주요 연구대상	공식적 구조 (관료제·계층제)	비공식적 구조	체제적·유기적 구조
주요 변수	구조	인간(행태)	환경

2. 스콧(Scott)의 조직이론 분류

분석 수준	폐쇄·합리모형 (1900~1930)	폐쇄·자연모형 (1930~1960)	개방·합리모형 (1960~1970)	개방·자연모형 (1970~)
사회· 심리적 수준	· 과학적 관리론 (Taylor) · 의사결정론 (Simon)	인간관계론 (Roy, Whyte)	합리성 제약이론 (Simon & March)	· 조직화이론 (Weick) · 질서협상이론 (Strauss et al)

01 신고전적 조직이론인 인간관계론이 강조한 내용으로 옳은 것은? 2024년 국가직 9급

① 기계적 능률성
② 공식적 조직구조
③ 합리적·경제적 인간관
④ 인간의 사회·심리적 요인

02 에치오니(A. Etzioni)의 조직목표 유형으로 옳지 않은 것은? 2020년 군무원 9급

① 질서 목표
② 문화적 목표
③ 경제적 목표
④ 사회적 목표

03 조직의 유형구분에 대한 설명으로 가장 옳지 않은 것은? 2019년 서울시 7급(10월 추가)

① 블라우(Blau)와 스콧(Scott)은 기능을 중심으로 조직의 유형을 분류하였다.
② 블라우와 스콧은 병원, 학교 등을 봉사조직으로 분류한다.
③ 파슨스(Parsons)는 경찰조직을 사회통합기능을 수행하는 통합조직으로 분류한다.
④ 에치오니(Etzioni)는 민간기업체를 공리적 조직으로 분류한다.

04 조직구조의 유형에 대한 설명으로 옳은 것은? 2017년 지방직 9급(12월 추가)

① 수평구조는 수직적 계층과 부서 간 경계를 제거하여 의사소통을 원활하게 만든 구조다.
② 기계적 조직에서는 효율적인 조직 운영을 위해 권한과 책임이 분산되어 있다.
③ 위원회 조직은 위원장에 의해 최종 의사결정이 이루어진다는 면에서 독임제로 운영되는 계층제와 유사성이 있다.
④ 애드호크라시는 변화에 신속하게 대응할 수 있다는 장점으로 인해 전통적인 관료제 구조를 대체하기에 이르렀다.

정답 및 해설

01 신고전적 조직이론은 인간의 사회적·심리적·비공식적 요인을 중시하는 인간관계론과 관련된다.

| 오답체크 |
①, ②, ③ 고전적 조직이론의 특징에 해당한다.

02 에치오니(A. Etzioni)의 조직목표 유형으로는 질서 목표, 문화적 목표, 경제적 목표가 있다.

03 블라우(Blau)와 스콧(Scott)은 조직의 수혜자 중심으로 조직의 유형을 호혜적 조직, 기업조직, 봉사조직, 공익조직으로 분류하였다.

| 오답체크 |
② 블라우(Blau)와 스콧(Scott)은 수혜자가 고객인 봉사조직의 예로 병원, 학교 등을 제시하였다.

③ 파슨스(Parsons)는 경찰 등 사법기관을 사회통합기능을 수행하는 통합조직으로 분류하였다.
④ 에치오니(Etzioni)는 민간기업을 공리적 조직으로 분류한다.

04 수평구조는 수직적 계층과 부서 간의 경계가 제거된 팀제를 의미한다.

| 오답체크 |
② 기계적 조직은 엄격한 계층제에 의하여 권한과 책임이 분산되어 있는 것이 아니라 상층부에 집중되어 있다.
③ 위원회 조직은 다수의 위원들 간 합의에 의하여 결정이 이루어진다는 점에서 독임제로 운영되는 계층제 조직과는 대조적이다.
④ 애드호크라시(adhocracy)는 전통적 관료제 구조를 대체하기보다는 보완 관계이다.

정답 01 ④ 02 ④ 03 ① 04 ①

05 외부환경의 불확실성에 대응하는 조직구조상의 특징에 따라 기계적 조직과 유기적 조직으로 구분하는 경우에, 유기적 조직의 특성에 해당하는 것만을 모두 고른 것은?

2015년 국가직 9급

ㄱ. 넓은 직무범위	ㄴ. 분명한 책임관계
ㄷ. 몰인간적 대면관계	ㄹ. 다원화된 의사소통채널
ㅁ. 높은 공식화 수준	ㅂ. 모호한 책임관계

① ㄱ, ㄹ, ㅂ

② ㄴ, ㄷ, ㅁ

③ ㄴ, ㄹ, ㅁ

④ ㄱ, ㄷ, ㅂ

06 조직구조의 유형 중에서 기능별 구조(functional structure)와 비교하여 사업별 구조(divisional structure)가 가지는 장점으로 보기 어려운 것은?

2015년 서울시 7급

① 사업부서 내의 기능 간 조정이 용이하고 변화하는 환경에 신속하게 대응할 수 있다.

② 성과책임의 소재가 분명해 성과관리체제에 유리하다.

③ 특정 산출물별로 운영되기 때문에 고객만족도를 제고할 수 있다.

④ 중복과 낭비를 예방하고 기능 내에서 규모의 경제를 구현할 수 있다.

07 다음 내용에 해당하는 조직유형에 대한 설명으로 옳지 않은 것은?

2024년 국가직 9급

A회사는 장기적인 제품개발 프로젝트 수행을 위해 각 부서에서 총 10명을 차출하여 팀을 운영하려고 한다. 이 팀에 소속된 팀원들은 원부서에서 주어진 고유 기능을 수행하면서 제품개발을 위한 별도 직무가 부여된다. 따라서 프로젝트 수행 기간 중 팀원들은 프로젝트 팀장과 원소속 부서장의 지휘를 동시에 받게 된다.

① 기능구조와 사업구조를 결합한 혼합형 구조이다.

② 동태적 환경 및 부서 간 상호 의존성이 높은 상황에서 효과적이다.

③ 조직 내부의 갈등 가능성이 커질 우려가 있다.

④ 명령 계통의 다원화로 유연한 인적자원 활용이 어렵다.

08 민츠버그(Mintzberg)는 조직을 단순구조, 기계적 관료제, 전문적 관료제, 할거적 양태(사업부제), 임시체제 등으로 구분하였다. 이 중 전문적 관료제의 특징으로 가장 옳지 않은 것은?

2015년 서울시 7급

① 높은 수평적 분화 수준

② 복잡하고 불안정적인 환경

③ 낮고 불명확한 공식화 수준

④ 높은 연결·연락 수준

09 조직구조의 유형에 대한 설명으로 옳지 않은 것은?

① 사업(부)구조는 조직의 산출물에 기반을 둔 구조화 방식으로 사업(부) 간 기능 조정이 용이하다.

② 매트릭스구조는 수직적 기능구조에 수평적 사업구조를 결합시켜 조직운영상의 신축성을 확보한다.

③ 네트워크구조는 복수의 조직이 각자의 경계를 넘어 연결고리를 통해 결합 관계를 이루어 환경 변화에 대처한다.

④ 수평(팀제)구조는 핵심업무 과정 중심의 구조화 방식으로 부서 사이의 경계를 제거하여 의사소통을 원활하게 한다.

정답 및 해설

05 ㄱ. 넓은 직무범위, ㄹ. 다원화된 의사소통채널, ㅂ. 모호한 책임관계는 유기적 구조의 특징에 해당한다.

| 오답체크 |

ㄴ. 분명한 책임관계, ㄷ. 몰인간적 대면관계, ㅁ. 높은 공식화 수준은 모두 기계적 구조의 특징이다.

① 기계적 구조와 유기적 구조 비교

구분	기계적 구조	유기적 구조
주안점	예측 가능성	적응성
조직 특성	• 좁은 직무범위 • 표준운영절차 • 분명한 책임관계 • 계층제 • 공식적이고 몰인간적인 대면관계	• 넓은 직무범위 • 적은 규칙과 절차 • 모호한 책임관계 • 채널의 분화 • 비공식적이고 인간적인 대면관계
상황 조건	• 명확한 조직목표와 과제 • 분업적 과제 • 단순한 과제 • 성과측정이 가능 • 금전적 동기부여 • 권위의 정당성 확보	• 모호한 조직목표와 과제 • 분업이 어려운 과제 • 복합적 과제 • 성과측정이 어려움 • 복합적 동기부여 • 도전받는 권위

06 사업별 구조는 각각의 사업부서 내에서 여러 가지 기능을 중복적으로 수행함으로써, 공통 관리비의 절감효과가 작아 중복과 낭비가 초래되고 규모의 경제를 구현할 수 없다. 중복과 낭비를 예방하고 기능 내에서 규모의 경제를 구현할 수 있는 것은 기능별 구조의 장점이다.

① 사업별 구조와 기능별 구조의 장단점

구분	사업별 구조	기능별 구조
장점	• 부서 내의 기능 간 조정이 용이하고 환경변화에 신축적 • 특정 산출물별로 운영되기 때문에 다양한 고객만족도 제고 • 성과책임의 소재가 분명해져 성과관리체제에 유리 • 조직구성원들의 포괄적인 목표관(기능구조 대비)	• 기능 내에서 규모의 경제를 추구(중복과 낭비 예방) • 유사 기능을 수행하는 조직구성원 간에 분업을 통해 전문기술을 발전시킴 • 부서 내 의사소통과 조정에 유리
단점	• 산출물별 생산라인의 중복에 따른 규모의 불경제와 비효율 • 기술적 전문지식 축적과 기술 발전에 불리 • 부서 간 조정이 곤란 • 사업부서 간 경쟁이 심화될 경우 조직 전반적인 목표달성 곤란	• 부서들 간의 조정과 협력이 요구되는 환경 변화에 둔감 • 의사결정의 상위 집중화로 인한 고위관리자들의 업무 과부하 • 전문화의 심화에 따른 비효율

07 제시문은 기능구조와 사업구조를 화학적으로 결합한 매트릭스조직을 설명하는 것으로, 매트릭스조직은 인적·물적자원을 공유하여 효율적으로 활용하고자 하는 탈관료제 조직이다. 유연한 인적자원활용이 어렵다는 표현은 옳지 않다.

| 오답체크 |

① 매트릭스구조는 기능구조와 사업구조를 화학적으로 결합한 혼합형 조직이다.

② 탈관료제의 유형으로 동태적 환경에 대한 대응성이 필요하고 부서 간 상호의존성이 높을 때, 매트릭스조직은 효과적이다.

③ 명령계통이 이원화되어 이로 인한 내부 갈등가능성이 존재한다.

08 전문적 관료제는 기술의 표준화를 추구하지만 공식화의 수준은 낮은 조직이다. 전문적 관료제가 처한 조직 환경은 복잡하면서도 안정적인 환경이다.

09 사업구조는 사업부서 내에서의 기능 간 조정은 용이하나, 사업부서 간 조정은 곤란하다.

| 오답체크 |

② 매트릭스구조(matrix structure)는 기능구조와 사업구조의 화학적 결합을 시도하는 조직구조이다. 매트릭스구조의 기본적 특성은 이원적 권한체제이다. 즉, 수직적으로는 기능부서 통제권한이 구성되고, 수평적으로는 사업부서 간 조정권한이 구성된다.

③ 네트워크구조는 조직의 자체기능은 핵심역량 위주로 합리화하고, 여타 기능은 외부기관들과 계약관계를 통해 수행하는 조직구조 방식이다.

④ 수평구조는 조직구성원을 핵심업무 과정 중심으로 조직화하는 것으로, 팀제를 전반적으로 채택하여 수직적 계층과 부서 간 경계를 실질적으로 제거한 매우 유기적인 조직구조이다.

정답 05 ① 06 ④ 07 ④ 08 ② 09 ①

> **1** 조직구조의 결정요인

1 조직구조의 의의

1. 의의
조직구조란 조직의 일정한 기능을 수행하기 위해서 확립된 역할 및 행위의 체계이다.

2. 조직구조가 결정하는 내용
(1) 조직 속의 집단과 개인들 사이에 권력이 어떻게 배분되는가를 결정한다.

(2) 조직 내 개개인의 행동에 대하여 누가 통제권을 행사하는가를 결정한다.

(3) 조직 내에서 의사결정이 이루어지는 흐름과 방식을 결정한다.

2 조직구조의 구성요소

조직구조의 구성요소는 '조직구성원의 행위나 행동을 유형화시키는 데 작용하는 가장 기초적인 요인'을 말하는 것으로, 역할과 지위·권력과 권위 등이 있다.

1. 역할과 지위

(1) 역할

일반적으로 역할(role)이란 사회적 관계에서 어떤 지위를 차지하는 사람들이 해야 할 것으로 기대되는 행위나 행동의 범주를 의미한다.

(2) 지위

① 일반적으로 지위(status)란 어떤 사회적 체제 속에서 개인이 점하는 위치의 상대적 가치 또는 존중도를 의미한다.

② 지위는 계층화된 지위체제 내에서 등급 또는 계급으로 표현되고, 지위의 차이는 보수와 권한·책임 등에 차이가 생기는 근거가 된다.

2. 권력과 권위

(1) 권력

권력은 개인 또는 조직 단위의 행태를 좌우할 수 있는 능력을 의미한다.

(2) 권위

① 의의: 권위는 조직의 규범에 의하여 그 정당성이 승인된 권력으로, 조직에서 공식적 역할에 결부된 가장 중요한 권력이다.

② 특징

　　㉠ 조직의 규범에 의해 정당성이 부여되었다.

　　㉡ 상대방의 복종을 요구할 수 있는 행동지향적 능력이다.

　　㉢ 공식적 역할과 결부되어 있다.

　　㉣ 행동주체 간의 관계 설정 등에 관련된 변수이다.

3 조직구조의 기본변수

조직구조의 기본변수란 '조직구조의 기초요인인 역할과 지위, 권위와 권력이 갖고 있는 특성이나 정도를 나타낸 것'으로 복잡성, 공식성, 집권성이 있다.

1. 복잡성

복잡성(complexity)이란 조직 내에 존재하는 분화의 정도를 가리키는 것으로, 분화의 정도가 높으면 조직은 복잡성이 높게 된다. 조직의 분화는 수평적 분화·수직적 분화·공간적 분산의 측면에서 살펴 볼 수 있는데, 이들 세 요소의 정도가 높을수록 조직의 복잡성이 높아진다.

(1) 수평적 분화(horizontal differentiation)❶

조직을 구성하는 단위 안에서 주로 직무의 성질에 따른 횡적인 분화를 의미한다.

(2) 수직적 분화(vertical differentiation)

조직 속에 몇 개의 수직적 계층을 만들고, 계층에 따라 다른 권한과 책임이 수직적으로 분화된 것을 의미한다.

(3) 공간적 분산(spatial dispersion)

공간적·장소적 분산은 조직을 구성하는 인원이나 시설이 지역적·장소적으로 분산되어 있는 것을 의미한다.

2. 공식화

공식화(formalization)란 조직을 구성하는 여러 단위나 개인의 지위·역할 및 권한이 명시적으로 성문화되고, 업무수행에 관한 규칙과 절차가 표준화·정형화되는 현상을 말한다. 일반적으로 공식화가 높을수록 일종의 기계적 조직구조를 갖게 되고, 공식화가 낮은 경우 느슨하고 산만한 구조를 갖게 된다.

(1) 공식화의 순기능과 역기능

① 순기능

　　㉠ 조직구성원의 행동 규제를 용이하게 할 수 있다.

　　㉡ 표준운영절차(SOP) 등을 통해 조직의 활동비용을 줄일 수 있다.

　　㉢ 행정의 예측가능성과 안정성을 높인다.

　　㉣ 조직 활동의 혼란을 막는 기능을 수행한다.

② 역기능 – 공식화의 수준이 너무 높을 경우

　　㉠ 구성원의 자율성을 제약할 수 있다.

　　㉡ 구성원에게 소외감을 준다.

❶ 수평적·수직적 전문화와
　직무의 효과성 연계

구분	수평적 전문화	
	높음	낮음
수직적 전문화 　높음	생산부서의 비숙련직무	일선 관리업무
수직적 전문화 　낮음	특수 전문가적 직무	전략적 결정업무 (고위층)

1. 수평적 전문화
　· 과업범위의 세분화 정도를 말한다.
　· 이를 완화하기 위한 것이 직무확대이다.
2. 수직적 전문화
　· 과업수행 방법이나 결과에 대해 책임을 지는 정도를 의미한다.
　· 이를 완화하기 위한 것이 직무충실이다.

© 행정관의 재량 범위 축소로 조직이 변화하는 환경에 적응하기 힘들다.

② 관료의 모든 행태를 규정하려는 공식적 규칙의 범람은 집권화를 촉진하는 등 연쇄적 작용을 일으켜 다시 공식적 규칙의 확대를 조장하는 결과를 낳는다 (관료제적 악순환).

(2) 조직의 공식화에 영향을 미치는 변수

조직의 공식화는 다음과 같은 경우 높아진다.

① 직무의 성질이 단순하고 반복적인 경우

② 조직의 규모가 큰 경우

③ 조직의 환경이 안정적인 경우

④ 조직이 집권화된 경우

✅개념PLUS 공식화와 표준화

일반적으로 공식화를 조직 내의 직무가 정형화·표준화되어 있는 정도로 파악하여 공식화와 표준화를 같은 것으로 이해하지만, 엄격히 따지면 다음과 같은 차이점이 있다.

1. 차이점
   ① **공식화**: 과업의 수행절차·방법·결과 등에 대해 사전에 기준을 정해 놓은 정도를 말한다.
   ② **표준화**: 사용부품·작업기술·산출물의 유형을 통일시켜 놓은 정도를 말하는데, 이러한 표준화의 종류로는 투입물의 표준화·과정의 표준화·산출물의 표준화가 있다.
      ⊙ **투입물의 표준화**: 제품의 원료나 부품, 기술의 표준화를 의미한다.
      ⓛ **과정의 표준화**: 작업과정이나 절차 등을 사전에 정해 놓은 것으로, 공식화와 같은 의미이다.
      © **산출물의 표준화**: 제품의 품질수준을 미리 정해 놓은 것으로, 근접통제가 필요없게 된다. 예컨대, 최종산출에 대해서만 책임을 묻는 사업부제와 관련된다.

2. 관계
   ① 공식화와 표준화는 관련성은 있지만 반드시 일치하는 것은 아니다.
   ② 작업방식이 미리 정해져 있으면 공식화, 작업요소(투입·과정·산출 등)가 통일되어 있으면 표준화라고 할 수 있다.
   ③ 민츠버그(Mintzberg)의 기계적 관료제: 표준화(작업과정)를 추구하면서도 공식화를 추구한다.
   ④ 민츠버그(Mintzberg)의 전문적 관료제: 표준화(기술)를 추구하지만 공식화는 추구하지 않는다.

---

3. 집권화(분권화)

(1) 집권화

집권화(centralization)는 조직 내 의사결정권이 어디에 있는가와 관련된 변수이다. 조직의 의사결정권이 조직의 상위층에 비교적 집중되어 있는 경우이다.

(2) 분권화

분권화(decentralization)는 의사결정권이 상대적으로 조직의 하위층에 분산되어 있는 경우이다.

4 조직구조의 상황변수

조직구조의 상황변수는 '기본변수인 복잡성·공식화·집권화에 영향을 미치는 변수'들로, 조직의 규모·기술·환경 등이 다양하게 제시되고 있다.

1. 규모

(1) 조직규모의 의의

조직의 규모란 일반적으로 조직을 구성하는 '조직구성원의 수'로 측정되지만, 과업의 크기·조직책임의 범위 등으로 측정되기도 한다. 조직구성원 수의 변화는 상황변수인 조직규모에 영향을 미치고, 이는 다시 조직의 기본변수에 영향을 미친다.

(2) 규모와 기본변수의 관계

① 조직의 규모가 커지면 복잡성은 증대하다가 어느 수준부터는 감소한다.
② 조직의 규모가 커질수록 조직의 행동은 더욱 공식화된다.
③ 조직의 규모가 커지게 되면 분권화가 촉진된다.

2. 기술

(1) 기술의 개념

기술이란 조직의 투입을 산출로 전환시키는 데 필요한 지식·과정·방법을 말하는 것으로, 조직의 활동수단이라고 할 수 있다.

(2) 기술유형론

① 우드워드(Woodward)❶ – 작업과정의 특성과 특정 구조에 적용되는 기술 유형: 단일상품 또는 소수단위상품 생산체제 → 다수단위생산 또는 대량생산체제 → 연속적 생산체제 순으로 기술의 복잡성이 높다.
   ㉠ 단일상품 또는 소수단위상품 생산체제: 주문자 개개인의 요구에 따라 한두 개의 소수 상품을 만들어내는 작업과정으로, 단순한 기술이 적용된다.
   ㉡ 다수단위생산 또는 대량생산체제: 동일한 종류의 제품을 대량으로 생산하는 작업과정을 말한다. 다수단위생산체제는 관료제적 조직구조이다.
   ㉢ 연속적 생산체제: 상품이 연속적으로 처리되어 생산되는 작업과정으로, 연속적 생산체제에서 사용되는 기술은 기술적 복잡성이 가장 높다.
② 톰슨(Thompson) – 목표달성 수단 측면의 기술 유형
   ㉠ 길게 연계된 기술(long-linked technology): 길게 연계된 기술은 여러 가지 행동이 순차적으로 의존적인 관계를 이루고 있을 때 사용되는 기술로, 상호 연계를 위한 기술적 표준화가 필요하다.
   ㉡ 중개기술(mediated technology): 중개기술은 서로 의존하기를 원하거나 이미 의존상태에 있는 고객들을 연결하기 위해 쓰이는 기술로, 길게 연계된 기술과 마찬가지로 표준화가 필요하다.
   ㉢ 집약적 기술(intensive technology): 집약적 기술은 다양한 업무와 고객에 적용하기 위해 끌어 모은 다양한 기술의 복합체로, 표준화가 어렵고 고비용을 요구한다.
     ㉔ 종합병원은 여러 가지 기술이 집약적으로 활용되기 때문에 비싸다.

❶ 우드워드(Woodward)의 기술적 복잡성
1. 인간이 아닌 기계가 대신 해주는 기술을 대상으로 한다.
2. 단일상품 → 대량생산 → 연속적 생산 순으로 기술적 복잡성이 높다.

구분	중개적 기술 (mediating technology)	길게 연결된 기술 (long-linked technology)	집약적 기술 (intensive technology)
의미	상호의존 상태에 있거나 서로 의존하기를 원하는 고객들을 연결하는 기술	여러 활동이 순차적 의존관계에 있을 때 사용하는 기술	· 특정 대상물의 변화를 가져오기 위해 모은 다양한 기술의 집합체 · 개별적 고객의 성격·상태에 따라 다르게 배합되는 기술 · 많은 비용 필요
	일상적 기술 ◀—————————————————————————————▶ 비일상적 기술		
예	· 은행(예금자 – 대출자 간 연결) · 직업소개소(구직자 – 구인자 연결)	· 대량생산 조직-연속적 공정(화학공정) · 컨베이어 시스템 · 조립라인	· 맞춤기술·주문기술 · 종합병원에서의 치료 · 건축업
상호의존성	집합적(공동적·집단적; pooled), 상호의존성	순차적·연속적(sequential), 상호의존성	교호적·호혜적(reciprocal), 상호의존성
조정 방법	표준화	계획	상호 적응(표준화 곤란)
조정 곤란도	조정 용이	중간	조정 곤란(갈등 수반)

③ **페로우(Perrow) – 과업의 다양성과 문제의 분석가능성을 기준으로 한 유형:** 과업의 다양성이란 투입을 산출로 전환하는 과정에서 예상하지 못한 일이 발생하는 정도를 말하고, 문제의 분석가능성은 표준화된 절차를 따라 일을 처리하는지 여부를 말한다. 표준화된 절차를 따라 일을 처리하면 문제를 잘 해결할 수 있고, 문제의 분석가능성이 높다.

구분	소수의 예외(= 과업의 다양성 낮음)	다수의 예외(= 과업의 다양성 높음)
분석불가능한 (비일상적) 탐색	기능(craft; 장인기술) 예 고급 유리그릇을 생산하는 소규모 공장 등	· 비일상적(nonroutine) 기술 예 항공산업, 원자력추진장치 등 · 탈관료제가 사용하는 기술
분석가능한 (일상적) 탐색	· 일상적(routine) 기술 예 표준화된 제품의 대량생산 등 · 관료제가 사용하는 기술	공학적 기술(engineering) 예 주문형 제품 등

㉠ **정형화된 기술:** 일상화된 기술로, 과업의 다양성이 적고, 표준화된 절차에 사용하기가 용이한 기술을 말한다.

　　예 표준화된 제품의 대량생산 – 은행 창구 직원, 자동차 생산라인 등

㉡ **공학적 기술:** 수행하는 과업이 다양하고 복잡하나, 수립된 공식과 절차·기법에 의해 용이하게 해결할 수 있는 기술을 말한다.

　　예 주문에 따른 전동기 생산, 회계업무 등

㉢ **기예적 기술(기능):** 수행하는 과업이 다양하지는 않으나, 과업의 수행이 용이하지 않은 경우의 기술을 말한다.

　　예 고급 유리그릇 생산, 예술 연주, 조각 등

㉣ **비정형화된 기술(비일상적인 기술):** 과업의 다양성이 크고 문제의 분석가능성이 낮은 기술을 말한다.

　　예 원자력추진장치 등

3. 환경

환경이란 조직활동에 영향을 미치는 상황적 요인을 말한다. 변화가 낮은 정태적이고 일상적인 환경은 집권화된 기계적·관료제적 조직구조가 효율적이고, 동태적이고 격변하는 환경은 분권화된 유기적 조직구조(adhocracy)가 바람직하다.

5 조직구조의 기본변수와 상황변수의 관계

기본변수 ＼ 상황변수	규모		기술		환경	
	대규모	소규모	일상적	비일상적	확실·안정	불확실·불안정
복잡성	⇧	⇩	⇩	⇧	⇧	⇩
공식성	⇧	⇩	⇧	⇩	⇧	⇩
집권성	⇩	⇧	⇧	⇩	⇧	⇩

2 고전적 조직구조의 원리(원리주의)

1 조직원리의 의미

(1) 조직의 원리란 조직의 목표를 효율적으로 달성하기 위하여 '복잡하고 거대한 조직을 합리적이고 적절하게 편성하고 통제하며, 보다 능률적으로 관리하는 데 적용되는 일반적인 원칙'을 말한다.

(2) 조직의 원리는 사이먼(Simon) 등의 행태론에 의해서 경험적 검증을 거치지 않은 속담이나 격언에 불과하다는 비판을 받았다.

2 계층제의 원리(principle of hierarchy)

1. 개념

(1) 계층제(hierarchy)의 원리란 '조직 내의 권한과 책임 및 의무의 정도에 따라 조직구성원들 간에 상하의 계층이나 등급을 설정하는 것'을 말한다.

(2) 계층제 내에서 권력은 계층에 따라 차등적으로 배분되고, 계층 간에는 엄격한 상명하복 관계가 형성된다. 따라서 이를 '차등적 지위를 규정하는 지위체계'라고도 한다.

(3) 통상적으로 대규모의 공·사조직은 계장·과장·국장·장관(사장)으로 구성되는 계층제를 형성한다.

핵심 OX

01 조직의 규모가 커질수록 공식화가 높아질 것이다. (O, X)

02 비일상적 기술일수록 복잡성이 높아질 것이다. (O, X)

03 일상적 기술일수록 공식화가 낮을 것이다. (O, X)

01 O
02 O
03 X 일상적 기술일수록 공식화가 높다.

2. 특징

(1) 계층의 수에 영향을 주는 요인

계층의 수는 조직의 규모가 커지고 업무가 다양화·전문화될수록 증가한다.

(2) 계층수준에 따른 업무의 내용

계층수준이 높을수록 주요 정책에 관한 비정형적인 업무를 담당하고, 낮을수록 정형적 업무나 구체적인 운영을 담당하게 된다.

(3) 계층제와 분업

계층제는 업무의 곤란도나 책임도를 기준으로 하는 수직적 분업의 일종이다.

(4) 계층제와 통솔범위의 역관계

통솔범위가 넓어지면 계층의 수는 적어지는 반면, 통솔범위가 좁아지면 계층의 수는 많아진다.

(5) 계층제와 계선·참모와의 관계

계층제는 계선조직을 중심으로 형성되나, 참모조직은 계층제 형태를 띠지 않는다.

(6) 전형적인 관료제의 모형

계층제는 조직의 수직적 차원에 적용되며 계선조직을 중심으로 형성되고, 전형적인 관료제의 모형으로, 명령통일과 명령계통 일원화의 원리를 추구한다.

3. 순기능과 역기능

(1) 순기능

① 지휘, 명령 등 의사소통(특히 상의하달)의 통로이다.
② 권한위임의 통로가 되며 행정책임의 한계를 분명히 한다.
③ 계층제를 통해 갈등과 분쟁이 해결되고 조정이 가능하기 때문에 조직의 통일성과 안정성을 유지한다.
④ 행정목표 설정과 업무배분의 통로가 된다.
⑤ 승진 기회를 제공하여 구성원의 사기앙양을 도모한다.

(2) 역기능

① 지나친 수직관계는 조직의 경직성을 초래한다.
② 신축적인 조직운영을 저해한다.
③ 계층수가 증가하면서 의사전달의 왜곡이 초래된다.
④ 환경변화에 신속한 대응이 곤란해진다.
⑤ 조직구성원의 개성과 창의성을 저해한다.
⑥ 귀속감을 감소시켜 인간관계 형성을 방해한다.
⑦ 부처할거주의가 발생한다.
⑧ 피터의 법칙*이 나타난다.

📖 용어

피터의 법칙(Peter's principle)*: 계층제적 관료조직의 구성원이 각자의 능력을 넘는 수준까지 승진한다는 원리로, 모든 직위가 무능력자로 채워지는 경향이 나타난다는 계층적 관료제의 병리현상

3 통솔범위의 원리(principle of span of control)

1. 의의

(1) 통솔범위란 한 사람의 상관 또는 감독자가 혼자서 직접 효과적으로 통솔할 수 있는 부하의 수 또는 조직단위의 수를 말한다.

(2) 인간의 주의능력에는 한계가 있기 때문에 통솔범위는 일정한 한계를 지닌다.

(3) 통솔범위의 한계를 극복하기 위해 계층제가 대두되었다.

2. 통솔범위의 결정요인

시간적 요인	신설조직보다는 기성조직·안정된 조직의 감독자의 통솔범위가 큼
공간적 요인	공간적으로 분산되어 있는 경우보다 동일 장소에 집중되어 있을 때 통솔범위가 확대됨
직무의 성질	단순하고 반복적·표준화된 동질적 업무를 다루는 경우에 통솔범위가 확대됨
감독자와 부하의 능력	감독자의 통솔능력이 우수하며, 유능하고 잘 훈련된 부하가 있는 경우 통솔범위가 확대됨
의사전달 기술의 발달	통신기술 등 의사전달 기술이 발달하면 통솔범위가 확대됨
통솔 범위와 계층제	• 동일조직에서 상부로 올라가고, 계층의 수를 늘릴수록 통솔범위가 축소됨 • 하부로 내려가고, 계층의 수를 줄일수록 통솔범위가 확대됨
감독자의 신임도	감독자가 부하에게 신임을 받고 있으면 통솔범위가 확대됨

4 명령통일의 원리(principle of the unity of command)

1. 의의

명령통일의 원리는 '조직체의 어떤 구성원이라 할지라도 오직 한 사람의 상관으로부터만 지시와 명령을 받고, 그 사람에게만 보고해야 한다는 것'을 말한다.

2. 장점

(1) 명령자가 분명하기 때문에 책임의 소재가 명확하게 확보된다.

(2) 혼란이 없어 조직적으로 업무를 처리할 수 있다.

(3) 명령·보고 체계가 명확하여 능률적으로 업무를 진행할 수 있다.

(4) 조직의 안정성 유지에 도움이 된다.

(5) 명령계통을 통하여 조정이 원활하게 수행된다.

3. 한계

(1) 현대 조직은 동태성이 요구되며 복종보다 협조에 중점을 두기 때문에, 명령통일만을 강조하면 조직의 적실성이 떨어진다.

(2) 명령통일의 원리를 지나치게 고수하면, 전문가·막료들의 자문과 권고가 받아들여지지 않게 된다.

(3) 명령통일의 원리가 지나치면, 공식적 의사전달 통로가 과중되어 행정능률이 저하된다.

(4) 명령통일의 원리를 너무 강조하면, 다른 명령체계를 가진 조직 간의 갈등이 발생한 경우, 횡적인 조정을 저해할 수 있다.

5 분업(전문화)의 원리(principle of division of work)

1. 의의

(1) 분업(전문화)의 원리는 업무능률의 증진을 위해 조직 전체의 업무를 종류와 성질별로 나누어 '조직의 구성원이 가급적 한 가지의 주된 업무만을 전담하도록 하는 조직 구성 원리'를 말한다.

(2) 분업의 원리는 '전문화의 원리'라고도 하는데, 이는 분업과 동시에 담당업무의 전문화가 이룩되기 때문이다.

(3) 분업의 원리는 조직의 하층에서 이루어지는 기계적인 업무뿐만 아니라, 조직의 상층에서 이루어지는 의사결정의 업무에도 적용된다.

2. 장점

(1) 분업이 이루어지면 작업능률이 향상된다.

(2) 분화된 업무처리를 위한 도구 및 기계의 발달을 촉진한다.

(3) 전문가의 양성을 촉진한다.

(4) 업무가 세분화될수록 업무 습득에 걸리는 소요시간이 단축된다.

3. 단점

(1) 정형화된 업무를 반복시켜 일에 대한 흥미를 잃게 한다.

(2) 분업의 정도가 높아질수록 자신의 업무에만 매몰되어 조정과 통합을 어렵게 한다.

(3) 전문화가 고도화되면 자신의 분야만 잘 알고 다른 분야에 대해서는 시야가 좁은 전문화된 무능❶ 현상이 일어난다.

(4) 업무의 지나친 세분화는 통합적인 조직관리보다 더 많은 비용이 소요될 수 있다.

---

❶ 전문화된 무능 = 훈련된 무능
(trained incapacity)
한 가지의 지식 또는 기술에 관하여 훈련받고 기존 규칙을 준수하도록 길들여진 사람은 다른 대안을 생각하지 못하는 경직성을 보인다는 것을 의미한다.

핵심 OX

01 명령통일의 원칙은 책임·한계가 명확하다. (O, X)

02 명령계통의 이원화는 책임·한계가 명확하다. (O, X)

01 O
02 X 명령계통의 이원화는 책임·한계가 불명확하다.

6 조정의 원리(principle of coordination)

1. 의의

조정의 원리란 조직이 수행하는 공동목표의 효과적 달성을 위하여 '세부적으로 분화된 조직의 활동을 통합하는 것'을 말한다. 무니(Mooney)는 '조정의 원리야말로 조직의 제1 원리이고, 다른 조직원리를 내포하고 있으며 조직이 추구하는 내부목표'라고 하였다. 고전적 조직원리에서 가장 중시되는 조정의 방법은 권한의 계층제 형성을 통한 조정이다.

2. 조정 방법

(1) 역할과 책임을 명확히 하고, 상위계획을 수립하여 조정한다.

(2) 낡은 사고방식을 없애고 새로운 아이디어를 창출하여 조정한다.

(3) 위원회 등 객관적인 조정기구를 통해 조정한다.

(4) 계층제의 권위를 통해 조정한다.

3. 조정의 저해 요인

(1) 행정이 전문화되면 조정이 저해된다.

(2) 조직이 거대화되면 조정이 저해된다.

(3) 이익단체의 압력과 행정기관 간에 할거주의가 조성되면 조정이 어려워지게 된다.

(4) 횡적 의사전달이 미흡하면 조정이 저해된다.

(5) 조직목표와 구성원 간의 이해관계에 차이가 있는 경우 조정이 저해된다.

> **✓ 개념PLUS** 부처편성의 원리(부성제의 원리) → '분업의 원리'임
>
> **1. 의의**
> 부처편성의 원리란 부처조직편성의 원리 혹은 기준을 밝히고자 하는 이론으로, 1930년대에 귤릭(Gulick)을 위시한 행정원리론자들에 의해서 확립된 것이다.
>
> **2. 부처편성의 네 가지 기준**
> 현대적인 형태의 부처조직편성 이론과 기준은 귤릭(Gulick)의 연구에서 비롯되었다. 그는 부처편성의 일반적 기준으로 ① 목적 – 기능, ② 과정 – 절차, ③ 대상인(수혜자 및 고객) – 수취물, ④ 지역 – 장소라는 네 가지 기준을 제시하였다.
>
> | 구분 | 목적 – 기능별 | 과정 – 절차별 | 대상 – 고객별 | 지역 – 장소별 |
> |---|---|---|---|---|
> | 장점 | · 사업목적 및 기능 파악 용이
· 권한 및 책임한계 분명 | · 행정의 전문화 가능
· 최신기술의 활용 | · 해당 부처와 정부와의 접촉과 교섭 용이
· 서비스의 증진 | · 지역실정 반영 가능
· 지역주민들의 의사 반영 |
> | 단점 | 할거주의 경향 초래 | 전문가적 무능 현상 | · 부처권한의 대립
· 압력단체에 의한 부당한 영향 | 전국적인 행정의 통일성 저해 |
> | 비고 | 가장 일반적인 기준으로 거의 대부분의 중앙기관의 편성 기준 | 낮은 단계의 행정조직, 통계청, 감사원, 조달청, 예산실 등 | 국가보훈부, 보건복지부, 고용노동부, 여성가족부 등 | 지방자치단체, 외무부 하부기구 |

1. 의의

① 조정이란 '조직 내의 부서 간, 계층 간의 협력의 질'을 의미한다. 조직이 어떤 유형의 부서화 방식을 선택하더라도 조직의 전체 목표를 달성하기 위해서는 조정의 기제가 요구된다.

② 조정에 필수적인 정보의 요구에 적당한 수직적·수평적인 정보의 흐름이 되도록 조직구조가 설계되어야 한다.

2. 유형

① **수직적 연결기제**: 수직연결은 조직의 상·하 간의 활동을 조정하는 연결 장치이다. 하위계층의 조직구성원은 최고 관리층이 제시한 조직목표에 일치하도록 업무활동을 수행해야 하는데, 이때 고위 관리층은 하위계층의 활동에 대해 충분히 알고 있어야 한다. 이러한 수직연결을 위한 구조적 장치로 계층제, 규칙과 계획, 계층직위의 추가, 수직정보시스템이 있다[드래프트(Daft)].

ㄱ **계층제**: 수직연결 장치의 기초는 계층과 명령체계이다. 조직구성원이 모르는 문제에 직면하면 바로 상위의 계층에 보고하고, 문제의 해답은 다시 아래 단계로 전달된다.

ㄴ **규칙과 계획**

ⓐ 반복적인 문제와 의사결정의 경우 규칙·절차를 마련하여, 상위계층과 직접적인 의사소통 없이도 부하들이 대응할 수 있게 해준다.

ⓑ 규칙은 조직구성원들이 의사소통 없이도 업무가 조정될 수 있도록 표준정보자료를 제공한다.

ⓒ 계획은 조직구성원들에게 좀 더 장기적인 표준정보를 제공한다.

ㄷ **계층직위의 추가**

ⓐ 조직이 처리할 문제와 의사결정이 많아지면, 계층제·규칙과 계획의 장치는 관리자에게 과도한 업무 부담을 주게 된다.

ⓑ 이 경우 수직적 계층에 직위를 추가함으로써 상관의 통솔범위를 줄이고, 밀접한 의사소통과 통제를 가능하게 한다.

ⓒ 이를 위해 계선계층에 참모직위나 계선직위를 신설할 수 있다.

ㄹ **수직정보시스템**: 상관에 대한 정기보고서·문서화된 정보·전산에 기초한 의사소통제도를 마련하여, 조직 상·하 간 수직적 의사소통의 능력을 제고하고 효율적 정보의 이동을 가져온다.

② **수평적 연결기제**: 수평연결은 '조직부서 간의 수평적인 조정과 의사소통의 양'을 말한다. 수평적 의사소통은 부서 간 벽을 허물고, 조직목표와 단합된 노력을 위해 조직구성원 간의 조정의 기회를 제공한다. 환경이 급변하고 기술이 유동적이며, 조직목표가 혁신과 유동성을 강조할 때 수평적 조정장치가 더욱 요구된다[드래프트(Daft)].

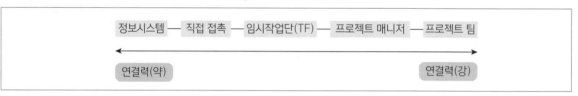

ㄱ **정보시스템**: 부서 간에 정보를 공유할 수 있는 통합정보시스템을 통해 조직 전체의 구성원들은 정규적으로 정보를 교환할 수 있다.

ㄴ **직접 접촉**

ⓐ 한 단계 높은 수평연결 장치는 조직 문제에 관계된 관리자와 직원이 직접 접촉하는 방식이다.

ⓑ 연락담당자를 두어 다른 부서와 의사소통 및 조정의 책임을 수행하게 할 수 있다.

ㄷ **임시작업단(TF: Task Force)**

ⓐ 보통 두 부서 간의 연결은 직접 접촉하거나 연락담당자를 통하여 이루어지지만, 여러 부서 간의 연결은 임시작업단과 같은 복잡한 장치가 필요하다.

ⓑ 임시작업단은 특정 문제와 관련된 각 부서들의 대표로 구성된 임시위원회로, 일시적 문제에 대한 부서 간 직접 조정에 효과적이다.

ⓒ 일시적인 과제가 해결되면 임시작업단은 해산된다.

ㄹ **프로젝트 매니저**

ⓐ 좀 더 강한 수평연결 장치로, 수평적 조정을 담당할 정규직위를 두는 방식이다. 이 직위는 사업관리자, 산출물관리자, 브랜드관리자라고 불린다.

ⓑ 부서 내에 위치하는 연락담당자와는 달리 부서들 밖에 위치하여 여러 부서 간의 조정을 책임진다.

ⓒ 이 조정자는 특별한 인간관계 기술이 요구되며, 상호조정을 위해서 전문지식과 설득력이 요구된다. 보통 조직에서 사업관리자의 책임은 많지만, 그에 상응한 권한은 부족한 경우가 많다.

ㅁ **프로젝트 팀**

ⓐ 프로젝트(사업) 팀은 가장 강력한 수평연결 장치이다.

ⓑ 프로젝트(사업) 팀은 사업단으로, 사업 추진을 위해서 관련 부서 간에 장기간 강력한 협동을 요할 때 적합한 장치이다.

ⓒ 조직이 대규모의 사업, 중요한 혁신, 새로운 생산라인이 필요할 때 이 장치를 채택한다.

3 관료제 이론

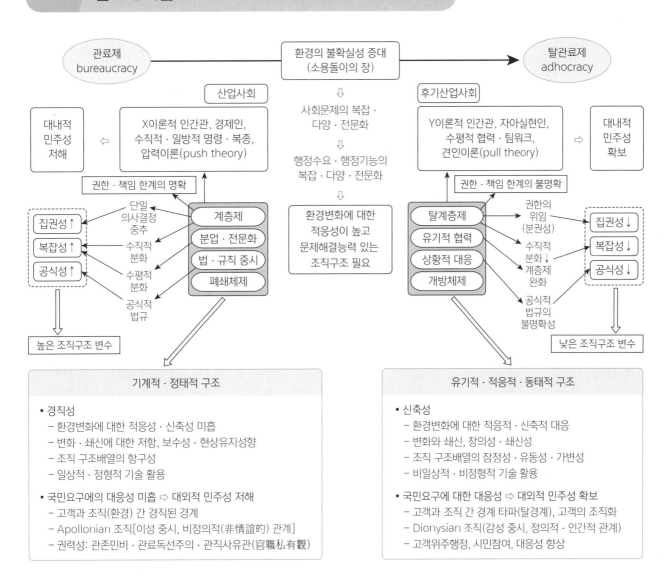

1 관료제의 의의

1. 일반적인 관료제의 의의

'대규모 조직에서 많은 업무를 신속하고 효율적으로 수행하기 위하여 미리 정해진 법규정과 절차에 따라 업무를 수행하는 계층적인 조직구조'로 정의된다.

2. 구조적 측면에서 파악한 관료제

1.의 경우 관료제는 행정 관료제만을 의미하는 것이 아니라, 군대나 민간사회 등을 포함한 모든 대규모 조직을 포괄하는 개념이 된다.

3. 관료제의 개념 비교

학설	구조적 개념	기능적 개념	종합적 개념
내용	계층제 형태를 지닌 대규모 조직	특권적 통치권력 집단 (인간의 기본적 자유를 해치는 권력적·독선적·비민주적 의미로 파악)	구조적 측면 + 기능적 측면
학자	베버(Weber), 디목(Dimock), 머튼(Merton), 블라우(Blau)	라스키(Laski), 클레어(Clair), 파이너(Finer)	리그스(Riggs)
특징	관료제의 보편성과 순기능 강조	· 보편성 상실, 비합리성, 권력성 · 역기능·병리 강조	· 보편성, 의사결정센터의 단일성 · 합리성, 병리성, 권력성

2 베버(Weber)의 근대적 관료제

1. 근대적 관료제의 의의와 유형

(1) 의의

① 베버(Weber)는 18세기 이후 서구의 근대적 자본주의를 합리적인 것으로 보고, 근대화 과정에서 생성된 대규모 공공조직들에서 발견된 공통된 특징을 통해 합법적 지배에 근거한 합법적 관료제를 이상적인 이념형으로 제시하였다.

② 이상적 형태인 합법적 관료제는 최고의 능률을 확보하는 조직으로, 합리성을 추구하며, 대규모 조직이면 언제나 존재하는 보편성을 특징으로 한다.

(2) 특징

① **이념형**: 경험에 의한 모형이 아니라 고도의 사유 과정을 통하여 구성된 이념형이다. 즉, 현존하는 관료제의 속성을 평균화해서 정립한 것이 아니라, 관료제의 가장 특징적인 것만 추출해서 정립한 가설적 모형이다.

② **보편성**: 근대 사회에 있어서는 국가뿐만 아니라, 학교·정당·기업 등 대규모의 조직이라면 관료제 구조가 보편적으로 존재한다고 본다(동·서양 공통 ×).

③ **합리성**: 관료제 구조는 소기의 목적을 달성하기 위하여 인적·물적 자원을 집중적이고 최고도로 활용하도록 편제되어 있으며, **계층제에 의한 능률성과 법 앞의 평등에 의한 합법성을 추구할 수 있는 가장 합리적 조직**이라고 본다. 특히 베버(Weber)는 서양 사회가 동양 사회보다 빨리 발전한 이유가 근대 관료제에 있다고 본다.

(3) 유형

베버(Weber)는 지배의 정당성을 기준으로 지배의 유형을 나누고, 이에 따라 관료제의 유형을 가산적 관료제와 카리스마적 관료제, 합법적 관료제로 구분하였다.

구분	가산적 관료제	카리스마적 관료제	합법적 관료제
지배의 정당성	전통적 지배	카리스마적 지배	합법적 지배
특징 (권한의 정당성)	• 가산적 관료제는 전통을 권력의 원천으로 본 중세시대·조선시대의 관료제가 전형적인 예 • 권한 행사의 자의성과 예측불가능성, 미분화된 기능, 공사 구분의 결여, 전인격적인 지배, 관료의 특권성	카리스마적 관료제에서 권력의 원천은 초월적 지도자의 비범함이나 선천적 자질	• 합법적 관료제는 근대적 관료제로, 권력의 정당성이 법규에 있음 • 베버(Weber)는 합법적 관료제를 이상적인 근대적 관료제로 보았음

2. 근대적 합법적 관료제의 성립요인

(1) 화폐경제의 발달

근대 관료는 규칙적인 화폐급여의 형태를 취하고 있으므로, 근대적 화폐경제의 발달이 전제조건이 된다.

(2) 행정업무의 양적 증대

관료제는 행정사무의 양적 증대를 토대로 성립된 것이다.

(3) 행정업무의 질적 변화

행정의 전문화·기술화에 따라 전문지식에 의한 업무처리가 요구되었다.

(4) 관료제적 조직의 기술적 우위성

관료제는 합의제·명예직에 비해 분업체계를 중시하여 기술적으로 우수하다.

(5) 사회적 차별의 평균화

근대 관료제는 일반적으로 행정 기능의 담당자와의 관계에 있어서 경제적·사회적 차별이 상대적으로 평균화(배제)되는 경우에 비로소 지배적인 것이 된다.

(6) 물적 관리수단의 집중화

근대 관료제는 국가행정비의 총액을 예산으로 계상하여 하급기관에 경상비를 제공하고, 그 비용에 관하여 규율하고 통제한다.

3. 특징

(1) 권한과 관할권의 법규화

모든 직위에 부여되는 권한과 관할 범위는 법규에 의해 규정된다(권한이 사람에 부여되는 것이 아님).

(2) 계층제적 조직구조

조직단위 상호 간 내지 조직 내부의 직위 간에는 상위직이 하위직을 감독하고 관리하는 명확한 명령복종관계가 확립되어 있다.

(3) 문서주의

직무수행은 서류(문서)에 의거해 이루어지며, 그 결과는 문서로 기록·보존된다.

(4) 비정의성과 몰개인성

관료는 개인의 자의적인 행동 개입 없이 법규에 정해진 바에 따라 공정하게 업무를 처리해야 한다.

(5) 관료[1]의 전문화와 전임화

모든 직무는 전문지식과 기술을 지닌 관료가 담당하며, 이들은 시험 또는 자격심사 등을 통해 공개적으로 채용된다. 또한 관료는 직무수행의 대가로서 급료를 규칙적으로 지급받고, 승진 및 퇴직금 등의 직업적 보상을 받기 때문에 겸직이 금지된다.

(6) 총칙에 의한 운영(일반법칙 준수의 원칙)

관료의 사무관리는 일반법칙(총칙)에 따라야 한다는 것으로, 담당자에 따라 사무관리가 달라져서는 안 된다는 것을 의미한다.

(7) 관료제의 항구성

관료제는 한번 형성되면 파괴되기 어려운 실체가 된다. 일반대중은 관료제가 제공하는 서비스의 공급이 중단되면 혼란을 겪고, 관료 개개인은 거대한 관료조직의 부속품처럼 고립되어 있어서 스스로 관료제를 와해시킬 능력이 없기 때문이다.

(8) 고용관계의 자유계약성

관료제에서 고용관계는 전통적인 신분관계가 아닌 평등한 관계로 자유로운 고용계약이 허용된다.

(9) 공과 사의 구별

관청과 사택을 근본적으로 분리하여 공과 사를 명확히 구별한다.

3 관료제의 순기능과 역기능

1. 순기능(효용)

(1) 행정의 예측가능성 · 객관성의 제고

관료제는 합법성을 토대로 한 합리적 조직으로, 행정의 예측가능성과 객관성을 높여준다.

(2) 기술적 우월성

관료제는 효율적인 목표달성수단으로서의 기술적 우월성을 가진다.

(3) 상승욕구 충족 수단

계층제를 통한 승진제도는 인간의 본성인 권력욕구와 상승욕구의 충족 수단이 될 수 있다.

(4) 법 앞의 평등

관료제는 자의(恣意)에 의한 행정이 아니라 법규에 의한 객관적이고 공정한 업무수행을 가능하게 한다.

(5) 고도의 합리주의

고도의 합리주의를 바탕으로 실적 · 능력에 의한 충원제도를 채택하여 공직에의 기회균등과 행정조직과정의 객관화 · 민주화에 기여할 수 있다.

---

[1] 베버(Weber) - 관료제의 관료
1. 채용: 시험 등을 통해 공개적으로 채용한다.
2. 보수: 연공서열을 중시한다.

핵심 OX

01 이상적인 관료제는 비정의성(impersonality)에 따라 움직인다. (O, X)

02 베버(Weber) 관료제에서 관료에게 지급되는 보수는 실적에 대한 평가에 따라 달라진다. (O, X)

01 O
02 X 베버(Weber)의 관료제 모형은 보수나 승진이 연공서열에 따라 이루어진다.

2. 역기능 ❶

(1) 동조과잉(→ 목표전환)

① 관료는 목표달성을 위한 수단인 규칙·절차에 지나치게 영합·동조하는 경향을 보인다.

② 이는 목표전환현상을 초래할 수 있으며[머튼(Merton)], 부하를 통제하기 위한 규칙이 통제 위주의 관리를 가져올 수 있다[굴드너(Gouldner)].

(2) 번문욕례*(繁文縟禮, red tape*)·형식주의

책임의 한계를 명확히 하기 위한 문서에 의한 업무처리는 문서다작주의(red tape)·형식주의를 초래할 수 있다.

(3) 인간성의 상실

법규 위주의 지나친 몰인간성(impersonalism)은 조직 내의 인간적 관계를 저해할 수 있다.

(4) 전문화로 인한 무능

전문행정가는 이른바 훈련된 무능현상*을 나타냄으로써 시야가 좁아져 포괄적인 통찰력이 부족하게 되고, 할거주의나 국지주의를 초래하기 쉽다.

(5) 무사안일주의와 상급자의 권위에 의존

계층제에 의한 지위·명령에 의존하게 되어 문제해결에 적극적·쇄신적 태도를 갖지 못하고, 상급자의 권위나 선례에만 의존하려는 경향이 나타나기 쉽다.

(6) 할거주의(割據主義, 국지주의)

관료들이 자기의 소속기관·소속부서에 대해서만 관심을 가짐으로써 횡적인 조정·협조가 곤란해질 수 있다[셀즈닉(Selznick)].

(7) 변동에 대한 저항

관료들은 자기유지에 대한 불안감 때문에 본질적으로 보수주의적·현실유지적 특징이 나타나고, 변동에 대한 적응력이 결여될 수 있다[베니스(Bennis)].

(8) 관료 독선주의

직업관료는 국민에게 직접 책임을 지지 않기 때문에 독선주의로 흐를 우려가 있다.

(9) 민주성·대표성의 제약

행정에 대한 외부 통제력이 약화되면, 행정의 자율성이 지나쳐 국민의 자유를 침해하는 등 관료제의 대표성·민주성을 저해할 수 있다.

(10) 무능력자의 승진[피터(Peter)의 법칙]

① 피터(Peter)의 법칙은 관료제의 규모가 커지면 승진의 기회가 확대되고 무능한 사람들이 높은 자리를 차지하게 되어 조직의 능률이 저하된다는 원리를 말한다.

② 되풀이되는 승진으로 공무원이 무능력 수준까지 승진한다는 것인데, 이것은 조직의 팽창으로 인하여 발생하는 현상이라고 할 수 있다.

---

❶ 카멜리펀트

1. 토플러(Toffler)가 관료제의 병리현상을 지적한 용어로, 관료제는 보이지 않는 정당(invisible party)으로서 여당도 야당도 아닌 상태에서 정권교체에 관계없이 영구히 권력을 장악하는 특권집단이라고 비판하였다.

2. 미국 관료가 매우 느리고(camel) 우둔하여(elephant), 국민의 요구에 민감하게 대응하지 못하는 무능한 집단이라는 뜻으로 사용한 용어이다.

📖 용어

번문욕례(繁文縟禮)*: 번거롭고 까다로운 규칙과 예절

red tape*: 문서를 편철할 때 빨간색 테이프로 표시를 한 것에서 비롯되었으며, 형식적 절차주의를 말함

훈련된 무능현상(trained incapacity)*: 한 가지의 지식 또는 기술에 관하여 훈련받고 기존 규칙을 준수하도록 길들여진 사람은 다른 대안을 생각하지 못하는 경직성을 보인다는 것

(11) 관료제국주의[파킨슨(Parkinson)의 법칙]

① 파킨슨(Parkinson)의 법칙이란 관료제는 자기보존 및 세력 확장을 도모하려 하므로 그 업무량과 상관없이 기구와 인력을 증대시키는 경향을 보인다는 것이다.

② 관료제는 권한행사의 영역을 계속 확장하려 하는데, 이를 '관료제의 제국주의'라고도 한다.

(12) 권력구조의 이원화

상사의 계서적 권한과 부하의 전문적 권력이 충돌하는 현상이다.

◎ 핵심정리　관료제의 순기능과 역기능

특징	순기능	역기능
계층제	· 조직 내의 수직적 분업 및 조정 · 질서 유지, 명령과 복종체계 수립	· 조직 내 의사소통의 왜곡과 지연 · 무사안일주의 · 의사결정의 교착 · 상급자의 권위에 의존 · 책임회피와 전가 · 권력의 집중 현상
법과 규칙의 강조	· 조직구조의 공식성 제고 · 조직활동 절차의 정확성 향상 · 공평 · 공정 · 통일적인 업무수행 · 조직활동의 객관성과 예측가능성 확보	· 지나친 법규 강조로 인해 목표와 수단의 뒤바뀜(동조과잉) · 획일성과 경직성 · 변화에 대한 저항 및 대응성 결여 · 형식주의 · 무사안일주의 · 비인간화(조직 성원의 기계화)
전문화	· 전문행정가 양성 · 행정능률 증진	· 훈련된 무능에 따른 좁은 시야와 포괄적 통제력의 부족 · 단순 · 반복 · 전문직업적 정신이상 현상 · 할거주의에 따른 조정과 협조의 곤란
연공서열 중시	· 직업공무원제 발전 · 행정의 안정과 재직자 보호	피터(Peter)의 법칙에 따른 무능력자 승진과 무자격자 보호
문서주의	직무수행의 공식성과 객관성 확립, 결과 보존	형식주의, 의식주의, 서면주의, 번문욕례(red tape)
업적 강조	· 행정의 쇄신 · 능력 있는 재직자 우대	장기 재직한 공무원의 사기저하

4 관료제 이론에 대한 평가

1. 비판

(1) 1930년대 사회학자들에 의한 실증적 비판

1930년대 미국의 사회학자들은 경험적 연구를 통하여 베버(Weber)의 모형이 프러시아 왕조시대의 정부조직과 정당 및 군대조직을 대상으로 고안되었다는 데에 근본적인 한계가 있음을 지적하였다.

① 베버(Weber)의 관료제 이론은 비공식조직의 긍정적인 측면을 경시한다.

② 조직과 환경과의 관계를 경시한다.

③ 인간을 법규에 의하여 움직이는 수동적인 존재로 파악한다.

(2) 1960년대 발전론자들의 비판

베버(Weber)의 관료제 모형은 1960년대 초 정부 관료제가 사회발전 및 쇄신의 주도적 기능을 담당하게 되자 전면적인 비판의 대상이 되기 시작했다.

(3) 1970년대 신행정론자들의 비판

관료제의 종말을 주장하며 비계층적이고 탈관료적인 조직 형태를 모색하였다.

2. 관료제 옹호론[굿셀(Goodsell), 카프만(Kaufman)]

기존의 지배적 견해인 관료제 비판에 대한 반발로, 1980년대에 제기되었다.

(1) 관료제의 우월성에 대한 고전적 관점에 입각하여, 아직도 관료제를 대체할 만한 대안은 없다고 본다.

(2) 관료제의 병폐에 대한 비판론자들의 주장이 현실과 다르다고 주장한다.

(3) 관료제는 발전행정의 역군으로, 발전도상국의 국가발전에 크게 기여하였다고 본다.

(4) 거대 조직이나 정부의 실책 원인은 관료제가 아닌 다른 곳에서 기인한다고 본다.

5 관료제와 민주주의

1. 관료제의 민주주의에 대한 공헌

관료제는 다음과 같은 이유로 민주주의의 이념에 공헌한다.

(1) 법 앞에 평등하다.

(2) 공직임용에의 기회를 균등하게 제공한다.

(3) 민주적 목표의 능률적 달성에 기여한다(관료제는 민주주의의 구현 수단).

2. 관료제의 민주주의에 대한 역기능

관료제는 다음과 같은 이유로 민주주의의 이념에 반하는 측면이 있다.

(1) 권력의 집중현상이 일어난다.

(2) 관료의 특권집단화가 발생하고 국민요구에의 부적응이 일어난다.

(3) 미헬스(Michels)의 과두제의 철칙

설령 민주주의를 쟁취하기 위한 조직이라 하더라도 운영 과정에 있어서 소수가 지배권을 장악하여 전체주의적 성격을 띠게 되는 현상을 의미한다.

(4) 정책결정에서의 책임성이 약화되는 경향이 있다.

3. 양자의 조화 방안

관료제와 민주주의 사이의 상호관계를 고려하여 **(1)** 관료기구의 민주화, **(2)** 민주적 외부 통제의 강화, **(3)** 행정윤리의 확립, **(4)** 행정의 분권화, **(5)** 행정정보공개원칙 확립 등을 통해서 양자를 조화시켜야 한다.

1 탈관료제 구조형성의 원리

1. 견인이론[골렘뷰스키(Golembiewski)]

(1) 의의

골렘뷰스키(Golembiewski)는 관리이론을 ① 사람들에게 고통스러운 결과를 피하기 위해 일하도록 만드는 방안을 처방하는 이론인 '억압이론'과 ② 자유스러운 분위기를 조성하고 사람들로 하여금 일하면서 보람과 만족을 느끼게 하는 방안을 처방하는 '견인이론'으로 구분하고, 장차 조직의 구조와 과정은 ② 견인이론에 따라야 한다고 주장하였다. 견인이론은 탈관료제 조직이론으로 분류된다.

(2) 견인이론의 원리

① 분화보다는 통합에 역점을 둔다.
② 억압보다는 행동의 자유를 보장해 준다.
③ 안정보다는 새로운 것에 도전한다.
④ 기능보다는 일의 흐름을 중시하는 조직원리이다.

(3) 견인이론에 입각한 조직

분권화된 조직, 프로젝트 팀(project team), 태스크 포스(task force), 행렬조직, 팀제 조직 등이 있다.

(4) 견인이론에 입각한 구조의 특성

① 수평적 분화의 기준은 일의 흐름이다.
② 권한의 흐름은 상호적이며, 상하좌우로 권한 관계가 형성된다.
③ 업무의 성과에 대한 평가를 평가활동의 기본으로 삼는다.
④ 자율규제를 촉진하므로 통솔의 범위를 확대할 수 있다.
⑤ 외재적 통제와 억압을 최소화한다.
⑥ 변동에 대한 적응을 용이하게 한다.

2. 탈관료제모형

(1) 적응적·유기적 구조[베니스(Bennis)]

적응적·유기적 구조는 비계서제적 조직구조·잠정적인 구조배열·권한이 아닌 능력이 지배하는 구조·민주적 방법에 의해 감독되는 구조로, 제약과 억압을 최소화하고 조직 참여자의 상상력과 창의력을 최대한으로 발휘하게 하여, 급변하는 환경조건에 신속하게 적응하도록 유기적으로 구조화된 조직이다.

(2) 경계를 타파한 변증법적 조직[화이트(White)]

경계를 타파한 변증법적 조직에서는 조직의 경계 안에 고객을 포함시켜 조직구성원과 고객이 동료와 같은 관계를 유지하도록 하고, 전통 관료제에 반대하여 스스로 계속적으로 발전하는 단계에 있는 조직의 모형을 말한다.

(3) 연합적 이념형 모형[커크하트(Kirkhart)]

연합적 이념형은 베니스(Bennis)의 적응적·유기적 구조를 기초로, 이를 보완하기 위해 조직 간의 자유로운 인력 이동·변화에 대한 대응·고객의 참여 등의 다양한 요소를 강조한 모형이다.

(4) 구조화된 비계층제 이론[세이어(Thayer)]

세이어(Thayer)는 계서제의 원리가 타파되지 않는 한 진정한 조직혁명은 일어날 수 없다고 하면서, 의사결정권의 이양·고객의 참여·조직경계의 개방 등을 통해 계서제를 소멸시키고 비계층제적인 집단적 의지형성 장치를 만들어야 한다고 하였다.

(5) 이음매 없는 조직[린덴(Linden)]

이음매 없는 조직은 분할적·분산적인 방법이 아니라 총체적·유기적인 방법으로 구성된 조직을 의미한다. 이는 기능별·조직단위별로 조각난 업무를 경계가 없는 네트워크로 재결합시키고, 고객에게 원활하고 투명한 서비스를 제공한다.

2 조직의 동태화

1. 조직 동태화의 의의

(1) 개념

① 조직의 동태화란 환경 변화에 신축적으로 적응하고 끊임없이 제기되는 새로운 행정수요를 충족시킬 수 있도록, 경직화된 수직적 조직구조를 변동대응능력을 가진 쇄신적 조직으로 전환시키는 것을 말한다.

② 계서제 구조인 관료제를 동태화·유연화시키므로 탈관료제적 조직화의 일환이다.

③ 특히 토플러(Toffler)는 조직운영의 능률성·신축성의 확보를 위해 조직을 탈관료화시킨 평면적·적응적·유기적 구조의 조직을 애드호크라시(adhocracy)라고 했는데, 애드호크라시(adhocracy)는 동태적 조직과 동의어로 사용된다.

(2) 배경

① 고전적 조직구조는 신축성·역동성이 없어 급변하는 환경변화에 대처하기 어렵다.

② 오늘날 조직의 과제는 고도로 전문적·복합적인 것으로, 조직관리자의 관리능력 향상과 전문가의 능력을 활용할 수 있는 조직구조의 설계 변화를 요구하고 있다.

③ 오늘날 조직인은 자기실현의 욕구와 자율성·독립성을 갖는 존재이므로, 의존성·수동성의 생존욕구를 가정하는 고전적 조직이론에 근거한 조직구조로서는 관리가 곤란하다.

(3) 동태적 조직의 특징

① 분권적 조직으로 계층의 수준이 낮고, 계선보다 막료가 큰 비중을 차지한다.

② 변동 대응력을 구비한 상황적응적 조직으로, 미래지향적인 조직이다.

③ Y이론에 입각하여 자기 통제적이고, 기획에 중점을 둔다.

④ 조직에 충성하기보다는 전문직업이나 사업계획에 충성한다.

⑤ 정당성의 근거는 지식이고, 전문적 능력에서 기인하는 권위에 의존한다.

⑥ 참여 중심의 관리에 중점을 둔다.

(4) 장단점

① 장점

㉠ 조직 동태화는 변동과 혁신에 신속하게 대응하고, 여러 분야에 걸친 전문가의 조정을 촉진한다.

㉡ 업무가 기술적·비정형적이며, 복잡한 환경에서 적응성·창의성을 발휘할 수 있다.

㉢ 융통성이 많이 요구되는 조직의 초기 발전단계에 특히 효과적이다.

② 단점

㉠ 업무의 표준화와 공식화 정도가 매우 낮기 때문에 조직 내에서 갈등과 긴장을 제도화하는 경향이 있다.

㉡ 조정과 통합 및 의사소통 비용이 과다하게 소요된다.

㉢ 책임한계가 불명확하다.

2. 조직 동태화의 방안

(1) 과제(課題) 폐지

과제 폐지는 구조적인 측면의 조직 동태화 방안의 일환으로, 계층제 조직의 할거성 등의 문제점을 해결하고 조직의 신축성과 기동성을 확보하기 위한 것이다. 그러나 과제를 폐지한다고 해도 조직의 신축성을 확보하는 수준에서 폐지되는 것이며, 과제를 전면적으로 폐지하는 것은 불가능하다.

(2) 프로젝트 팀(project team)

① 의의

㉠ 특정 사업(project)을 추진하거나 과제를 해결하기 위해서 임시적으로 조직 내의 인적·물적 자원을 결합하여 창설되는 동태적 조직이다.

㉡ 프로젝트조직은 계층제 구조보다 직무의 상호연관성이라는 직무상의 횡적 관련성을 중시한다. 조직의 구성원은 정규 부서의 소속을 이탈하지 않으며, 문제를 해결하고 임무가 종료하면 원소속에 복귀한다.

⑩ 고유가대책반, WTO 협상단 등

② 장단점

장점	단점
· 단시일 내에 강력한 과업 추진 가능 · 특정 문제해결에 적합 · 할거주의를 방지 · 조직의 신축성과 전문성을 제고 · 각자의 역량을 최고로 발휘하게 함	· 조직구성원의 심적 불안정을 야기 · 관료제적인 문화 풍토가 강한 조직에서는 적용하기 어려움

(3) 태스크 포스(task force)

① 의의

㉠ 조직의 각 직능 부문에서 필요한 전문가를 선정하고, 이들을 한 사람의 책임자 아래 입체적으로 편성하는 임시적 조직이다.

ⓛ 태스크 포스(task force)에서 근무하는 기간 동안은 구성원이 정규 부서에서 이탈하여 전임제로 참여한다는 점에서 법적 근거를 필요로 한다.

　　　㉠ 우리나라의 행정쇄신위원회, 월드컵조직위원회 등

② 장단점

　　ⓞ **장점**: 태스크 포스(task force)는 외부 전문가의 의견을 도입하고, 변화하는 행정수요에 대한 정확한 판단을 가능하게 한다.

　　ⓛ **단점**: 일반행정가의 견해를 무시하고, 행정의 일관성을 저해한다.

(4) 행렬(매트릭스, matrix)조직(복합조직)

① 의의

　　ⓞ 행렬(matrix)조직이란 인사·예산·회계 등과 같은 전통적인 계서적 특성을 갖는 기능구조에 수평적 특성을 갖는 사업구조(project structure)를 결합시켜 조직의 신축성을 확보하도록 한, 일종의 혼합적·이원적 구조의 상설조직이다.

　　ⓛ 수직적인 직능조직에 수평적·횡적인 프로젝트 조직을 결합한 조직이다.

　　㉠ NASA, 재외공관 등

② 특징

　　ⓞ 명령계통이 다원화되어 있다.

　　ⓛ 조직구성원은 기능과 사업의 양 조직에 중복적으로 소속되어, 기능적 관리자(주로 인사)와 프로젝트 관리자(주로 사업) 간에 권한이 분담된다.

　　ⓒ 환경적 압력이 있거나 부서 간의 상호 의존관계가 존재하고, 내부자원 활용에 규모의 경제가 있는 경우 적절한 조직이다.

③ 장점

　　ⓞ 한시적 사업에 신속하게 대처할 수 있다.

　　ⓛ 각 기능별 전문적 안목을 넓히고 쇄신을 촉진할 수 있다.

　　ⓒ 조직구성원들 간의 협동적 작업을 통해 조정과 통합의 문제를 해결한다.

　　ⓔ 자발적 협력관계와 비공식적 의사전달체계를 결합하여 융통성과 창의성을 발휘할 수 있다.

　　ⓜ 인적 자원의 경제적 활용을 도모한다.

　　ⓗ 조직단위 간에 정보흐름의 활성화를 기할 수 있다.

④ 단점

　　ⓞ 이중구조 속에서 책임과 권한의 한계가 불명확하다.

　　ⓛ 권력투쟁과 갈등이 발생할 수 있다.

　　ⓒ 프로젝트구조에서 직능조직 간에 할거주의가 조장되는 경우 조정이 어렵고 결정이 지연된다.

　　ⓔ 객관성과 예측가능성을 확보하는 것이 곤란하므로, 조직상황이 유동적이고 복잡한 경우에만 효과적이다.

1 팀조직

1. 의의

(1) 팀조직은 상호 보완적인 기능을 가진 소수의 사람들이 공동의 목표를 달성하기 위해 책임을 공유하고, 공동의 접근방법을 사용하는 수평적 조직단위이다.

(2) 도입시기

① 신속한 환경대응이 필요할 때 이용된다.

② 업무 수행에 요구되는 새로운 의식과 행동의 변화가 필요할 때 이용된다.

③ 과업의 복잡성이 증대될 때 이용된다.

④ 환경의 불확실성이 증대될 때 이용된다.

2. 설계원리

(1) 과업 간의 상호의존성에 따라 팀을 구성해야 한다. 교호적 의존관계에 있는 과업부터 팀 조직화을 추구한다.

(2) 업무 프로세스에 따라 팀을 구성해야 한다.

(3) 팀의 업무를 자기완결적 조직단위가 되도록 설계한다.

3. 팀조직에 적합한 환경

(1) 변화가 심하고 예측이 어려운 환경에 적합하다.

(2) 고객 요구에 신속한 대응이 요구되는 환경에 적합하다.

(3) 창의성과 혁신이 성장 원동력인 조직에 적합하다.

(4) 다품종 소량생산체제에 적합하다.

4. 장단점

장점	단점
· 환경변화에 탄력적 대응 용이 · 신속한 의사결정 · 인력의 소수정예화 · 다기능 전문인력 양성에 적합 · 창의성 발휘 및 정보교류의 활성화 · 업무의 통합화를 통한 이기주의 및 파벌주의 타파 · 능력과 성과, 책임 중심의 조직관리 가능	· 팀장에 대한 팀의 의존도가 높음 · 직급 중심의 전통적 사고와 괴리 · 자리 상실로 중간관리층의 의욕 저하 · 구성원 중 무사안일자가 있을 경우, 무임승차가 발생할 수 있음

2 네트워크조직

1. 의의

(1) 네트워크조직(network organization)은 전략·계획·통제 등 핵심기능 위주로 합리화하고, 여타의 생산기능은 아웃소싱을 통하여 다른 조직의 자원을 저렴한 비용으로 활용하는 '분권화된 공동(空洞)조직(hollow organization)'이다.

(2) 네트워크조직은 상호 독립적인 조직들이 상대방의 자원을 활용하기 위해 수직적·수평적 신뢰관계로 연결된다.

2. 특징

(1) 구성단위들이 공동의 목표를 추구하는 통합지향적 조직이다.

(2) 조직의 물리적 차원이 축소되거나 없어지고, 조직의 규모는 인력이나 조직이 아니라 네트워크의 크기로 파악된다.

(3) 조직 전체의 구조는 비계서적으로, 업무수행 과정에서 구성단위들의 자율성이 높다.

(4) 정보기술의 의존도가 높다.

(5) 스피드와 유연성을 확보하기 위한 조직이다.

3. 기본원리

(1) **공동의 목적**

연계조직 간 공동목적을 소유하며, 구성단위의 활동은 공동목표를 위해 통합된다.

(2) **독립적인 구성원**

독립적·자율적인 구성원과 구성단위로 연결되어 분권화된 군집형 조직이다.

(3) **자발적인 연결**

자발적·수평적·분권적·협력적·지속적인 연결이 중요하며, 다방면의 연결로 상호작용은 빈번해지고 신뢰가 전제조건이다. 업무적인 상호의존성이 큼에도 불구하고 내부조직화하거나 강하게 연결됨이 없이, 서로 독립성을 유지하는 조직들이 상대방의 자원을 마치 자신의 것처럼 저렴한 비용으로 활용하기 위하여 수직적·수평적·공간적 신뢰관계로 연결된다.

(4) **복수의 리더**

절대적인 권한을 가진 지도자는 없으나, 역량 있는 복수의 지도자가 존재한다.

(5) **통합지향성**

공동의 목표를 추구하는 통합지향적 조직이다. 즉, 수직적·수평적·지리적 통합을 지향한다.

(6) **시스템 간 경쟁**

개별 조직 간 경쟁이 아닌, 시스템 간 경쟁이 이루어진다.

(7) **언더그라운드조직(underground organization)**

구조와 계층을 파괴한 고객접점의 실무자(사용자) 중심의 언더그라운드조직이다.

(8) 학습조직

정보교환으로 조직학습을 촉진시킨다.

(9) 자율적 업무 수행

구성단위들의 업무 성취에 대한 과정적 자율성이 높다. 상급자들의 눈치를 보지 않고 스스로 결정하고 책임진다.

(10) 정보기술의 활용과 물적 차원의 축소

가상공간을 통한 다양한 정보기술이 활용되어 물적 차원이 축소된다. 조직의 규모는 인적·물적 자원이 아닌 네트워크의 크기로 파악된다.

(11) 수평적·공개적 의사전달

협력적 상호작용을 극대화한다.

4. 장단점[1]

장점	단점
· 조직의 유연성과 자율성의 강화를 통하여 환경적 변화에 신속히 대응하고 창의력을 발휘 · 조직의 네트워크화를 통해 환경에의 불확실성을 감소시킴 · 통합과 학습을 통해 경쟁력 제고 · 정보통신기술을 활용해 시간·공간적 제약 완화 · 핵심 업무 외에는 외부와 계약을 하기 때문에 투자비용을 절감	· 계약관계의 외부기관을 직접 통제하기 곤란 · 구성단위에 대한 조정과 감시비용이 증가 (대리인 문제로 인한 기회주의 방지 조치 필요) · 제품 및 서비스의 안정적 공급과 품질관리 곤란 · 조직경계가 모호하여 정체성이 약하고 응집력 있는 조직문화를 갖기 어려움 · **네트워크의 폐쇄화**: 네트워크가 구축되면 네트워크 외부의 조직에 대해 배타적으로 행동함

3 학습조직

1. 의의

(1) 학습조직은 개방체제와 자기실현적 인간관을 바탕으로 조직원이 새로운 지식을 창출하는 한편, 이를 조직 전체에 보급해 조직 자체의 성장·발전·업무수행능력을 증가시킬 수 있도록 지속적인 학습활동을 전개하는 조직을 말한다.

(2) 학습조직은 효율성을 핵심가치로 하는 전통적 조직과 달리 문제해결을 핵심가치로 한다(이종수).

2. 특징

(1) 양성적 피드백

학습한 내용이 많은 조직일수록 학습의 필요성이 더욱 커지는 데 비해, 학습이 정체될수록 학습의 필요성이 적어져 덜 학습적인 조직이 됨을 의미한다.

(2) 학습조직의 학습과정은 지속적·순환적인 과정이다.

(3) 학습조직은 일단 학습이 끝나면 그 효과가 지속적이고, 다른 조직에서 이를 단기간에 모방하기 어렵다.

---

[1] 네트워크 조직에서 2가지 비용

1. **투자비용**: 핵심기능 위주로 합리화하고, 여타의 기능은 외부와의 계약을 통하여 다른 조직의 자원을 저렴한 비용으로 활용하기 때문에 투자비용을 절감한다.

2. **조정비용(= 감시비용, 대리비용)**: 계약관계에 있는 외부기관을 직접 통제하지 못하므로, 대리인 문제로 인한 기회주의 방지 조치에 들어가는 비용은 증가한다.

핵심 OX

01 네트워크조직은 대리비용이 증가한다. (O, X)

01 O

(4) 학습이 강제적으로 이루어지지 않고, 주체적·자발적으로 이루어진다.

(5) 조직 구축과정으로서의 학습행위와 결과로서의 학습조직은 분리되지 않는다.

(6) 탈관료제를 지향하는 분권적·신축적·인간적·수평적·유기체적 조직이다.

(7) 학습자의 주체성·자발성·참여성이 존중되는 조직으로, 자아실현적 인간관과 개방체제를 전제로 한다.

(8) 공식화·표준화(규칙·절차)를 거부한다.

(9) 환류를 통한 의사소통, 부분보다는 전체를 중시하는 문화를 강조한다.

(10) 개인별 성과급이 아닌 학습에 대한 보상과 사려깊은 리더십을 중시한다.

3. 관료조직과 학습조직의 비교

구분	관료조직	학습조직
지향	업무(효율성)	설계(문제해결)
업무배분	원자적(atomistic) 구조	시스템적 접근(관계적 접근)
의사결정의 틀	개인적 학습	조직적 학습
미래행동 기반	최근의 과거 경험	온라인(on-line) 학습
업무의 기초	독점적 권한	공동생산
행동	합리적 목표	변화를 위한 학습
변화 발생 상황	조직의 자기정체성 및 안정성	안정적 상태의 상실
업무수행	자율적·개체적 행동	집합적(collective) 행동
목표 확인	계획된 일정 및 단위부서의 통제	공유된 의문과 통합된 인식
관리 개선 결과	통제된 생산성	강력한 생산성

4. 학습조직의 다섯 가지 수련[센게(Senge)의 제5의 수련]

(1) 자기완성(personal mastery)

각 개인은 원하는 결과를 창출할 수 있는 자기역량의 확대 방법을 학습해야 한다.

(2) 사고의 틀(mental models)

세계를 보는 관점으로서 세상에 관한 사람들의 생각과 관점, 그것이 자신의 선택과 행동에 어떤 영향을 미치는지에 대해 끊임없이 성찰하고 다듬어야 한다.

(3) 공동의 비전(shared vision)

조직 구성원들이 공동으로 추구하는 목표와 원칙에 관한 공감대를 형성하는 것으로, 이를 위해 공유된 리더십과 참여가 필요하다.

(4) 집단적 학습(team learning)

구성원들이 진정한 대화와 집단적인 사고의 과정을 통하여 개인적 능력의 합계를 능가하는 지혜와 능력을 구축할 수 있게 팀 역량을 구축·개발하는 것이다.

핵심 OX

01 학습조직은 선발된 구성원이 학습한다. (O, X)

02 학습조직은 성과급을 지급한다. (O, X)

03 학습조직은 조직의 효율성을 핵심가치로 한다. (O, X)

01 X 모든 구성원이 학습한다.
02 X 조직이 학습하기 때문에 개별적 성과급을 지급하지 않는다.
03 X 문제 해결을 핵심가치로 한다.

(5) 시스템 중심의 사고(systems thinking)

체제를 구성하는 여러 연관 요인들을 통합적인 이론체계 또는 실천체계로 융합시키는 능력을 키우는 통합적 훈련이다.

4 가상조직

1. 의의

(1) 가상조직이란 가상공간(컴퓨터 연결망상에 존재하는 공간)에 존재하는 조직을 말한다.

(2) 가상조직은 전통적인 조직의 구성요소인 인간적 요소, 공동의 목표, 합리성의 지배를 받는 공식적 구조와 과정, 경계 및 환경과의 교호작용 등의 요소를 모두 갖고 있다.

(3) 그러나 조직의 물리적 측면인 물리적 공간의 공유, 대면적 접촉과 의사소통이 없다는 점에서 기존의 조직과 개념적으로 구별된다.

2. 특징

(1) 가상조직(virtual organization)이란 둘 이상의 기업이 전략적인 목적으로 제휴하여 일정기간 동안 특정한 목적을 이루기 위하여 구성되고, 이후 목표가 달성되면 해체되는 일시적인 조직이다.

(2) 가상조직의 토대는 의사소통과 신뢰이며, 개방적이고 자발적인 의사소통은 신뢰 관계를 확립하는 데 필수적이다.

(3) 규모의 경제(economies of scale)와 범위의 경제(economies of scope)* 외에 속도의 경제(economies of speed)*도 이루는 조직형태이다.

3. 관료제와 가상조직의 비교

구분	관료제	가상조직
조직 구조	계층제(경계의 물리적 구체화)	전자 네트워크(경계의 존재론적 모순)
조직 이념	모더니즘(분화의 논리)	포스트 모더니즘(총체적 연계성의 논리)
조직 성장	선형적 진화(안정적 질서: 균형)	변혁적 기회(역동적 질서: 동요)
조직 경쟁력	규모의 경제(고도성장기: 단일성)	속도의 경제(저성장 성숙기: 기민성)

5 하이퍼텍스트형조직

1. 의의

하이퍼텍스트(hypertext)조직은 지식의 '창조·활용·축적'을 위해 3가지 층, **(1)** 프로젝트 팀층·**(2)** 비즈니스 시스템층·**(3)** 지식기반층이 유기적으로 연결되어 있는 조직이다.

2. 구성요소

(1) 프로젝트 팀층(지식 창조)

신제품 개발, 연구개발(R&D) 등 혁신과 변화를 담당하는 비계층 조직이다.

(2) 비즈니스 시스템층(지식 활용)

과거의 분업화된 계층 조직(관료 조직)으로, 지식을 활용하기 위한 최적의 프로세스를 내재화하고 있다.

(3) 지식기반층(지식 축적)

프로젝트 팀층과 비즈니스 시스템층을 연결하여 지식을 축적하는 저장소 역할을 하는 조직이다.

3. 특징

지식을 창출하고 활용하는 데 중간관리자의 선도적 역할이 매우 중요하며, 이를 전통적인 하의상달이나 상의하달이 아닌 미들업다운 관리(middle-up-down management)라고 한다.

---

6 공식조직과 비공식조직

1 의의

1. 구분 기준

조직은 발생과정이 인위적인가, 자연발생적인가에 따라 공식조직과 비공식조직으로 구분된다.

2. 의의

(1) 공식조직

법령이나 직제에 따라 조직의 공식목표를 달성하기 위하여 인위적으로 구성된 조직이다.

(2) 비공식조직

구성원 상호 간의 접촉이나 친밀감 등으로 인해 형성되는 조직으로, 비공식집단으로 부르기도 한다.

3. 성립

공식조직이 전형적인 조직이라면, 비공식조직은 공식조직의 존재를 전제로 하여 성립된다.

2 공식조직과 비공식조직의 특징

공식조직	비공식조직
· 인위적 · 제도적 · 외면적 · 가시적 · 합리적 조직 · 공적 성격의 목적 추구 · 합리성에 따라 인위적으로 구성 · 능률의 원리가 지배 · 전체적 질서를 위한 활동 · 합법적 절차에 따른 규범의 성립 · 수직적 계층관계	· 자생적 · 비제도적 · 내면적 · 불가시적 · 감정적 · 비합리적 조직 · 사적 성격의 목적 추구 · 대면적 접촉에 따라 자생적으로 구성 · 감정의 원리가 지배 · 부분적 질서를 위한 활동 · 구성원의 상호작용에 의한 규범의 성립 · 수평적 대등관계

3 비공식조직의 순기능과 역기능

순기능	역기능

· 구성원 간의 행동기준을 확립하여 공식조직의
  목표달성에 기여
· 귀속감 · 심리적 안정감 등의 충족과 사기양양에
  기여
· 비공식조직 참여자 간의 협조를 통해 공식조직의
  능력을 보완
· 구성원 간의 협조와 지식 · 경험의 공유를 통한
  업무의 능률적 수행에 기여
· 공식조직(계층제)의 경직성 완화 및 적응성
  증진에 기여
· 의사소통의 원활화에 기여
	· 적대감정과 심리적 불안감을 조성
	· 정실행위의 만연 가능성이 큼
	· 비생산적 규범(norm)을 형성
	· 공식적 권위가 약화되고 파벌이 조성
	· 소문 등이 만연하고, 정보의 공식적 이용이 곤란

7　계선조직과 막료조직

1 의의

1. 계선조직

계선조직(line)은 명령통일의 원칙하에서 조직이 추구하는 전체적인 목적을 직접 수행하기 위해 지휘 및 명령에 관한 권한을 독점하면서, 이를 계서적으로 행사하는 집행기관을 말한다.

2. 막료조직

막료조직(staff)은 계선기관이 효과적으로 행정목표를 달성하도록 보좌해주는 기관을 말한다.

2 계선조직과 막료조직의 장단점

구분	계선조직	막료조직
장점	· 명확한 권한과 책임으로 능률적인 업무 수행 · 신속한 결정이 가능 · 운영비용이 적게 듦 · 강력한 통솔력 행사, 소규모 조직에 적합	· 계선기관의 결함 보완, 기관장의 통솔범위 확대 · 전문적 지식과 경험에 의한 합리적·창의적 결정 · 계선기관 간의 업무 조정(수평적 업무조정 용이) · 대규모 조직에 적합 · 조직의 신축성, 동태성 확보
단점	· 대규모 조직에서는 최고관리자의 과중한 업무 부담 · 최고관리자의 독단이 초래될 위험 · 상황변화에 대한 신축성 결여	· 계선기관과의 대립·충돌 가능성 · 결정의 지연 가능성 · 참모기관에 소요되는 경비의 과다 · 막료의 계선권한 침해 가능성(책임전가) · 중앙집권화의 경향 촉진

3 우리나라의 막료제도

(1) 발전행정론의 적용과정에서 설치된 차관보*(1962년), 담당관*(1970년)이 대표적 막료기관이다.

(2) 지식정보화 사회의 도래로 계선과 막료의 구별이 상대화되어지고 있다. 이는 참모 공무원의 역할을 시스템이 대체해가는 현상이 증가하고 있기 때문이다.

(3) 중앙행정기관 중에서는 중앙예산기관인 기획재정부, 중앙인사기관인 인사혁신처·법제처·행정안전부 등이 막료적 성격이 있는 기관이다.

4 행정농도[1]

1. 의의

(1) 행정농도란 폰디(Pondy)가 사용한 용어로, 직접인력에 대한 간접인력의 비율을 의미한다.

(2) 계선기관에 대한 막료기관의 비율이다.

2. 특징

(1) 조직의 규모가 클수록 행정농도가 높아진다(다른 견해 있음).[2]

(2) 후진국보다는 선진국의 행정농도가 높다.

(3) 행정농도가 높을수록 조직이 동태화·민주화되는 경향이 있다.

(4) 우리나라의 경우 행정농도가 비교적 높은 편이다.

용어

차관보*: 장관이 특별히 지시하는 사항에 관해 전문적인 지식과 경험을 활용하여 정책의 입안·기획·조사·연구 등을 수행함으로써 장관과 차관을 직접 보좌하기 위하여 설치되는 직위, 또는 그 직위에 있는 공무원

담당관*: 행정조직의 경직성을 막고 급변하는 환경에 적응할 수 있도록 전문적 지식을 활용하여 계획의 입안·조사·연구·분석과 행정개선 등에 관해 계선의 장을 보좌하는 막료기관

[1] 행정농도에 대한 상반된 입장
1. **전통적 입장**: 지원인력을 막료로 보는 관점이다.
2. **현대적 입장**: 지원인력을 관리자(감독 입력)로 보며, 행정농도가 낮은 조직이 유기적 구조라는 입장이다.

[2] 행정농도와 조직규모의 관계
1. 이윤동기가 지배적인 기업의 경우는 직원활용에 있어서 규모의 경제가 발생하기 때문에 행정농도가 낮아지게 된다.
2. 이윤동기가 덜 지배적인 경우에는 조직규모가 증가할수록 행정농도가 증가하게 된다.

1 의의

1. 개념①

위원회란 독임제에 대응되는 개념으로, 계층제 조직의 경직성을 완화하고 민주적 결정과 조정을 촉진하기 위하여 '동일한 계층과 지위에 있는 다수의 사람들이 의사결정을 하고, 그에 대한 책임도 모두가 부담하는 합의제 조직'을 말한다.

2. 대두배경

위원회 제도의 등장배경은 각 국가마다 다르나, 대개 신중한 문제해결, 전문지식·기술의 요청, 대립된 이해조정 및 경제·사회의 급격한 변동에 따르는 독립적인 규제기능 담당기구의 필요성 때문에 20세기 들어 등장하였다.

3. 특징

(1) 합의제 조직이다.

(2) 계층제의 완화와 분권화이다.

(3) 민주적 성격이다.

(4) 규제기능을 수행한다(행정위원회, 독립규제위원회).

2 장단점

1. 장점

(1) 결정의 신중성·공정성

개인적인 편견을 배제하고 다양한 의견을 반영시켜 신중하고 공정한 결정을 도출할 수 있다.

(2) 합리적이고 창의성 있는 결정

결정에 이르기까지 많은 경험이나 전문적 지식·지혜를 모아 합리적인 결정이 가능하다.

(3) 이견의 조정과 통합

각 부서·부문이나 각계각층의 상이한 이견 조정이 가능하다.

(4) 행정의 안정성·계속성의 확보

위원들의 부분적 교체와 강력한 신분보장 및 집단적 결정으로 행정의 안정성을 확보할 수 있다.

---

① 독임제와 위원회의 특징

독임제 (1인 결정)	위원회 (복수가 결정)
· 신속 · 시간과 비용 절약 · 책임 한계 명확	· 신중, 공정 · 안정성·계속성

2. 단점

(1) 기밀 누설 우려
토의 과정에서 기밀 누설의 우려가 있다.

(2) 경비·시간·노력의 낭비
합의의 도출이나 결정에 많은 경비가 소요되고, 회의 준비에 많은 시간이 소요된다.

(3) 타협적 결정
강경한 의견에 압도되거나 대인관계를 고려하여, 타협적 결정이 내려질 가능성이 있다.

(4) 책임의 분산
구성원이 복수이므로 책임 의식이 희박하다.

(5) 사무기구의 우월화
사실확인 및 조사 등을 지원하는 사무기구가 결정에 주도적 영향을 미칠 수 있다.

3 유형

자문위원회	· 참모기관의 성격을 띤 자문기관 · 관청적 성격이 없고 결정에 법적 구속력도 없음 ⑩ 각 부처의 정책자문위원회 등
조정위원회	자문적 성격의 조정위원회: 법적 구속력과 관청적 성격 없음 ⑩ 경제장관회의, 안보장관회의 등
	의결적 성격의 조정위원회: 법적 구속력과 관청적 성격 있음 ⑩ 환경분쟁조정위원회 등
행정위원회 (합의제 행정관청)	· 행정관청으로서의 성격을 가지고, 결정에 대한 법적 구속력이 있음 · 준입법권과 준사법권을 가지고, 독립적 지위에 있는 기관 · 법률에 의해 설치되고, 국민에 대한 권익과 관련된 의사결정

독립규제위원회	· 행정위원회의 일종으로 행정부로부터의 독립성을 가지고, 준입법적·준사법적 기능 수행
	· 위원의 신분 보장, 미국의 주간통상위원회가 시초(머리 없는 제4부*)
	· 우리나라에서 독립규제위원회적 성격이 강한 위원회
	   – 중앙선거관리위원회
	   – 공정거래위원회
	· 독립규제위원회의 문제점
	   – 독립성으로 다른 행정기관과의 조정이 곤란함
	   – 권한에 비해 민주적 통제가 미흡함

📖 용어

머리 없는 제4부*: 브라운로우(Brownlow) 위원회가 독립규제위원회를 비판하면서 제기한 개념으로, 동 위원회는 독립규제위원회의 폐지를 권고하였음

핵심 OX

01 위원회 조직은 의사결정의 신속성을 확보한다. (O, X)

02 위원회 조직은 책임 한계가 명확하다. (O, X)

---

01 X 위원회 조직은 신중성을 가지나, 신속성은 없다.
02 X 위원회 조직은 책임 한계가 모호하다.

❶ 「정부조직법」 제2조 【중앙행정기관의 설치와 조직 등】

❶ 「정부조직법」 제2조 【중앙행정기관의 설치와 조직 등】
① 중앙행정기관의 설치와 직무범위는 법률로 정한다.
② 중앙행정기관은 이 법에 따라 설치된 부·처·청과 다음 각 호의 행정기관으로 하되, 중앙행정기관은 이 법 및 다음 각 호의 법률에 따르지 아니하고는 설치할 수 없다.
1. 「방송통신위원회의 설치 및 운영에 관한 법률」 제3조에 따른 방송통신위원회
2. 「독점규제 및 공정거래에 관한 법률」 제54조에 따른 공정거래위원회
3. 「부패방지 및 국민권익위원회의 설치와 운영에 관한 법률」 제11조에 따른 국민권익위원회
4. 「금융위원회의 설치 등에 관한 법률」 제3조에 따른 금융위원회
5. 「개인정보 보호법」 제7조에 따른 개인정보 보호위원회
6. 「원자력안전위원회의 설치 및 운영에 관한 법률」 제3조에 따른 원자력안전위원회
7. 「우주항공청의 설치 및 운영에 관한 특별법」 제6조에 따른 우주항공청
8. 「신행정수도 후속대책을 위한 연기·공주지역 행정중심복합도시 건설을 위한 특별법」 제38조에 따른 행정중심복합도시건설청
9. 「새만금사업 추진 및 지원에 관한 특별법」 제34조에 따른 새만금개발청

❷ 복수차관을 두는 부처(7개)
외교부, 국토교통부, 문화체육관광부, 기획재정부, 과학기술정보통신부, 보건복지부, 산업통상자원부

1 정부조직도❶❷

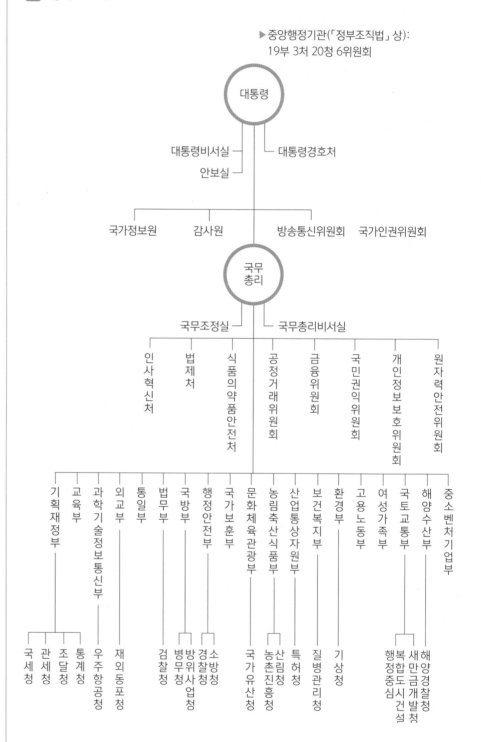

▶ 중앙행정기관(「정부조직법」 상):
19부 3처 20청 6위원회

1. 중앙행정기관 – 19부 20청 3처 6위원회(「정부조직법」 제2조상 중앙행정기관)

> **참고** '처'의 개수에 대해서는 3처로 보는 견해와 4처로 보는 견해가 있음
> (대통령 경호처의 성격에 대해서 논란이 있음. 경호처를 포함하면 4처, 포함하지 않으면 3처)

2. 「정부조직법」 관련 법령[❶]

> **제11조【대통령의 행정감독권】** ① 대통령은 정부의 수반으로서 법령에 따라 모든 중앙행정기관의 장을 지휘·감독한다.
> ② 대통령은 국무총리와 중앙행정기관의 장의 명령이나 처분이 위법 또는 부당하다고 인정하면 이를 중지 또는 취소할 수 있다.
>
> **제12조【국무회의】** ① 대통령은 국무회의 의장으로서 회의를 소집하고 이를 주재한다.
> ② 의장이 사고로 직무를 수행할 수 없는 경우에는 부의장인 국무총리가 그 직무를 대행하고, 의장과 부의장이 모두 사고로 직무를 수행할 수 없는 경우에는 기획재정부장관이 겸임하는 부총리, 교육부장관이 겸임하는 부총리 및 제26조제1항에 규정된 순서에 따라 국무위원이 그 직무를 대행한다.
> ③ 국무위원은 정무직으로 하며 의장에게 의안을 제출하고 국무회의의 소집을 요구할 수 있다.
> ④ 국무회의의 운영에 관하여 필요한 사항은 대통령령으로 정한다.
>
> **제13조【국무회의의 출석권 및 의안제출】** ① 국무조정실장·인사혁신처장·법제처장·식품의약품안전처장 그 밖에 법률로 정하는 공무원은 필요한 경우 국무회의에 출석하여 발언할 수 있다.
> ② 제1항에 규정된 공무원은 소관사무에 관하여 국무총리에게 의안의 제출을 건의할 수 있다.
>
> **제14조【대통령비서실】** ① 대통령의 직무를 보좌하기 위하여 대통령비서실을 둔다.
> ② 대통령비서실에 실장 1명을 두되, 실장은 정무직으로 한다.
>
> **제15조【국가안보실】** ① 국가안보에 관한 대통령의 직무를 보좌하기 위하여 국가안보실을 둔다.
> ② 국가안보실에 실장 1명을 두되, 실장은 정무직으로 한다.
>
> **제16조【대통령경호처】** ① 대통령 등의 경호를 담당하기 위하여 대통령경호처를 둔다.
> ② 대통령경호처에 처장 1명을 두되, 처장은 정무직으로 한다.
> ③ 대통령경호처의 조직·직무범위 그 밖에 필요한 사항은 따로 법률로 정한다.
>
> **제17조【국가정보원】** ① 국가안전보장에 관련되는 정보·보안 및 범죄수사에 관한 사무를 담당하기 위하여 대통령 소속으로 국가정보원을 둔다.
> ② 국가정보원의 조직·직무범위 그 밖에 필요한 사항은 따로 법률로 정한다.
>
> **제18조【국무총리의 행정감독권】** ① 국무총리는 대통령의 명을 받아 각 중앙행정기관의 장을 지휘·감독한다.
> ② 국무총리는 중앙행정기관의 장의 명령이나 처분이 위법 또는 부당하다고 인정될 경우에는 대통령의 승인을 받아 이를 중지 또는 취소할 수 있다.
>
> **제19조【부총리】** ① 국무총리가 특별히 위임하는 사무를 수행하기 위하여 부총리 2명을 둔다.
> ② 부총리는 국무위원으로 보한다.

[❶] 「행정기관의 조직과 정원에 관한 통칙」 (대통령령)

1. **중앙행정기관**: 국가의 행정사무를 담당하기 위하여 설치된 행정기관으로, 그 관할권의 범위가 전국에 미치는 행정기관을 말한다. 다만, 그 관할권의 범위가 전국에 미치더라도 다른 행정기관에 부속하여 이를 지원하는 행정기관은 제외한다.
2. **특별지방행정기관(일선기관)**: 특정한 중앙행정기관에 소속되어, 당해 관할구역 내에서 시행되는 소속중앙행정기관의 권한에 속하는 행정사무를 관장하는 국가의 지방행정기관을 말한다.
3. **부속기관**: 행정권의 직접적인 행사를 임무로 하는 기관에 부속하여 그 기관을 지원하는 행정기관을 말한다.
4. **자문기관**: 부속기관 중 행정기관의 자문에 응하여 행정기관에 전문적인 의견을 제공하거나, 자문을 구하는 사항에 관하여 심의·조정·협의하는 등 행정기관의 의사결정에 도움을 주는 행정기관을 말한다.
5. **소속기관**: 중앙행정기관에 소속된 기관으로, 특별지방행정기관과 부속기관을 말한다.
6. **보조기관**: 행정기관의 의사 또는 판단의 결정이나 표시를 보조함으로써 행정기관의 목적 달성에 공헌하는 기관을 말한다.
7. **보좌기관**: 행정기관이 그 기능을 원활하게 수행할 수 있도록 그 기관장이나 보조기관을 보좌함으로써 행정기관의 목적 달성에 공헌하는 기관을 말한다.
8. **하부조직(기관)**: 행정기관의 보조기관과 보좌기관을 말한다.

③ 부총리는 기획재정부장관과 교육부장관이 각각 겸임한다.

④ 기획재정부장관은 경제정책에 관하여 국무총리의 명을 받아 관계 중앙행정기관을 총괄·조정한다.

⑤ 교육부장관은 교육·사회 및 문화 정책에 관하여 국무총리의 명을 받아 관계 중앙행정기관을 총괄·조정한다.

제22조의3【인사혁신처】 ① 공무원의 인사·윤리·복무 및 연금에 관한 사무를 관장하기 위하여 국무총리 소속으로 인사혁신처를 둔다.

② 인사혁신처에 처장 1명과 차장 1명을 두되, 처장은 정무직으로 하고, 차장은 고위공무원단에 속하는 일반직공무원으로 보한다.

제23조【법제처】 ① 국무회의에 상정될 법령안·조약안과 총리령안 및 부령안의 심사와 그 밖에 법제에 관한 사무를 전문적으로 관장하기 위하여 국무총리 소속으로 법제처를 둔다.

② 법제처에 처장 1명과 차장 1명을 두되, 처장은 정무직으로 하고, 차장은 고위공무원단에 속하는 일반직공무원으로 보한다.

제25조【식품의약품안전처】 ① 식품 및 의약품의 안전에 관한 사무를 관장하기 위하여 국무총리 소속으로 식품의약품안전처를 둔다.

② 식품의약품안전처에 처장 1명과 차장 1명을 두되, 처장은 정무직으로 하고, 차장은 고위공무원단에 속하는 일반직공무원으로 보한다.

제27조【기획재정부】 ① 기획재정부장관은 중장기 국가발전전략수립, 경제·재정정책의 수립·총괄·조정, 예산·기금의 편성·집행·성과관리, 화폐·외환·국고·정부회계·내국세제·관세·국제금융, 공공기관 관리, 경제협력·국유재산·민간투자 및 국가채무에 관한 사무를 관장한다.

제28조【교육부】 ① 교육부장관은 인적자원개발정책, 영·유아보육·교육, 학교교육·평생교육, 학술에 관한 사무를 관장한다.

② 교육부에 차관보 1명을 둘 수 있다.

제29조【과학기술정보통신부】 ① 과학기술정보통신부장관은 과학기술정책의 수립·총괄·조정·평가, 과학기술의 연구개발·협력·진흥, 과학기술인력 양성, 원자력 연구·개발·생산·이용, 국가정보화 기획·정보보호·정보문화, 방송·통신의 융합·진흥 및 전파관리, 정보통신산업, 우편·우편환 및 우편대체에 관한 사무를 관장한다.

② 과학기술정보통신부에 과학기술혁신사무를 담당하는 본부장 1명을 두되, 본부장은 정무직으로 한다.

제30조【외교부】 ① 외교부장관은 외교, 경제외교 및 국제경제협력외교, 국제관계 업무에 관한 조정, 조약 기타 국제협정, 재외국민의 보호·지원, 국제정세의 조사·분석에 관한 사무를 관장한다.

② 외교부에 차관보 1명을 둘 수 있다.

③ 재외동포에 관한 사무를 관장하기 위하여 외교부장관 소속으로 재외동포청을 둔다.

④ 재외동포청에 청장 1명과 차장 1명을 두되, 청장은 정무직으로 하고, 차장은 고위공무원단에 속하는 일반직공무원 또는 외무공무원으로 보한다.

제31조【통일부】 통일부장관은 통일 및 남북대화·교류·협력에 관한 정책의 수립, 통일교육, 그 밖에 통일에 관한 사무를 관장한다.

제32조【법무부】① 법무부장관은 검찰·행형·인권옹호·출입국관리 그 밖에 법무에 관한 사무를 관장한다.

제33조【국방부】① 국방부장관은 국방에 관련된 군정 및 군령과 그 밖에 군사에 관한 사무를 관장한다.

② 국방부에 차관보 1명을 둘 수 있다.

제34조【행정안전부】① 행정안전부장관은 국무회의의 서무, 법령 및 조약의 공포, 정부조직과 정원, 상훈, 정부혁신, 행정능률, 전자정부, 정부청사의 관리, 지방자치제도, 지방자치단체의 사무지원·재정·세제, 낙후지역 등 지원, 지방자치단체 간 분쟁조정, 선거·국민투표의 지원, 안전 및 재난에 관한 정책의 수립·총괄·조정, 비상대비, 민방위 및 방재에 관한 사무를 관장한다.

② 국가의 행정사무로서 다른 중앙행정기관의 소관에 속하지 아니하는 사무는 행정안전부장관이 이를 처리한다.

제35조【국가보훈부】국가보훈부장관은 국가유공자 및 그 유족에 대한 보훈, 제대군인의 보상·보호, 보훈선양에 관한 사무를 관장한다.

제36조【문화체육관광부】① 문화체육관광부장관은 문화·예술·영상·광고·출판·간행물·체육·관광, 국정에 대한 홍보 및 정부발표에 관한 사무를 관장한다.

제37조【농림축산식품부】① 농림축산식품부장관은 농산·축산, 식량·농지·수리, 식품산업진흥, 농촌개발 및 농산물 유통에 관한 사무를 관장한다.

제38조【산업통상자원부】① 산업통상자원부장관은 상업·무역·공업·통상, 통상교섭 및 통상교섭에 관한 총괄·조정, 외국인 투자, 중견기업, 산업기술 연구개발정책 및 에너지·지하자원에 관한 사무를 관장한다.

② 산업통상자원부에 통상교섭사무를 담당하는 본부장 1명을 두되, 본부장은 정무직으로 한다.

제39조【보건복지부】① 보건복지부장관은 생활보호·자활지원·사회보장·아동(영·유아 보육은 제외한다)·노인·장애인·보건위생·의정(醫政) 및 약정(藥政)에 관한 사무를 관장한다.

② 방역·검역 등 감염병에 관한 사무 및 각종 질병에 관한 조사·시험·연구에 관한 사무를 관장하기 위하여 보건복지부장관 소속으로 질병관리청을 둔다.

제40조【환경부】① 환경부장관은 자연환경, 생활환경의 보전, 환경오염방지, 수자원의 보전·이용·개발 및 하천에 관한 사무를 관장한다.

② 기상에 관한 사무를 관장하기 위하여 환경부장관 소속으로 기상청을 둔다.

제41조【고용노동부】고용노동부장관은 고용정책의 총괄, 고용보험, 직업능력개발훈련, 근로조건의 기준, 근로자의 복지후생, 노사관계의 조정, 산업안전보건, 산업재해보상보험과 그 밖에 고용과 노동에 관한 사무를 관장한다.

제42조【여성가족부】여성가족부장관은 여성정책의 기획·종합, 여성의 권익증진 등 지위향상, 청소년 및 가족(다문화가족과 건강가정사업을 위한 아동업무를 포함한다)에 관한 사무를 관장한다.

제43조【국토교통부】① 국토교통부장관은 국토종합계획의 수립·조정, 국토의 보전·이용 및 개발, 도시·도로 및 주택의 건설, 해안 및 간척, 육운·철도 및 항공에 관한 사무를 관장한다.

제44조 【해양수산부】 ① 해양수산부장관은 해양정책, 수산, 어촌개발 및 수산물 유통, 해운·항만, 해양환경, 해양조사, 해양수산자원개발, 해양과학기술연구·개발 및 해양안전심판에 관한 사무를 관장한다.

② 해양에서의 경찰 및 오염방제에 관한 사무를 관장하기 위하여 해양수산부장관 소속으로 해양경찰청을 둔다.

제45조 【중소벤처기업부】 중소벤처기업부장관은 중소기업 정책의 기획·종합, 중소기업의 보호·육성, 창업·벤처기업의 지원, 대·중소기업 간 협력 및 소상공인에 대한 보호·지원에 관한 사무를 관장한다.

10 공기업

1 의의

1. 개념

(1) 의의

공기업이란 '국가 또는 지방자치단체가 공공복리의 증진을 위해 기업적으로 운영하는 조직'이다.

(2) 구성요소

① 정부주관(정부지배)하의 조직이어야 한다.

② 공공복리를 추구해야 한다.

③ 기업적(수익적) 활동이 허용되어야 한다.

2. 특징(공기업 경영의 기본원칙)

(1) 공기업의 공공성

공기업은 공공의 수요를 충족시킴으로써 공익 증진이라는 목적을 달성하기 위하여 설립되기 때문에 이윤극대화를 추구하는 사기업과는 다르다. 국가의 공기업 통제 근거가 바로 공기업의 공공성에서 도출된다.

(2) 공기업의 기업성

공기업은 국가나 공공단체가 정부사업을 기업경영의 원리에 입각해서 운영하는 것이기 때문에, 원가보상주의와 수익주의에 입각하여 이윤을 추구하게 된다. 따라서 공기업은 기업성을 보장하기 위해 어느 정도 경영상의 자율성을 갖는다.

2 발달 이유

1. 일반적 설립 동기

(1) 민간자본의 부족 때문이다.

(2) 국방 및 전략상의 고려 때문이다.

(3) 독점적 사업의 통제 필요성(경제·사회적 요청)이 있기 때문이다.

(4) 위기성을 띤 사업의 국가 운영 필요성이 있기 때문이다.

(5) 정치적 신념 등의 이유 때문이다.

2. 신생국의 공기업 설립 동기

(1) 독립 이전 지배국가가 소유하던 기업을 정부에서 인계받아 설립된다.

    예 우리나라에서 해방 후 전력회사 인수, 철도청의 인수 등

(2) 부족한 재정수입을 충당하기 위하여 설립된다.

(3) 사회간접자본의 확충, 대규모 정부 프로젝트의 수행을 위해 공기업이 설립된다.

(4) 국민경제에 대한 파급을 통해 정부가 경제성장의 선도적인 역할을 담당하기 위해 공기업이 설립된다.

3 공공기관의 유형(실정법상 구분)❶

공기업	자체수입액이 총수입액의 2분의 1 이상인 기관	
	시장형 공기업	자산규모가 2조 이상이고, 자체수입액이 대통령령이 정하는 기준 (85%) 이상인 기관 예 한국가스공사, 한국석유공사, 한국전력공사, 인천국제공항공사 등
	준시장형 공기업	시장형 공기업이 아닌 공기업 예 한국토지주택공사, 한국마사회 등
준정부기관	공기업이 아닌 공공기관 중에서 지정	
	기금관리형 준정부기관	「국가재정법」에 따라 기금을 관리하거나 관리를 위탁받은 준정부기관 예 공무원연금공단, 국민연금공단, 예금보험공사, 신용보증기금 등
	위탁집행형 준정부기관	기금관리형 준정부기관이 아닌 준정부기관 예 국립공원공단, 한국산업인력공단, 한국농어촌공사 등
기타 공공기관	공기업과 준정부기관을 제외한 공공기관으로, 이사회 설치·임원 임면·경영실적평가·예산·감사 등의 규정을 적용하지 아니함	

❶ 공기업 및 준정부기관의 지정기준

「공공기관 운영에 관한 법률 시행령」 제7조【공기업 및 준정부기관의 지정기준】

① 기획재정부장관은 법 제5조 제1항 제1호에 따라 다음 각 호의 기준에 해당하는 공공기관을 공기업·준정부기관으로 지정한다.

1. 직원 정원: 300명 이상
2. 수입액(총수입액을 말한다): 200억 원 이상
3. 자산규모: 30억 원 이상

② 기획재정부장관은 법 제5조 제3항에 따라 총수입액 중 자체수입액이 차지하는 비중이 100분의 50(「국가재정법」에 따라 기금을 관리하거나 기금의 관리를 위탁받은 공공기관의 경우 100분의 85) 이상인 공공기관을 공기업으로 지정한다.

③ 기획재정부장관은 법 제5조 제4항 제1호에 따라 다음 각 호의 기준에 해당하는 공기업을 시장형 공기업으로 지정한다.

1. 자산규모: 2조 원
2. 총수입액 중 자체수입액이 차지하는 비중: 100분의 85

핵심 OX

01 공기업의 예산은 국회가 심의·의결한다. (O, X)

02 시장형 공기업 이사회 의장은 선임비상임이사가 한다. (O, X)

01 X 공기업의 예산은 공기업 이사회가 심의·의결한다.
02 O

11 책임운영기관(agency)

1 의의

1. 개념

(1) 우리나라의 책임운영기관은 1999년 제정된 「책임운영기관의 설치 · 운영에 관한 법률」에 의해 설치 · 운영되고 있다.

(2) 책임운영기관(agency)은 공공성을 유지하면서도 경쟁원리에 따라 운영하는 것이 바람직하거나, 전문성이 있어 성과관리를 강화할 필요가 있는 사무에 대하여 책임운영기관의 장에게 행정 및 재정상의 자율성을 부여하고, 그 운영성과에 대하여 책임을 지도록 하는 행정기관이다.

2. 도입배경

(1) 이론적 측면

   ① 신공공관리론적 측면에서 행정에 경영기법을 도입하려는 맥락에서 도입되었다.

   ② **긍정적 측면:** 주인-대리인 이론에 의해 대리인인 관료의 성과를 평가하여 책임지도록 함으로써 대리인 비용을 줄인다.

   ③ **부정적 측면:** 관청형성모형 측면에서 사익을 추구하는 관리자의 예산 확대전략의 차원에서 도입되었다.

(2) 현실적 측면

   ① 정부조직에 시장과 경쟁원리를 도입한다는 정부개혁 패러다임의 일환으로 도입되었다.

   ② 전통적 관료제 조직에 대한 반성으로 도입되었다.

   ③ 국민에 대한 대응성을 확보하기 위해 도입되었다.

2 일반적 특징

1. 정책결정과 정책집행의 분리 – 집행기능 중심의 조직

정부기능 중 정책결정기능과 집행적 · 사업적 성격의 기능을 분리하여, 집행기능을 책임운영기관이 전담하게 한다.

2. 경쟁의 도입

책임운영기관이 담당하는 정책의 집행이나 서비스의 전달은 민간부문이나 같은 정부부문과의 경쟁이 가능하다.

3. 관리자에게 재량권 부여

인사, 조직, 예산 등에 있어서 기관장에게 융통성을 부여하는 대신에 그 운영성과에 대해서 책임을 지도록 한다.

4. 성과에 대한 책임

장관과 기관장과의 합의, 즉 성과협약을 통하여 달성해야 할 사업계획과 성과목표를 설정하고, 책임운영기관장은 결과 및 성과에 대하여 장관에게 책임을 진다.

5. 내부시장화된 조직

(1) 수익자부담주의, 기업회계방식 등 민간경영방식으로 운영되는 기업화된 조직이다.

(2) 단, 책임운영기관은 현장 중심의 내부시장화된 조직이지만, 내부구조는 전통적인 계층제 구조를 띠고 있다.

3 우리나라의 책임운영기관

1. 설치[1]

행정안전부장관은 책임운영기관을 그 사무가 다음의 기준 중 어느 하나에 맞는 경우에 대통령령으로 설치한다.

(1) 기관의 주된 사무가 사업적·집행적 성질의 행정서비스를 제공하는 업무로서 성과 측정 기준을 개발하여 성과를 측정할 수 있는 사무

(2) 기관 운영에 필요한 재정수입의 전부 또는 일부를 자체적으로 확보할 수 있는 사무

2. 종류

(1) 기관의 지위에 따른 구분

① **소속책임운영기관**: 중앙행정기관의 소속 기관으로서 대통령령으로 설치된 기관

② **중앙책임운영기관[2]**: 「정부조직법」에 따른 청(廳)으로서 대통령령으로 설치된 기관(특허청)

(2) 기관의 사무 성격에 따른 구분

① 조사연구형 책임운영기관

② 교육훈련형 책임운영기관

③ 문화형 책임운영기관

④ 의료형 책임운영기관

⑤ 시설관리형 책임운영기관

⑥ 그 밖에 대통령령으로 정하는 유형의 책임운영기관

3. 조직 및 인사(소속책임운영기관)

(1) 기관장의 임용

① 소속중앙행정기관의 장은 공개모집 절차에 따라 행정이나 경영에 관한 지식·능력 또는 관련 분야의 경험이 풍부한 사람 중에서 기관장을 선발하여 임기제 공무원으로 임용한다.

② 기관장의 근무기간은 5년의 범위에서 소속중앙행정기관의 장이 정하되, 최소한 2년 이상으로 하여야 한다. 이 경우 소속책임운영기관의 사업성과의 평가 결과가 우수하다고 인정되는 때에는 총 근무기간이 5년을 넘지 아니하는 범위에서 대통령령으로 정하는 바에 따라 근무기간을 연장할 수 있다.

[1] 「책임운영기관의 설치·운영에 관한 법률」 제3조의2
행정안전부장관은 5년 단위로 책임운영기관의 관리 및 운영 전반에 관한 기본계획을 수립하여야 한다.

[2] 중앙책임운영기관장(특허청장)
1. 기관장은 정무직이다.
2. 임기는 2년이며, 한 차례만 연임이 가능하다.

(2) 공무원의 정원

소속책임운영기관에 두는 공무원의 총정원 한도는 대통령령으로 정한다. 종류별 · 계급별 정원은 총리령 또는 부령으로 정한다.

(3) 임용권자

중앙행정기관의 장은 소속책임운영기관 소속 공무원에 대한 일체의 임용권을 가진다. 이 경우 중앙행정기관의 장은 대통령령으로 정하는 바에 따라 그 임용권의 일부를 기관장에게 위임할 수 있다.

(4) 임용시험

소속책임운영기관 소속공무원의 임용시험은 기관장이 실시한다.

4. 예산 및 회계

(1) 특별회계의 설치

소속책임운영기관의 사업을 효율적으로 운영하기 위하여 책임운영기관특별회계를 둔다.

(2) 특별회계의 운용 · 관리

특별회계는 계정별로 중앙행정기관의 장이 운용하고, 기획재정부장관이 통합하여 관리한다.

(3) 예산의 전용

기관장은 예산 집행에 특히 필요한 경우에는 대통령령으로 정하는 바에 따라 특별회계의 계정별 세출예산 또는 일반회계의 세출예산 각각의 총액 범위에서 각 과목 간에 전용(轉用)할 수 있다.

5. 운영 및 평가

(1) 기본운영규정

기관장은 법령에서 정하는 범위에서 소속책임운영기관의 조직 및 운영에 관한 기본운영규정을 제정하여야 하며, 사전에 소속중앙행정기관의 장의 승인을 받아야 한다.

(2) 소속책임운영기관운영심의회

소속책임운영기관의 사업성과를 평가하고 소속책임운영기관의 운영에 관한 중요사항을 심의하기 위하여 중앙행정기관의 장의 소속으로 '소속책임운영기관운영심의회'를 둔다.

(3) 책임운영기관운영위원회

책임운영기관의 존속 여부 및 제도의 개선 등에 관한 중요사항을 심의하기 위하여 행정안전부장관 소속하에 '책임운영기관운영위원회'를 둔다.

(4) 평가결과의 반영

기관장은 소속책임운영기관에 대한 소속책임운영기관운영심의회 및 책임운영기관운영위원회의 평가결과를 그 운영의 개선에 반영하되, 책임운영기관운영위원회의 평가결과를 우선하여 반영하여야 한다.

6. 효용과 한계

(1) 효용

① **집행의 효율성 확보**: 집행기능을 분리하여 효율적으로 수행할 수 있다.

② **재량성과 책임성의 조화**: 사업의 재량적 운영과 그 성과에 대한 책임의 조화를 추구한다.

(2) 한계

① **정부팽창의 은폐 및 민영화의 회피 수단**: 책임운영기관의 비대화를 가져와 정부팽창의 은폐수단으로 활용되거나, 민영화의 수단으로 악용될 가능성이 있다.

② **책임한계의 모호성**: 채용계약에 책임운영기관의 책무에 관하여 아무리 구체적으로 규정해도 책임한계의 문제가 제기될 수 있다.

③ **기관장의 신분보장 미흡**: 기관장은 직업공무원이 아니라 임기제 공무원이며 성과에 따라 책임을 지게 되어 있어, 신분보장의 미흡하므로 소신있게 책임운영기관을 이끌어가기가 어려울 수 있다.

④ **정책과 집행 분리의 문제점**: 정책개발과 집행기능의 분리라는 형태의 정부조직설계는 강한 수직적 통합이 요구될 때는 한계를 가질 수 있다.

⑤ **정책통합의 곤란**: 결정과 집행이 분리될 경우, 일관성 있는 정책운영과 통합이 어려워질 수 있다.

⑥ **성과측정의 곤란**: 객관적인 성과지표의 개발과 성과측정이 용이하지 않으며, 단기적이고 측정가능한 성과의 강조로 행정서비스의 종합적 기능이 저해될 수 있다.

핵심 OX

01 책임운영기관은 결정과 집행을 통합한다. (O, X)

02 책임운영기관의 총정원은 대통령령으로 정한다. (O, X)

03 책임운영기관은 법률로 설치한다. (O, X)

01 X 책임운영기관은 결정과 집행을 분리한다.
02 O
03 X 책임운영기관은 대통령령으로 설치한다.

01 조직의 원리에 대한 설명으로 옳지 않은 것은? 2017년 지방직 9급(6월 시행)

① 계층제의 원리는 조직 내의 권한과 책임 및 의무의 정도가 상하의 계층에 따라 달라지도록 조직을 설계하는 것이다.

② 통솔범위란 한 사람의 상관 또는 감독자가 효과적으로 통솔할 수 있는 부하 또는 조직단위의 수를 말하며, 감독자의 능력, 업무의 난이도, 돌발 상황의 발생 가능성 등 다양한 요소를 고려하여 정해진다.

③ 분업의 원리에 따라 조직 전체의 업무를 종류와 성질별로 나누어 조직구성원이 가급적 한 가지의 주된 업무만을 전담하게 하면, 부서 간 의사소통과 조정의 필요성이 없어진다.

④ 부성화의 원리는 한 조직 내에서 유사한 업무를 묶어 여러 개의 하위기구를 만들 때 활용되는 것으로, 기능부서화, 사업부서화, 지역부서화, 혼합부서화 등의 방식이 있다.

02 조직구성의 원리에 대한 설명으로 옳지 않은 것은? 2020년 지방직 9급

① 분업의 원리 – 일은 가능한 한 세분해야 한다.

② 통솔범위의 원리 – 한 명의 상관이 감독하는 부하의 수는 상관의 통제능력 범위 내로 한정해야 한다.

③ 명령통일의 원리 – 여러 상관이 지시한 명령이 서로 다를 경우 내용이 통일될 때까지 명령을 따르지 않아야 한다.

④ 조정의 원리 – 권한 배분의 구조를 통해 분화된 활동들을 통합해야 한다.

03 매트릭스구조에 대한 다음 <보기>의 설명 중 옳지 않은 것은 모두 몇 개인가? 2013년 국회직 8급

─────〈보기〉─────
ㄱ. 기능구조와 사업구조의 물리적 결합을 시도하는 조직구조이다.
ㄴ. 기능부서의 기술적 전문성이 요구되는 동시에 사업부서의 신속한 대응성의 필요가 증대되면서 등장하였다.
ㄷ. 기능부서 통제권한의 계층은 수평적으로 흐르고, 사업부서 간 조정권한의 계층은 수직적으로 흐르게 된다.
ㄹ. 일원적 권한 체계를 갖는 데 그 기본적 특성이 있다.

① 0개　　　　　　　　　　② 1개

③ 2개　　　　　　　　　　④ 3개

⑤ 4개

04 조직관리에서 수직적 연결을 위한 조정기제가 아닌 것은? 2013년 국가직 7급

① 계층제

② 규칙과 계획

③ 수직정보시스템

④ 임시작업단(task force)

05 기술과 조직구조의 관계에 대한 페로(Perrow)의 설명으로 옳지 않은 것은? 2020년 지방직 9급

① 정형화된(routine) 기술은 공식성 및 집권성이 높은 조직구조와 부합한다.

② 비정형화된(non-routine) 기술은 부하들에 대한 상사의 통솔범위를 넓힐 수 밖에 없을 것이다.

③ 공학적(engineering) 기술은 문제의 분석가능성이 높다.

④ 기예적(craft) 기술은 대체로 유기적 조직구조와 부합한다.

정답 및 해설

01 분업의 원리로 전문화가 고도화되면, 자신의 분야만 잘 알고 다른 분야에 대해서는 시야가 좁아지는 '전문화된 무능 현상'이 일어나 부서 간의 조정이 어려워진다.

| 오답체크 |

① 계층제(hierarchy)의 원리란 조직 내의 권한과 책임 및 의무의 정도에 따라 조직구성원들 간에 상하의 계층이나 등급을 설정하는 것을 말한다.

② 통솔범위란 한 사람의 상관 또는 감독자가 혼자서 직접 효과적으로 통솔할 수 있는 부하의 수 또는 조직단위의 수를 말한다.

④ 부성화의 원리란 부처조직 편성의 원리 혹은 기준을 밝히고자 하는 것으로, 기능부서화·사업부서화·지역부서화·혼합부서화 등의 방식이 있다.

02 명령통일의 원리란 한 사람의 상급자로부터만 명령·지시를 받고, 한 사람의 상급자에게만 보고해야 한다는 명령일원화의 원칙이다.

| 오답체크 |

① 분업(전문화)의 원리는 업무능률의 증진을 위해 조직 전체의 업무를 종류와 성질별로 나누어, '조직의 구성원이 가급적 한 가지의 주된 업무만을 전담하도록 하는 조직구성 원리'를 말한다.

② 통솔범위란 한 사람의 상관 또는 감독자가 혼자서 직접 효과적으로 통솔할 수 있는 부하의 수 또는 조직단위의 수를 말한다. 인간의 주의능력에는 한계가 있기 때문에 통솔범위는 일정한 한계를 지닌다.

④ 조정의 원리란 구성원들의 분화된 노력과 활동을 한 방향으로 조정·통합하여야 한다는 원리를 말한다.

03 옳지 않은 내용은 ㄱ, ㄷ, ㄹ 3개이다.

ㄱ. 매트릭스구조는 기능구조와 사업구조의 화학적 결합이다.

ㄷ. 기능부서의 권한은 수직적으로 흐르고, 사업구조의 권한은 수평적으로 흐른다.

ㄹ. 이원적 권한 체계로, 명령계통의 이원화를 가져와 책임한계가 불명확하다.

04 수직적 연결기제에는 계층제, 규칙과 계획, 계층직위의 추가, 수직정보시스템 등이 있다. 반면, 수평적 연결기제에는 정보시스템, 직접 접촉, 임시작업단(task force), 프로젝트 매니저, 프로젝트 팀 등이 있다.

❶ 수직적 조정과 수평적 조정 비교

수직적 조정(수직적 연결기제)	수평적 조정(수평적 연결기제)
조직의 상·하 간의 활동을 조정하는 연결 장치	조직부서 간의 수평적인 조정과 의사소통의 양
· 계층제 · 규칙과 계획 · 계층직위의 추가 · 수직정보시스템	· 정보시스템 · 직접 접촉 · 임시작업단(task force) · 프로젝트 매니저 · 프로젝트 팀

05 페로(Perrow)는 과제의 다양성과 문제의 분석 가능성을 기준으로 기술의 유형을 네 가지(정형화된 기술, 공학적 기술, 장인적 기술, 비정형화된 기술)로 구분하였다. 일상적 기술은 통솔 범위가 넓어지고 비일상적 기술은 통솔 범위가 좁아진다.

| 오답체크 |

① 정형화된 기술(= 일상적 기술)은 과제의 다양성이 낮고 문제의 분석 가능성이 높은 일상적 기술로, 단순하고 반복적이므로 공식성 및 집권성이 높은 기계적 구조와 부합된다.

③ 공학적 기술은 과제의 다양성도 높고, 문제의 분석가능성 또한 높은 기술을 말한다.

④ 기예적 기술(= 장인기술)이란 과제의 다양성은 낮지만, 문제의 분석 가능성 또한 낮아 문제 해결이 쉽지 않은 기술로, 일반적으로 분권화된 유기적 구조와 부합된다.

정답 **01** ③ **02** ③ **03** ④ **04** ④ **05** ②

06 조직구조에 대한 설명으로 옳지 않은 것은?

2022년 국가직 7급

① 일상적 기술을 가진 조직의 경우 높은 공식화 구조를 가진다.

② 조직구조의 형태를 기계적 구조와 유기적 구조로 구분할 수 있다.

③ 환경이 복잡하고 불안정한 경우 유기적 구조가 적합하다.

④ 조직구조는 조직 내 여러 부문 간 결합의 형태로 구성원 간 상호작용과는 관련성이 없다.

07 조직구조에 대한 설명으로 가장 옳지 않은 것은?

2022년 군무원 9급

① 기술(technology)과 집권화의 관계는 상관도가 높다.

② 우드워드(J. Woodward)는 대량 생산기술에는 관료제와 같은 기계적 구조가 효과적이라고 주장했다.

③ 톰슨(V. A. Thompson)은 업무 처리 과정에서 일어나는 조직 간·개인 간 상호의존도를 기준으로 기술을 분류했다.

④ 페로우(C. Perrow)는 과업의 다양성과 문제의 분석가능성을 기준으로 조직의 기술을 유형화했다.

08 조직구조 및 유형의 특성에 대한 설명으로 옳은 것은?

2014년 국가직 7급

① 애드호크라시는 공식화 정도가 높고 분권화되어 있으며, 수직적 분화가 심한 특징을 보여주고 있다.

② 공식화는 자원배분을 포함한 의사결정 권한이 조직의 상하직위 간에 어떻게 분배되어 있는가를 의미한다.

③ 복잡성은 조직이 얼마나 나누어지고 흩어져 있는가의 분화 정도를 말하며, 수평적·수직적·공간적 분화 등으로 세분화할 수 있다.

④ 집권화는 업무수행 방식이나 절차가 표준화되어 있는 정도를 의미하며 직무기술서, 내부규칙, 보고체계 등의 명문화 정도를 측정할 수 있다.

09 톰슨(Thompson)의 기술 분류에 따른 상호의존성과 조정 형태를 바르게 연결한 것은?

2021년 지방직 7급

① 집약형 기술(intensive technology) – 연속적 상호의존성(sequential interdependence) – 정기적 회의, 수직적 의사전달

② 공학형 기술(engineering technology) – 연속적 상호의존성(sequential interdependence) – 사전계획, 예정표

③ 연속형 기술(long-linked technology) – 교호적 상호의존성(reciprocal interdependence) – 상호 조정, 수평적 의사전달

④ 중개형 기술(mediating technology) – 집합적 상호의존성(pooled interdependence) – 규칙, 표준화

10 관료제 병리현상에 대한 설명으로 옳지 않은 것은?　　　　　　　　　　　　　　2017년 국가직 9급(4월 시행)

① 규칙이나 절차에 지나치게 집착하게 되면 목표와 수단의 대치 현상이 발생한다.

② 모든 업무를 문서로 처리하는 문서주의는 번문욕례(繁文縟禮)를 초래한다.

③ 자신의 소속기관만을 중요시함에 따라 타 기관과의 업무 협조나 조정이 어렵게 되는 문제가 나타난다.

④ 법규와 절차 준수의 강조는 관료제 내 구성원들의 비정의성(非情誼性)을 저해한다.

정답 및 해설

06 조직구조란 조직구성원의 유형화된 교호작용을 의미한다. 조직구성원들의 계속적인 교호작용 속에서 조직구성원들의 행위의 정형이나 유형이 형성된다.

| 오답체크 |
① 일상적 기술은 업무처리 과정이 표준화되어 있고 객관적으로 분석이 가능한 기술이다. 일상적인 기술일수록 공식성은 높다.
② 일반적으로 조직구조상의 특징을 기계적 조직구조와 유기적 조직구조로 구분할 수 있다.
③ 안정된 환경에서는 기계적 구조, 변동이 심한 경우 유기적 구조가 적합하다.

07 기술(technology)과 집권화의 상관관계는 다른 변수(규모나 환경 등)들 간 관계에 비하여 상대적으로 상관성이 그리 높지 않다는 의견의 관점에서 출제된 문제이다.

| 오답체크 |
② 우드워드(J. Woodward)에 의하면 동일한 종류의 제품을 대량으로 생산하는 기술은 관료제적 조직구조이다.
③ 톰슨(V. A. Thompson)은 업무 처리 과정에서 일어나는 조직 간·개인 간 상호의존도를 기준으로 중개형 기술, 길게 연결된 기술, 집약형 기술로 구별하였다.
④ 페로우(C. Perrow)는 과업의 다양성과 문제의 분석가능성을 기준으로 조직의 기술을 장인기술, 일상적 기술, 비일상적 기술, 공학기술로 구별하였다.

08 | 오답체크 |
① 애드호크라시는 공식화 수준이 낮고 분권화되어 있으며, 수직적 분화(계층화)가 낮게 이루어진 조직이다.
② 공식화가 아니라 집권화에 대한 설명이다.
④ 집권화가 아니라 공식화에 대한 설명이다.

09 중개형 기술은 단순한 독자적 기술로 표준화가 가능하고, 이러한 기술을 사용하는 부서들 간 관계는 집합적 의존관계이다. 톰슨(Thompson)은 기술을 중개적 기술, 길게 연결된 기술, 집약형 기술로 구분하였다.

| 오답체크 |
② 공학적 기술은 톰슨(Thompson)이 아니라 페로우(Perrow)가 제시한 기술 유형이다.

10 관료제의 비정의성(impersonality)은 병폐가 아닌 특징이다. 관료제는 정적이고 개인적인 것을 고려하지 않는 비정의성을 특징으로 한다.

| 오답체크 |
① 관료는 목표 달성을 위한 수단인 규칙·절차에 지나치게 영합·동조하는 경향을 보이고, 이는 목표전환 현상을 초래할 수 있으며[머튼(Merton)], 부하를 통제하기 위한 규칙이 통제 위주의 관리를 가져올 수 있다[굴드너(Gouldner)].
② 책임의 한계를 명확히 하기 위한 문서에 의한 업무 처리는 문서다작주의(red tape)·형식주의를 초래할 수 있다.
③ 관료제는 관료들이 자기의 소속기관·소속부서에 대해서만 관심을 가짐으로써 횡적인 조정·협조가 곤란해질 수 있는[셀즈닉(Selznick)] 할거주의(割據主義, 국지주의)를 단점으로 가진다.

정답 **06** ④ **07** ① **08** ④ **09** ④ **10** ④

11 막스 베버(Max Weber)의 관료제에 대한 설명으로 가장 옳지 않은 것은?

2021년 군무원 9급

① 관료제는 계층제 구조를 본질로 하고 있다.

② 관료제를 현대사회의 보편적인 조직모형으로 보고 있다.

③ 신행정학에서는 탈(脫)관료제 모형으로서 수평적이고 임시적인 조직모형을 제안한다.

④ 행정조직 발전에 대한 패러다임(paradigm)의 관점에서 관료제 모형을 제시했다.

12 베버(Weber)의 이념형(ideal type) 관료제에 대한 설명으로 옳지 않은 것은?

2023년 국가직 9급

① 관료제 성립의 배경은 봉건적 지배체제의 확립이다.

② 법적·합리적 권위에 기초를 둔 조직구조와 형태이다.

③ 직위의 권한과 임무는 문서화된 법규로 규정된다.

④ 관료는 원칙적으로 상관이 임명한다.

13 조직이론과 인간관에 대한 설명으로 가장 옳지 않은 것은?

2021년 군무원 9급

① 조직이론의 시작은 테일러의 과학적 관리론에서 찾을 수 있으며, 1900년대 초까지 효율성과 구조 중심의 사상을 담고 있었다.

② 기계적 조직으로서의 관료제는 합리적 경제인의 인간관을 반영하고 있는데 테일러의 차등성과급제가 이러한 인간관에 기초한 보상시스템이다.

③ 계층구조는 피라미드 모양의 구조를 가지며 명령과 통제가 위로부터 아래로 전달되는 특성을 가진다.

④ 관료제하에서 구성원들은 인간으로서의 감정이나 충동을 멀리하는 정의적 행동(personal conduct)이 기대된다.

14 네트워크조직의 특성에 대한 설명으로 옳지 않은 것은?

2014년 국가직 7급

① 응집력 있는 조직문화를 만드는 데 유리하다.

② 업무처리의 신속성과 유연성을 확보하는 데 유리하다.

③ 네트워크 기관과 구성원들 간의 교류를 통한 신뢰관계 형성이 중요하다.

④ 각기 높은 독자성을 지닌 조직단위나 조직들 간에 협력적 연계장치로 구성된 조직이다.

15 팀제조직에 대한 설명으로 옳은 것만을 모두 고르면?

> ㄱ. 결정과 기획의 핵심기능만 남기고 사업집행기능은 전문업체에 위탁한다.
>
> ㄴ. 역동적 환경변화에 유연하게 적응하고 신속한 문제해결이 가능하다.
>
> ㄷ. 기술구조 부문이 중심이 되고 작업과정의 표준화가 주요 조정수단이다.
>
> ㄹ. 관료제의 병리를 타파하고 업무수행에 새로운 의식과 행태의 변화 필요성으로 등장하였다.

① ㄱ, ㄴ

② ㄱ, ㄷ

③ ㄴ, ㄹ

④ ㄷ, ㄹ

정답 및 해설

11 행정조직 발전에 대한 패러다임(paradigm)의 관점에서 관료제모형을 제시한 것이 아니다. 베버(Weber)는 18세기 이후 서구의 근대적 자본주의를 합리적인 것으로 보고, 근대화 과정에서 생성된 대규모 조직들에서 발견된 공통된 특징을 통해 합법적 지배에 근거한 합법적 관료제를 이상적인 이념형으로 제시하였다.

| 오답체크 |
① 계층제적 조직구조로, 조직단위 상호 간 내지 조직 내부의 직위 간에는 상위직이 하위직을 감독하고 관리하는 명확한 명령복종관계가 확립되어 있다.
② 대규모의 조직이라면 관료제 구조가 보편적으로 존재한다고 본다.
③ 신행정학에서는 변화에 대한 동태적 적응성과 조직의 쇄신을 도모하기 위해 탈관료제 조직이 대두되게 된다.

12 베버(Weber)는 근대화 과정에서 생성된 대규모 공공조직들에서 발견된 공통된 특징을 통해 합법적 지배에 근거한 합법적 관료제를 이상적인 이념형으로 제시하였다. 즉, 관료제 성립의 배경은 봉건적 지배체제가 아니라, 합법적 지배가 정당화되는 근대적 지배체제의 확립이다.

| 오답체크 |
② 막스베버의 이념형 관료제는 법적·합리적 권위에 기초를 둔 조직구조이다.
③ 모든 직위에 부여되는 권한과 관할 범위는 법규에 의해 규정된다(권한이 사람에 부여되는 것이 아님).
④ 관료제 내에서 관료는 계층제상의 상관이 임명하고 지휘·감독한다.

13 관료는 개인의 자의적인 행동이 아닌, 법규에 정해진 바에 따라 공정하게 업무를 처리해야 한다. 즉, 몰인간성과 비정의성(impersonalism)을 특징으로 한다.

| 오답체크 |
① 테일러의 과학적 관리론은 1900년대 초까지 효율성과 구조 중심의 조직관을 담고 있었다.
② 관료제는 합리적 경제인의 인간관을 반영하고 있는데, 테일러의 차등성과급제가 이러한 인간관에 기초한 보상시스템이다.
③ 관료제는 계층제를 기반으로 상명하복을 근간으로 한다.

14 네트워크조직은 상하계층 구조로 연결된 긴밀한 조직이 아니라 계약에 의하여 느슨하게 연결된 조직이므로 밀접한 감독이 어렵고, 경계가 애매하여 정체성이 약하고 응집력 있는 문화를 가지기 어렵다.

| 오답체크 |
② 시공간적 제약 극복으로 환경변화에 유연하고 신속하게 대응한다.
③ 연계조직 간 협력 및 교류에 의한 신뢰관계가 토대이다.
④ 독자적 조직들 간에 계약으로 맺어져 느슨하게 연결된 연계체제이다.

15 팀제조직에 대한 설명으로 옳은 것은 ㄴ, ㄷ이다.
ㄴ. 팀제는 신속한 환경대응이 필요할 때 사용된다.
ㄹ. 관료제의 병리를 타파할 필요성으로 등장한 팀조직은 상호보완적인 기능을 가진 소수의 사람들이 공동의 목표를 달성하기 위해 책임을 공유하고 공동의 접근방법을 사용하는 수평적 조직단위이다.

| 오답체크 |
ㄱ. 결정과 기획의 핵심기능만 남기고 사업집행기능은 전문업체에 위탁하는 조직은 네트워크조직이다.
ㄷ. 기술구조 부문이 중심이 되고 작업과정의 표준화가 주요 조정수단인 조직은 기계적 관료제이다.

정답 **11** ④ **12** ① **13** ④ **14** ① **15** ③

16 결정과 기획 같은 핵심기능만 수행하는 조직을 중심에 놓고 다수의 독립된 조직들을 협력 관계로 묶어 일을 수행하는 조직 형태는?

2021년 국가직 9급

① 태스크 포스

② 프로젝트 팀

③ 네트워크조직

④ 매트릭스조직

17 학습조직을 구현하기 위한 조직관리 기법으로 가장 옳은 것은?

2010년 수탁 9급

① 정책집행의 합법성을 강조한 책임행정의 확립

② 부분보다 전체를 중시하고 의사소통을 원활하게 하는 공동체 문화의 강조

③ 성과주의를 제고하기 위한 성과급 제도의 강화

④ 신상필벌을 강조한 행정윤리 강화

18 학습조직에 대한 설명으로 옳지 않은 것은?

2020년 국가직 7급

① 개방체제와 자아실현적 인간관을 바탕으로 새로운 지식을 창출하고자 한다.

② 연결된 체계 간의 상호작용을 이해하고, 이를 효과적으로 활용하기 위한 체계적 사고(systems thinking)를 강조한다.

③ 조직구성원들의 비전 공유를 중시한다.

④ 조직구성원의 합이 조직이 된다는 점에서, 조직 내 구성원 각자의 개인적 학습을 강조한다.

19 참모의 순기능에 대한 설명으로 옳지 않은 것은?

2008년 국가직 9급

① 조직의 운영에 융통성을 부여한다.

② 권한과 책임의 한계를 분명히 하는 장치가 된다.

③ 계선의 통솔범위를 확대시켜 준다.

④ 합리적인 의사결정을 가능하게 한다.

20 위원회(committee) 조직의 장점으로 보기 어려운 것은?

① 집단결정을 통해 행정의 안정성과 지속성을 확보할 수 있다.

② 조직 간·부문 간의 조정을 촉진한다.

③ 경험과 지식을 지닌 전문가를 활용할 수 있다.

④ 의사결정 과정이 신속하고 합의가 용이하다.

정답 및 해설

16 설문은 네트워크조직(network organization)을 의미한다. 네트워크조직은 전략·계획·통제 등 핵심기능 위주로 합리화하고, 여타의 생산기능은 아웃소싱을 통하여 다른 조직의 자원을 저렴한 비용으로 활용하는 '분권화된 공동(空洞)조직(hollow organization)'이다.

17 학습조직은 조직 학습을 통하여 정보를 공유하고 공동체 문화를 지향한다.

| 오답체크 |

①, ④ 문제해결을 중요한 가치로 생각하므로, 합법성이나 신상필벌 위주의 관리를 배격한다.

③ 조직의 학습을 강조하기 때문에 개별적 성과급 제도를 배격한다.

18 학습조직은 개인의 학습이 아니라 조직적 학습을 강조한다.

| 오답체크 |

① 학습자의 주체성·자발성·참여성이 존중되는 조직으로, 자아실현적 인간관과 개방체제를 전제로 한다.

② 학습조직은 시스템 중심의 사고(systems thinking)로, 체제를 구성하는 여러 연관 요인들을 통합적인 이론체계 또는 실천체계로 융합시키는 능력을 키우는 통합적 훈련이다.

③ 공동의 비전(shared vision)을 통해 조직 구성원들이 공동으로 추구하는 목표와 원칙에 관한 공감대를 형성하는 것으로, 이를 위해 공유된 리더십과 참여를 추구한다.

19 권한과 책임의 한계를 분명히 하는 장치가 되는 것은 참모가 아니라 계선의 순기능이다.

❶ 계선조직과 막료조직 비교

구분	계선조직	막료조직
장점	· 명확한 권한과 책임으로 능률적인 업무 수행 · 신속한 결정이 가능 · 운영비용이 적게 듦 · 강력한 통솔력 행사, 소규모 조직에 적합	· 계선기관의 결함 보완, 기관장의 통솔범위 확대 · 전문적 지식과 경험에 의한 합리적·창의적 결정 · 계선기관 간의 업무 조정 (수평적 업무조정 용이) · 대규모 조직에 적합 · 조직의 신축성, 동태성 확보
단점	· 대규모 조직에서는 최고관리자의 과중한 업무 부담 · 최고관리자의 독단이 초래될 위험 · 상황변화에 대한 신축성 결여	· 계선기관과의 대립·충돌 가능성 · 결정의 지연 가능성 · 참모기관에 소요되는 경비의 과다 · 막료의 계선권한 침해 가능성 (책임전가) · 중앙집권화의 경향 촉진

20 위원회 조직이란 복수의 구성원으로 구성된 합의제 행정기관이기 때문에 의사결정과정이 신속하지 못하고, 합의의 도출도 용이하지 못하다는 단점이 있다.

❶ 위원회 조직의 장단점

장점	단점
· 결정의 신중성·공정성 · 합리적이고 창의성 있는 결정 · 이견의 조정과 통합 · 행정의 안정성·계속성의 확보	· 기밀 누설 우려 · 경비·시간·노력의 낭비 · 타협적 결정 · 책임의 분산

정답 16 ③ 17 ② 18 ④ 19 ② 20 ④

21 공공서비스의 공급 주체 중 정부부처행태의 공기업에 해당하는 것은? 2019년 국가직 9급

① 한국철도공사

② 한국소비자원

③ 국립중앙극장

④ 한국연구재단

22 「공공기관의 운영에 관한 법률」상 공공기관에 대한 설명으로 옳지 않은 것은? 2018년 국가직 7급 변형

① 위탁집행형 준정부기관은 기금관리형 준정부기관이 아닌 준정부기관을 의미한다.

② 기금관리형 준정부기관은 「국가재정법」에 따라 기금을 관리하거나 기금의 관리를 위탁받은 준정부기관을 의미한다.

③ 기획재정부장관은 공공기관을 공기업·준정부기관과 기타 공공기관으로 구분하여 지정하되, 공기업과 준정부기관은 직원 정원이 300인 이상인 공공기관 중에서 지정한다.

④ 기획재정부장관은 지방자치단체가 설립하고 그 운영에 관여하는 기관을 공공기관으로 지정할 수 있다.

23 공기업에 대한 설명으로 옳지 않은 것은? 2021년 국가직 9급

① 공공수요가 있으나 민간부문의 자본이 부족한 경우 공기업 설립이 정당화된다.

② 시장에서 독점성이 나타나는 경우 공기업 설립이 정당화된다.

③ 전통적인 자본주의적 사기업 질서에 반하여 사회주의적 간섭을 하는 것으로 볼 수 있다.

④ 주식회사형 공기업은 특별법 혹은 「상법」에 의해 설립되지만 일반행정기관에 적용되는 조직·인사 원칙이 적용된다.

24 「책임운영기관의 설치·운영에 관한 법률」상 책임운영기관에 대한 설명으로 옳지 않은 것은? 2019년 국가직 9급

① 책임운영기관은 기관장에게 재정상의 자율성을 부여하고 그 운영 성과에 대해 책임을 지도록 하는 행정기관의 특성을 갖는다.

② 소속책임운영기관에 두는 공무원의 총정원 한도는 총리령으로 정하며, 이 경우 고위공무원단에 속하는 공무원의 정원은 부령으로 정한다.

③ 소속책임운영기관 소속 공무원의 임용시험은 기관장이 실시함을 원칙으로 한다.

④ 기관장의 근무기간은 5년의 범위에서 소속중앙행정기관의 장이 정하되, 최소한 2년 이상으로 하여야 한다.

25 책임운영기관에 대한 설명으로 옳지 않은 것은?

① 책임운영기관은 집행기능 중심의 조직이다.

② 책임운영기관의 성격은 정부기관이며, 구성원은 공무원이다.

③ 책임운영기관은 융통성과 책임성을 조화시킬 수 있다.

④ 책임운영기관은 공공성이 강하고 성과관리가 어려운 분야에 적용할 필요가 있다.

⑤ 책임운영기관은 정부팽창의 은폐수단 혹은 민영화의 회피수단으로 사용될 가능성이 있다.

정답 및 해설

21 국립중앙극장만 책임운영기관으로, 정부부처형태의 공기업에 해당한다.

| 오답체크 |
①, ②, ④는 정부부처가 아닌 공공기관에 해당한다.
① 한국철도공사는 공공기관 중 준시장형 공기업이다.
② 한국소비자원, ④ 한국연구재단은 공공기관 중 위탁집행형 준정부기관이다.

❶ 공기관의 유형(실정법상 구분)

공기업	시장형	한국가스공사, 한국전력공사, 한국석유공사 등
	준시장형	토지주택공사, 마사회 등
준정부기관	기금관리형	공무원연금관리공단, 국민연금공단, 예금보험공사, 신용보증기금 등
	위탁집행형	국립공원관리공단, 한국산업인력공단, 대한무역투자진흥공사, 한국농어촌공사, 한국환경공단, 한국가스안전공사, 한국연구재단, 한국소비자원 등
기타공공기관		공기업과 준정부기관을 제외한 공공기관

22 지방자치단체가 설립하고 그 운영에 관여하는 공공기관은 지방공공기관으로, 기획재정부장관이 이를 공공기관으로 지정할 수 없다.

> 「공공기관의 운영에 관한 법률」제4조 【공공기관】 기획재정부장관은 다음 각 호의 어느 하나에 해당하는 기관을 공공기관으로 지정할 수 없다.
> 1. 구성원 상호 간의 상호부조·복리증진·권익향상 또는 영업질서 유지 등을 목적으로 설립된 기관
> 2. 지방자치단체가 설립하고, 그 운영에 관여하는 기관
> 3. 「방송법」에 따른 한국방송공사와 「한국교육방송공사법」에 따른 한국교육방송공사

| 오답체크 |
① 위탁집행형 준정부기관의 정의로 옳은 지문이다.
② 기금관리형 준정부기관의 정의로 옳은 지문이다.
③ 공공기관의 유형에 관한 설명으로 옳은 지문이다.

23 주식회사형 공기업은 특별법 또는 「상법」에 의하여 설립되며, 행정기관이 아니므로 일반행정기관에 적용되는 조직·인사원칙이 적용되지 않는다.

24 소속책임운영기관에 두는 공무원의 총정원 한도는 대통령령으로 정하며, 이 경우 고위공무원단에 속하는 공무원의 정원은 부령으로 정한다.

| 오답체크 |
① 책임운영기관은 책임운영기관의 장에게 행정 및 재정상의 자율성을 부여하고, 그 운영 성과에 대하여 책임을 지도록 하는 행정기관이다.
③ 소속책임운영기관 소속 공무원의 임용시험은 기관장이 실시한다.
④ 소속책임운영기관의 장은 5년의 범위에서 소속중앙행정기관의 장이 정하되, 최소한 2년 이상으로 하도록 되어 있다.

25 책임운영기관은 성과, 자율, 책임이 조화된 성과 중심의 공공기관이다. 따라서 공공성이 강하여 민영화가 곤란하나 경쟁의 원리가 필요하거나, 전문성이 요구되어 성과관리가 필요한 분야에 적용된다.

| 오답체크 |
① 결정과 집행을 분리하여 집행 기능을 중심으로 하는 조직이다.
② 공공성이 커서 민영화가 되지 않은 영역이므로 정부기관이고, 소속원은 공무원이다.
③ 자율을 부여하고 성과로 책임을 지는 조직이다.
⑤ 민영화의 회피수단으로 악용되는 문제점이 있다.

정답 **21** ③ **22** ④ **23** ④ **24** ② **25** ④

1 인간관에 대한 이론

조직 내에서의 인간관에 대한 연구는 다양한 욕구를 가진 인간을 어떻게 보며, 어떻게 관리해야 하느냐 하는 문제와 관련되어 있다. 인간을 어떤 성질을 가진 존재로 파악하느냐에 따라 행위 유발을 위한 동기가 결정되기 때문에 인간관은 동기부여에 관한 내용이론과 밀접히 관계된다. 샤인(Schein)은 인간관을 합리적·경제적 인간관, 사회적 인간관, 자아실현적 인간관, 복잡한 인간관으로 구분하였다.

1 합리적 · 경제적 인간관

1. 의의와 특징

(1) 의의

합리적·경제적 인간관은 '인간의 존재를 자신의 이익을 극대화하기 위해 행동하는 존재'로 본다.

(2) 기본적인 특징

① 조직 속의 인간은 주로 경제적 유인에 의해서 동기가 부여된다.

② 인간은 조직에 의해서 통제되고 동기화되는 수동적 인간이다.

③ 감정은 비합리적이며, 인간의 합리적 계산에 입각한 이익 추구를 방해한다.

④ 조직은 인간의 감정과 같은 주관적인 요소들을 통제할 수 있도록 설계되어야 한다.

(3) 기본모형

합리적·경제적 인간관은 조직목표와 개인목표의 조화에 관한 교환모형을 동기부여의 기본모형으로 삼고 있다.

2. 가정적 이론

합리적·경제적 인간관에 속하는 가정적 이론들은 매슬로우(Maslow)의 생리적 욕구와 안전욕구 수준의 인간관, 맥그리거(McGregor)의 X이론적 인간, 아지리스(Argyris)의 미성숙인, 앨더퍼(Alderfer)의 생존욕구, 과학적 관리론, 고전적 관료제론 등을 들 수 있다.

3. 동기유발 전략

(1) 조직체제를 합리적으로 구성하여 기계적 생산체제를 확립한다.

(2) 교환형 관리에 기초를 두고 조직구성원이 달성한 생산이나 업적에 따라 경제적 보상을 하는 유인체제를 확립한다.

(3) 교환조건에 대한 약속을 지키는지 여부를 감시·통제하고, 조직의 목적달성 노력으로부터 이탈하는 구성원을 물리적 불이익이나 제재를 통해 통제한다.

2 사회적 인간관

1. 의의

(1) 사회적 인간관은 '인간을 사회적 존재로 인식'한다. 따라서 인간은 감정과 정서의 매개를 통해 자연스럽게 이루어지는 비공식집단 속에서 안정감과 소속감에 대한 욕구를 충족하며, 일에 대한 동기가 부여된다고 본다.

(2) 그러나 사회적 인간관은 합리적·경제적 인간관과 마찬가지로 인간의 피동성과 동기부여의 외재성·욕구체계의 획일성을 원칙적으로 전제하고 있으며, 교환에 의한 관리를 동기부여의 기본으로 여긴다.

2. 가정적 이론

사회적 인간관의 대표적인 가정적 이론은 호손(Hawthorne) 실험과 매슬로우(Maslow)의 사회적 욕구, 앨더퍼(Alderfer)의 관계적 욕구 등을 들 수 있다.

3. 동기유발 전략

(1) 사회적 인간관도 합리적·경제적 인간관과 같이 기본적으로 교환모형에 입각하여, 사회적 유인과 직무수행을 교환하도록 해야 한다.

(2) 공식조직 속에 있는 자생적·비공식적인 조직(집단)을 인정하고 수용해야 한다.

(3) 중간관리층은 하급자들을 고위관리층과 연결하는 가교(架橋)역할을 담당해야 한다.

3 자기실현적 인간관

1. 의의

(1) 자기실현적 인간관은 '조직 속의 인간을 자아를 실현하려는 존재로 파악하여, 부단히 자기를 확장하고 창조하며 실현해 가는 주체'로 본다.

(2) 자기실현적 인간관은 동기유발을 위해 자율적인 업무성취와 보람있는 직업생활을 보장하도록 하는 것에 초점을 둔다.

2. 가정적 이론

자아실현적 인간관의 가정적 이론들은 매슬로우(Maslow)의 자기실현인, 맥그리거(McGregor)의 Y이론, 아지리스(Argyris)의 성숙인, 앨더퍼(Alderfer)의 성장욕구, 리커트(Likert)의 관리체제분류론(체제 Ⅲ, 체제 Ⅳ) 등이 해당된다.

3. 관리전략

(1) 조직구성원이 자신들의 직무에서 의미를 발견하여, 그에 대한 긍지와 자존심을 가지고 도전적으로 직무를 담당할 수 있도록 해야 한다.

(2) 관리자는 조직구성원을 지시하고 통제하기 보다는 면담자나 촉매자의 역할을 수행해야 한다.

(3) 조직구성원들 스스로 자기통제와 자기계발을 통해 문제를 해결하도록 해야 한다.

(4) 구성원들이 경제적·사회적인 외적 보상보다는 성취감·만족감과 같은 내적인 보상을 얻도록 하는 것이 더 중요하다.

(5) 통합형의 관리전략을 적용하여 개인과 조직의 목표를 융화하고 통합하는 방향으로 노력해야 한다. 따라서 조직구성원들을 의사결정과정에 참여시켜 참여의식을 가지고 조직목표를 위해 기여하도록 해야 한다.

4 복잡한 인간관

1. 의의

(1) 복잡한 인간관에서는 합리적·경제적 인간관이나 사회적 인간관, 자아실현적 인간관이 인간을 과도하게 단순화하거나 일반화하여, 특정한 상황의 인간을 설명하지 못하는 경우가 많다고 비판한다.

(2) 인간을 현실적으로 단순하게 일반화·유형화할 수 없는 복잡한 존재로 파악한다.

2. 가정적 이론

(1) 복잡한 인간관의 대표적인 가정적 이론은 샤인(Schein)의 복잡인, 라모스(Ramos)의 괄호인 등을 들 수 있다.

(2) 샤인(Schein)에 따르면 조직 내 인간은 다양한 욕구와 잠재력을 지닌 존재이고 인간의 동기는 상황에 따라 달라지기 때문에, 관리자는 상황적응적 관리를 통해 구성원의 관리전략을 구사해야 한다고 하였다.

3. 관리전략

(1) 관리자는 조직 내외의 여러 상황조건을 판단하여 구성원을 조직화하고 관리해야 한다.

(2) 조직구성원의 변이성과 개인차를 인식하고, 서로 다른 동기와 욕구에 적합하며 융통성 있는 진단가적·다원적 관리전략을 사용해야 한다.

2 성격형

성격은 사람들을 구별해 주고 각 개인의 고유성을 규정해 주는 어느 정도 지적인 특성의 집합이다. 조직론에서의 성격유형 연구는 성격유형에 따라 달라지는 조직인의 동기유발 양태를 설명하는 데 길잡이를 제공한다.

1 프레스더스(Presthus)의 성격형

1. 의의
프레스더스(Presthus)는 오늘날 대부분의 조직이 계층제를 기본으로 하여 관료제적으로 운영된다는 것을 전제로, 조직구성원들이 관료제적 상황에 적응하는 형태에 따라 인간형을 상승형·무관심형·모호형으로 나누었다.

2. 유형

상승형 (관료형)	· 조직에 적극 참여하는 유형으로 조직 상층부에서 형성되며, 승진 욕구가 강하기 때문에 정책이나 방침에 대한 일체감이 매우 강함 · 권력 지향적이고 권위를 존중하며, 조직의 정당성과 합리성을 높게 평가하고 자신감이 강한 유형
무관심형	조직에 대해 소외감을 느끼고 직무만족도가 낮고 남들이 하는 대로 따라가는 유형으로, 하층부에서 형성
모호형 (애매형)	· 조직에 적극 참여도, 참여 거절도 못하며 독립심이 강하고 내성적 · 권위나 규칙에 저항이 강한 유형으로, 참모조직이나 연구기관에서 발견

2 코튼(Cotton)의 성격형

1. 의의
개인이 권력에 적응하는 것을 기준으로 한 분류로, 개인은 자신이 행사할 수 있는 권력과 자신에게 행사되는 권력의 균형을 추구한다는 권력균형화 이론이다. 코튼(Cotton)은 인간유형을 독립인형, 외부관심형, 조직인형, 동료형으로 구분한다.

2. 유형

독립인형	조직에 대한 자신의 의존성을 최소화하고 상관과 조직에 대해 가능한 한 적게 관여하여, 자신에 대한 영향력을 회피하고자 하는 유형
외부관심형 (외부흥미형)	하급자가 자신의 의존성의 욕구를 조직 내·외부의 공적 의무와 관계없는 부분에서 찾으려고 하는 유형[프레스더스(Presthus)의 무관심형에 해당]
조직인형	상관과 조직으로부터 인정받고자 하여 상관을 존중하고, 상급자들과 친밀한 관계를 갖고자 하는 유형[프레스더스(Presthus)의 상승형에 해당]
동료형(이상형)	상·하급자가 지배나 복종이 아닌 동료적 입장에 있는 유형

3 다운즈(Downs)의 성격형

1. 의의

다운즈(Downs)는 조직에서 개인이 추구하는 심리적인 목표를 기준으로, 개인의 성격유형을 출세형·현상옹호형·열성형·창도가형·경세가형으로 나눈다. (1) 이 중 출세형과 현상옹호형은 자기에게 이익이 되는 목표에 의해 동기가 부여되는 사익추구형이고, (2) 열성형과 창도형·경세가형은 자기의 이익과 조직의 이익에 대한 충성심을 보유한 공·사익 혼합동기형에 해당한다.

2. 유형

사익 추구형	출세형(등반형)	자신의 권력·수입을 높게 평가하고 이를 얻으려고 노력
	현상옹호형(보전형)	신분의 유지에 관심을 가지고 현상유지에 노력
공·사익 혼합동기형	열성형	비교적 범위가 한정된 정책이나 사업의 성취에 집착
	창도형	열성형보다는 광범위한 기능에 충성하거나 조직 전체에 충성
	경세가형	사회 전체에 대하여 충성을 바치며 공공복지에 관심

3 동기부여

1 의의

1. 의의

동기란 '사람들이 일정한 방향으로 행동하도록 원인을 제공하는 동력의 집합'을 말하고, 동기부여란 '조직구성원 개인의 욕구 충족을 통하여 조직목표에 기여하도록 유도하는 조직과정'이라고 할 수 있다.

2. 동기부여에 관한 이론 – 내용이론, 과정이론❶

(1) 내용이론

동기부여의 원인이 되는 인간 욕구의 내용에 초점을 둔다.

(2) 과정이론

동기가 부여되는 과정에 초점을 둔다.

❶ 내용이론과 과정이론의 구분

내용 이론	· 매슬로우(Maslow)의 욕구 5단계론 · 앨더퍼(Alderfer)의 ERG이론 · 맥그리거의(McGreger)의 X·Y이론 · Z이론 · 아지리스(Argyris)의 성숙·미성숙이론 · 맥클리랜드(McClelland)의 성취동기이론 · 머레이(Murray)의 명시적 욕구이론 · 허즈버그(Herzberg)의 욕구충족요인 이원론 · 직무특성이론 · 리커트(Likert)의 4대 관리체제론
과정 이론	· 브룸(Vroom)의 기대이론 · 포터와 롤러(Porter & Lawler)의 업적·만족이론 · 통로·목표이론 · 아담스(Adams)의 형평성 이론 · 강화이론 · 로크(Locke)의 목표설정이론

2 내용이론

동기부여이론 중 내용이론은 '사람의 동기를 유발하는 요인의 내용(What)에 초점을 두는 이론'으로, 사람들은 일정한 기본적 욕구를 지녔으며 이러한 욕구의 충족을 가져올 행동을 하려는 동기를 가진 존재라고 보기 때문에 욕구이론이라고도 부른다.

1. 매슬로우(Maslow)의 욕구 5단계론

(1) 의의
① 매슬로우(Maslow)는 임상실험을 통해 인간이 보편적으로 지니고 있는 공통적인 욕구를 찾아내고, 이를 다섯 가지 단계로 계층화하였다.
② 이 욕구 단계에서는 한 단계의 욕구가 충족되면 이전 단계의 욕구는 더 이상 동기부여 역할을 수행하지 못하게 되고, 그 다음 단계 욕구가 새로운 동기를 유발하는 요인이 된다고 본다.

(2) 욕구의 5단계
① **생리적 욕구**: 생리적 욕구는 목마름·배고픔·수면 등과 같이 모든 욕구 가운데 가장 기본이 되는 시발점으로, 이 욕구가 충족되기 전에는 어떤 욕구도 일어나지 않는다.
② **안전욕구**: 안전욕구는 대부분의 사람들에게 일어나는 위험, 사고, 질병, 경제적 불안 등에서 벗어나 안전을 추구하는 욕구이다.
③ **사회적 욕구**: 사회적 욕구는 애정·사랑·귀속의식 등과 같이 인간이 본래 사회적 동물이기 때문에 소속감을 느끼면서 상호관계를 유지하고, 다른 사람과 함께 있고 싶어 하는 욕구이다. 집단에 귀속하고 싶은 욕구와 사람을 사귀고자 하는 욕구이다.
④ **존경욕구**: 존경욕구는 남으로부터 자신이 높게 평가받고 스스로를 존중하며, 자존심을 유지하고자 하는 욕구를 말한다.
⑤ **자아실현욕구**: 자아실현욕구는 자기완성에 대한 갈망을 의미하며, 잠재력을 가진 존재로부터 실제로 그 잠재력을 발휘하는 존재로 나아가고자 하는 욕구이다.

(3) 특징
① 인간의 동기는 다섯 가지 욕구의 계층에 따라 순차적으로 유발된다(하위욕구 → 상위욕구). 즉, 하위욕구가 어느 정도 충족되면 상위욕구가 유발된다고 주장한다.
② 동기로 작용하는 욕구는 충족되지 않은 욕구이며, 충족된 욕구는 그 욕구가 나타날 때까지 동기로써 힘을 상실한다.
③ 인간의 욕구 충족은 대개 상대적이고 모든 욕구의 완전한 충족은 있을 수 없기 때문에, 인간은 항상 무엇인가를 원하는 동물이다.
④ 생리적 욕구가 가장 우선순위가 높고, 가장 고차원적·추상적인 욕구는 자아실현욕구이다.

(4) 한계

① 인간의 욕구가 계층적으로 존재한다는 것은 확인할 수 없다.

② 개인차를 고려하지 않고 획일적으로 단계를 설정하였다.❶ 인간의 욕구는 계층이 항상 고정되어 있는 것이 아니며, 개인별로 우선순위가 달라질 수 있다.

③ 어느 한 가지 행동의 유발에 두 가지 이상의 욕구가 작용될 수도 있다.

④ 한번 충족되었다고 욕구가 사라지는 것은 아니다.

⑤ 욕구가 상위수준으로 전진하기만 한다고 했지만, 인간의 욕구는 하위수준으로 회귀하기도 한다.

2. 앨더퍼(Alderfer)의 ERG이론

(1) 의의

앨더퍼(Alderfer)의 ERG이론은 매슬로우(Maslow)의 5단계 욕구계층설을 수정하여, 인간의 욕구를 존재 · 관계 · 성장의 3단계로 나눈다.

① **존재욕구(Existence needs)**: 매슬로우(Maslow)의 생리적 욕구와 물질적인 안전욕구에 해당한다.

② **관계욕구(Relatedness needs)**: 매슬로우(Maslow)의 대인관계 차원의 비물질적 안전욕구와 사회적 욕구, 존경욕구 중 타인으로부터의 존경 · 자존심을 포함하는 욕구에 해당한다.

③ **성장욕구(Growth needs)**: 매슬로우(Maslow)의 존경욕구 중 자기로부터의 존경, 자긍심과 자아실현욕구를 포함하는 욕구이다.

(2) 매슬로우(Maslow) 이론과의 차이❷

① 매슬로우(Maslow)는 낮은 차원의 욕구가 만족되면 상위욕구로 진행해 간다는 '만족 – 진행 접근법'을 주장한 반면, 앨더퍼(Alderfer)는 상위욕구가 만족되지 않거나 좌절될 때 하위욕구를 더욱 충족시키고자 한다는 '좌절 – 퇴행 접근법'을 주장했다.

② 매슬로우(Maslow)는 사람이 한 순간에 하나의 욕구만을 취하는 분절형의 욕구단계로 이해했던 반면, 앨더퍼(Alderfer)는 두 가지 이상의 욕구가 동시에 작용되기도 한다는 복합연결형의 욕구단계를 주장하였다.

3. 맥그리거(McGregor)의 X이론과 Y이론

(1) 의의

① 맥그리거(McGregor)는 관리자가 조직 내의 인간을 X나 Y라는 두 가지 중 하나로 가정하며, 그에 따라 조직의 관리방법이나 조직구성원에 대한 동기부여 방법이 달라져야 한다고 주장하였다.

　㉠ X이론: 인간을 일하기를 싫어하는 피동적인 존재로 보고, 인간의 하급 욕구에 착안하여 외재적 통제를 강조한다.

　㉡ Y이론: 인간을 본질적으로 성장과 발전의 잠재력을 갖춘 능동적인 행동 주체로 보고, 구성원 스스로의 노력과 조직의 목표를 통합시키는 관리를 강조한다.

② 맥그리거(McGregor)의 X · Y이론은 인간의 복잡한 욕구체계와 관리체제를 너무 단순화시켜 모두 양극화하려는 무리한 시도를 한다는 비판을 받고 있다.

(2) X이론과 Y이론의 인간관과 관리전략

구분	X이론(피동적 인간관)❶	Y이론(능동적 인간관)
인간에 대한 가정 (인간관)	• 근본적으로 성격이 게으르고 일하기를 싫어함 • 책임지는 것을 좋아하지 않음 • 오로지 안정을 추구하며 새로운 도전을 좋아하지 않음	• 사람은 본성적으로 일을 싫어하는 것은 아님 • 사람은 자기가 받아들이기로 한 일을 위해 자율적으로 규제할 수 있음 • 조직목표에 헌신하여 사회적 존경을 얻고 자기실현을 하려고 함 • 개인은 적절한 조건하에서 스스로 책임을 짐
관리전략	• 엄격한 감독과 구체적인 통제 및 처벌 • 강압적·권위주의적 성향을 띠는 관리 • 교환에 의한 관리로 성과를 낸 경우 경제적 보상을 하고, 성과를 내지 못한 경우 처벌과 제재를 가함	• 경제적 보상과 인간적 보상의 조화 • 목표관리 및 자체평가제도 활성화 • 민주적 리더십의 확립 • 분권화와 권한의 위임(평면적 조직구조 발달) • 관리자는 조직목표와 개인목표가 조화될 수 있도록 해야 함
비판	• 인간이 가진 성장의 속성을 경시하고 있음 • 인간의 하위욕구 충족에만 중점을 둠 • 맥그리거(McGregor)는 인간 본질에 대한 X이론은 잘못된 것이라고 비판함	• 상황에 따라서는 관리자의 명령과 지시가 더 효과적일 수 있음을 간과 • 조직사회의 실제에 적용되기 어려운 이상적·비현실적인 내용을 담고 있음

❶ X이론의 대표이론: 과학적 관리론
과학적 관리론의 관리전략이 X이론의 관리전략이다.

4. Z이론

(1) 의의

Z이론은 X이론이나 Y이론에 부합되지 않는 욕구체계와 조직관리의 상황을 발견하면서 등장한 다양한 이론들에 대한 포괄적인 명칭이다. 다양한 Z이론들에 공통적으로 적용되는 내용적인 특징이 있는 것은 아니지만, Z이론들은 X이론과 Y이론이 설명하지 못하는 조직상황에서의 조직의 인간관리 전략을 제시한다는 점에서는 공통점이 있다.

(2) Z이론의 유형

① **룬드스테트(Lundstedt)의 Z이론 – 자유방임형 조직양태:** 룬드스테트(Lundstedt)는 조직에 관한 종래 이론들이 모형을 지나치게 단순화시키는 오류를 범하고 있다고 지적하면서, 맥그리거(McGregor)의 X(독재형·권위형)·Y(민주형)이론의 관리체제 이외에 대학이나 실험실과 같은 자유방임형 조직이나 무정부 상태에서 나타나는 조직양태를 Z이론으로 제시하고 있다.

② **로리스(D. Lawless)의 Z이론 – 상황적응적 관리:** 로리스(Lawless)는 샤인(Schein)의 복잡한 인간관에 입각하여 모든 상황에 절대적으로 적합한 이론은 없고, 조직의 관리는 상황에 따라 융통성 있게 적용되어야 한다는 상황적응적 관리이론으로 Z이론을 제시하고 있다.

③ **라모스(Ramos)의 Z이론 - 괄호인:** 라모스(Ramos)는 X이론의 인간을 작전인 (operation man) · Y이론의 인간을 반응인(reactive man)이라고 보고, 이에 속하지 않는 제3의 인간형으로서 자기의 내부세계와 환경을 떠나서 자아를 객관적으로 검토할 수 있는 능력을 가진 사람을 괄호인(parenthetical man)으로 규정하였다.

④ **베니스(Bennis)의 Z이론 - 과학적 인간:** 베니스(Bennis)는 탈관료제(post-bureaucratism)에 입각하여 후기산업사회에서 요구되는 인간을 과학적 인간으로 규정하였다. 과학적 인간형의 인간 관리전략을 Z이론이라고 하는데 이는 보편주의적 관리와 과학적인 권위를 중시하고, 인간의 창조성을 개발할 수 있도록 하며, 자유로운 커뮤니케이션과 개인의 자율성을 인정하는 것이다. 베니스(Bennis)의 과학적 인간형이 적용되는 조직은 과학연구조직처럼 이견 발표와 반대의 자유 · 개인에 대한 존경이 지배하고, 모든 형태의 전체주의 · 획일주의적 통제 등이 배제된 조직이어야 한다고 보았다.

⑤ **오우치(Ouchi)의 Z이론 - 경영가족주의**

ⓐ **의의:** 오우치(Ouchi)는 미국식 관리방식을 A이론 · 일본식 관리방식을 J이론이라고 부르고, 미국 내에서의 일본식 관리방식을 Z이론이라고 명명하여, Z이론과 J이론이 A이론보다 성과가 높다고 하였다. Z이론의 관리는 조직구성원 사이의 상호의존성과 동료의식, 평등, 참여 등을 강조하는 참여관리라고 할 수 있다.

ⓑ **J이론, Z이론, A이론의 비교**

구분	전형적 일본조직(J)	Z유형의 미국조직(Z)	전형적 미국조직(A)
고용	종신 고용	장기 고용	단기 고용
평가	엄격한 평가 · 느린 승진	엄격한 평가 · 느린 승진	신속한 평가 · 빠른 승진
경력 경로	비전문화된 경력 경로	다기능적 경력 경로	전문화된 경력 경로
통제	비공식적 · 암시적 통제	비공식적 · 암시적 통제	공식적 · 가시적 통제
의사결정	집단적 의사결정	집단적 의사결정	개인적 의사결정
책임	집단 책임	개인 책임	개인 책임
관심	총체적 관심	총체적(전인격적) 관심	조직 내 역할에 관심

5. 허즈버그(Herzberg)의 욕구충족요인 2원론(불만요인, 만족요인)

(1) 의의

① 허즈버그(Herzberg)는 인간의 욕구를 불만과 만족이라는 이원적 구조로 파악하여, 불만을 일으키는 요인(불만요인 · 위생요인)과 만족을 주는 요인(만족요인 · 동기부여요인)은 상호 독립적이라는 욕구충족요인 2원론을 제시하였다.

② 허즈버그(Herzberg)는 만족의 반대를 불만족이 아니라 만족이 없는 상태로, 불만족의 반대를 만족이 아니라 불만족이 없는 상태로 규정한다.

(2) 각 요인의 내용

① **불만요인(위생요인):** 개인의 불만족을 방지하는 효과를 가져오는 요인으로, 충족되지 않으면 심한 불만을 일으키지만, 충족되어도 적극적으로 만족감을 느끼거나 동기를 유발하지는 않는다. 불만요인이 제거된 개인에게는 근무태도의 단기적 변동만 있을 뿐 장기적 효과는 없게 된다. 불만요인으로는 규정과 관리, 임금, 감독, 기술, 작업조건, 감독자와 부하의 관계, 동료 간의 관계 등이 해당한다.

② **만족요인(동기요인):** 이를 충족시켜주면 동기가 부여되는 것으로, 직무 그 자체·승진·책임감·성취감 등이 있다. 조직원의 만족감을 높이고 동기를 유발하며, 조직원의 능력을 최대한 활용하기 위해서는 직무확충(job enrichment)❶을 해야 한다.

❶ 직무확대(job enlargement)와 직무확충(job enrichment)
1. **직무확대:** 직무의 책임도에 차이가 없는 수평적 관계의 직무를 추가·확대하는 것을 말한다.
2. **직무확충(직무충실, 직무풍요화):** 직무 담당자의 책임성·자율성을 높이는 수직적 강화를 의미한다.

> ◈ **핵심정리** 허즈버그(Herzberg)의 위생요인과 동기요인

요인	불만요인(위생요인)	만족요인(동기요인)
성격	근무환경요인 또는 직무맥락 (물리적·환경적·대인적 요인)	직무요인(사람과 직무와의 관계)
예	정책과 관리, 임금, 지위, 안전, 감독, 기술, 작업조건, 조직의 방침과 관행, 개인 상호 간의 관계(감독자와 부하·동료 상호 간의 관계) 등	성취감(자아계발), 책임감, 인정감, 승진, 직무 그 자체에 대한 보람, 직무충실, 성장 및 발전 등

(3) 평가

① **공헌:** 인간에게 만족을 주는 요인과 불만족을 방지하는 요인은 서로 다른 차원이라는 것을 제시함으로써 조직관리의 측면에 실질적으로 공헌하였다.

② **한계**

㉠ 개인차에 대한 고려가 없었다. 위생요인도 구성원들에게 동기부여 요인이 될 수 있는 경우가 있다.

㉡ 중요사건기록법에 의한 자료수집으로 동기요인에 대한 과대평가가 이루어지고 있다.

㉢ 연구대상이 회계사 등 전문직 종사자였기 때문에 일반화에 어려움이 있다.

㉣ 직무요소와 동기 및 성과 간의 관계가 충분히 분석되어 있지 않고, 개인의 만족도와 동기수준의 관계에 대해서도 제대로 설명하지 못하고 있다.

6. 아지리스(Argyris)의 이론(성숙·미성숙이론과 악순환모형)

(1) 성숙·미성숙이론

① 아지리스(Argyris)는 인간은 미성숙에서 성숙으로 나아간다고 보고, 관리자의 역할은 구성원을 최대한 성숙 상태로 나아가게 하는 것이라고 주장하였다.

② 성숙한 인간의 욕구에 대응하기 위하여는 ㉠ 직무확대, ㉡ 참여적이고 조직구성원 중심적인 리더십, ㉢ 현실 중심적 리더십에 입각한 관리가 필요하다고 주장하였다.

③ 미성숙과 성숙의 비교

미성숙 ◀	▶ 성숙
수동적 활동	능동적 활동
의존적 상태	독립적 상태
변덕스럽고 얕은 관심	깊고 강한 관심
단기적 전망	장기적 전망
종속적 지위에 만족	대등 내지 우월한 지위에 만족
단순한 행동	다양한 행동
자기실현의 결여	자기실현 및 자기규제 가능

(2) 악순환모형

① 아지리스(Argyris)는 조직이 생존하기 위한 에너지를 기계적 에너지 · 인간생리적 에너지 · 인간심리적 에너지로 구분하고, 개인 간의 관계를 다루는 데 있어 인간심리적 에너지를 중심으로 연구하였다.

② 인간심리적 에너지는 개인의 심리적인 성공경험이 많을수록 증가하게 되고, 실패의 경험이 많을수록 감소하게 된다. 조직은 때로 심리적인 성공경험에 반하는 근무환경을 조성하기도 하는데, 이런 상황에서 개인은 소극적 입장에서 적응행동을 하게 되고, 이같은 조직과 개인의 상호작용이 반복되어 양자의 관계는 근무의욕 저하라는 악순환의 과정을 되풀이하게 된다.

7. 맥클리랜드(McClelland)의 성취동기이론

(1) 의의

① 맥클리랜드(McClelland)는 동기가 개인이 사회문화와 상호작용하는 과정에서 취득되고 학습을 통하여 개발될 수 있다는 것을 전제로, 개인의 욕구 중 사회문화적으로 학습된 욕구들을 성취욕구 · 권력욕구 · 친교욕구로 분류하였다.

② 맥클리랜드(McClelland)는 모든 사람이 공통적으로 비슷한 욕구의 계층을 가지고 있다고 주장한 매슬로우(Maslow)의 이론을 비판하면서, 개인마다 욕구의 계층에 차이가 있다고 주장했다.

(2) 욕구의 유형

맥클리랜드(McClelland)는 세 가지 욕구가 권력동기 · 소속동기 · 성취동기 순으로 발달된다고 보고, 성취동기가 높을수록 생산성이 높아진다고 하였다.

① **권력욕구**: 타인의 행동에 영향을 미치거나 통제하려는 욕구를 말한다.

② **친교욕구**: 다른 사람과의 관계 유지나 사회적 교류에 높은 관심을 가지고 있으며, 조직 집단으로부터 소외를 피하고자 하는 욕구를 말한다.

③ **성취욕구**: 우수한 결과를 얻기 위하여 높은 기준을 설정하고, 이를 달성하려는 욕구를 말한다.

(3) 성취욕구가 강한 사람의 특징

① 아주 쉽지도 아주 어렵지도 않은 중간 수준의 적당한 성취목표를 설정하고, 계산된 위험을 선호하는 경향이 있다.

② 문제를 해결하는 데 개별적인 책임을 떠맡는 환경을 선호한다.

③ 변화를 추구하고 미래지향적이다.

④ 낮은 목표에서 높은 목표로 스스로 목표를 단계적으로 상향조정해 나가는 성향이다.

⑤ 자신이 얼마나 일을 잘 수행하고 있는가에 대하여 구체적인 피드백을 받아보기를 원한다.

⑥ 위험 요소가 중간 정도 수준인 경우를 선호한다.

8. 머레이(Murray)의 명시적 욕구이론

(1) 의의

① 명시적 욕구이론은 '인간의 욕구는 미리 정해진 순서에 따라 추구되는 것이 아니며, 동기는 명시적으로 대두된 욕구에 의해서 유발된다는 이론'이다.

② 인간은 복수의 욕구를 가지고 있으나 욕구가 단계적으로 발현되는 것은 아니며, 복수의 욕구가 동시에 동기에 영향을 미친다고 본다. 또한 각각의 욕구는 방향과 강도를 가지는데, 방향은 욕구를 충족시킬 것으로 기대되는 대상을 말하며, 강도는 욕구의 중요성을 의미한다.

③ 명시적 욕구(manifest needs)는 학습된 욕구이다. 따라서 욕구가 발현되기 위해서는 적당한 환경이 조성되어야 한다고 본다.

(2) 매슬로우(Maslow) 이론과의 비교

① **유사점**: 인간의 행동을 유발하는 욕구가 존재한다고 보았다는 점에서는 매슬로우(Maslow)의 이론과 유사하다.

② **차이점**: 미리 정해진 순서에 의해서 욕구가 충족되는 것이 아니라, 복수의 명시적인 욕구가 동시에 인간의 행동에 동기부여를 한다고 본다.

9. 핵맨과 올드햄(Hackman & Oldham)의 직무특성이론

(1) 의의

① 직무특성이론은 '직무의 특성이 직무수행자의 성장욕구 수준에 부합될 때 직무가 그 직무수행자에게 더 큰 의미와 책임감을 주고, 긍정적인 동기유발효과를 초래하게 된다는 이론'이다.

② 개인의 성장욕구 수준이 직무특성과 심리상태, 심리상태와 성과 간의 관계를 결정하는 변인으로 작용한다는 가정에 입각한다. 즉, 직무수행자의 성장욕구 수준이라는 개인차를 고려하고 있다.

③ 직무의 특성은 직무수행자인 개인의 심리상태에 영향을 미치고, 궁극적으로 조직의 성과에 영향을 미친다고 본다.

(2) 내용

① **직무특성의 작용**: 기술다양성 · 직무정체성 · 직무중요성 · 자율성 · 환류 등의 다섯 가지 직무의 특성이 상호작용하면서 동기를 유발시키며, 특히 자율성과 환류가 동기부여에 많은 영향을 미친다고 주장하였다.

② 기술의 다양성(diversity): 직무를 수행하는 데 요구되는 기술의 '종류'가 얼마나 여러 가지인가를 의미한다.

③ 직무의 정체성(identity): 직무의 내용이나 '하나의 제품·서비스를 처음부터 끝까지 완성시킬 수 있도록 구성되어 있는가, 아니면 제품의 어느 특정 부분만을 만드는 것인가'하는 직무의 '완결도'를 의미한다.

④ 직무의 중요성(significance): 개인이 수행하는 직무가 조직 내 또는 조직 밖의 다른 사람들의 삶과 일에 얼마나 큰 '영향'을 미치는가를 의미한다.

⑤ 자율성(autonomy): 개인이 자신의 직무에 대하여 개인적으로 느끼는 '책임감'의 정도를 의미한다.

⑥ 환류(feedback): 직무 자체가 주는 직무수행의 '성과에 대한 정보의 유무'를 의미한다.

10. 리커트(Likert)의 4대 관리체제론

(1) 의의

① 리커트(Likert)는 조직개혁을 위한 조사연구에서 정책결정에의 참여를 기준으로 관리방식을 4가지로 분류하였다.

② 조직이 위기 시나 단기적인 생산성 향상이 필요한 경우에는 '체제 I'이, 조직이 안정되어 있을 때에는 '체제 IV'가 효과적이라고 본다.

③ 대체로 체제 IV에 가까울수록 생산성이 향상된다고 하여, 목표관리(MBO)를 이론적으로 뒷받침하고 있다.

(2) 체제의 유형

정책결정에의 참여를 기준으로 한다.

체제 I (수탈적 권위형)	권위형(정책결정 과정에 부하의 참여 배제)
체제 II (온정적 권위형)	
체제 III (협의적 민주형)	민주형(정책결정 과정에 부하의 참여 보장)
체제 IV (참여적 민주형)	

3 과정이론

과정이론은 '동기의 내용보다 어떤 과정을 거쳐서(How) 동기가 유발되는가에 초점을 두는 이론'이다. 동기유발에 관한 다양한 변수들이 어떻게 상호 작용하여 조직구성원의 행동을 일으키게 되는가에 대한 설명을 시도한다.

1. 브룸(Vroom)의 기대이론(선호·기대이론)

기대이론(expectancy theory)은 욕구충족과 직무수행 사이의 직접적이고 적극적인 상관관계에 회의를 표시하고, 욕구와 만족·동기유발 사이에 기대라는 요인을 포함시켜 동기유발의 과정에 대해 설명하고자 하는 이론이다.

(1) 기본개념

① 기대감(expectancy)

ⓐ 일정한 노력을 기울이면 근무 성과를 가져올 수 있으리라는 가능성에 대한 인간의 주관적인 확률과 관련된 믿음을 기대감이라 한다.

ⓑ 브룸(Vroom)은 성과에 영향을 미치는 요인으로 노력을 가장 중시하였으며, 노력 이외에도 직무수행능력과 직무수행에 필요한 여러 가지 환경적 요인을 들었다.

② 수단성(instrumentality)

ⓐ 1차 수준의 결과가 2차 수준의 결과를 가져오게 될 것이라는 개인의 믿음의 강도를 말한다.

ⓑ 기대감이 노력과 성과 간의 관계에 대한 믿음이라면, 수단성은 성과와 보상 간의 관계에 대한 믿음이다.

③ 유인가(valence)

ⓐ 특정 결과에 대해 개인이 갖는 선호의 강도를 말한다.

ⓑ 보상의 중요성에 대한 주관적인 선호의 강도를 유의성이라고 한다.

(2) 이론적 가정

① 사람들은 여러 가지 행동으로 인해 발생할 것으로 생각되는 결과에 대해 선호 (preference)라는 주관적인 가치를 부여한다.

② 동기부여의 정도는 사람들이 선호하는 결과를 가져오는 데 있어서, 자신의 특정한 행동이 그 결과를 가져오는 수단이 된다고 믿는 정도에 따라 달라진다.

(3) 동기부여

사람들이 결과를 예측하기 어려운 대안들 가운데서 어떤 것을 선택할 때, 그 사람의 행동은 결과에 대한 선호뿐만 아니라 그러한 결과를 가져오는 것이 가능하다고 어느 정도 믿는가에 의해서도 영향을 받는다. 따라서 봉급을 더 많이 받기 위해 열심히 일 해보겠다는 동기(봉급인상에 대한 선호가 큰 경우)는 상위직으로 승진하면 틀림없이 봉급을 많이 받을 것이라는 믿음이 강할수록 커지게 된다.

2. 포터(Porter)와 롤러(Lawler)의 업적·만족이론❶

(1) 의의

① 포터(Porter)와 롤러(Lawler)의 업적·만족이론은 ⓐ 보상에 대해 개인이 부여하는 가치와 ⓑ 개인이 인지하고 있는 노력 – 보상 확률이 개인의 동기에 영향을 미치는 것으로 본다.

② 포터(Porter)와 롤러(Lawler)의 업적·만족이론과 종래의 기대이론과의 차이점: 기대이론은 만족이 직무성취를 가져오는 것으로 보았으나, 업적·만족이론은 직무성취의 수준이 직무만족의 원인이 된다고 보았다는 데 있다.

(2) 주요내용

① 개인의 노력이 보상을 가져다 줄 것이라는 확률을 높이고, 그 보상이 매우 가치 있다고 느낄 때, 동기부여의 수준은 높아지게 된다.

❶ 업적·만족이론

노력
⇩

업적

업적이 다른 이유
· 능력의 차이
· 역할인지 차이

⇩

보상

· 외재적 보상(승진, 보수 인상)
· 내재적 보상(성취감): 내재적 보상의 중요성 강조
· 보상의 공평성 ↑ ⇨ 만족 ↑

⇩

만족

② 개인은 업적에 의해서 내·외적 보상을 받게 되는데, 이러한 보상은 자기가 받아야 한다고 기대하는 정당한 수준 이상에 도달해야만 기대감(만족감)을 충족시키고, 그 업적을 달성하고자 노력하는 개인의 동기를 강화시킨다. 이 경우 외재적 보상(승진·보수인상)보다는 내재적 보상(성취감)이 훨씬 중요하다.

③ 주어지는 보상은 공평한 것으로 지각되어야 하는데, 개인이 불공평하다고 지각하면 만족을 줄 수 없게 된다.

3. 조고풀러스(Georgopoulos) 등의 통로·목표이론(path-goal theory)

(1) 조고풀러스(Georgopoulos) 등은 특정한 것을 생산하려는 개인의 동기는 ① 그가 추구하려는 목표에 반영되어 있는 개인의 욕구와 ② 그러한 목표달성을 가능케 하는 수단(통로)으로, 생산활동이 얼마나 효과적으로 작용할 것인가에 대한 개인의 지각에 달려있다고 한다.

(2) 노동자가 생산을 증대시킴으로써 개인의 목표를 달성할 수 있다고 생각하는 경우 조직은 높은 생산성을 달성하는 반면, 반대의 경우에는 생산성이 저하된다.

4. 아담스(Adams)의 형평성(공정성)이론

(1) 의의

① 아담스(Adams)의 형평성(공정성)이론은 '인간의 행위는 타인과의 관계에서 형평성·공정성을 유지하는 쪽으로 동기가 부여된다는 이론'이다.

② 개인은 준거인(능력이 비슷한 동료)과 비교하여 자신의 노력과 보상 간에 불일치(보상의 불공평성)를 지각하면, 이를 제거하는 방향으로 동기가 부여된다는 것이다.

③ 공평성의 여부는 자신의 투입·산출을 준거인의 투입·산출과 비교하여 평가하게 된다.

④ 아담스(Adams)는 조직 내 공정한 평가의 중요성을 강조한다.

(2) 구성요소

① **투입**: 조직으로부터 보상이 자신에게 제공되기를 기대하면서 자신이 먼저 조직에 주었다고 지각하는 것을 말한다. 투입에는 직무수행에 동원한 노력, 기술, 교육, 경험, 사회적 지위 등이 포함된다.

② **산출**: 투입에 대한 대가로서 개인이 받게 되는 수익이나 비용을 말한다. 산출에는 보수, 승진, 직무만족, 학습기회, 작업조건, 단조로움, 불확실성, 시설의 사용 등이 포함된다.

③ **준거인물**: 자신의 투입에 대한 산출의 비율을 비교하는 대상인물을 말한다. 조직 내에서 비교대상이 되는 직원은 같은 부서 내의 직원일 수도 있고, 다른 부서의 직원일 수도 있다.

④ **형평성·불형평성**: 본인의 투입에 대한 산출의 비율과 비교 대상의 투입에 대한 산출의 비율을 비교하면서 발생하는 개념이다.

(3) 동기부여에 따른 반응

① **과소보상**: 급료를 인상하여 달라는 등의 편익증대를 요구, 노력을 줄여 투입을 감소, 산출의 왜곡, 준거인물의 변경, 조직에서의 이탈 등이 나타난다.

② **과다보상**: 부담을 느끼고 편익감소를 요청하거나 노력을 더하는 등 투입을 증대한다.

5. 강화이론(순치이론)

(1) 의의

① 강화이론(reinforcement theory) 또는 학습이론(learning theory)은 '학습이라는 과정을 통하여 동기가 유발되는 과정을 설명하는 이론'으로, 스키너(Skinner)의 조작적 조건화 이론과 관련성이 깊다. 학습을 통하여 인간을 길들인다 하여 순치(馴致)이론이라고도 한다.

② 학습이론에서는 외적 자극에 의하여 학습된 행동이 유발되는 과정 또는 어떤 행동이 왜 지속되는가를 밝히려고 노력한다. 조직이 바라는 행동(반응)을 하면 그에 결부시켜 강화요인을 제공하고, 바람직하지 않은 행동을 하면 처벌하여 바람직한 행동을 학습시켜야 한다는 것이다.

③ 기존의 동기이론들이 주로 행동의 원인과 관련된 내면적·심리적 과정을 다루었던 반면, 학습이론은 '어떤 외부적 조건에 의하여 어떤 일관된 행동(행태)이 나타나는가'라는 외적인 행태변화에 초점을 맞춘 '행태론적 동기이론'이다.

④ 보상받는 행태는 반복되지만, 보상받지 않는 행태는 중단·소멸된다는 손다이크(Thorndike)의 효과의 법칙(law of effect)에 근거를 두고 있다.

(2) 조작적 조건화 – 스키너(Skinner)❶

스키너(Skinner)는 쥐가 상자 속의 지렛대를 누를 때마다 먹이가 제공될 수 있는 장치를 설계하여 실험을 실시한 결과, 쥐는 학습을 하게 되고 배고플 때마다 지렛대를 누르게 된다는 점을 밝혀내었다.

반응 행동	강화의 유형	영향
바람직한 행동	적극적(긍정적) 강화	바람직한 행동의 반복
	소극적(부정적) 강화	
바람직하지 않은 행동	처벌(punishment)	바람직하지 않은 행동의 감소
	중단(extinction, 소거)	

① **적극적 강화**: 행위자가 원하는 상황을 제공하는 것으로, 자극에 따른 반응 행동에 관해 제공되는 보상이나 기타 바람직한 결과 등을 의미한다. 대표적인 예로는 칭찬, 보상, 승진, 긍정적인 인정 등이 있다.

② **회피(소극적인 강화)**: 행위자가 싫어하는 상황을 제거하는 것으로, 부정적 강화라고도 한다. 이는 바람직한 빈도를 높이기 위한 또 하나의 수단으로, 바람직한 행동에 대한 보상을 해주는 것이 아니라 바람직하지 않은 결과를 회피시켜 줌으로써 바람직한 행동의 빈도를 늘리는 것이다.

❶ 인지적 학습이론
1. 조건화이론의 수동적 인간관에 반발로서 제기된 이론이다.
2. 외부자극보다 내면적 욕구·기대·만족 등 자발적 인지가 학습의 동력이라고 본다.

핵심 OX

01 아담스(Adams)는 평등성을 지각하면 동기부여가 된다고 본다. (O, X)

02 준거인물과 비교했을 때 과소보상은 불평등이지만 과다보상은 평등이다. (O, X)

03 강화이론은 내면적·심리적 과정을 중시한다. (O, X)

01 X 불평등을 지각하면 동기 부여가 된다.
02 X 과소 보상, 과다 보상 모두 불평등이다.
03 X 외적 자극을 동기 부여의 원인으로 보며, 주관적·심리적 요인은 아니다.

③ **소거(중단):** 적극적 강화와 회피가 바람직한 행동의 빈도를 증가시키고자 할 때 사용된다면, 소거는 바람직하지 않는 행동, 특히 전에 보상을 받아 강화된 행동이지만 이제는 그 정도가 지나쳐 바람직하지 않게 된 행동의 빈도를 줄이고자 할 때 사용된다.

④ **처벌:** 행위자가 싫어하는 상황을 제공하는 것으로, 바람직하지 않는 행동에 대해 바람직하지 않은 결과를 제시(제공)하는 것이다.

(3) 강화계획

① **의의**

㉠ 강화일정 또는 강화계획은 '강화요인의 제공 시점과 빈도를 조절함으로써 조직이 바라는 행동을 지속시키는 것'을 말한다.

㉡ 강화(보상)는 상황에 따라 다르게 나타날 수 있다.

② **종류**

㉠ **연속적 강화:** 바람직한 행동이 일어날 때마다 강화요인을 제공하는 것이다. 초기학습단계에서 바람직하나, 관리자에게는 큰 도움을 주지 못한다.

㉡ **고정간격 강화:** 행동이 얼마나 발생하는가에 상관없이, 미리 결정된 일정한 시간간격으로 강화요인을 제공하는 것이다. ⑩ 월급 등

㉢ **변동간격 강화:** 불규칙적(변동적)인 시간간격으로 강화요인을 제공하는 것이다. ⑩ 승진 등

㉣ **고정비율 강화:** 일정한 빈도의 바람직한 행동이 나타났을 때 강화요인을 제공하는 것이다. 행동(성과나 생산량)의 일정비율에 대하여 강화요인을 제공하는 것으로, 일정한 횟수의 행동에 대해 보상이 제공된다.
⑩ 판매량에 따른 성과급 지급 등

㉤ **변동비율 강화:** 불규칙한 횟수의 바람직한 행동이 나타났을 때 강화요인을 제공하는 것이다. 즉, 강화요인을 제공하는데 필요한 행동(성과나 생산량)의 횟수가 시간에 따라 변동하는 것을 의미한다.
⑩ 칭찬, 특별 보너스 등

6. 로크(Locke)의 목표설정이론

(1) 의의

① 로크(Locke)는 목표가 가장 강력한 동기유발 요인이라는 목표설정이론(goal setting theory)을 제시하였다. 사람들은 일을 할 때 욕구의 충족을 추구하는 것이 아니라, 설정된 목표를 달성하기 위하여 열심히 일한다는 것이다.

② 목표설정이론에서는 목표의 구체성과 난이도에 의하여 개인의 성과가 결정된다고 본다.

(2) 내용

① **목표와 성과:** 성과는 목표의 특성 및 종류에 따라 결정되며, 그 영향의 정도는 여러 가지 상황요인에 따라 달라진다는 이론이다.

② **목표의 특성**

㉠ 구체적이고 명확한 목표는 개인에게 노력의 명확한 방향을 제시해준다.

㉡ 난이도가 높은 도전적 목표는 노력의 강도를 높여준다.

© 결국 목표가 명확하고 적당히 어려울 때 더욱 노력하게 된다는 것이다. 막연히 '최선을 다하라'는 식의 추상적 목표는 그 어느 것도 충족시키지 못하기 때문에 성과를 향상시키지 못한다고 주장하였다.

✅ 개념PLUS X이론과 Y이론의 구별

맥그리거(McGregor)	X 이론			Y 이론	
룬드스테드(Lundstedt)	권위형·독재형			민주형	
라모스(Ramos)	작전인(operational man)			반응인(reactive man)	
아지리스(Argyris)	미성숙인			성숙인	
리커트(Likert)	권위형 – 체제 Ⅰ·Ⅱ			민주형 – 체제 Ⅲ·Ⅳ	
매슬로우(Maslow)	생리적 욕구	안전욕구	소속·애정 욕구	존경욕구	자아실현 욕구
샤인(Schein)	경제인·합리인		사회인	자아 실현인	
앨더퍼(Alderfer)	존재·생존 (Existence)		관계 (Relatedness)	성장 (Growth)	
허즈버그(Herzberg)	불만·위생요인			만족·동기요인	

✅ 개념PLUS 윌리엄스와 앤더슨(Williams & Anderson)의 조직시민행동❶

개인 차원	이타적행동 (altruism)	・조직 내 과업이나 발생하는 문제와 관련하여 다른 구성원을 도와주는 행위 ・대상은 조직 내부 구성원이나 외부인도 조직의 과업과 연관되면 이에 해당	신입사원의 적응 돕기, 아픈 동료 돕기 등
	예의성 (문제예방적 행동, courtesy)	・직무수행 과정에서 발생할 수 있는 갈등을 사전에 예방하기 위해 다른 구성원들을 세심하게 배려 ・자신의 의사결정이나 행동에 따라 영향을 받을 수 있는 다른 구성원들과 사전적으로 연락을 취해 필요한 양해를 구하고 의견 조율	정보공유, 사전협의 등
조직 차원	양심적행동 (성실성, conscientiousness)	・조직 내 구성원이 조직에서 요구하는 최저수준 이상의 역할을 자발적으로 수행 ・자신의 양심에 따라 조직의 명시적 암묵적 규칙을 충실히 준행	조기출근, 회사비품 아껴 쓰기, 작업장주변 정돈 등
	스포츠맨십 (신사적행동, sportsmanship)	・조직 내 발생하는 문제에 대한 비난을 삼가고 고충을 인내하며 묵묵히 직무를 수행 ・조직이나 다른 구성원과 관련하여 불만 불평이 생겼을 경우, 뒤에서 험담하고 소문내기보다 긍정적 측면에서 이해하고자 노력하는 행동	불평·불만자제, 험담하지 않기 등
	시민정신 (공익성, civic virtue)	구성원이 조직에 애착·책임감을 가지고 적극적 태도로 직무를 수행하여, 조직의 발전을 위해 혁신적 태도로 참여하는 것	조직의 정책에 대한 관심 제안, 관련 이슈 토론 등

❶ 조직시민행동

1. 의의
   ・조직원이 자신의 직무에서 요구되는 의무 이상의 자발적이고 이타적인 행동을 보임으로써 조직의 효율성에 기여하는 행동이다.
   ・조직원들이 조직을 위해 보이는 자발적이고 이타적인 행동이다.
2. 관계: 절차공정성 지각 및 분배공정성 지각은 조직시민행동에 긍정적 영향을 미치나, 역할모호성 지각은 조직 시민 행동에 부정적 영향을 미친다.

❶ 더글라스(Douglas)의 신문화이론

특성론적 접근방법	· 조직효과성을 향상시킬 수 있는 특정한 문화특성이 존재한다는 것 · 긍정적인 문화특성을 가지고 있는 조직이 그렇지 못한 조직에 비하여 효과성이 높음
문화 강도적 접근 방법	· 조직효과성을 향상시키기 위해서는 강한 문화가 필요하다는 것 · 조직구성원들이 가치를 강하게 공유하고 있는 조직이 효과성이 높음
상황론적 접근방법	조직문화의 상황요인과의 적합성에 따라 조직효과성이 달라질 수 있다는 것
문화 유형론적 접근방법	조직의 문화유형에 따라 조직효과성이 달라진다는 것

❷ 새폴드(Saffold)의 조직문화 접근법

구분		집단성	
		낮음(약함)	높음(강함)
규칙성	낮음	· 개인주의 문화 · 낮은 집단성 + 낮은 규칙성 · 개인의 집단선택의 자유와 행동의 자유가 보장되는 문화 예 자유방임사회, 시장 등	· 평등주의 문화 · 높은 집단성 + 낮은 규칙성 · 집단의 경계는 확실하지만 집단 내 개인 활동의 규칙성은 낮은 문화 · 집단 내 행동은 구성원들 참여로 결정 예 소규모 정착촌, 생태마을 등
	높음	· 운명주의 문화 · 낮은 집단성 + 높은 규칙성 · 경직된 관례에 의해 운영되는 원자화된 사회 예 식민지 사회, 인도의 카스트 사회 등	· 위계주의 문화 · 강한 집단성 + 높은 규칙성 · 집단 간 경계와 집단 내 역할 관계가 명확함

1 조직문화❶❷

1. 의의

(1) 조직문화(organizational culture)란 사회문화의 한 하위체제로, 조직구성원들이 공유하는 보편적인 생활양식 내지는 행동양식의 총체를 말한다.

(2) 구성원의 신념, 전제, 인지, 행동규범, 의식구조, 사고방식 등 가치의식의 통합이다.

2. 조직문화의 특성

(1) 조직문화는 인간의 사고와 행동을 결정하는 주요 요인이다(문화결정론).

(2) 조직문화는 본능(유전)이 아니라 사람이 만들어 내는 것으로, (후천적)학습에 의하여 생성·공유되는 집합체이자 사회적 유산이다.

(3) 조직문화는 역사적 유산으로서 후속세대에 전수된다.

(4) 조직문화는 기본적인 통합성을 유지하면서도 여러 다양한 하위문화를 내포한다. 즉, 보편성(통합성)과 개별성(다양성)이라는 양면성을 띤다.

(5) 조직문화는 쉽게 변동되지 않는 변동저항성·안정성을 지닌다.

3. 조직문화의 기능

(1) 순기능

① 문화는 조직의 안정성과 계속성을 유지시킨다.

② 구성원의 일탈행위에 대한 통제기능을 한다.

③ 구성원을 통합하여 응집력과 동질감·일체감을 높여줌으로써 사회적·규범적 접착제로서의 역할을 한다.

④ 조직의 경계를 설정하여 조직의 정체성을 제공한다.

⑤ 구성원들로 하여금 조직에 몰입하도록 한다. 문화가 강하면 조직몰입도가 높아진다.

⑥ 모방과 학습으로 구성원으로 하여금 물리적·사회적 적응을 촉진시켜 구성원을 사회화하는 기능을 한다.

⑦ 규범의 공유로 조직의 생산성을 높이고, 조직에 대한 충성심과 복종심을 유도하기도 한다.

(2) 역기능

① 초기에는 문화가 순기능을 하지만, 장기적으로는 그 경직성으로 인하여 환경에의 적응성을 떨어뜨리고 변화와 개혁에 장애가 되기도 한다.

② 집단사고의 폐단으로 인하여 유연성과 창의력을 저하시킨다.

③ 부서별 독자적인 조직문화로 인하여 조정과 통합에 애로가 따른다.

2 행정문화

1. 선진국의 행정문화

(1) 합리주의[1]

모든 객관적인 지식을 동원해서 최적의 의사결정을 하려는 태도이다. 즉, 정책결정 과정에서 개인 간의 자유스러운 의견 개진과 정보교환으로 가장 보편성을 지닌 의견을 찾으려고 하는 것이다.

(2) 성취주의

인간의 능력을 평가할 때 출신성분이나 종교·출신지역 등의 집단 또는 귀속적인 요소에 의해서 평가하는 것이 아니라, 개인의 실적이나 자격 등 객관적인 요소에 의해 평가하는 것을 말한다.

(3) 상대주의·다원주의·세속주의

어떠한 가치라도 시기와 장소에 따라 다르게 평가될 수 있다는 유연한 상대적 태도와 절대유일의 최선의 가치에 집착하지 않고 다양한 분야의 가치를 인정하는 다원주의를 추구한다. 그리고 국민 개개인의 현실적인 주장과 이익이 정책에 반영되는 세속주의를 특징으로 한다.

(4) 모험주의

자연을 극복하고 항시 새로운 것과 더 나은 것을 추구하는 태도를 말한다. 따라서 모험주의는 시행착오(trial and error)를 무서워하지 않는다.

(5) 사실정향주의

가치판단의 제1의 기준이 객관적인 사실(fact)이라는 것이다. 사실정향주의가 보편화되어 있는 사회에서는 고정관념에 의한 편견이나 자의적인 판단에 의하여 의사결정을 하는 모습을 찾아보기 힘들다.

(6) 전문주의(specialism)

전문지식으로 무장된 전문행정가를 중시하며, 행정의 전문화를 높여준다.

2. 후진국의 행정문화

(1) 가족주의(온정주의)

행정이라는 공적 세계를 가족의 한 형태로 파악하는 의식구조를 말한다. 이러한 사회에서는 조직구성원 간의 화합과 계서적 질서가 강조되지만, 공(公)·사(私)의 구별이 불분명해지는 사인주의(私人主義)나 관직을 국민에 대한 봉사 수단이나 하나의 직업으로 생각하지 않고 출세와 이권의 수단이나 사유물로 생각하는 관직사유관(관직이권주의)이 나타난다.

(2) 권위주의

조직 내·외의 관계를 평등의 관계보다는 수직적인 관계로 보고 지배·복종의 위계질서를 강조하는 태도이다. 그 예로는 관지배주의나 관우월주의 또는 관존민비사상이 있으며, 권위주의는 내부적으로 집권화를 초래하고 대외적으로는 비민주화를 초래한다.

---

❶ 홉스테드(Hofstede)의 문화 차원

권력거리	조직이나 단체에서 권력이 작은 구성원이 권력의 불평등한 분배를 수용하고 기대하는 정도로, 권력거리가 작은 문화가 민주적임
개인주의 – 집단주의	• 개인들이 단체에 통합되는 정도 • 개인주의적 사회에서는 개인의 권리를 강조하는 반면, 집단주의에서는 반대로 개인 간 결속력을 강조함
불확실성 회피	불확실성과 애매성에 대한 사회적 저항력으로 사회 구성원이 불확실성을 최소화함으로써 불안에 대처하려고 하는 정도를 말함
남성성 – 여성성	성별 간 감정적 역할의 분화로, 남성적인 문화에서는 성역할의 차이가 크고 유동성이 작음
장기 지향성 – 단기 지향성	사회의 시간범위를 의미하는 것으로, 장기 지향적인 사회는 미래에 더 많은 중요성을 부여함

핵심 OX

01 조직문화는 변화촉진요인이다.
   (O, X)

02 문화는 조직의 경계를 타파한다.
   (O, X)

01 X 조직문화는 변화와 개혁의 장애 요인이다.
02 X 문화는 조직의 경계를 설정하여 조직의 정체성을 제공한다.

(3) 형식주의

내용이나 실리보다 형식이나 모양새, 절차·선례에 집착하는 태도이다. 형식주의는 외형적 구조나 제도가 실제(기능)와는 불일치하는 현상이다.

(4) 연고주의

혈연·지연·학연 등 배타적이면서도 특수한 관계를 강조하는 연고주의가 지배하며, 개인보다는 귀속적 요인이나 집단 중심의 사고방식이 우선한다.

(5) 운명주의

성공 여부나 인간생활이 초자연적인 힘에 의해 숙명적으로 결정된다는 사고방식이다. 외부 여건에 맹종하는 순응주의(맹종주의)와 관련된다.

(6) 정실주의(情實主義)

객관적인 사실보다는 명예·위신·의리·도덕 등과 같은 무형적이고 정신적인 가치를 중시하는 의식구조이다. 온정이나 주관에 사로잡히는 '인격적 행정'이나 '정적(情的) 인간주의(personalism)'와도 같다.

(7) 일반주의(generalism)

상식으로 혼자 모든 것을 다 할 수 있다고 생각하는 만능적 의식구조이다. 즉, 과대망상적으로 자기를 전지전능의 인간이라고 평가하는 사고방식이다. 이러한 사회에서는 행정의 깊이가 없고 전문주의가 좀처럼 형성되지 않는다.

---

5 | 의사전달

1 의의

1. 개념

(1) 의사전달이란 정보를 전달하는 과정으로, 전달자와 피전달자 간에 사실과 의견을 전달하여 인간에게 영향을 미치고 인간의 행동에 변화를 일으키는 것을 말한다.

(2) 의사전달은 정책결정을 포함한 모든 의사결정에 중요한 영향을 미치는 요인으로 파악되며, 정부와 국민 간의 의사전달이라 할 수 있는 공공관계(행정 PR)로까지 그 영역이 확대되고 있다.

2. 기능

(1) 합리적 의사결정

의사전달이 신속·정확하며 질적으로 우수할 때 합리적 의사결정이 이루어진다.

(2) 효과적인 조정

조직구성원 간의 의사소통을 통해 조직목표를 명확하게 인식하게 되며, 조직원 간의 이해가 형성되고, 헌신하고자 하는 태도가 생겨 효과적인 조정이 가능하게 된다.

(3) 참여 촉진을 통한 사기앙양과 행정능률의 향상

조직구성원의 적극적인 참여를 촉진시켜 사기를 앙양하고, 행정능률을 향상시킨다.

(4) 통솔의 용이

의사전달을 통해 리더십이 발휘되고, 조직구성원의 통솔을 용이하게 한다.

2 유형[1]

1. 공식성 유무에 따른 유형

(1) 공식적 의사전달

고전적 조직론에서 강조하는 것으로, 공식조직 내에서 계층제적 경로와 과정을 거쳐 공식적으로 행해지는 의사전달을 의미하며, 공문서를 수단으로 한다.

(2) 비공식적 의사전달[2]

계층제나 공식적인 직책을 떠나 조직구성원 간의 친분·상호 신뢰와 인간관계 등을 통하여 이루어지는 의사전달을 말하는 것으로, 소문·풍문·메모 등을 수단으로 한다.

> **✓ 개념PLUS** 공식적 의사전달과 비공식적 의사전달의 비교
>
> | 구분 | 공식적 의사전달 | 비공식적 의사전달 |
> |---|---|---|
> | 장점 | ・의사소통이 객관적
・책임소재가 명확
・상관의 권위가 유지
・정책결정에 활용이 용이
・자료보존이 용이 | ・신속한 전달
・배후사정을 소상히 전달
・의사소통 과정에서의 긴장과 소외감을 극복하고 개인적 욕구를 충족시킴
・공식적 의사전달을 보완
・관리자에 대한 조언 역할 |
> | 단점 | ・법규에 의거하므로 의사전달의 신축성이 없고 형식화되기 쉬움
・배후사정을 전달하기 곤란
・변동하는 사태에 신속한 적응이 곤란
・근거가 남기 때문에 기밀유지가 어려움 | ・책임소재가 불분명
・공식적 의사소통을 마비시킴
・수직적 계층하에서 상관의 권위를 손상
・조정과 통제가 곤란 |

2. 방향과 흐름을 기준으로 한 유형

(1) 상의하달

정보가 위에서 아래로 흐르는 것을 말한다.

⑩ 명령(구두명령·문서명령·예규), 일반적 정보(기관지·편람·구내방송·게시판·행정백서) 등

(2) 하의상달

정보가 아래에서 위로 올라가는 것을 말한다.

⑩ 보고, 품의, 의견조사, 제안, 면접, 고충심사, 결재제도 등

(3) 횡적 의사전달

수평적 의사전달을 말한다.

⑩ 사전심사, 사후통지, 회람·공람, 회의, 레크리에이션, 토의(위원회) 등

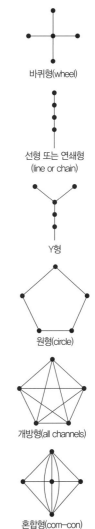

[1] 의사전달의 네트워크

바퀴형(wheel)

선형 또는 연쇄형
(line or chain)

Y형

원형(circle)

개방형(all channels)

혼합형(com—con)

[2] 포도덩굴 의사전달
자생집단 내에서 비공식적인 방법으로 이루어지는 의사전달을 의미한다.

3 장애 요인과 촉진 방안

구분	장애 요인	촉진 방안
전달자와 피전달자	· 가치관·사고방식의 차이(준거기준 차이) · 지위상의 차이 · **전달자의 의식적 제한**: 보안상 비밀 유지 · **전달자의 자기방어**: 전달자가 자기에게 불리한 사실을 고의적 은폐·왜곡 · 피전달자의 전달자에 대한 불신·편견, 수용 거부, 잘못된 해석 · 원만하지 못한 인간관계 · **환류와 확인이 안되는 경우**: 정확성이 손상될 위험	· **상호접촉 촉진**: 회의·공동교육훈련·인사교류 등 · 대인관계 개선, 조직 내 개방적 분위기 조성 · **하의상달의 활성화**: 권위주의적 행정행태의 개선 · **조정집단의 활용**: 상향적 의사전달의 누락, 왜곡 등을 방지하고, 정보처리의 우선순위를 결정하기 위해 활용 · 민주적·쇄신적 리더십의 확립
전달 수단 및 매개체	· **정보 과다**: 내용파악 곤란 · 정보의 유실과 불충분한 보존 · **매체의 불완전성**: 적절치 못한 언어와 문자 사용 · 다른 업무의 압박(업무의 과다) · 지리적 거리	· **매체의 정밀성 제고**: 언어·문자의 정확한 사용, 약호화·계량화 · 효율적인 관리정보체계(MIS)의 확립과 시설의 개선 · 의사전달의 반복과 환류·확인 메커니즘 확립
조직구조	· **집권적 계층구조**: 수직적 의사전달 제한, 유동성 저하 · **할거주의, 전문화**: 수평적 의사전달 저해 · **비공식적 의사전달의 역기능**: 소문·풍문 등에 의한 정보의 왜곡 · 정보전달채널의 부족	· 정보채널의 다원화 · 계층제의 완화와 분권화 · 정보의 분산

---

6 리더십

1 의의

1. 의의

(1) 리더십(Leadership)이란 '바람직한 목표를 달성하기 위해 조직 내의 개인과 집단을 유도하고 조정하며 행동하게 하는 기술 내지 영향력'이라고 할 수 있다.

(2) 리더십은 지도자가 추종자에게 일방적으로 행동을 강요한다고 해서 발휘되는 것이 아니라 어디까지나 상호작용의 과정을 통해서 발휘되며, 지도자의 권위를 통해 발휘되지만 공식적·계층제적 책임자만이 리더십을 갖는 것은 아니다.

2. 직권력과 리더십의 차이

(1) 직권력(headship)

공식적 직위를 근거로 성립되는 것으로, 제도적 권위의 물리적·강제적·일방적 성격을 띤다.

(2) 리더십(leadership)❶

지도자 자신의 권위를 근거로 하여 구성원들을 자발적으로 행동하도록 지도자와 구성원 간에 심리적 공감과 일체감을 강하게 유도한다.

(3) 직권력과 리더십의 차이❷

직권력(headship)	리더십(leadership, 지도력)
공식적 지도자(상관)만 가짐	공식적 지도자 또는 비공식적 지도자 (상관 외에 동료, 부하도 가질 수 있음)
제도적 권위(공식적 지위를 바탕으로 법에 의해서 부여된 권위) ⇨ 상하 간 심리적 공감대 없음	심리적 권위(직위와 관계없이 개인이 지니고 있는 능력을 바탕으로 한 권위) ⇨ 상하 간 심리적 공감대 형성
일방적·하향적·강제적 성향	쌍방적·자발적 성향
공식적 관계가 해소되면 소멸	공식적 관계가 해소되어도 잔존

3. 리더십의 특징

(1) 목표와 관련된다.

(2) 지도자와 부하 간의 관계이다.

(3) 공식적 계층제의 책임자만이 갖는 것은 아니다.

(4) 지도자와 추종자 간에 상호작용의 과정을 통해서 발휘된다.

(5) 지도자의 권위를 통해 발휘된다.

4. 리더십의 기능

(1) 구체적 상황에서 필요한 정보를 제공하여 조직의 공식적 구조와 설계의 미비점을 보완하는 기능을 수행한다.

(2) 조직의 목표와 구성원의 임무·역할을 명확히 하고, 이를 위한 인적·물적 자원과 정치적 자원을 효율적으로 동원하는 기능을 수행한다.

(3) 조직의 일체성·적응성을 확보하여 조직 내부가 조화를 이루도록 하고, 체제의 효율성을 유지시킨다.

(4) 조직구성원의 동기를 유발시키고 재사회화한다.

(5) 변화하는 환경에 조직이 효율적으로 적응하도록 한다.

❶ 행정학에서의 리더십 연구
1. **리더십의 개념적 특징:** 심리적 영향력을 행사한다.
2. **과학적 관리론:** 인간을 기계처럼 취급한다. → 리더십 연구를 하지 않는다.
3. **인간관계론:** 인간을 정서적·심리적 존재로 파악한다. → 리더십 연구의 시작점이라고 할 수 있다.

❷ 리더십 개념 도해

대통령	홍길동
공식적 지위 ⇩ 제도화된 권력 ⇩ 직권력	인간으로서 리더 ⇩ 부하에게 미치는 심리적 영향력 ⇩ 리더십

핵심 OX

01 리더십은 과학적 관리론부터 연구되었다. (O, X)

01 X 리더십은 인간관계론부터 연구가 시작되었다.

2 전통적 리더십이론

리더십이론은 리더십의 어떤 측면을 중시하느냐에 따라 자질론(특성론 혹은 속성론)·행태이론(행동이론)·상황이론·새로운 이론으로 나누어지는데, 자질론·행태이론·상황이론을 전통적 리더십이론이라고 한다.

1. 자질론[1](특성론)

(1) 의의

자질론은 지도자 개인이 가지고 있는 몇몇 자질 및 특성에 따라 리더십이 발휘된다는 가정하에, 어떤 속성이나 자질이 인간을 지도자로 만드느냐를 탐구하는 이론이다. 이 이론은 리더십은 위대한 인물의 출생과 더불어 타고난 것이며, 리더의 자질을 갖고 있는 사람은 어떤 상황에서든 지도자가 될 수 있다고 믿었다.

(2) 한계

① 지도자의 자질은 집단의 특성·조직목표·상황에 따라 완전히 달라질 수 있다.
② 지도자라 하더라도 누구나 동일한 자질을 갖는 것은 아니다.
③ 지도자가 반드시 갖추어야 할 보편적인 자질은 없다.

2. 행태이론(행동이론) – Y이론적 리더십이 효과적

행태이론은 눈에 보이지 않는 능력 등 리더가 갖춘 속성보다 리더가 실제 어떤 행동을 하는가에 초점을 맞춘 리더십 이론이다. 행태이론에서는 모든 상황에 효과적인 리더의 행동유형이 존재한다는 것을 전제로, 리더의 행태와 추종자들이 보이는 감정적·행태적 반응 사이의 관계를 밝히려 노력한다.

(1) 리더십 유형론(Iowa 대학의 리더십 연구)

① 레빈(Lewin), 리피트와 화이트(Lippitt & White) 등은 리더십 행태가 임무수행과 조직의 필요에 지향된 것인가, 추종자의 만족과 인간관계에 지향된 것인가를 기준으로 권위주의형·민주형·자유방임형이라는 세 가지 지도유형으로 구분했다.

② 유형

권위주의형	지도자가 모든 정책을 결정하고 구성원에게 세부사항까지 지시하며, 구성원들의 작업에 대한 칭찬·비판도 지도자의 개인적 생각에 의존하는 유형
민주형	정책결정뿐만 아니라 구성원의 작업 격려도 집단토론을 통해 이루어지며, 업무를 수행하기 위해 집단형성이나 분업이 필요할 때도 집단이 결정
자유방임형	집단의 의사결정에 최대한의 자유를 부여하고 지도자는 요구가 있을 때에만 결정에 참여하며, 구성원의 작업에도 지도자는 일체 관여하지 않음

③ 결론: 민주형 리더십이 일반적으로 부하들의 생산성이 가장 높다.

(2) 오하이오(Ohio) 주립대학의 리더십 연구

① 오하이오(Ohio) 대학에서는 '조직화 정도(리더와 추종자의 관계 및 조직구조와 과정을 엄격하게 형성하려는 정도)'와 '배려 정도(리더와 추종자 사이에 우정, 신뢰, 존경심 등을 조성하려는 정도)'라는 이원적 개념을 조합하여 네 가지 유형의 리더십을 제시하였다.

② 연구 결과, 높은 조직화와 높은 배려를 동시에 보이는 지도자가 가장 효과적인 지도자로 나타났다.

(3) 미시간(Michigan) 대학의 리더십 연구

① 미시간(Michigan) 대학은 작업 집단의 생산성을 높이고 구성원들의 사기를 높이는 지도유형을 찾기 위해, 리더십을 '업무중심형 리더십'과 '종업원중심형 리더십'으로 나누었다.

② 연구결과 리더십의 효과성은 생산성뿐만 아니라 종업원의 사기에 의해서도 측정되어야 하며, 종업원중심형 리더십이 업무중심형 리더십보다 더 효과적인 것으로 나타났다.

(4) 블레이크와 머튼(Blake & Mouton)의 관리망이론(managerial grid)

'생산에 대한 관심'과 '인간에 대한 관심'이라는 두 가지 기준을 토대로 리더십의 유형을 무관심형·친목형·과업형·타협형·단합형으로 나누었다. 연구 결과, 단합형이 가장 이상적인 리더십 유형으로 나타났다.

무관심형	생산 및 인간에 대한 관심이 모두 낮아, 신분유지를 위한 최소한의 노력만 기울이는 유형
친목형 (컨츄리 클럽형)	인간에 대한 관심은 높으나 생산에 대한 관심은 낮은 유형
과업형	생산에 대한 관심은 높으나 인간에 대한 관심은 낮은 유형
타협형(중도형)	인간과 생산에 절반씩 관심을 두고 적당한 수준의 성과를 지향하는 유형
단합형 (team building)	생산과 인간에 대한 관심이 모두 높아, 목표달성을 위한 공동체 의식을 강조하여 조직목표달성을 위해 헌신하도록 유도하는 유형

(5) 리더십 유형의 이원론

리더십 행태가 직무수행과 조직목표를 지향하는 것인가 또는 구성원의 만족과 인간관계를 지향하는 것인가에 따라 X이론(권위형, 상급자 중심) 유형 리더십과 Y이론(민주형, 부하 중심) 유형의 리더십으로 나뉜다.

X이론(권위형, 상급자 중심 리더십)	Y이론(민주형, 부하 중심 리더십)
독재형	참여형
상관 중심형	부하 중심형
면밀한 감독형	일반적 감독형
선도형	배려형
지도자 중심형	집단 중심형
생산 중심형	직원 중심형
임무지향적	관계지향적

3. 상황론

상황론에서는 리더십을 특정한 역사적 맥락 속에서 발휘되는 것으로 파악하여, 상황 유형별로 가장 효율적인 리더의 행태를 찾아내기 위한 연구를 수행했다. 상황이론에서의 리더십은 지도자와 추종자, 상황에 의해 결정된다고 본다. 상황론의 대표적인 예로는 피들러(Fiedler)의 상황조건론, 레딘(Reddin)의 3차원적 리더십, 허쉬와 블랜차드(Hersey & Blanchard)의 3차원모형을 들 수 있다.

(1) 피들러(Fiedler)의 상황조건론

① 의의
  ㉠ 리더십의 효율성은 상황변수에 따라 결정되며, 가장 좋아하지 않는 동료라는 LPC(Least Preferred Coworker) 척도를 구성하였다.
    ⓐ **과업지향적 인간**: LPC 척도를 통해 LPC 척도를 낮게 평정하는 사람(싫어하는 동료를 부정적으로 평가하는 인물)
    ⓑ **인간관계중심적 인간**: LPC 척도를 높게 평정하는 사람(싫어하는 동료를 관대하게 평가하는 인물)
  ㉡ 피들러(Fiedler)는 리더십의 유형을 과업중심형과 인간관계중심형으로 구분한 뒤, 리더와 부하의 관계·지위권력·과업구조라는 3가지 상황변수의 조합에 따라 리더에게 유리한 상황이 달라지고, 상황에 따라 효과적으로 적용되는 리더십 스타일이 달라진다고 하였다.
  ㉢ 상황이 유리하거나 불리❶한 경우에는 과업지향적 리더십이 효과적이고, 상황이 중간 수준일 경우 인간지향적 리더십이 효과적이라 한다.

② 상황변수
  ㉠ **리더와 부하의 관계**: 리더와 부하가 서로 좋아하고 신뢰하는 정도를 말한다. 리더가 추종자로부터 신뢰와 지지를 받을수록 리더십의 행사가 용이해진다.
  ㉡ **과업구조**: 업무분담구조를 말한다. 과업구조가 명확할수록 리더십의 행사가 용이해진다.
  ㉢ **지위권력**: 리더의 직위에 따른 공식적·합법적 권력을 말한다. 직위권력이 클수록 보상과 처벌권한이 커지므로 리더십의 행사가 용이해진다.

(2) 허쉬와 블랜차드(Hersey & Blanchard)의 3차원모형(리더십 상황이론)❷

① 허쉬와 블랜차드(Hersey & Blanchard)는 지도자의 행동을 인간관계지향적 행동과 과업지향적 행동으로 구분하고, 상황변수로 부하의 직무상·심리적 성숙도를 채택하여 3차원적인 상황적 리더십이론을 제시했다.

② 이들의 이론에 의하면 부하의 성숙도에 따라 리더의 역할이 달라지는데, 부하의 성숙도가 낮은 경우 리더는 지시적인 과업 행동이 효과적이고, 성숙도가 중간인 경우 부하를 참여시키는 관계성 행동이 효과적이며, 성숙도가 높은 상황에서는 권한을 대폭 위임해 주는 것이 효과적이라고 보았다.

(3) 탄네바움과 슈미트(Tannenbaum & Schmidt)의 연구(권위에 근거한 리더십)

탄네바움과 슈미트(Tannenbaum & Schmidt)는 지도자나 보스 중심적인 권위형 리더십과 부하 중심적인 민주형 리더십을 연속선상에 놓고, 우수한 지도자의 유형은 관념적으로 고정된 것이 아니라 상황에 따라 변화하는 것이라고 하였다. 따라서 민주적인 지도자라도 상황에 따라서는 권위적인 지도자가 될 수 있다고 했다.

---

❶ 상황의 유리와 불리

상황	유리	불리
지도자와 추종자의 관계	온건	적대
임무구조	명확	불명확
직위에 부여된 권력	충분	불충분

❷ 허쉬와 블랜차드(Hersey & Blanchard)의 상황적 리더십 유형

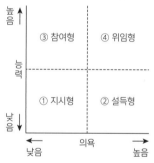

부하의 성숙도는 지시형이 제일 낮고 설득형, 참여형, 위임형 순으로 높다.

핵심 OX

01 피들러(Fiedler)는 리더와 부하의 관계가 신뢰성이 있을 때는 Y이론적 리더십이 효과적으로 본다. (O, X)

02 리더의 직위권력이 정당성이 결여된 경우 X이론적 리더십이 효과적이다. (O, X)

01 X 신뢰성이 있다는 것은 상황이 유리하다는 의미이며, 상황이 유리할 때에도 X이론적 리더십이 효과적이다.

02 O

(4) 하우스와 에반스(House & Evans)[1]의 3차원모형 – 경로·목표모형(Path-Goal Model)

① **의의**: 동기부여의 기대이론에 입각한 상황적 리더십이론으로, 리더의 행동(원인 변수)이 부하의 행동(결과변수)에 영향을 미치지만, 그 과정에서 부하의 기대감과 유인가가 매개를 하며(매개변수), 아울러 부하의 특성과 작업환경요인이 상황변수로서 영향을 미친다는 것이다.

② 목표에 이르는 다양한 경로(수단)의 상대적 유용성에 따라 효율성이 달라진다고 본다.

③ 하우스와 에반스(House & Evans)의 4가지 리더십 유형

지시적 리더십	부하들의 역할모호성이 높은 상황(비구조화된 업무상황)에서 부하의 활동을 계획, 통제, 조정
지원적 리더십	부하가 스트레스를 많이 받거나, 단조로운 업무를 수행하는 상황(구조화된 업무상황)에서 작업환경의 부정적 측면을 최소화시킴으로써 부하가 업무를 원활하게 수행할 수 있도록 함
성취 지향적 리더십	부하가 비구조화된 과업을 수행 시 부하에게 도전적인 목표를 설정해 주고, 부하에게 높은 성과를 달성할 수 있다는 리더의 확신을 보여 주어 부하가 목표달성을 추구하는 데 자신감을 갖게 함
참여적 리더십	비구조화된 과업수행 시 부하가 과업목표, 계획, 절차, 방법 등에 관한 의사결정에 참여함으로써 기대 및 직무수행동기를 높이는 유형

④ 4가지 리더십 유형 연관 변수

원인변수	상황변수	매개변수	결과변수
· 지시적 리더십 · 지원적 리더십 · 참여적 리더십 · 성취적 리더십	· 부하의 특성 · 과업환경	· 기대감 · 수단성 · 유의성	구성원의 만족도와 근무성과

(5) 유클(Yukl)의 다중연결모형(multiple linkage model)

① **의의**: 기존의 이론들을 집대성하여 리더의 11가지 행동을 원인변수로 보고, 6가지의 매개변수와 3가지의 상황변수를 이용하여 부서의 효과성을 설명한다(1989).

② **결론**: 단위부서의 효과성은 단기적으로는 리더가 '매개변수'의 부족한 면을 얼마나 시정하는가에 달려 있으며, 장기적으로는 리더가 '상황변수'를 얼마나 유리하게 만드는가에 달려 있다.

(6) 수직적 쌍방관계 연결이론 – 그렌과 단스로(Graen & Dansereau, 1975)

① **의의**: 기존의 이론들은 리더의 행동이 모든 부하들에게 동일하다고 전제하지만, 수직적 쌍방관계 연결이론에서는 리더와 각각의 부하 간의 관계가 서로 다를 수 있다는 것을 강조한다. 여기서 수직적 쌍방관계란 리더와 각각의 부하가 이루는 쌍(pair)을 의미한다.

② 내집단과 외집단

㉠ **내집단**: 리더는 자신이 신뢰하는 소수의 부하들과 내집단(in-group)을 형성해서 그들과 특별한 관계를 맺는다. 내집단은 책임과 자율성이 있는 특별한 임무를 수행하며, 이에 따라 특권도 누리게 된다.

① 하우스와 에반스(House & Evans)의 상황변수

1. 부하의 특성
· 능력: 능력이 부족하면 지시적 리더십이 적합하다.
· 통제위치
 – 외적 통제위치: 지시적 리더십
 – 내적 통제위치: 참여적 리더십

2. 과업환경
· 구조화된 과업: 지원적 리더십
· 비구조화된 과업: 나머지

ⓒ **외집단:** 내집단에 속하지 않는 부하들을 외집단(out-group)이라고 하며, 리더와 함께 하는 시간이 적고 리더의 관심을 적게 받는다.

③ **결론:** 일반적으로 내집단 구성원은 외집단 구성원보다 근무성과와 만족도가 높다.

(7) 커와 저미어[Kerr & Jermier(1978)]의 리더십 대체물 접근법

많은 상황에서 리더십을 대체하는 대체물(代替物)이 있거나, 약화시키는 중화물(中和物)이 있다는 것을 강조하는 이론이다. 리더십을 필요없게 만들거나 리더십의 중요성을 감소시키는 상황적 요인으로 대체물과 중화물을 제시하고 있다.

대체물 또는 중화물		지원적 리더십 (배려 중심)	지시적 리더십 (구조 설정)
① 부하의 특성	㉠ 경험, 능력, 훈련	–	대체물
	㉡ 전문적 성향	대체물	대체물
	㉢ 보상에 대한 무관심(목표가치의 결여)	중화물	중화물
② 과업의 특성	㉠ 구조화되고 일상적인 과업(명확한 업무)	–	대체물
	㉡ 과업에 의해 제공된 피드백	–	대체물
	㉢ 내재적인 만족을 주는 과업	대체물	–
③ 조직의 특성	㉠ 응집력이 높은 작업집단	대체물	대체물
	㉡ 낮은 지위권력	중화물	중화물
	㉢ 공식성(엄격한 규칙이나 절차)	–	대체물
	㉣ 경직성(규칙, 정책)	–	중화물
	㉤ 리더와 부하 간의 커뮤니케이션 단절	중화물	중화물

3 새로운 리더십 유형

새로운 리더십 유형은 1980년대 초반부터 변화하는 환경 패러다임에 대한 대응과 전통적 리더십이론에 대한 반성으로 제기된 것으로, 전통적 리더십이론을 대체하기보다는 여러 가지 명칭으로 보완해 주고 있는 유형들이다.

1. 카리스마적 리더십

(1) 의의

① 카리스마적 리더십은 '리더의 특출한 성격과 능력에 의해 추종자들이 조직목표에 특별히 강한 헌신을 갖게 되고 리더와의 일체화를 갖게 된다는 이론'이다.

② 카리스마적 리더는 뛰어난 개인적 능력으로 부하에게 중대한 영향을 미칠 수 있고, 그 영향으로 부하가 탁월한 업적을 성취할 수 있도록 한다.

(2) 카리스마적 리더의 특징

① 현상 유지에 반대하고 자신의 소신과 이상을 확신하며, 다른 사람에게 영향력을 행사하려는 욕구가 강하다.

② 리더 자신이 부하들에게 많은 기대와 신뢰를 갖고 있다는 것을 나타내 부하의 자존심과 자신감을 향상시킨다.

③ 언행을 통하여 새로운 가치관을 전하고 행동으로 본받도록 한다.

④ 리더 자신이 기꺼이 자기를 희생하려는 경향이 있다.

2. 변혁적 리더십과 거래적 리더십

(1) 의의

번즈(Burns)에 따르면 리더십은 거래적 리더십(transactional leadership)과 변혁적 리더십(transformational leadership)으로 구분된다고 한다.

① **거래적 리더십**: '보상에 관심을 갖고, 업무를 할당하고 그 결과를 평가하며, 예외에 의한 관리에 치중하고 책임과 결정을 회피하는 안정지향의 리더십'이다. 번즈(Burns)는 전통적 리더십을 거래적 리더십이라고 보았다.

② **변혁적 리더십**: '카리스마 · 영감 · 지적 자극 · 개인적 배려에 치중하고, 조직합병을 주도하고 신규부서를 만들어 내며, 조직문화를 새로 창출해 내는 등 조직에서 변화를 주도 · 관리하는 리더십'이다. 변혁적 리더는 거래적 리더에 비해 이직률이 낮고 생산성이 높으며, 직원의 만족도가 높다고 한다.

(2) 변혁적 리더십과 카리스마적 리더십의 비교

① 변혁적 리더십은 카리스마적 리더십에 기반하므로, 둘은 중첩되는 측면이 있다.

② 그러나 순수한 카리스마적 리더는 부하가 리더의 세계관에 따르기를 바라지만, 변혁적 리더는 부하에게 확립된 의견뿐만 아니라 리더가 확립시킨 의견에도 문제를 제기할 수 있는 능력을 요구한다는 점에서 차이가 있다.

(3) 변혁적 리더십이 잘 적용되는 조건

변혁적 리더십이 잘 수용될 수 있는 조직은 ① 능률지향보다 적응지향이 더 강조되는 조직, ② 기술구조보다 경계작용적 구조가 더 지배적인 조직, ③ 기계적 관료제나 전문관료제보다 단순구조와 임시체제, ④ 시장적 교환이나 관료적 통제보다는 개인적 이익과 조직이익을 통합시키는 관리전략으로 구성원의 동기를 유발하려는 조직이다. 따라서 변혁적 리더십은 변동 속에서 변동을 추구하는 조직, 구성원들의 창의적 노력에 대한 제약이 적은 조직에 적합하다.

(4) 변혁적 리더십의 구성요소

① **카리스마적 리더십**: 카리스마를 지닌 리더는 임무에 대한 비전과 감각을 제공하고 구성원에게 자신감을 불어넣으며, 존경과 신뢰를 확보하는 능력을 지니고, 높은 기대감과 확신을 보임으로써 동기를 유발시킨다. 리더는 난관을 극복하고 현상에 대한 각성을 확고하게 표명함으로써 부하에게 자긍심과 신념을 심어 준다.

② **영감적 리더십**: 교환에 의한 보상보다는 노력을 집중시키기 위해 상징을 이용하고, 중요한 목적을 간단명료하게 표현하여 높은 기대치를 상호 공유함으로써 부하들을 격려한다. 리더가 부하로 하여금 도전적 목표와 임무, 미래에 대한 비전을 열정적으로 받아들이고 계속 추구하도록 격려한다.

③ **촉매적 리더십**: 부하로 하여금 형식적 관행을 타파하고 창조적 사고와 학습의지, 새로운 관념을 촉발시키는 지적 자극을 부여한다.

④ **개별적 배려**: 개인의 특성을 파악하고 이를 적절하게 고려함은 물론, 부하들의 개인적인 문제에도 관심을 가짐으로써 부하들의 개인적 성장을 도와준다. 리더가 부하에게 특별한 관심을 보이고 부하의 특정한 요구를 이해함으로써 개인적으로 부하를 존중한다는 것을 전달한다.

⑤ **지적 자극:** 기존의 문제해결 방식과는 다른 새로운 아이디어의 도입으로 도전의 식을 이끌어내고, 문제를 새로운 각도에서 바라보게 한다.

(5) 변혁적 리더의 기능

① 새로운 비전을 제시하고 부하들이 이를 내면화하여 탁월한 업무성과 달성이 가능하도록 돕는다.
② 추종자들이 업무수행의 의미를 발견하고, 업무수행에 몰입하고 헌신하도록 한다.
③ 조직과 개인이 공생적 관계를 형성하고 공동의 목표를 향해 단합하게 한다.
④ 사람들 사이에 신뢰를 구축한다.
⑤ 다양성과 창의성을 존중하고 이를 지원한다.

(6) 거래적 리더십과 변혁적 리더십의 비교

구분	거래적 리더십	변혁적 리더십
개념	리더와 추종자들은 각자의 관심사와 타산적 이해관계의 필요에 의해 법적 조건과 제반 규정에 따라 리더십 과정에 참여	· 리더와 추종자들은 합의된 공동목표를 추구하고, 변혁적 리더는 추종자들에 대해 교육적 역할을 담당함 · 경우에 따라 목표와 가치를 변경하거나 이를 더욱 고차원적으로 고양할 수도 있음
변화관	안정지향적, 폐쇄적	변동지향적, 개방체제적
초점	하급관리자	최고관리층
동기부여	부하의 이익 자극 (합리적 교환)	· 영감과 비전 제시 · 구성원 전체가 공유해야 할 가치의 내면화
관리 전략	리더와 부하 간의 교환관계나 통제	· 업무할당 및 할당된 과제의 가치와 당위성 주지 · 성공에 대한 기대 제공
이념	능률 지향	적응 지향
조직구조	기계구조, 기계적 관료제에 적합	경계작용적 구조, 임시조직에 적합

3. 문화적 리더십

(1) 의의

① 문화적 리더십은 '문화와 의식을 통하여 구성원들에게 모범을 보이는 성직자와 같은 지도력'을 말한다. 문화적 지도자들은 규범, 가치, 신념 등의 강화를 통하여 리더십을 행사한다(Deal & Peterson, 1999).
② 문화적 리더십은 변혁적 리더십이 발전한 것으로 볼 수 있으나, 문화적 리더십은 초점을 지도자와 추종자 간의 관계의 본질에 두는 것이 아니라 지도성·추종성 관계에 배어있는 '사회문화적 맥락(social-cultural context)'에 두고 있다는 점에서 변혁적 리더십과 차이가 있다.
③ 1980년대 민간기업에서 조직 효율성의 중요한 변인으로 '조직문화'가 강조되면서 많은 학자들이 문화적 리더십을 연구하였다.

④ 카리스마적 리더십 · 변혁적 리더십과 함께 도덕적 리더십에 해당한다고 보는 것이 일반적이다.

(2) 특징

샤인[Schein(1997)]은 조직의 정점에 있는 리더의 역할과 가치관에 따라 조직문화가 영향을 받는다고 보고, 지도자가 솔선수범을 보이는 등 신념과 상징에 의한 주체적인 역할과 가치관을 중시하였다.

(3) 문화적 리더십의 구성요소[커닝햄과 그레소(Cunningham & Gresso)]

① 결핍보다 비전 · 동료관계 · 신뢰와 지원, ② 권력과 지위보다 가치와 흥미 · 폭넓은 참여 · 지속적 성장 · 장기적 전망에 따른 현재의 생활 · 질 높은 정보에 대한 용이한 접근 · 개선의 유지와 지속 · 개인적인 권한부여 등이 있다.

4. 발전적 리더십

(1) 의의

① 발전적 리더십은 변동을 긍정적인 기회로 받아들이고, 변동에 유리한 조건을 만드는데 헌신하는 리더십이다.
② 변혁적 리더십과 유사하나, 변혁적 리더십보다 더 부하 중심적이고 리더가 부하에 대해 더 봉사적인 리더십이며, 종복정신을 강조한다.

(2) 발전적 리더십의 10가지 원칙

내재적 지향 원칙	① 개인적 책임의 원칙 ② 신뢰의 원칙
직원 지향적 원칙	③ 직원 옹호의 원칙 ④ 직원의 자긍심 향상에 관한 법칙
업무성취 지향적 원칙	⑤ 업무수행 파트너십의 원칙 ⑥ 직무수행 개선의 원칙 ⑦ 효율적 의사전달의 원칙
조직 지향적 원칙	⑧ 조직의 일관성에 관한 원칙 ⑨ 총체적 사고의 원칙 ⑩ 조직 종속의 원칙

5. 지식정보사회의 리더십 – 상호연계적 리더십(이종수 외 「새행정학」)

(1) 의의

① 지식정보사회의 리더는 고전적 · 관료제적인 문제해결 방법으로부터 많은 사람들과의 협력을 포함하는 민주적인 과정으로 전환하기 위한 '변환의 담당자'가 되어야 하고, 그러한 변화의 출발점은 공공정책과 행정목표를 집합적으로 하기 위해 조직구성원들의 잠재력을 고양시키는 문제로부터 시작되어야 한다.
② 탭스코트(Tapscott)에 의하면, 정보화사회는 단순한 '지식 또는 정보'사회의 차원을 넘어선 '네트워크화된 지능시대'이기 때문에, 리더나 리더십 또한 상호연계성을 지녀야 한다.

③ 한 명의 총명한 최고관리자만이 리더가 아니라 파급효과를 지닌 비전과 집합적 행동력을 가진 인간지능의 결합 자체를 리더라고 하였다.

(2) 특징[탭스코트(Tapscott), 1996]

① **상호연계된 리더십**: 정보화 사회처럼 예측 불가능한 시대의 리더십은 특정 상관이 아닌 여러 가지 원천을 기반으로 하고 있기 때문에, 상호연계적 리더십을 체득하는 것이 개인의 책임이자 기회이다.

② **공유된 비전과 학습의지**: 조직구성원 각자가 복잡한 정보사회에 대한 이해를 바탕으로 한 명백하고 공유된 비전을 가져야 하고, 이를 위해 조직구성원 전체가 끊임없이 학습의지를 지녀야 한다.

③ **개인역량의 결합**: 조직은 상호연계적 리더십의 발휘를 통해서 다양한 개인들의 역량이 효과적으로 결합되어야만 창조적 사고가 충만해지고 바람직한 조직문화가 형성될 수 있다.

④ **최고관리자의 지원과 관심**: 상호연계적 리더십을 형성하고 발휘하는 데 최고관리자의 지원과 관심은 필수적이다. 최고관리자의 변화에 대한 의지 및 변화를 위한 제스처가 미치는 영향력은 즉각적이고 강력하며, 또한 급격한 변화에 따른 전환 및 적응에 추진력을 제공한다.

⑤ **구성원 모두가 리더십(셀프리더십)**: 조직구성원 누구나 리더로서의 기능을 수행해야 하는 네트워크화된 지능의 시대에 적절하게 효과적으로 기술을 사용하는 것은 조직구성원들의 창의력을 자극하고, 자신과 조직에 대한 문제의식을 갖게 하는 등 획기적 변혁의 원동력이 된다.

---

7 권위

1 의의

1. 개념

권위(authority)란 '조직의 규범에 의하여 정당성이 부여된 제도화된 권력❶으로, 조직구성원들에게 일반적으로 수용되는 권력'을 의미한다.

2. 기능

(1) 구성원이 규범을 준수하게 하고, 개인적 책임을 이행하도록 강제한다.

(2) 의사결정의 전문화를 확보하여 합리적·효율적인 의사결정을 가능하게 한다.

(3) 조직의 모든 구성원들이 조직이 추구하는 공통의 목적달성을 위해 공헌하도록 조직의 활동을 통합·조정하는 기능을 수행한다.

❶ 권력
상대방의 의사와는 관계없이 어떤 행동이나 결정을 따르도록 하는 일방적·하향적·강제적인 힘이나 지배력을 말한다.

2 유형

1. 기준에 따른 권위

분류기준	유형	내용
공식성 [피프너(Piffner)]	공식적 권위	공식적인 특정 직위의 당사자가 행사할 수 있는 영향력과 제재력을 포함한 공식적인 권리가 합법화·제도화된 것
	비공식적 권위	비공식적인 집단구성원 간의 사회적 상호작용 간에 구체화된 것으로, 인간관계의 기초 위에 직무를 효과적으로 수행할 수 있는 힘
정당성 [베버(Weber)]	전통적 권위	정당성의 근거가 과거로부터 내려오는 전통, 선례, 관습 등에 있는 권위
	카리스마적 권위	정당성의 근거가 특정 개인의 초인적인 능력·영웅적 과거나 신비감 등에 있는 권위
	합법적 권위	정당성의 근거가 합법적인 법규에 있는 권위
조직이 행사하는 권력유형 [에치오니(Etzioni)]	강제적 권위	교도소와 같은 강제적 조직에서의 물리적인 힘에 의한 권위
	공리적 권위	사기업체와 같은 공리적 조직에서의 경제적 유인에 의한 권위
	규범적 권위	종교단체와 같은 규범적 조직에서의 도덕적 기준에 의한 권위
권위수용의 심리적 동기 [사이먼(Simon)]	신뢰의 권위	자신이 신뢰하는 사람의 의견이나 결정은 비판없이 받아들이게 하는 권위
	일체화의 권위	조직에 일체감을 느끼고 충성심을 가질수록 상관의 지시를 수용하게 하는 권위
	제재의 권위	제재 수단의 행사를 통하여 하급자에게 권위 수용을 강제하게 하는 권위
	정당성의 권위	상급자의 권위를 수용해야 한다고 생각하기 때문에 수용되는 권위
일반성·전문성	행정적 권위	계층적 지위에 의해 형성되는 일반행정관리자 또는 계선기관의 권위
	전문적 권위	전문적 지식에 근거한 막료기관의 권위

2. 프렌치(French, Jr.)와 레이븐(Raven)의 권력 유형

합법적 권력	조직이나 계층상의 위계에 의하여 행사되는 권력
강제적 권력	공포에 기반을 두고, 권력으로써 처벌할 수 있는 능력에 의하여 야기되는 권력
보상적 권력	복종의 대가로서 승진이나 봉급의 인상 등 보상을 제공할 수 있는 능력에 기반을 둔 권력
전문적 권력	전문적 지식이나 기술에 의하여 전개되는 권력
준거적 권력	어떤 사람의 능력이나 매력에 존경과 호감을 느낌으로써 그를 자기의 역할모델로 삼으며, 일체감과 신뢰를 바탕으로 하는 권력

3 권위의 수용에 관한 이론

1. 버나드(Bernard)의 무관심권(무차별권)

(1) 무관심권(무차별권)이란 상급자의 명령 혹은 의사전달이 아무 이의 없이 받아들여지는 범위를 말한다.

(2) 무차별권은 목표가 명확하고 명령이 정당하다고 인정되는 경우에 확대되고, 조직의 현실적 목표와 명령이 일치하지 않고 계층 수가 많을수록 축소된다.

2. 사이먼(Simon)의 수용권

(1) 사이먼(Simon)의 수용권은 어떤 사람이 타인의 의사결정에 따르는 경우를 ① 타인이 내린 의사결정의 장단점을 검토하여 장점에 대해 확신을 가질 때, ② 의사결정의 장단점을 충분히 검토해 보지 않고 따를 때, ③ 의사결정이 잘못되었다는 것을 확신하면서도 따를 때의 세 가지로 나누고, ②와 ③을 권위의 수용권에 해당하는 것으로 보았다.

(2) 수용권은 교육수준이 높아지고 자의식이 강할수록 그 범위가 축소된다.

---

8   갈등

1 의의

조직 내에서 갈등이란 '행동주체 간의 대립적 또는 적대적 상호작용을 말하는 것으로, 조직 내의 의사결정과정에서 대안의 선택기준이 모호하거나 한정된 자원에 대한 경쟁 때문에 개인이나 집단이 대안을 선택하는 데 곤란을 겪는 상황'을 말한다. 갈등에 대한 연구는 인간관계론과 행태론부터 본격적으로 시작하였다.

2 순기능과 역기능

1. 순기능 – 갈등이 건설적으로 해결되었을 때

(1) 조직발전의 새로운 계기로 작용하여 장기적으로 조직을 안정화시킨다.

(2) 갈등 과정에서의 선의의 경쟁을 통하여 발전과 쇄신을 촉진한다.

(3) 갈등의 해결 과정에서 조직의 문제해결능력과 창의력·적응능력·단결력 등이 향상될 수 있다.

2. 역기능 – 갈등이 해결되지 않았을 경우

(1) 조직의 목표달성을 저해한다.

(2) 구성원의 사기를 저하시키고, 구성원 사이에 반목과 적대감을 유발할 수 있다.

(3) 갈등과 불안이 일상화되는 경우, 쇄신과 발전을 저해할 수 있다.

3 인식의 변화

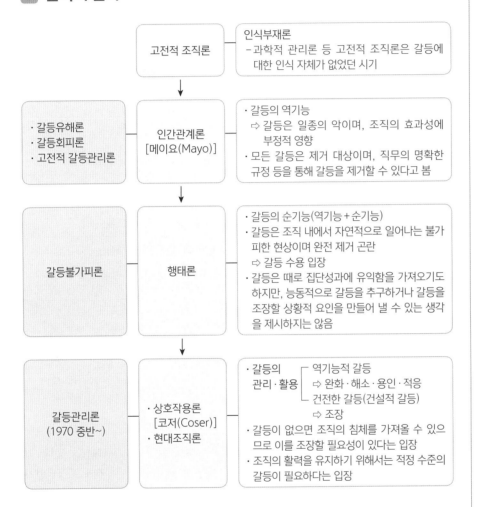

4 유형

구분 기준	유형		특징
갈등 주체 (의사결정자) [사이먼과 마치 (Simon & March)]	개인적 갈등	비수락성	각 대안의 결과를 알지만 만족수준을 넘지 못할때 발생하는 갈등 (새로운 대안 탐색이나 목표의 수정)
		비비교성	대안 간 비교를 했으나, 어떤 것이 최선의 결과인지를 알 수 없어 발생하는 갈등
		불확실성	대안이 초래할 결과를 예측할 수 없을 때 발생하는 갈등
	의사결정 주체 간 갈등	조직적 갈등	조직 내 집단 간 갈등 – 상하계층 또는 동일계층 간(계선과 참모)
		조직 간 갈등	상·하급기관 간, 중앙·지방정부 간, 부처 간
갈등의 성격 [폰디(Pondy)]	협상적 갈등		이해당사자 간 ㉠ 노사 임금협상의 갈등 등
	관료제적 갈등		상·하 계층 간 ㉠ 국(局)·과(課)·계(係) 간의 갈등 등
	체제적 갈등		동일 수준의 개인·집단 ㉠ 국(局) vs 국(局), 과(課) vs 과(課), 국장 vs 국장, 과장 vs 과장 등
조직에 미치는 영향 [폰디(Pondy)]	마찰적 갈등		조직구조에 변화를 초래하지 않는 갈등
	전략적 갈등		조직구조에 중대한 변화를 초래하는 갈등
개인심리 [밀러와 달라드 (Miller & Dollard)]	접근 – 접근 갈등		두 가지 대안이 모두 긍정적 가치를 지닌 경우 ㉠ 캠코더를 살 것인가 아니면 컴퓨터를 구입할 것인가?
	회피 – 회피 갈등		두 가지 대안이 모두 부정적 가치를 가진 경우 ㉠ 빚내어 집을 얻거나 불량주택에 전세로 들어가야 하는 경우
	접근 – 회피 갈등		한 가지 대안이 긍정적 가치와 부정적 가치를 함께 지닐 경우 선택 여부의 갈등 ㉠ 취직하려는 곳의 직장 분위기는 나쁘나, 보수는 좋은 경우

5 대인적 갈등의 해결

토마스(Thomas)는 개인과 개인 사이에서 발생하는 갈등을 해결하기 위해 단정성과 협조성이라는 이차원적 요소에 의하여 자신의 주장을 충족시키려는 욕구가 단정적인가 아닌가와 상대방의 주장을 만족시키려는 욕구가 협조적인가 아닌가에 따라 다섯 가지 전략을 제시하였다.

1. 회피(avoidance)

비단정적인 전략으로, 자신의 이익과 상대방의 이익에 모두 무관심한 경우이다. 갈등 상황으로부터 벗어나 버리는 것이며, 사소한 문제이거나 자신의 욕구충족 기회가 없을 때 나타난다.

2. 순응(accommodation; 수용, 적응)

자신의 이익은 희생하고 상대방의 이익을 만족시키는 전략으로, 상대방의 논제가 더 중요할 때 상대방의 주장을 받아들이는 것이다. 자신의 결정이 잘못되었거나, 상대방과 화합하고 조직의 안정·사회적 신뢰를 중요시할 때 나타난다.

3. 타협(compromise)

자신과 상대방 이익의 중간 정도를 만족시키는 전략이다. 단정과 협력의 중간 수준으로써 극단적인 전략을 피하는 것인데, 당사자들이 동등한 권력을 보유하고 시간적 여유가 없을 때 나타난다.

4. 경쟁(competing)

(1) 자신의 이익을 추구하고 상대방의 이익은 희생시키는 전략이다. 위기상황이나 한쪽의 권한이 우위일 때 나타나며, 강제전략(forcing)이라고도 한다.

(2) 신속하고 결단력 있는 행동이 요구되거나 인기 없는 조치를 실행할 경우에 나타난다.

5. 협동(collaboration)

자신과 상대방의 이익 모두를 만족시키려는 전략이다. 갈등을 긍정적인 현상으로 받아들이며 상대방에 대하여 신뢰와 정직을 나타낼 경우, 다양한 관점과 정보를 바탕으로 한 통합적인 해결전략이 필요할 때 나타난다.

6 갈등관리

1. 의의

(1) 갈등관리란 '역기능적 갈등을 예방하고 해결하는 한편, 순기능적 갈등을 적정수준으로 유지하거나 조장하는 것'을 의미한다.

(2) 현대행정에서는 갈등의 순기능이 강조됨에 따라 갈등의 해결이라는 측면보다는 갈등의 관리라는 측면이 관심을 모으고 있다.

(3) 갈등의 수준이 지나친 경우에는 갈등을 감소시키고, 너무 없을 때는 갈등촉진을 통하여 갈등을 최적수준으로 관리하는 것이 필요하다.

2. 갈등의 촉진(조성) 방안

(1) 새로운 구성원의 투입

기존의 구성원과 서로 다른 마인드나 경력·태도를 가진 구성원의 투입으로 긴장을 조성한다.

(2) 의사전달의 이용 – 의사전달 통로의 변경(정보 및 권력의 재분배)

의사전달 통로를 의식적으로 변경시킴으로써 정보재분배와 권력재분배를 야기시키거나, 부서나 인원감축에 대한 정보를 흘림으로써 갈등을 조장한다. 정보량을 조절(억제 또는 확대)함으로써 갈등을 조성할 수도 있다.

(3) 조직개편·직무재설계 – 제도적 갈등조성 방안

단위(직위) 간의 관계를 재설정함으로써 새로운 조직환경하에서 새로운 직무를 담당하게 하여 분위기를 쇄신한다.

(4) 경쟁의 조성 – 경쟁상황의 창출

보수·인사 등에 있어 경쟁원리(성과급 제도, 공모·개방형 직위 등)를 도입하여 경쟁적 분위기를 조성한다.

행정 PR(공공관계: Public Relation)

1 의의

(1) 행정 PR이란 '정부가 국민과 좋은 관계를 유지·발전시키기 위해 수행하는 관리작용'을 말한다.
(2) 행정 PR은 공청기능(듣기)과 공보기능(알리기)이 복잡하게 교차되어 있는 것으로, 이를 통해 행정기관의 내외가 통합된다.

2 유사개념과의 구별

1. 의사전달과 행정 PR

의사전달은 조직내부 구성원의 상호관계인 반면, 행정 PR은 공중과 국가와의 상호관계이다.

2. 선전과 행정 PR[1]

선전이 선전자의 입장에 호의적인 정보만을 일방적으로 제공하고, 왜곡된 사실을 단순화하여 감정에 호소하면서 알리는 것인 반면, 행정 PR은 상호교류적인 것으로, 사실 그대로를 알리는 것이다.

3 특징

1. 수평성

정부와 국민이 대등한 수평적 지위에서 상호이해와 자주적 협조가 이루어져야 한다.

2. 교류성·쌍방향성

민의를 듣고 이를 정책에 반영시키는 공청기능과 정책홍보 등을 통해 국민에게 알리는 공보기능이 상호적으로 이루어져야 한다.

3. 의무성

행정 PR에 있어 국민은 알 권리가 있으며, 정부는 이를 알려 주어야 할 의무가 있다.

4. 객관성

정부는 사실이나 정보를 진실하게 객관적으로 알려 국민이 이를 정확하고 올바르게 판단하도록 해야 한다.

5. 교육성

행정 PR은 국민에 대해서 계몽적 교육의 성격을 지닌다.

[1] 행정 PR과 선전의 비교

수평성	↔	수직성
교류성·쌍방성	↔	일방성·편류성
객관성	↔	주관성(왜곡 가능)
교육성·계몽성	↔	동조성
이성에 호소	↔	감정·감성에 호소
의무성	↔	권리성

(우측: 선전의 특징)

4 필요성 및 순기능과 역기능

1. 필요성

(1) 국민과 정부 간에 신뢰관계를 형성시킨다.

(2) 정부활동에 대한 국민의 지지와 이해를 얻으며, 그동안 이룩한 성과에 대해 국민으로부터 인정받는다.

(3) 행정수요를 파악하여 이를 반영한다.

(4) 국민의 알권리를 충족시킨다.

(5) 정책의 공익성과 객관성을 확보한다.

(6) 행정의 민주화·합리화를 위해서 필요하다.

2. 순기능과 역기능

순기능	역기능
· 행정정보의 제공과 교육 · 국민의 동의와 지지 획득 · 행정성과의 홍보 · 국회·언론·정당·이익단체 등의 공격으로부터 정부 방어 · 민심을 수습하여 국가를 안정시킴 · 정부와 국민 사이의 의사교류를 위한 중개 · 과시욕구 충족을 통한 공무원의 사기앙양	· 행정 PR이 조작된 경우 국민은 자율성을 상실하게 되고, 왜곡된 정보에 무감각하게 되어 종국에는 정치적 무관심을 초래함 · 현실적으로 행정 PR은 정부가 여론을 조종하기 위해 선전용으로 이용 · 행정 PR에서 국가기밀을 강조하는 경우, 어디까지 국민에게 알릴 것인가의 문제가 발생함

10 정보공개제도

1 의의

(1) 일반적으로 '국가·지방자치단체 및 공기업 등 공공기관이 보유하고 있는 정보를 국민의 청구에 의하여(또는 자발적으로) 공개하는 것'을 의미한다.

(2) 좁은 의미로는 청구에 의한 공개만을 의미하나, 광의로는 자발적인 공개까지 포함한다.

(3) **실정법상 정의**

「공공기관의 정보공개에 관한 법률」에 의하면 정보공개제도란 '공공기관이 직무상 작성·취득하여 관리하고 있는 정보를 열람하게 하거나 그 사본 또는 복제물을 교부하는 것'으로 정의하고 있다.

② 발달과 연혁

1. 자치단체

국가에 앞서 1992년 청주시를 비롯하여 여러 지방자치단체에서 「행정정보공개조례」를 제정·운영해 왔다.

2. 중앙정부

1996년 12월 「공공기관의 정보공개에 관한 법률」이 제정되면서 본격적으로 정보공개제도를 도입·실시하고 있다.

3. 사법부의 판례

「정보공개법」이 제정되기 이전에도 사법부는 판례에 의하여 행정정보공개청구권을 헌법상 알권리로 인정하고 있다. 대법원은 청주시장이 청주시의회를 대상으로 제기한 정보공개조례 취소소송사건에서 '「정보공개법」이 없는 상태하에서도 청주시 정보공개조례는 합헌'이라고 판결하였다.

③ 우리나라 정보공개제도 – 공공기관의 정보공개에 관한 법률

1. 정보공개청구권자

모든 국민이다(국내에 거소를 가지고 일정기간 거주하는 등록된 외국인 포함).

2. 정보공개기관

국가, 지방자치단체 및 대통령령이 정하는 기관으로 입법부 및 사법부, 공기업, 준정부기관, 지방공사·공단, 사회복지법인 및 각급학교(「초·중등교육법」 및 「고등교육법」에 의한 공·사립학교)까지 포함한다.

3. 공개대상정보

공공기관이 직무상 작성·취득하여 관리하고 있는 문서, 도면, 사진, 필름, 테이프, 슬라이드 및 컴퓨터에 의하여 처리되는 매체 등에 기록된 사항이다. 결과는 물론 의사결정 과정(회의록)도 공개하는 것이 원칙이다.

4. 대상정보의 공개시점

정보공개의 청구가 있는 때에는 청구를 받은 날로부터 10일 이내에 공개 여부를 결정하여야 하며, 10일간 연장이 가능하다.

5. 비공개대상정보

공공기관이 보유·관리하는 정보는 원칙적으로 공개되어야 하나, 국민 전체의 권익이나 개인의 프라이버시를 침해할 위험이 있는 다음 어느 하나에 해당하는 정보는 공개하지 아니할 수 있다.

(1) 다른 법률 또는 법률이 위임한 명령(규칙 및 대통령령, 조례로 한정)에 따라 비밀 또는 비공개 사항으로 규정된 정보

(2) 국가안전보장·국방·통일·외교관계 등에 관한 사항으로서, 공개될 경우 국가의 중대한 이익을 현저히 해할 우려가 있다고 인정되는 정보

(3) 공개될 경우 국민의 생명·신체 및 재산의 보호에 현저한 지장을 초래할 우려가 있다고 인정되는 정보

(4) 진행 중인 재판에 관련된 정보와 범죄의 예방, 수사, 공소의 제기 및 유지, 형의 집행, 교정, 보안 처분에 관한 사항으로서, 공개될 경우 그 직무수행을 현저히 곤란하게 하거나 형사피고인의 공정한 재판을 받을 권리를 침해한다고 인정할 만한 상당한 이유가 있는 정보

(5) 감사·감독·검사·시험·규제·입찰계약·기술개발·인사관리에 관한 사항이나 의사결정 과정 또는 내부검토 과정에 있는 사항 등으로서, 공개될 경우 업무의 공정한 수행이나 연구·개발에 현저한 지장을 초래한다고 인정할 만한 상당한 이유가 있는 정보. 다만, 의사결정 과정 또는 내부검토 과정을 이유로 비공개할 경우에는 의사결정 과정 및 내부검토 과정이 종료되면 청구인에게 이를 통지하여야 한다.

(6) 해당 정보에 포함되어 있는 성명·주민등록번호 등 개인에 관한 사항으로서 공개될 경우 사생활의 비밀 또는 자유를 침해할 우려가 있다고 인정되는 정보. 다만, 다음에 열거한 개인에 관한 정보는 제외한다.
   ① 법령이 정하는 바에 따라 열람할 수 있는 정보
   ② 공공기관이 공표를 목적으로 작성하거나 취득한 정보로서 사생활의 비밀 또는 자유를 부당하게 침해하지 않는 정보
   ③ 공공기관이 작성하거나 취득한 정보로서 공개하는 것이 공익이나 개인의 권리구제를 위하여 필요하다고 인정되는 정보
   ④ 직무를 수행한 공무원의 성명·직위
   ⑤ 공개하는 것이 공익을 위하여 필요한 경우로써 법령에 따라 국가 또는 지방자치단체가 업무의 일부를 위탁 또는 위촉한 개인의 성명·직업

(7) 법인·단체 또는 개인(이하 '법인 등')의 경영·영업상 비밀에 관한 사항으로서 공개될 경우 법인 등의 정당한 이익을 현저히 해칠 우려가 있다고 인정되는 정보. 다만, 다음에 열거한 정보는 제외한다.
   ① 사업활동에 의하여 발생하는 위해로부터 사람의 생명·신체 또는 건강을 보호하기 위하여 공개할 필요가 있는 정보
   ② 위법·부당한 사업활동으로부터 국민의 재산 또는 생활을 보호하기 위하여 공개할 필요가 있는 정보

(8) 공개될 경우 부동산 투기·매점매석 등으로 특정인에게 이익 또는 불이익을 줄 우려가 있다고 인정되는 정보

6. 비용부담

정보의 공개 및 우송 등에 소요되는 비용은 청구인의 부담으로 한다.

7. 구제제도

(1) 정당한 정보공개청구가 거부당할 경우에 이에 대한 구제장치가 필요하다.

핵심 OX

01 직무를 수행한 공무원의 성명·직위는 공개할 수 있다. (O, X)

01 O

(2) 정보공개에 대한 불복구제절차로서 이의신청, 행정심판, 행정소송제도가 있다. 이 경우 행정심판은 거치지 않아도 되는 임의적 전심절차이다.

(3) 정보공개 여부를 심의하기 위하여 국가기관, 지방자치단체 및 공공기관별로 정보 공개심의회를 설치 · 운영하고, 정보공개정책의 수립 및 제도개선에 관한 사항을 심 의 · 조정하기 위하여 국무총리 소속으로 정보공개위원회를 둔다.

4 정보공개제도의 효용과 폐단

1. 효용

(1) 정보민주주의(tele-democracy) 구현

국민주권원리에 입각한 국민의 알권리(right to know) 보장과 행정참여를 유도하고, 정보접근권 · 정보사용권 · 정보참가권을 보장하기 위함이다(방석현).

(2) 행정의 투명성과 신뢰성 증진

① 관료에 의한 정보독점을 막고 국민의 알권리를 충족시켜, 행정의 투명성을 증진 시킨다.

② 국민과 관료 간의 정보격차를 해소하여 대리손실을 줄이고, 국민으로 하여금 행 정에 대한 감시와 통제를 강화할 수 있게 해준다.

2. 폐단

(1) 국가기밀의 유출

직무상 비밀 보호와의 충돌 내지는 국가기밀 유출의 위험이 커진다.

(2) 사생활의 침해

정부가 획득하여 보유하는 개인정보의 유출 가능성이 있다.

(3) 정보의 왜곡

정치적 · 행정적 책임을 면하기 위해 중요 문서의 작성을 회피하거나 기존문서의 훼 손 내지는 조작된 정보가 공개될 수도 있다.

(4) 비용 · 업무량의 증가

정보공개제도를 운영하는 데 비용이 많이 들고 행정의 부담이 늘어난다.

(5) 공무원의 유연성 · 창의력 저해 및 소극적 행태의 조장

정보공개에 따라 실책이 드러나거나 말썽이 생길 것을 걱정하는 공무원들이 위축 되고, 업무추진에 소극적인 태도를 보일 수 있다.

(6) 공개혜택의 비형평성

개인과 집단에 따라 정보접근 능력에는 차이(디지털 격차)가 있기 때문에 정보공개 의 혜택 배분이 형평성을 잃을 수 있다.

(7) 정보의 남용

공개된 정보가 범죄자나 산업스파이 등에 의하여 남용 또는 악용될 우려가 있고, 투 기 등 부당이득의 목적에 악용될 수도 있다.

01 동기이론에 대한 설명으로 옳은 것은? 2019년 지방직 7급

① 매슬로우(Maslow)의 욕구 5단계론은 욕구가 상위 수준에서 하위 수준으로 후퇴할 수도 있다고 본다.

② 엘더퍼(Alderfer)의 ERG 이론은 상위 욕구가 만족되지 않으면, 하위 욕구를 더욱 충족시키고자 한다고 주장한다.

③ 허즈버그(Herzberg)의 욕구충족 이원론은 '감독자와 부하의 관계'를 만족 요인 중 하나로 제시한다.

④ 포터와 롤러(Porter & Lawler)의 업적·만족 이론은 성과보다는 구성원의 만족이 직무성취를 가져온다고 지적한다.

02 동기이론에 대한 설명으로 가장 옳은 것은? 2019년 서울시 7급(2월 추가)

① 매슬로우(A. Maslow)는 욕구를 하위욕구부터 상위욕구까지 총 5단계로 분류하면서, 하위욕구를 충족하게 되면 상위욕구를 추구하게 되나, 하위욕구인 생리적 욕구와 안전욕구는 충족되더라도 필수적 욕구로 동기유발이 지속된다고 주장하였다.

② 허즈버그(F. Herzberg)의 욕구충족요인 이원론은 불만요인(위생요인)은 개인의 불만족을 방지하는 효과를 가져오는 요인으로 충족이 되지 않으면 심한 불만을 일으키지만 충족이 되면 강한 동기요인이 되기 때문에 개인의 불만에 대하여 관심을 갖고 관리해야 한다고 주장하였다.

③ 앨더퍼(C. Alderfer)의 ERG이론은 매슬로우(Maslow)의 욕구 5단계이론과 달리, 욕구 추구는 분절적으로 일어날 수도 있지만, 두 가지 이상의 욕구를 동시에 추구하기도 한다고 주장하였다.

④ 매클랜드(D. McClelland)는 성취동기이론에서 공식조직이 개인의 행태에 미치는 영향 연구를 통하여 미성숙 상태에서 성숙 상태로 발전하는 성격 변화의 경험이 성취동기의 기본이 된다고 주장하였다.

정답 및 해설

01 앨더퍼(Alderfer)는 상위욕구가 만족되지 않거나 좌절될 때 하위욕구를 더욱 충족시키고자 한다는 '좌절-퇴행 접근법'을 주장했다.

| 오답체크 |

① 매슬로우(Maslow)의 욕구 5단계론은 욕구발현의 후진성을 인정하지 않는다.

③ 허즈버그(Herzberg)의 욕구충족 이원론은 감독자와 부하의 관계나 보수, 직무환경을 불만요인으로 제시한다.

④ 포터와 롤러(Porter & Lawler)의 업적·만족 이론은 성과나 업적이 구성원의 만족을 가져온다고 지적한다.

02 앨더퍼(Alderfer)의 ERG이론은 매슬로우(Maslow)의 욕구 5단계를 3단계로 통합하고 욕구 추구는 따로, 분절적으로 일어날 수도 있지만, 두 가지 이상의 욕구를 동시에 추구하기도 한다는 복합연결욕구모형을 제시하였다.

| 오답체크 |

① 하위욕구는 어느 정도 충족이 될 경우 더 이상 동기부여로 작용하지 않는다.

② 불만요인은 충족이 되지 않으면 불만을 야기하지만, 충족이 되더라도 동기요인으로 작용하지는 않는다.

④ 아지리스(Argyris)의 미성숙·성숙이론에 대한 설명이다.

정답 01 ② 02 ③

03 매슬로우(Maslow)의 욕구단계이론에 대한 설명으로 옳은 것은? 2017년 국가직 7급(8월 시행)

① 가장 낮은 안전의 욕구부터 시작하여 다섯 가지의 위계적 욕구단계가 존재한다.

② 안전의 욕구와 사회적 욕구는 앨더퍼(Alderfer)의 ERG이론의 첫 번째 욕구단계인 존재욕구에 해당한다.

③ 어느 한 단계의 욕구가 완전히 충족되어야만 다음 단계의 욕구를 추구하게 되는 것은 아니다.

④ 사회적 욕구는 어떤 일을 행함으로써 느끼게 되는 자신감, 성취감 등을 의미한다.

04 동기이론에 대한 설명으로 옳지 않은 것은? 2019년 국가직 9급

① 매슬로우(Maslow)는 충족된 욕구는 동기부여의 역할이 약화되고 그 다음 단계의 욕구가 새로운 동기 요인이 된다고 하였다.

② 앨더퍼(Alderfer)는 매슬로우(Maslow)의 5단계 욕구이론을 수정해서 인간의 욕구를 3단계로 나누었다.

③ 허즈버그(Herzberg)는 불만요인(위생요인)을 없앴다고 해서 적극적으로 만족감을 느끼는 것은 아니라고 했다.

④ 브룸(Vroom)의 기대이론에서 수단성(instrumentality)은 특정한 결과에 대한 선호의 강도를 의미한다.

05 동기요인 이론에 대한 설명으로 옳지 않은 것은? 2021년 국가직 9급

① 아담스(Adams)의 공정성이론에 따르면 공정하다고 인식할 때 동기가 유발된다.

② 맥클리랜드(McClelland)의 성취동기이론에 따르면 개인들의 욕구가 학습을 통해 개발될 수 있다.

③ 브룸(Vroom)의 기대이론에서 기대감은 특정 결과는 특정한 노력으로 인해 나타날 수 있다는 가능성에 대한 개인의 신념으로 통상 주관적 확률로 표시된다.

④ 앨더퍼(Alderfer)의 ERG이론에 따르면 상위욕구 충족이 좌절되면 하위욕구를 충족시키고자 할 수 있다.

06 다음 중 조직 구성원의 동기부여이론에 대한 설명으로 가장 거리가 먼 것은? 2023년 군무원 9급

① 매슬로우(A. H. Maslow)의 5단계 욕구이론은 욕구계층의 고정성을 전제로 한다.

② 허츠버그(F. Herzberg)의 욕구충족이론에 의하면 위생요인(hygiene factor)이 충족되는 경우 동기가 부여된다.

③ 샤인(E. H. Schein)의 복잡 인간관에서는 구성원의 맞춤형 관리전략의 필요성을 강조한다.

④ 맥그리거(D. McGregor)의 X · Y이론은 욕구와 관리전략의 성장측면을 강조한다.

정답 및 해설

03 매슬로우(Maslow)의 욕구 5단계설에 따르면 인간의 욕구 충족은 대개 상대적이고 모든 욕구의 완전한 충족은 있을 수 없기 때문에, 만족스러운 충족이 되면 다음 단계의 욕구를 추구하게 된다.

| 오답체크 |
① 가장 낮은 욕구는 안전의 욕구가 아니라 생리적 욕구이다. 생리적 욕구부터 시작하여 5가지의 위계적 욕구단계가 존재한다.
② 앨더퍼(Alderfer)의 ERG이론의 첫 번째 욕구인 존재욕구에는 매슬로우(Maslow)의 생리적 욕구와 안전의 욕구가 포함된다.
④ 사회적 욕구가 아니라 자아실현 욕구에 해당한다. 사회적 욕구는 다른 사람과의 관계를 추구하려는 애정 욕구를 말한다.

04 수단성이 아니라 유의성이다. 유의성(valence)은 특정한 결과(보상)에 대한 선호의 강도를 의미한다.

| 오답체크 |
① 매슬로우(Maslow)는 하위 욕구가 어느 정도(만족수준) 충족되었을 때 상위 욕구가 발로될 것이라는 점을 지적했다. 즉, 충족된 욕구는 동기부여의 역할이 약화되고, 그 다음 단계의 욕구가 새로운 동기 요인이 된다고 하였다.
② 앨더퍼(Alderfer)는 매슬로우(Maslow)의 5단계 욕구이론을 수정해서 인간의 욕구를 3단계로 나누었다.
③ 허즈버그(Herzberg)는 불만과 만족은 별개의 차원이며, 상호 독립되어 있다고 보면서, 불만요인(위생요인)을 없앤다고 해서 적극적으로 만족감을 느끼는 것이 아니라 불만을 제거할 뿐이라고 주장하였다.

05 아담스(Adams)의 형평성(공정성)이론은 개인은 준거인(능력이 비슷한 동료)과 비교하여 자신의 노력과 보상 간에 불일치(보상의 불공평성)를 지각하면, 이를 제거하는 방향으로 동기가 부여된다는 것이다.

| 오답체크 |
② 맥클리랜드(McClelland)의 성취동기이론에 따르면 개인들의 욕구는 사회화 과정과 학습을 통해 형성되므로, 개인마다 욕구의 계층이 다르다고 본다.
③ 브룸(Vroom)의 기대이론에서는 일정한 노력을 기울이면 근무 성과를 가져올 수 있으리라는 가능성에 대한 인간의 주관적인 확률과 관련된 믿음을 기대감이라 한다.
④ 앨더퍼(Alderfer)는 상위욕구가 만족되지 않거나 좌절될 때 하위욕구를 더욱 충족시키고자 한다는 '좌절 – 퇴행 접근법'을 주장했다.

06 불만요인(위생요인)은 개인의 불만족을 방지하는 요인으로서, 충족되지 않으면 심한 불만을 일으키지만 충족되어도 적극적으로 만족감을 느끼거나 동기를 유발하지는 않는다.

| 오답체크 |
① 매슬로우(A. H. Maslow)의 5단계 욕구이론에서 개인차를 인정하지 않는다는 것은 욕구의 단계가 획일적으로 고정되어 있다는 것을 의미한다.
③ 샤인(Schein)에 따르면 조직 내 인간은 다양한 욕구와 잠재력을 지닌 존재이고 인간의 동기는 상황에 따라 달라지기 때문에, 관리자는 상황적응적 관리를 통해 구성원의 관리전략을 구사해야 한다고 하였다.
④ 맥그리거(McGregor)는 관리자가 조직 내의 인간을 X나 Y라는 두 가지 중 하나로 가정하며, 인간의 하급욕구에 착안한 관리전략의 설정을 X이론으로 설명하고, 인간의 고급욕구에 착안한 관리전략을 Y이론으로 설명한다.

정답 03 ③ 04 ④ 05 ① 06 ②

07 다음 중 조직에서의 강화 일정에 관한 설명으로 가장 적절치 않은 것은? 2014년 경찰간부

① 연속적 강화는 학습의 어떤 단계에서도 바람직한 행동의 비율을 높이는 데 매우 효과적이어서 관리자에게 큰 도움이 된다.

② 매월 20일에 봉급을 주는 것은 고정간격 강화의 한 예이다.

③ 생산량에 비례하여 임금을 지급하는 성과급제는 고정비율 강화의 한 예이다.

④ 변동 비율로 강화 요인을 제공할 때에는 강화 요인을 제공하는 사이의 시간 간격을 너무 길게 하지 않게 해서 부하들의 사기가 떨어지지 않도록 배려할 필요가 있다.

08 동기유발의 과정을 설명하는 '과정이론'에 해당하는 것만을 모두 고르면? 2022년 국가직 9급

> ㄱ. 브룸(Vroom)의 기대이론
> ㄴ. 애덤스(Adams)의 공정성이론
> ㄷ. 로크(Locke)의 목표설정이론
> ㄹ. 앨더퍼(Alderfer)의 ERG이론
> ㅁ. 맥그리거(McGregor)의 X이론·Y이론

① ㄱ, ㄴ, ㄷ   ② ㄱ, ㄴ, ㄹ

③ ㄴ, ㄷ, ㅁ   ④ ㄷ, ㄹ, ㅁ

09 동기부여이론에 대한 설명으로 옳지 않은 것은?

① 앨더퍼(Alderfer)의 욕구내용 중 관계욕구는 머슬로(Maslow)의 생리적 욕구와 안전욕구에 해당한다.

② 브룸(Vroom)의 기대이론은 과정이론에 해당한다.

③ 허즈버그(Herzberg)는 위생요인이 충족되었다고 하더라도 동기부여가 되는 것은 아니라고 하였다.

④ 애덤스(Adams)는 투입한 노력 대비 얻은 보상에 대해서 준거인과 비교해 상대적으로 느끼는 공평함의 정도가 동기부여에 영향을 미친다고 하였다.

정답 및 해설

07 연속적 강화는 초기학습단계에 효과적이지만, 강화의 효과가 빨리 소멸하고 관리자에게는 큰 도움이 되지 않는다는 단점이 있다.

❶ 강화의 종류

연속적 강화	· 바람직한 행동이 일어날 때마다 강화요인을 제공하는 것 · 초기학습단계에서 바람직하지만, 관리자에게는 큰 도움을 주지 못함
고정간격 강화	행동이 얼마나 발생하는가에 상관없이 미리 결정된 일정한 시간간격으로 강화요인을 제공하는 것 예 월급
변동간격 강화	불규칙적(변동적)인 시간 간격으로 강화요인을 제공하는 것 예 승진
고정비율 강화	· 일정한 빈도의 바람직한 행동이 나타났을 때 강화요인을 제공하는 것 · 행동(성과나 생산량)의 일정 비율에 대하여 강화요인을 제공하는 것으로, 일정한 횟수의 행동에 대해 보상이 제공됨 예 판매량에 따른 성과급 지급
변동비율 강화	· 불규칙한 횟수의 바람직한 행동이 나타났을 때 강화요인을 제공하는 것 · 강화요인을 제공하는데 필요한 행동(성과나 생산량)의 횟수가 시간에 따라 변동하는 것 예 칭찬

08 동기부여의 과정이론에 해당하는 이론은 ㄱ. 브룸(Vroom)의 기대이론, ㄴ. 애덤스(Adams)의 공정성이론, ㄷ. 로크(Locke)의 목표설정이론이다.

| 오답체크 |
ㄹ. 앨더퍼(Alderfer)의 ERG이론은 욕구이론(내용이론)에 해당한다.
ㅁ. 맥그리거(McGregor)의 X·Y이론은 욕구이론(내용이론)에 해당한다.

❶ 내용이론과 과정이론의 구분

내용 이론	· 매슬로우(Maslow) 욕구 5단계론 · 앨더퍼(Alderfer) ERG이론 · 맥그리거(McGregor)의 X·Y이론 · Z이론 · 아지리스(Argyris)의 성숙·미성숙이론 · 맥클리랜드(McClelland)의 성취동기이론 · 머레이(Murray)의 명시적 욕구이론 · 허즈버그(Herzberg)의 욕구충족요인 이원론 · 직무특성이론 · 리커트(Likert)의 4대 관리체제론
과정 이론	· 브룸(Vroom)의 기대이론 · 포터(Porter)와 롤러(Lawler)의 업적·만족이론 · 통로·목표이론 · 아담스(Adams)의 형평성이론 · 강화이론 · 로크(Locke)의 목표설정이론

09 머슬로(Maslow)의 생리적 욕구와 안전욕구에 해당하는 것은 앨더퍼(Alderfer)의 생존욕구이다.

| 오답체크 |
② 브룸(Vroom)의 기대이론은 과정이론이다.
③ 허즈버그(Herzberg)의 욕구충족요인이원론에서는 위생요인이 충족되어도 불만이 없는 상태가 되는 것이며, 직무수행 동기를 유발하지는 못한다.
④ 아담스(Adams)의 공정성이론은 투입한 노력 대비 얻은 보상에 대해서 준거인과 비교해 상대적으로 느끼는 공평함의 정도가 동기부여에 영향을 미친다고 하였다. 여기서 공평함의 정도가 불평등하다고 지각할 때 동기부여가 된다.

정답 07 ① 08 ① 09 ①

10 동기부여 이론에 대한 설명으로 옳은 것은? 2023년 지방직 9급

① 로크(Locke)의 목표설정이론에서는 목표의 도전성(난이도)과 명확성(구체성)을 강조했다.

② 매슬로우(Maslow)의 욕구 5단계설에서는 욕구의 좌절과 퇴행을 강조했다.

③ 해크만과 올드햄(Hackman & Oldham)의 직무특성이론에서는 유의성, 수단성, 기대감을 동기부여의 핵심으로 보았다.

④ 앨더퍼(Alderfer)의 ERG이론에서는 위생요인이 충족되었다고 하더라도 동기부여가 되는 것은 아니라고 주장했다.

11 애덤스(Adams)의 공정성이론에 대한 설명으로 옳지 않은 것은? 2024년 지방직 9급

① 투입과 산출의 비율을 준거인과 비교하여 공정성을 지각한다.

② 불공정성을 느낄 때 자신의 지각을 의도적으로 왜곡하기도 한다.

③ 노력과 기술은 투입에 해당하며, 보수와 인정은 산출에 해당한다.

④ 준거인과 비교하여 과소보상자는 불공정하다고 생각하고, 과대보상자는 공정하다고 생각한다.

12 변혁적(transformational) 리더십에 대한 설명으로 옳은 것은? 2021년 지방직 9급

① 적응보다 조직의 안정을 강조한다.

② 기계적 조직체계에 적합하며, 개인적 배려는 하지 않는다.

③ 부하에게 새로운 비전을 제시하며, 지적 자극을 통한 동기부여를 강조한다.

④ 리더와 부하의 관계를 경제적 교환관계로 인식하고, 보상에 관심을 둔다.

13 리더-구성원 교환이론에 대한 설명으로 옳은 것만을 모두 고르면? 2024년 지방직 9급

> ㄱ. 내집단(in-group)에 속한 구성원이 많을수록 집단의 성과가 높아진다고 본다.
> ㄴ. 리더와 구성원이 파트너십 관계로 발전하는 과정을 '리더십 만들기'라 한다.
> ㄷ. 리더가 모든 구성원을 차별 없이 대우하는 공정성을 중시한다.
> ㄹ. 리더와 구성원이 점점 높은 도덕성과 동기 수준으로 서로를 이끌어 가는 상호 관계를 중시한다.

① ㄱ, ㄴ   ② ㄱ, ㄹ

③ ㄴ, ㄷ   ④ ㄷ, ㄹ

14 리더십에 대한 설명으로 옳지 않은 것은? 2019년 국가직 9급

① 특성론에 대한 비판은 지도자의 자질이 집단의 특성·조직목표·상황에 따라 완전히 달라질 수 있고, 동일한 자질을 갖는 것은 아니며, 반드시 갖춰야 할 보편적인 자질은 없다는 것이다.

② 행태이론에서는 눈에 보이지 않는 능력 등 리더가 갖춘 속성보다 리더가 실제 어떤 행동을 하는가에 초점을 맞춘다.

③ 상황론에서는 리더십을 특정한 맥락 속에서 발휘되는 것으로 파악해, 상황 유형별로 효율적인 리더의 행태를 찾아내기 위한 연구를 수행하였다.

④ 번스(Burns)의 리더십이론에서 거래적 리더십은 카리스마적 리더십을 기반으로 하므로 카리스마적 리더십과 중첩되는 측면이 있다.

정답 및 해설

10 과정이론의 일종인 로크(Locke)의 목표설정이론에서는 목표의 난이도와 구체성이 강조되었다. 즉, 목표가 어느 정도 어렵고 구체적일 때 동기부여의 효과가 높다고 보았다.

| 오답체크 |

② 앨더퍼(Alderfer)의 ERG이론에 해당한다. 매슬로우(Maslow)는 욕구의 좌절과 퇴행을 고려하지 못하였다.

③ 브룸(V. Vroom)의 기대이론에 해당한다.

④ 허즈버그(Herzberg)의 2요인이론에 해당한다.

11 준거인물과 비교하여 과소보상과 과다보상 둘 다 불공정하다고 생각한다.

| 오답체크 |

① 개인은 준거인(능력이 비슷한 동료)과 비교하여 자신의 노력과 보상 간에 불일치(보상의 불공평성)를 지각하면, 이를 제거하는 방향으로 동기가 부여된다는 것이다.

② 과소보상의 불공정을 지각할 경우 급료를 인상하여 달라는 등의 편익 증대를 요구, 노력을 줄여 투입을 감소, 산출의 왜곡, 준거인물의 변경, 조직에서의 이탈 등이 나타난다.

③ 투입에는 직무수행에 동원한 노력, 기술, 교육, 경험, 사회적 지위 등이 포함된다. 산출에는 보수, 승진, 직무만족, 학습기회, 작업조건, 단조로움, 불확실성, 시설의 사용 등이 포함된다.

12 변혁적 리더십의 구성요소 중 영감적 리더십과 지적 자극으로 옳은 지문이다.

| 오답체크 |

① 변혁적 리더십은 안정보다 변화에 대한 적응을 중시한다.

② 기계적 조직보다 유기적 구조에 적합하며, 개인적 배려를 중시한다.

④ 경제적 교환을 통한 합리적 교환은 거래적 리더십의 특성에 해당한다.

13 수직적 쌍방관계 연결이론(Graen & Dansereau, 1975)은 리더-구성원 교환이론이라고도 하며, 기존의 이론들은 리더의 행동이 모든 부하들에게 동일하다고 전제하지만, 수직적 쌍방관계 연결이론에서는 리더와 각각의 부하 간의 관계가 서로 다를 수 있다는 것을 강조한다. 여기서 수직적 쌍방관계란 리더와 각각의 부하가 이루는 쌍(pair)을 의미한다.

ㄱ. 내집단에 속한 구성원일수록 구성원의 만족감과 성과가 높고, 외집단에 속할수록 낮다.

ㄴ. 내집단 구성원과 리더 간의 상호작용 관계가 어떻게 리더십으로 형성되는지 '리더십 만들기' 개념을 제시한다.

| 오답체크 |

ㄷ. 리더는 외집단 구성원과 내집단 구성원에게 차별적인 관리방식을 취한다고 본다.

ㄹ. 변혁적 리더십에 해당한다.

14 거래적 리더십이 아니라 변혁적 리더십에 대한 설명이다. 변혁적 리더십은 카리스마적 리더십을 구성요소로 하므로, 카리스마적 리더십과 중첩되는 측면이 있다.

| 오답체크 |

① 특성론은 훌륭한 리더가 되는 데 필요한 속성을 가진 사람은 성공적인 리더가 될 수 있다고 보았다. 특성에는 신체적 특성, 능력 등이 있다. 지도자의 자질이 집단의 특성·조직목표·상황에 따라 달라질 수 있으므로 보편적인 자질은 없다고 본다.

② 행태이론(behavior theory)은 리더십 행태의 유형을 발전시키고, 리더십 행태와 추종자들의 업무성취 및 만족 사이의 관계를 밝히려는 이론을 말한다.

③ 상황이론은 리더십을 특정한 맥락 속에서 발휘되는 것으로 파악하여, 상황 유형별로 효율적인 리더의 행태를 찾아내기 위한 연구를 수행하였다.

정답 **10** ① **11** ④ **12** ③ **13** ① **14** ④

15 다음 중 리더십이론에 대한 설명으로 옳은 것만을 모두 고른 것은? 2017년 국가직 7급(10월 추가)

> ㄱ. 피들러(Fiedler)의 상황적합이론(contingency theory of leadership)에서는 상황변수로 '리더와 부하의 관계', '직위 권력', '과업구조' 세 가지를 들고 있다.
> ㄴ. 허시와 블랜차드(Hersey & Blanchard)의 경로-목표이론(path-goal theory of leadership)에서는 상황변수로 부하의 능력과 의욕으로 구성되는 성숙도를 채택하였다.
> ㄷ. 하우스(House)는 리더십을 거래적 리더십(transactional leadership)과 변혁적 리더십(transformational leadership)으로 구분하였다.
> ㄹ. 블레이크와 머튼(Blake & Mouton)의 관리격자(managerial grid)모형에 따르면 무기력형, 컨트리클럽형, 과업형, 중도형, 팀형이라는 기본적인 리더십 유형이 도출된다.

① ㄱ, ㄴ   ② ㄱ, ㄹ

③ ㄴ, ㄷ   ④ ㄷ, ㄹ

16 리더십 상황이론에 해당하지 않는 것은? 2019년 서울시 7급(10월 추가)

① 블레이크(Blake)와 머튼(Mouton)의 관리그리드 이론

② 피들러(Fiedler)의 상황적응 모형

③ 허쉬(Hersey)와 블랜차드(Blanchard)의 삼차원적 모형

④ 하우스(House)와 에반스(Evans)의 경로-목표이론

17 리더십에 대한 설명으로 옳지 않은 것은? 2020년 국가직 7급

① 변혁적(transformational) 리더십의 특성에는 영감적 동기부여, 자유방임, 지적 자극, 개별적 배려 등이 있다.

② 진성(authentic) 리더십의 특성은 리더가 정직성, 가치의식, 도덕성을 바탕으로 팔로워들의 믿음을 이끌고, 팔로워들이 리더의 윤리성과 투명성을 믿으며 긍정적 감정을 느낀다는 것이다.

③ 서번트(servant) 리더십은 자기 자신보다는 다른 사람에게 초점을 두고, 부하들의 창의성과 잠재력을 발휘할 수 있도록 봉사하는 리더십이다.

④ 거래적(transactional) 리더십은 적극적 보상이나 소극적 보상을 통해 영향력을 행사한다.

18 변혁적 리더십에 대한 설명으로 옳지 않은 것은? 2023년 지방직 9급

① 도전적 목표와 임무, 미래에 대한 비전을 추구하도록 격려한다.

② 구성원 개개인에게 관심을 가지고 배려한다.

③ 상황적 보상과 예외관리를 특징으로 한다.

④ 새로운 관점에서 문제를 재구성하고 해결책을 찾도록 자극한다.

19 조직이론에 대한 설명으로 옳지 않은 것은?

① 카플란(Kaplan)과 노턴(Norton)은 균형성과표(BSC)의 네 가지 관점으로 고객 관점, 내부 프로세스 관점, 재무적 관점, 학습과 성장 관점을 제시하였다.

② 민츠버그(Mintzberg)는 조직의 5개 구성 요소로 전략적 최고관리층, 중간계선관리층, 작업층, 기술구조, 지원막료를 제시하였다.

③ 허시(Hersey)와 블랜차드(Blanchard)는 부하의 성숙도가 높은 경우 지시적 리더십이 효과적이라고 보았다.

④ 베버(Weber)는 법적·합리적 권한에 기초를 둔 이념형(ideal type) 관료제의 특징으로 법과 규칙의 지배, 계층제, 문서에 의한 직무수행, 비개인성(impersonality), 분업과 전문화 등을 제시하였다.

정답 및 해설

15 | 오답체크 |

ㄴ. 경로 – 목표이론은 허시와 블랜차드(Hersey & Blanchard)가 아니라 하우스와 에반스(House & Evans)가 주장하였으며, 허시와 블랜차드(Hersey & Blanchard)는 부하의 성숙도를 상황변수로 본다.

ㄷ. 하우스(House)는 경로 – 목표모형에서 리더십의 유형을 지시적, 지원적, 참여적, 성취적 리더십으로 구분하였다.

16 블레이크(Blake)와 머튼(Mouton)의 관리그리드이론은 상황이론이 아니라 행태론적 리더십 연구에 해당한다. 나머지는 상황이론이다.

17 변혁적 리더십의 특성에는 영감적 동기부여, 카리스마적 리더십, 지적 자극, 개별적 배려 등이 있다. 자유방임은 해당하지 않는다.

| 오답체크 |

② 진성 또는 진실한 리더십(신뢰감을 주는 리더십; authentic leadership)이란 자기가 어떤 사람이며 자기의 가치관과 신념은 무엇인지 알고, 그에 따라 일관되게 솔직하고 개방적으로 행동하는 사람의 리더십이다. 진실한 리더십은 리더가 그의 가치관에 따라 투명하고 윤리적으로 행동하여, 추종자들이 리더를 신뢰하고 따르게 만드는 리더십이다. 진실한 리더십의 핵심은 신뢰이다.

③ 서번트(servant) 리더십은 발전적 리더십으로, 변혁적 리더십보다 좀 더 부하 중심적이고 리더가 부하에 대해 더 봉사적인 리더십이다. 그러므로 종복정신을 강조한다.

④ 거래적(transactional) 리더십은 부하의 업적에 따른 적극적 보상이나 소극적 보상을 통한 합리적 교환으로 영향력을 행사한다.

18 상황적 보상과 예외관리는 거래형 리더십의 특성에 해당한다. 상황적 보상이란 목표수준을 달성했을 때 보상을 해주는 조건을 의미하고, 예외관리란 목표달성에 미치지 못했을 때 예외적으로 책임을 묻는 관리방식을 말한다.

| 오답체크 |

① 변혁적 리더십의 구성요소인 영감적 리더십에 해당한다.

② 변혁적 리더십의 구성요소인 개별적 배려에 해당한다.

④ 변혁적 리더십의 구성요소인 지적 자극에 해당한다.

19 허시(Hersey)와 블랜차드(Blanchard)는 리더십 상황이론에서 부하의 성숙도가 낮은 수준에서 높은 수준으로 변화함에 따라 지시형 – 설득형 – 참여형 – 위임형의 순으로 효율적이라고 주장하였다. 따라서 부하의 성숙도가 높을수록 위임형이 효과적이다.

| 오답체크 |

① 균형성과표(BSC)의 4대 관점으로 옳은 설명이다.

② 민츠버그(Mintzberg)의 조직유형별 핵심 구성부분으로 옳은 설명이다.

④ 베버(Weber)의 관료제에 대한 특징으로 옳은 설명이다.

정답 **15** ② **16** ① **17** ① **18** ③ **19** ③

20 조직 내의 갈등관리에 대한 설명으로 옳지 않은 것은?

① 고전적 갈등관리이론에서는 갈등의 유해성에 주목하고 그 해소방법을 처방하는 데 몰두하였다.

② 행태주의 관점의 갈등관리이론에서는 갈등이 조직 발전의 원동력이 된다고 주장하였다.

③ 갈등관리 전략으로서 조성전략은 갈등의 순기능적 측면에 입각해 있다.

④ 로빈스(Robbins)는 갈등관리를 전통주의자, 행태주의자, 상호작용주의자의 관점으로 구분하여 접근한다.

21 갈등관리유형에 대한 설명으로 옳지 않은 것은?

① 회피(avoiding)는 갈등이 존재함을 알면서도 표면상으로는 그것을 무시하거나 인정하지 않음으로써 갈등 상황에 소극적으로 대응한다.

② 수용(accommodating)은 자신의 이익을 양보하고 상대방의 이익을 배려해 협조한다.

③ 타협(compromising)은 갈등 당사자 간 서로 존중하고 자신과 상대방 모두의 이익을 극대화하려는 유형으로 'win-win' 전략을 취한다.

④ 경쟁(competing)은 갈등 당사자가 자기 이익은 극대화하고 상대방의 이익은 최소화한다.

22 우리나라의 행정정보공개제도에 대한 설명으로 옳지 않은 것은?

① 국정에 대한 국민의 참여와 국정 운영의 투명성 확보를 목적으로 한다.

② 중앙행정기관의 경우 전자적 형태의 정보 중 공개대상으로 분류된 정보는 공개청구가 없더라도 공개하여야 한다.

③ 정보의 공개 및 우송 등에 드는 비용은 실비 범위에서 청구인이 부담한다.

④ 정보공개 청구는 말로써도 할 수 있으나 외국인은 청구할 수 없다.

23 행정 PR(public relations)에 대한 설명으로 옳지 <u>않은</u> 것은?

① 행정민주화의 요청에 따라 그 필요성이 제기되고 있다.

② 정부가 잘못된 정보를 국민에게 투입하는 것은 행정 PR의 객관성에 반하는 것이다.

③ 개발도상국가에서는 국민들에 대한 계몽적·교육적 성격을 갖는다.

④ 국민의 알 권리에 대한 정부의 도덕적·법적 의무로 이해되기 때문에 일방적·명령적이어야 한다.

정답 및 해설

20 갈등을 조직발전의 원동력으로 보는 관점은 행태주의가 아니라 상호작용주의 관점이다.

| 오답체크 |
① 고전적 갈등관리는 갈등의 역기능을 강조하며 회피대상으로 여긴다.
③ 순기능적 갈등은 조성의 대상, 역기능적 갈등은 해소의 대상이다.
④ 로빈스와 저지[Robins & Judge(2011)]는 갈등관리를 전통주의자, 행태주의자, 상호작용주의자의 관점으로 구분하여 접근한다.

21 갈등당사자 모두의 이익을 극대화하려는 'win-win' 전략은 타협(compromising)이 아니라 협동(collaboration)에 해당한다.

❶ 갈등관리 방안

회피 (avoidance)	·비단정적인 전략으로 자신의 이익과 상대방의 이익에 모두 무관심한 경우 ·갈등 상황으로부터 벗어나 버리는 것으로 사소한 문제이거나, 자신의 욕구충족 기회가 없을 때 나타남
순응 (수용, 적응, accommodation)	·자신의 이익은 희생하고 상대방의 이익을 만족시키는 전략 ·상대방의 논제가 더 중요할 때 상대방의 주장을 받아들이는 것 ·자신의 결정이 잘못되었거나, 상대방과 화합하고 조직의 안정·사회적 신뢰를 중요시할 때 나타남
타협 (compromise)	·자신과 상대방 이익의 중간 정도를 만족시키는 전략 ·단정과 협력의 중간 수준으로써 극단적인 전략을 피하는 것인데, 당사자들이 동등한 권력을 보유하고 시간적 여유가 없을 때 나타남
경쟁 (competing)	·자신의 이익을 추구하고 상대방의 이익은 희생시키는 전략 ·위기상황이나 한쪽의 권한이 우위일 때 나타나며, 강제전략(forcing)이라고도 함 ·신속하고 결단력 있는 행동이 요구되거나 인기 없는 조치를 실행할 경우에 나타남
협동 (collaboration)	·자신과 상대방의 이익 모두를 만족시키려는 전략 ·갈등을 긍정적인 현상으로 받아들이며 상대방에 대하여 신뢰와 정직을 나타낼 경우, 다양한 관점과 정보를 바탕으로 한 통합적인 해결전략이 필요할 때 나타남

22 정보공개청구는 문서로 청구서를 제출하거나 말로써 할 수 있으며, 외국인도 대통령령으로 정하는 일정한 경우에는 청구할 수 있다.

| 오답체크 |
① 정보공개제도의 목적으로 옳은 지문이다.
② 「공공기관의 정보공개에 관한 법률」 제8조의2에 명시된 내용이다.

> **「공공기관의 정보공개에 관한 법률」 제8조의2【공개대상 정보의 원문공개】** 공공기관 중 중앙행정기관 및 대통령령으로 정하는 기관은 전자적 형태로 보유·관리하는 정보 중 공개대상으로 분류된 정보를 국민의 정보공개 청구가 없더라도 정보통신망을 활용한 정보공개시스템 등을 통하여 공개하여야 한다.

③ 정보공개 실비는 청구인의 부담으로 옳은 지문이다.

23 행정 PR(public relations)은 민의를 듣고 이를 정책에 반영시키는 공청기능과 정책홍보 등을 통해 국민에게 알리는 공보기능이 상호적으로 이루어져야 한다. 즉, 일방적·명령적이 아니라 교류성·쌍방향성이어야 한다.

❶ 행정 PR의 특징

수평성	정부와 국민이 대등한 수평적 지위에서 상호이해와 자주적 협조가 이루어져야 함
교류성· 쌍방향성	민의를 듣고 이를 정책에 반영시키는 공청기능과 정책홍보 등을 통해 국민에게 알리는 공보기능이 상호적으로 이루어져야 함
의무성	행정 PR에 있어 국민은 알 권리가 있으며, 정부는 이를 알려 주어야 할 의무가 있음
객관성	정부는 사실이나 정보를 진실하게 객관적으로 알려 국민이 이를 정확하고 올바르게 판단하도록 해야 함
교육성	행정 PR은 국민에 대해서 계몽적 교육의 성격을 지님

정답 20 ② 21 ③ 22 ④ 23 ④

1 조직과 환경

1 조직환경의 의미

1. 환경의 의의

환경이란 '잠재적 또는 실제적으로 조직에 영향을 미치는 조직 경계 밖의 모든 외부현상'을 말하는 것으로, 환경의 범위는 조직에 따라 상대적이다.

2. 환경과 조직연구

(1) 고전적 조직이론(1940년대 이전)

조직과 환경이 상호 무관한 것으로 인식한 폐쇄조직이론이었다(조직 내부만을 연구).

(2) 현대 조직이론

조직과 환경의 상호작용을 중시한 개방조직이론(조직과 환경의 관계 속에서 조직을 연구)이다.

3. 조직환경의 구성요소[스콧(Scott)의 조직환경 유형]

(1) 일반환경

일반환경은 조직 존립의 토대가 되는 사회적·일반적 조건들로, 경제적 환경, 정치적 환경, 사회·문화적 환경, 기술적 환경, 자원 환경 등이 있다.

(2) 업무환경(특정환경)

업무환경(과업환경, task environment) 또는 특정환경(specific environment)이란 목표설정과 목표달성에 관한 의사결정을 내릴 때 직·간접적으로 조직에 영향을 미치는 환경으로, 자원제공자·고객·시장과 자원에서의 경쟁자·통제집단 등이 이에 해당한다.

4. 에머리와 트리스트(Emery & Trist)의 환경유형 - 환경 변화의 단계 중심

에머리와 트리스트(Emery & Trist)는 환경 구성요소 간의 관계에 착안하여, 환경의 기본유형을 4가지로 구분하였다. 이들 4가지 조직환경은 단순한 것으로부터 점차 복잡성과 불확실성이 높아져가는 단계로 나아가기 때문에 조직환경의 변화단계라고도 부른다.

(1) 정적·임의적 환경(평온한 무작위적 환경) - 제1단계

환경적 요소가 안정되어 있고 무작위적으로 분포되어 있는 가장 단순한 환경이다.

  ⑩ 태아가 처해있는 환경, 완전경쟁시장 등

(2) 정적 · 집약적 환경 – 제2단계

환경적 요소가 안정되어 있고 비교적 변하지 않지만, 환경적 요소들이 일정한 유형에 따라 조직화되어 있는 환경을 말한다.

㉠ 농업, 광업 등 일차산업의 환경 등

(3) 교란적 · 반응적 환경 – 제3단계

정적 · 임의적 환경, 정적 · 집약적 환경의 두 개의 단계와 질적으로 차이가 있는 역동적 환경으로, 유사한 체제들이 환경 속에 등장하여 상호작용하고 경쟁하기 때문에 각각의 체제는 서로 다른 체제의 반응을 고려해야만 하는 환경을 말한다.

(4) 격동의 장(소용돌이의 장; turbulent field) – 제4단계

① 격동의 장은 환경이 매우 복잡하고 구성요소들이 여러 갈래로 얽히고 설키어 있기 때문에, 환경 자체에 역동적인 과정이 내재되어 있는 환경을 말한다. 환경 자체가 변하는 격동의 장은 고도의 복잡성 · 불확실성이 특징이며, 조직의 예측능력을 앞질러 환경이 변하게 된다.

② 에머리와 트리스트(Emery & Trist)는 현대 조직은 격동의 장에 처해 있으며, 이러한 환경하에서 조직은 자체의 목적을 상실해 가고 있고 주로 외부의 힘에 의해 조직이 변화한다고 하였다.

③ 격동의 장에서는 애드호크라시(adhocracy)와 같은 동태적 조직이 필요해진다.

2 외부환경에 조직이 취하는 전략

1. 셀즈닉(Selznick)의 이론

(1) 적응적 흡수(co-optation)

적응적 흡수란 조직이 그 존립과 계속성을 유지하기 위하여 조직의 지도층이나 의사결정 기구에 외부의 영향력 있는 유력한 인사를 흡수 · 영입하여 위험 요소를 제거하는 것을 말한다(인적요소 중심의 대응전략).

(2) 적응적 변화

적응적 변화란 조직을 변화하는 환경에 적응시켜서 조직의 안정과 발전을 유지하며, 동시에 창조적인 활동을 하는 것을 말한다(구조, 인간, 행태, 기술, 가치관 변화 중심의 대응전략).

2. 톰슨과 맥윈(Thompson & McEwen)의 이론

톰슨과 맥윈(Thompson & McEwen)은 조직과 환경의 상호작용을 분석한 결과, 조직은 환경(특히 타조직)과 경쟁 또는 협력관계에 있다는 것을 발견하고, 각각의 관계에 따라 적응전략이 달라진다고 하였다. **(1)** 경쟁관계에서 사용되는 전략은 경쟁적 전략이고, **(2)** 협력관계에서 사용되는 전략은 교섭과 흡수 · 연합 전략이라고 하였다.

(1) 경쟁적 전략

경쟁적 전략은 둘 이상의 조직이 자원이나 고객 등의 공통된 획득 대상을 보다 많이 확보하기 위해 벌이는 조직활동을 말한다. 경쟁을 통해 비효율적인 조직은 도태되고 환경이 필요로 하지 않는 재화나 서비스를 공급하는 조직은 제거된다.

(2) 흥정 및 협상(bargaining)

흥정과 협상 전략은 둘 이상의 조직이 재화와 서비스의 제공이나 교환에 관한 교섭을 벌이고 타협하는 것이며, 상호 간 양보와 획득관계가 성립한다.

例 주요 사업의 예산승인을 얻기 위한 다른 사업의 포기 등

(3) 적응적 흡수(포섭, co-optation)

적응적 흡수 전략은 조직의 안정과 존속에 대한 위협을 제거하기 위하여, 다른 조직에 속한 인물을 조직의 지도층이나 정책결정 기구에 참여시키는 것을 말한다.

例 야당의원의 영입, 경쟁회사의 합병 등

(4) 연합

연합 전략은 둘 이상의 조직이 공동목표를 추구하기 위하여 제휴·결합하는 것으로, 타조직에게 양보하는 정도가 가장 큰 전략이라고 할 수 있다.

例 연립내각의 구성 등

---

2 | 거시조직이론

1 의의

1. 개방조직이론

(1) 고전적 조직이론은 조직과 환경의 관계를 고려하지 못한 폐쇄조직이론이었으나, 현대조직이론은 조직과 환경과의 상호작용 관계를 중시하는 개방조직이론이다.

(2) 조직과 환경에 관한 입장은 1960년대의 구조적 상황론이 지배적이었다. 하지만 1970~1980년대에 들어 다양한 거시조직이론이 나타나게 되었다.

2. 분류 기준

(1) 결정론 vs 임의론

① 결정론적(deterministic) 입장: 개인이나 조직의 행동은 환경의 구조적 제약에 의하여 결정되고 이에 수동적으로 반응한다는 입장으로, 환경이 독립변수로, 조직이 종속변수로 인식된다.

② 임의론적(voluntaristic) 입장: 개인이나 조직이 자율적으로 환경에 대해 행동하여 적극적으로 환경을 형성한다는 입장으로, 조직이 독립변수로, 환경이 종속변수로 인식된다.

(2) 개별조직 vs 조직군

① 개별조직적 관점: 단위조직의 입장을 강조한다.

② 조직군 관점: 조직을 개체로 보지 않고 집합체(군)로 이해한다.

3. 거시조직이론의 체계

구분		환경인식	
		결정론(deterministic, 수동적)	임의론(voluntaristic, 능동적)
분석 수준		체제구조적 관점	전략적 선택 관점
	개별조직	구조적 상황론(상황적응론)	· 전략적 선택이론 · 자원의존이론
		자연적 선택 관점	집단적 행동 관점
	조직군	· 조직군생태학이론(환경적소에 의한 선택) · 조직경제학(경제적 환경에 적응) · 신제도화이론(사회문화적 환경에 적응)	공동체생태학이론

2 구조적 상황론(contingency theory) – 상황적응론

1. 의의

(1) 구조론적 상황론은 개별조직이 놓여있는 상황에 따라 조직의 구조와 전략이 달라져야 한다는 이론이다[로렌스와 로쉬(Lawrence & Lorsch)].

(2) 유일최선의 문제해결 방법(the best one way)은 없으며, 다양한 상황변수에 따라 조직구조 및 조직의 효과성이 달라진다고 본다.

(3) 개방체제이론에 기반을 두고, 상황과 조직구조 간의 적합성 여부가 조직성과를 좌우한다고 보는 이론이다.

2. 주요 특징

(1) 조직과 환경의 관계 중시
조직구조에 관한 결정이 환경적 요인에 달려 있으며, 환경이 조직의 내부구조에 결정적인 영향을 미친다고 본다.

(2) 유일최선의 방법(the best one way)을 부인
조직설계에 있어서 모든 상황에 적용될 수 있는 유일한 최선의 방법은 존재하지 않는다고 본다.

(3) 효과적인 방법의 인정
유일한 최선의 방법은 존재하지 않는다고 보고, 상황에 따른 효과적인 방법(차선)을 추구한다.

(4) 분석의 단위
개인이나 조직 내의 부서뿐만 아니라 조직까지 분석단위로 포함하고 있으며, 분석의 수준을 개별조직에 맞추고 있다.

핵심 OX

01 상황론적 조직이론은 효과적인 조직 설계는 조직환경에 달려있다고 주장 한다. (O, X)

01 O

(5) 실증적·과학적 분석

조직이 처한 상황조건에 따라 유효한 조직화의 방법도 달라질 것이라는 관점에서 그에 관한 조건을 다양한 실증적·과학적 방법으로 연구한다. 실증적·체계적 자료의 수집을 중시하며 객관적 법칙을 추구한다.

(6) 중범위 이론의 추구

실증적 분석과 자료수집을 중시하므로 자료의 수집과 연구가 용이하도록 중범위 이론을 추구한다. 고찰변수를 한정하고 제한된 범위 내에서 개별조직을 연구대상으로 하여, 개인의 행위나 동기가 아닌 조직의 구조적 특성을 연구한다.

(7) 결정론적 입장

관리자의 전략적 선택이나 적극적인 역할을 무시하는 결정론적 입장이다.

(8) 다변수적 연구

기술·규모 등 다양한 상황변수를 고려한다.

(9) 결과의 중시

업무의 과정보다는 객관적 결과를 중시한다.

3 조직군생태학이론

1. 의의

(1) 다윈(Darwin)의 진화론(적자생존)을 조직이론에 원용한 이론으로, 조직구조는 외부환경의 선택에 의해 좌우된다고 보아 환경의 절대성을 강조한다. 즉, 조직이 환경에 적응하는 것이 아니라 환경이 조직을 선택한다는 극단적인 환경결정론이다.

(2) 조직은 환경의 절대적 영향하에 있고, 조직의 번성과 쇠퇴(생멸)는 스스로의 힘이 아니라 외부환경의 특성과 선택에 의하여 좌우된다고 본다. 환경이 최적화의 주체라고 본다.

(3) 조직은 구조적 타성(관성)으로 인하여 환경에 적응하는 능력에 근본적으로 한계가 있음을 인식하고, 조직환경의 절대성을 강조한다.

(4) 극단적인 환경결정론이라는 점에서 조직의 환경적응능력을 인정하는 구조적 상황론과 차이가 있다.

(5) 생물학의 적자생존이론을 적용함으로써 분석수준을 개별조직단위로부터 조직군으로 전환시키고, 어떤 유형의 조직들이 존속·발전·소멸하는가를 밝히려고 노력하였다.

2. 주요 내용

(1) 분석 수준

조직을 개별조직이 아닌 군(群)으로 분석하고, '유질동상(類質同狀) 또는 이질동상(異質同狀)의 원리(isomorphic principle)'에 의하여 형성되는 조직군 분포를 설명한다.

(2) 환경적소의 중시

① 특정 조직군이 생존할 수 있는 공간인 환경적소를 중시하는데, 이 환경적소에 의하여 선택되는 조직은 생존하고 그렇지 못한 조직은 도태된다고 본다.

② 조직의 성공은 이 환경적소의 크기와 밀집도에 달려 있다고 본다. 환경적소의 크기가 클수록, 밀집도는 낮을수록 조직이 생존하고 성장할 가능성이 크다.

(3) 환경결정론

조직은 내부요인(매몰비용, 관행 등)과 외부요인(법적·정치적 제약 등)으로 인한 구조적 타성으로 인하여 환경에 적응하는 변화능력이 없고, 결국 환경에 의해 선택된다고 본다.

(4) 동일성의 원칙(principle of isomorphism)

① 한난과 프리먼(Hannan & Freeman)에 의하면 환경에 적응하려는 조직들의 노력과 상관없이 환경은 스스로 최적인 조건을 선택하기 때문에, 환경과 조직 간의 구조동일성은 필연적이다.

② 조직구조와 환경적소는 동일성의 원칙에 의하여 환경에 비동질적인 조직은 조직군으로부터 도태되고, 반대로 환경에 동질적인 조직은 조직군에 편입된다.

③ 조직의 성공은 조직의 합리적인 설계와 노력에 달려 있는 것이 아니라 어떤 환경에 속하고 이 환경이 어떤 선택을 하는가에 달려 있다고 파악한다.

(5) 환경의 선택과정 – 적자생존의 단계

변이·선택·보존이 동시다발적 단계로 이루어진다.

① **변이(variation)**: 조직마다 동일하지 않고 조금씩 차이가 있다. 환경이 특정조직유형을 선택하기 위해서는 조직유형에 있어서 어떤 변이가 있어야 한다. 계획적 변화 또는 우연적 변화에 의해 변이가 발생한다.

② **선택(selection)**: 조직형태상에 변이가 발생하면 환경과의 적합 수준에 따라 환경적소로부터 선택되거나 도태된다.

③ **보존(retention)**: 환경에 의하여 선택된 조직은 제도화되면서 구조를 유지하게 된다.

4 조직경제학이론 – 거래비용경제학·대리인이론

1. 의의

(1) 조직경제학(organizational economics)은 경제학의 관점을 조직이론에 도입한 이론으로, 내·외부의 경제적 환경으로부터 발생하는 거래비용을 줄이기 위하여 조직이 설립되고, 효율적인 조직구조가 형성된다는 이론이다. 거래비용경제학·대리인이론이 핵심이다.

(2) 조직을 근로자와 소유자를 묶는 거래 또는 계약의 결합체로 보고, 기본적으로 인간을 시장에서처럼 개인의 이익을 극대화하려는 합리적인 이기주의자로 가정한다.

(3) 분석대상으로 조직과 환경 간의 관계를 다루기 때문에 거시조직이론으로 분류되나, 분석방법에 있어서는 개인의 행위에 초점을 두기 때문에 미시적 이론이기도 하다.

2. 거래비용경제학

(1) 의의

① 윌리암슨(Williamson)은 코즈(Coase)이론의 불확실성·사이먼(Simon)의 제한된 합리성·기회주의적 행동·자산의 전속성 등의 개념을 추가하여 거래비용을 파악하고, 거래비용의 발생으로 인해 시장실패가 발생하며 이에 대한 대안으로 계서적 조직을 선호한다고 주장한다.

② 거래비용의 최소화가 조직구조 효율성의 관건이 된다고 본다. 시장을 통한 계약관계의 형성 및 집행에서 발생하는 거래비용과 계층제적 조직이 될 경우의 내부관리 비용을 비교하여 거래비용이 관리비용보다 클 경우 수직적 통합 (vertical integration), 즉 계층제적 조직이 형성된다고 보았다. 다시 말해 거대 조직이나 계서제적 조직구조의 출현 원인을 거래비용의 최소화에서 찾고 있다.

③ 거래비용 차원에서 볼 때 시장실패가 발생할 경우 대규모 위계조직이 시장보다 더 효율적이라는 이론으로, 시장실패이론 또는 시장 – 위계조직이론이라고도 한다.

(2) 거래비용의 종류

거래비용이란 경제적 교환과 관련된 모든 비용을 의미한다.

① **사전비용**: 거래조건 합의사항 작성비용(거래를 준비하기 위한 의사결정 비용), 협상이행을 보장하는 비용, 상품의 품질측정비용, 정보이용비용 등

② **사후비용**: 계약조건 이행협력에서 발생하는 부적합 조정비용, 이행비용, 감시비용, 사후협상비용, 분쟁조정 관련 비용, 계약이행보증비용 등

(3) 거래비용의 발생 원인 – 거래비용을 증가시키는 시장실패의 원인

① **인간적 요인**: 사이먼(Simon)의 제한된 합리성·기회주의 행동

⇨ 합리성이 제한받을수록, 남을 속이거나 계약을 위반하는 기회주의적 행태가 나올 가능성이 클수록 거래비용이 증가한다.

② **환경적 요인**: 환경의 불확실성·불완전경쟁

⇨ 거래에 수반되는 불확실성이 높을수록 거래비용이 증가한다.

③ **자산의 특정성(전속성)**: 거래대상의 자산을 다른 거래로 전용할 수 없을수록(특정성이 높을수록) 거래비용이 증가한다. 자산의 특정성(asset specificity)이란 어떤 자산이 특정한 거래관계에 고착된 정도를 의미한다.

④ **정보의 편재성(밀집성)**: 정보격차가 클수록 거래비용이 증가한다.

⑤ **거래의 빈도**: 거래의 수가 많을수록 거래비용이 증가한다.

(4) 조직의 효율성 조건

시장이 관료제적 조직보다 효율적이려면, 시장실패를 치유하는 데 소요되는 거래비용이 조직이 내부적으로 합리성 제고·기회주의 희석 등에 소요되는 관료제적 조정비용보다 적어야 한다.

(5) M형 구조 – 거래비용을 줄이기 위한 조직형태

① **대두배경**: 윌리암슨(Williamson)은 거래비용을 최소화하기 위한 계서제적 조직에 있어서 효율성을 극대화하는 방안의 하나로, 전통적 U형 구조를 효율적 M형 구조로 대체할 것을 제안하였다.

② **의의**: M형 구조(Multi-divisional form)는 전통적인 기능별 조직인 U형 구조(Unitary form)에 대비되는 조직모형이다.

③ **U형 구조와의 비교**: U형 구조는 기능의 유사성에 따라 편제된 조직으로, 할거주의로 인한 거래비용 발생 가능성이 높다. 이에 비해 M형 구조는 일의 흐름에 따라 편제된 '흐름별 조직'이다.

④ M형 구조는 조직이 대규모화하여도 기능이 중첩되어 있기 때문에 부문 간 조정이 원활한 조직이다.

⑤ 최근 강조되고 있는 오스트롬(Ostrom)의 다중공공관료제나 민츠버그(Mintzberg)가 제시한 분화형태조직도 M형 구조와 유사한 조직이다.

(6) 한계

① 행정조직의 통폐합·기업의 문어발식 확장·계서제적 구조를 정당화시키는 전략으로 이용될 수 있다.

② 비용측면만을 강조한 나머지 민주성이나 형평성 등을 고려하지 못한다.

3. 대리인이론(agency theory)

(1) 의의

① 대리인이론이란 본인(위임자)과 대리인 간의 비대칭적인 정보와 상충적인 이해관계로 발생하는 대리손실을 최소화할 수 있는 방법을 모색하는 이론이다.

② 사회구성원 간의 관계를 주인과 대리인의 관계로 상정한다.

③ 원래는 시장경제주체 간의 관계를 상정한 것이지만, 국민과 정부 간·유권자와 의원 간의 관계도 모두 본인과 대리인의 관계로 설명할 수 있다.

④ 젠슨과 맥클링(Jensen & Meckling)에 의하여 처음 제기되었다(1976).

(2) 기본전제

① 본인과 대리인 간에는 근본적인 이해관계의 상충으로 '대리손실(agency loss)'이 발생한다.

② 대리손실은 대리인에 대한 정보부족으로 인하여, 주인이 대리인을 효율적으로 통제·감시하지 못한 것에서 기인한다.

(3) 대리손실의 유형 – 역선택과 도덕적 해이

① **역선택 현상(adverse selection)**: 보험관계에서 사고발생위험이 높은 상대방과 계약을 맺는 현상이며, 대리인에 대한 정보부족으로 인하여 부적격자나 무능력자를 대리인으로 선임하게 되는 현상으로 설명되기도 한다. 이는 사전적 손실에 해당한다.

② **도덕적 해이(moral hazard)**: 보험가입 후에 사고예방 노력을 게을리 하는 현상으로, 정보의 격차로 인한 감시의 결여를 이용하여 **대리인이 권력을 남용하고, 주인의 이익보다는 자신의 이익을 추구하거나 게으름을 피우는** 현상이라고 할 수 있다. 이는 **사후적 손실**에 해당한다.

③ **사회적 비용의 발생**: 화재보험가입자가 보험을 믿고 사고예방 노력을 게을리 하면 화재가 빈발하게 되어 보험료가 인상되므로, 결국 보험이라는 계약관계가 사회적 비용을 증가시키게 된다는 것이다.

핵심 OX

01 거래비용이론은 행정의 민주성이나 형평성도 적절히 고려한다. (O, X)

01 X 거래비용 경제학은 거래비용을 시장 논리만을 중시하여, 상대적으로 민주성이나 형평성을 적절히 고려하기 힘들다.

(4) 대리손실의 극소화 방안

① **정보의 균형화:** 주인이 대리인에 대한 정보를 확보하여 감시를 강화한다. 공공부문에서 정보의 균형화를 위한 행정정보공개제도 · 입법예고제도 · 주민참여 등의 활성화가 중요하다. 보험의 경우 자기선택을 제한하거나 강제보험제도가 역선택을 방지하는 수단이 될 수 있다.

② **성과 중심의 대리인 통제:** 사소한 절차보다는 결과 중심의 통제가 필요하다.

③ **인센티브의 제공:** 성과급 등 대리인에 대한 인센티브의 제공으로 대리손실을 줄일 수 있다. 완전한 성과급은 위험을 대리인에게 전가시키게 되어 위험회피형 인물에게는 선호되지 않으며, 고정급은 위험을 주인이 모두 부담하여 대리인에게는 유인이 전혀 없으므로 모험지향형 인물에게는 선호되지 않는다. 즉, 대리인의 성향에 따라 성과급과 고정급의 적절한 조화가 필요하다.

5 제도화이론

1. 의의

(1) 제도화이론은 사회문화적 환경과 부합되도록 형태 및 구조를 적응시켜야 한다는 이론이다. 조직은 환경의 영향을 강하게 받는 개방체제이지만, 조직에 가장 결정적으로 작용하는 요인은 사회 · 문화적 압력이라고 보는 이론으로, 제도적 환경을 중시한다.

(2) 사회적 · 문화적 · 인습적 신념에 의한 제도화를 중시하는 이론이다.

2. 주요 내용

(1) 사회학적 관점의 신제도주의

조직은 사회문화적 개념이나 신념, 가치체계 등 제도적 환경에 부합하도록 형태 및 구조를 적응시켜야 하는 압력을 받는다.

(2) 조직생존의 기초

조직의 합리성과 효율성보다는 사회규범적 환경에 순응함으로써 정당성을 확보하는 것이다.

6 전략적 선택이론

1. 임의론적 입장

조직의 구조와 특성은 관리자의 전략적 선택에 의해서 결정된다.

2. 조직과 환경

조직과 환경은 밀접하지 않으며, 동일한 환경이라도 관리자의 인지적 기초와 가치관의 차이에 따라 인식하는 환경이 각기 다르다.

3. 전략적 선택

조직과 환경은 어느 정도 느슨하게 연결되어 있으므로 목표를 달성하는 방법은 여러 가지이고, 결정자는 만족할 수 있는 여러 대안을 가지고 있으며 만족화의 원리에 따라 스스로 전략적 선택을 한다.

4. 스콧(Scott)의 완충전략과 연결전략

(1) 완충전략(일반환경에 대한 전략)

① **의의**: 스콧(Scott)의 완충전략은 환경의 조직에 대한 영향과 그에 대한 대응전략과 관련하여 환경의 조직에 대한 요구가 조직의 능력을 넘어서는 다양하고도 상충적인 것일 때, 조직이 보호를 위하여 환경의 요구가 조직과정에 직접적으로 노출되지 않도록 하거나 환경에 대한 적응력을 높이는 전략으로서 다음과 같은 방법 등을 제시하고 있다.

② **종류**

ㄱ **분류**: 환경의 요구가 조직과정에 투입되기 전에 미리 그 중요성이나 시급성에 따라 분류해 배척하든지 또는 그 요구를 처리할 적합한 부처를 결정하는 적응전략을 의미한다.

ㄴ **비축**: 조직이 필요한 자원을 비축하여 이러한 자원이나 산출물이 환경으로 방출되는 과정을 통제하는 소극적인 전략을 의미한다.

  예) 정부가 곡물, 유류 등을 비축하는 것 등

ㄷ **형평화**: 조직이 환경에 적극적으로 접근하여 형평성을 확보하기 위하여 투입이나 산출요인에서의 심한 차이나 변이를 축소시키려는 적극적인 적응전략을 의미한다.

  예) 차량 10부제 등

ㄹ **예측**: 환경의 변화가 비축이나 형평화로 해결될 수 없을 때 사용하는 방법으로, 자원공급이나 수요의 변화를 미리 예견하고 그에 능동적으로 적응하는 전략에 해당한다.

ㅁ **성장**: 조직이 환경에 대응하기 위하여 사용하는 가장 일반적인 방법으로, 구체적으로 기술적 핵심이나 역량을 확장함으로써 환경에 대한 권력과 수단을 확대하는 전략이다.

ㅂ **배급(할당)**: 우선순위를 설정하여 산출물을 배정하는 전략이다.

(2) 연결전략(특정 환경에 대한 전략)

① **의의**: 스콧(Scott)은 환경에 대한 완충전략과 별개로 환경에 대한 대응전략으로, 조직과 조직 간의 관계에 대한 연결전략에 해당하는 권위주의·경쟁·계약·합병의 4가지 전략을 주장하였다. 즉, 연결전략은 조직 간의 재편성이나 연계를 통해서 공동으로 문제를 해결하려는 적극적인 전략을 의미한다.

② **종류**

ㄱ **권위주의**: 여러 조직 등 중심조식이 지배적이고 권위적인 위치를 가지면서 외부조직이 필요로 하는 자원과 정보를 통제하는 전략을 의미한다.

ㄴ **계약**: 조직 간의 공식적·비공식적 협력·교환을 위한 협상과 합의전략이다.

ⓒ **경쟁**: 다른 조직과의 경쟁을 통해서 능력을 향상시키거나 서비스를 개선하는 것이다.

ⓔ **합병**: 여러 조직이 조직이나 자원을 통합하고 연대하여 공동으로 대처하는 전략이다.

ⓜ **기타 연결전략**: 적응적 흡수, 로비활동, 광고(환경을 효과적으로 관리함으로써 환경의 불확실성을 감소시키는 방법) 등이 있다.

7 자원의존이론

1. 의의

(1) 자원의존이론은 ① 어떤 조직도 필요로 하는 다양한 모든 자원을 조직 내부에서 획득할 수 없다는 것을 전제하면서도, ② 조직이 환경적 요인을 피동적으로 받아들이지 않고 스스로의 이익을 위해 적극적으로 환경에 대처하기 위한 전략적 결정을 내린다는 이론이다[페퍼와 샐런칙(Pfeffer & Salancik)].

(2) 조직은 상황적 제약요건을 어느 정도 정치적이고 전략적인 조정을 통해 완화시킬 수 있다고 주장하며, 전략적 선택이론의 일종이다.

2. 주요 내용

(1) 제약조건(희소자원)

어떤 조직도 필요한 자원을 조직 내부에서 모두 획득할 수는 없다고 본다. 따라서 희소자원에 대한 의존성이 관리자가 다루어야 할 중요한 상황요인이라고 본다.

(2) 관리자의 통제능력

조직이 의존하고 있는 핵심적인 희소자원에 대한 통제능력이 관리자의 능력과 역량을 좌우한다고 전제한다.

(3) 적극적 환경관리

환경에의 피동적인 대응이나 조직의 내부적 관리보다는 희소자원에 대한 관리자의 통제능력에 의한 적극적 환경관리를 중시한다[홀(Hall)].

(4) 조직 간의 네트워크

조직은 환경에의 자원의존을 탈피하기 위한 전략적 수단으로 조직 간의 네트워크를 고려하기도 한다.

(5) 유지전략

조직형태를 유지시키는 전략으로는 관료제화·구성원의 사회화·일관된 리더십 구조 등이 있다.

(6) 자율적·능동적 전략

자원의존이론은 필요한 자원에 대한 관리자의 적극적 환경관리를 중시하며, 환경과의 관계에 있어 주도적·능동적·자율적 전략에 의한 선택을 중시한다.

8 공동체생태학이론

1. 의의

(1) 공동체생태학이론은 조직들이 생태학적 공동체 속에서 상호호혜적인 의존관계를 가지면서 조직 간 공동전략(연대)에 의하여 능동적으로 환경에 적응하는 것을 설명하는 이론이다[비어드와 데스(Beard & Dess), 1988].

(2) 조직군생태학이론이 환경에 능동적으로 대처해 나가는 조직들의 공동적인 노력을 설명해 주지 못한다고 비판하면서 나온 이론으로, 임의론적 이론에 속한다.

2. 주요 내용

(1) **분석수준**

조직군을 분석대상으로 하여 조직 간의 관계를 거시적으로 연구한다.

(2) **집단행동의 정당화**

다원화된 이익단체들의 결속과 같은 집단적 행동을 정당화할 수 있다.

(3) **조직들이 상호 간 호혜적 관계(공동전략)를 형성하는 이유**

① 필요성: 정부규제에 대응하기 위하여 조직 간 교환관계나 연합을 형성한다.

② 호혜성: 공동목표나 이익추구를 위해 관계를 형성한다.

③ 불균형: 조직 간 주요 자원들이 산재된 경우, 자원을 획득하기 위한 관계를 형성한다.

④ 효율성: 조직내부의 투입 대 산출의 비율을 향상시키기 위하여 관계를 형성한다.

⑤ 정당성: 사회적 규범이나 신념에 부응하기 위하여 관계를 형성한다.

⑥ 안정성: 환경의 불확실성을 줄이기 위하여 관계를 형성한다.

---

3 혼돈이론(chaos theory)

1 의의

1. 혼돈이론

(1) 혼돈이론은 '불규칙성 속에서의 규칙성을 찾아 미래의 변동을 예측하고자 하는 이론'이다.

(2) 비선형적 · 역동적 · 비가역적 · 비주기적 체제에서의 불규칙적인 행태를 연구하여 폭넓고 장기적인 변동의 경로와 양태를 찾아보고자 하는 이론이다.

2. 혼돈

(1) 결정론적 혼돈

혼돈이론이 전제하는 '혼돈'이란 결정론적 혼돈이다. 즉, 어떤 시점의 정보에 의하여 다른 시점의 상황이 결정되는 현상으로, 그것은 완전한 혼란이 아니라 '한정된 혼란', '질서있는 무질서'이다.

(2) 초기치민감성(나비효과) – 혼돈이론의 기본전제

① 초기치민감성: 체제가 균형과 질서 상태에 있으면 최소의 충격을 줄 사건이 혼돈 상태에 있으면 최대의 충격을 준다는 것으로, 상황 초기의 작은 원인에 민감하게 대응해야 한다는 것이다.

② 나비효과(butterfly effect): 기상학자 로렌츠(Lorenz)가 제시한 것으로, 북경 밤 하늘에 나비 한 마리가 날개짓을 했을 때 한 달 뒤에 뉴욕에서 태풍이 불었다면, 날개짓과 태풍 간에 인과관계가 있다는 것이다. 즉, 초기에 입력하는 자료의 값을 조금만 바꾸어도 큰 폭의 변화가 일어날 수 있다는 것이다. 이는 공공관리체계의 사소한 원인과 변화가 전체적인 공조직에 경이로운 효과를 미칠 수 있음을 보여준다.

2 대두 배경 – 전통적인 과학과의 차이

(1) 전통적인 과학은 원자론이나 기계론에 기반하여, 작은 입력으로 작은 효과를 거두는 선형관계나 인과관계가 관심의 대상이며, 안정·질서·균형·평형을 강조한다.

(2) 기존의 이론들은 안정·질서·균형·평형을 전제로 하는 뉴턴(Newton)의 기계론적 패러다임에 젖어 불확실성·무질서·다양성 등의 비선형적 현상을 설명하지 못하였다. 따라서 이들을 설명하기 위한 패러다임의 필요성이 대두하였다.

(3) 혼돈이론은 작은 입력으로 큰 효과를 거두는 비선형관계나 순환고리적 상호관계 등을 강조한다.

(4) 혼돈이론은 변화나 갈등을 위기로 보지 않고 오히려 당연한 것(기회)으로 받아들인다.

3 주요 특징(오석홍)

1. 대상체제의 복잡성

대상체제, 즉 행정조직은 개인과 집단·환경적 세력이 교호 작용하는 복잡한 체제라고 가정한다.

2. 통합적 연구

질서와 무질서, 부정적 환류와 긍정적 환류, 부정적 엔트로피와 긍정적 엔트로피 등 복잡한 문제에 대한 통합적 접근을 시도한다. 복잡한 관계를 전통적인 과학처럼 단순화하려 하지 않는다.

3. 발전의 전제조건

혼돈을 회피와 통제의 대상으로 보지 않고, 발전의 불가결한 조건으로 이해한다.

4. 자기조직화 능력

조직의 자생적 학습능력과 자기조직화 능력을 전제한다. 혼돈의 긍정적 효용을 믿는 것은 바로 그러한 능력을 믿기 때문이다.

5. 반(탈)관료주의적 처방

혼돈이론의 처방적 선호는 탈관료제적이다. 창의적 학습과 계획을 위하여 제한된 무질서를 용인하도록 조성한다. 계층제의 탈피, 업무의 유동성, 다기능적 팀의 활용, 흐름 중심의 조직, 저층구조화 등을 추구한다.

핵심 OX

01 혼돈이론은 혼돈을 회피의 대상으로 본다. (O, X)

02 혼돈이론은 혼돈 상황을 단순화하여 접근한다. (O, X)

03 혼돈이론은 질적 연구이다. (O, X)

> **01** X 혼돈이론은 혼돈을 발전의 불가결한 조건으로 본다.
> **02** X 혼돈이론은 혼돈 상황을 단순화하지 않고, 있는 그대로 접근한다.
> **03** O

01 상황적응적 접근방법(contingency approach)에 대한 설명으로 옳지 <u>않은</u> 것은? 2018년 국가직 9급

① 체제이론의 거시적 관점에 따라 모든 상황에 적합한 유일최선의 관리방법을 모색한다.

② 체제이론에서와 같이 조직은 일정한 경계를 가지고 환경과 구분되는 체제의 하나로 본다.

③ 조직을 구성하고 운영하는 방법의 효율성은 그것이 처한 상황에 의존한다고 가정한다.

④ 연구대상이 될 변수를 한정하고 복잡한 상황적 조건들을 유형화함으로써 거대이론보다 분석의 틀을 단순화한다.

02 조직이론에 관한 설명으로 옳지 <u>않은</u> 것은? 2020년 국가직 7급

① 전략적 선택론은 조직 설계의 문제를 단순히 상황적응의 차원이 아니라 설계자의 자유재량에 의한 의사결정 산물로 파악한다.

② 번스(Burns)와 스토커(Stalker)는 조직을 둘러싼 환경의 성격 및 특성이 조직구조와 어떻게 관련되는지를 설명한다.

③ 조직군 생태학은 조직을 외부환경의 선택에 영향을 받을 뿐만 아니라 적극적으로 영향을 끼치는 능동적인 존재로 이해한다.

④ 버나드(Barnard)는 조직 내 인간적·사회적 측면을 강조한다.

03 조직이론과 그 내용에 대한 설명으로 옳지 <u>않은</u> 것은? 2023년 국가직 9급

① 구조적 상황이론 – 불안정한 환경 속에 있는 조직은 유기적인 조직구조를 선택하는 것이 효과적이다.

② 전략적 선택이론 – 동일한 환경에 처한 조직도 환경에 대한 관리자의 지각 차이로 상이한 선택을 할 수 있다.

③ 거래비용이론 – 시장에서의 거래비용이 조직의 내부 거래비용보다 클 경우 내부 조직화를 선택한다.

④ 조직군 생태학이론 – 조직군의 변화를 이끄는 변이는 우연적 변화(돌연변이)로 한정되며, 계획적이고 의도적인 변화는 배제된다.

04 다음 상황과 관련 있는 이론은? 2020년 국가직 7급

• A 보험회사는 보험 가입 대상자의 건강 상태 및 사고확률에 대한 특수정보를 가지고 있지 않다.
• A 보험회사는 질병 확률 및 사고 확률이 높은 B를 보험에 가입시켜 회사의 보험재정이 악화되었다.

① 카오스이론   ② 상황조건적합이론

③ 자원의존이론   ④ 대리인이론

05 혼돈이론(chaos theory)에 대한 설명으로 옳지 않은 것은?

① 현실의 복잡성과 불확실성을 극복하기 위해 단순화, 정형화를 추구한다.

② 비선형적, 역동적 체제에서의 불규칙성을 중시한다.

③ 전통적 관료제 조직의 통제중심적 성향을 타파하도록 처방한다.

④ 조직의 자생적 학습능력과 자기조직화 능력을 전제한다.

정답 및 해설

01 상황이론은 개별조직을 연구대상으로 하며, 유일최선의 문제해결 방법 (the best one way)은 없으며, 다양한 상황변수에 따라 조직구조 및 조직의 효과성이 달라진다고 본다.

| 오답체크 |

② 개방체제이론에 기반을 두고, 상황과 조직구조 간의 적합성 여부가 조직성과를 좌우한다고 보는 이론이다.

③ 상황론은 개별조직이 놓여있는 상황에 따라 조직의 구조와 전략이 달라져야 한다는 이론이다[로렌스와 로쉬(Lawrence & Lorsch)].

④ 실증적 분석과 자료수집을 중시하므로, 자료의 수집과 연구가 용이하도록 중범위이론을 추구한다. 고찰변수를 한정하고 제한된 범위 내에서 개별조직을 연구대상으로 하여, 개인의 행위나 동기가 아닌 조직의 구조적 특성을 연구한다.

02 거시조직이론 중 조직군 생태학은 조직구조는 외부환경의 선택에 의해 좌우된다고 보아 환경의 절대성을 강조한다. 즉, 조직이 환경에 적응하는 것이 아니라 환경이 조직을 선택한다는 극단적인 환경결정론이다.

| 오답체크 |

① 전략적 선택론은 조직의 구조와 특성은 단순히 상황적응적 차원이 아니라 관리자의 전략적 선택에 의해서 결정된다.

② 로렌스와 로쉬(Lawrence & Lorsch), 번스와 스토커(Burn & Stalker)의 구조론적 상황론은 개별조직이 놓여있는 상황에 따라 조직의 구조와 전략이 달라져야 한다는 이론이다.

④ 버나드(Barnard)는 사이먼(Simon)과 함께 대표적인 행태론자로, 조직 내 인간적·사회적 측면을 강조하였다.

03 조직군생태론은 조직군의 변화를 유발하는 변이는 조직마다 동일하지 않고 조금씩 차이가 있다고 본다. 환경이 특정조직유형을 선택하기 위해서는 조직유형에 있어서 어떤 변이가 있어야 하는데, 변이에는 계획적 변화 또는 우연적 변화에 의해 변이가 포함된다.

| 오답체크 |

① 구조적 상황이론은 개별조직이 놓여있는 상황에 따라 조직의 구조와 전략이 달라져야 한다는 이론이다. 안정된 환경 속에 있는 조직은 기계적 구조가 효과적이고, 불안정한 환경 속에 있는 조직은 유기적인 조직구조를 선택하는 것이 효과적이다.

② 전략적 선택이론은 조직의 구조와 특성은 관리자의 전략적 선택에 의해서 결정된다고 보며, 동일한 환경이라도 관리자의 인지적 기초와 가치관의 차이에 따라 인식하는 환경이 각기 다르다.

③ 거래비용이 관리비용보다 클 경우 수직적 통합(vertical integration), 즉 계층제적 조직이 형성된다고 본다.

04 제시문은 주인과 대리인 사이의 정보격차로 인한 대리손실 현상을 설명하고 있다. 보험사가 보험가입자에 대한 정보가 부족하여 결국 부적격자를 보험에 가입시킨 것에 대한 설명이다.

05 혼돈이론은 복잡한 문제에 대한 통합적 접근을 시도하여 복잡한 관계를 단순화하지 않고, 있는 그대로 파악하는 것을 추구한다.

| 오답체크 |

② 혼돈이론은 규칙과 불규칙, 안정과 불안정, 질서와 무질서를 다 고려하는 이론이다.

③, ④ 혼돈이론의 처방은 탈관료제이다.

정답 01 ① 02 ③ 03 ④ 04 ④ 05 ①

1 목표관리(MBO)

1 의의

(1) 목표관리(MBO: Management By Objectives)는 설정된 목표를 효율적으로 달성하기 위한 관리기법의 하나로, '상·하 조직구성원의 참여 과정을 통해 조직의 목표를 설정하고, 업무수행 결과를 목표에 비추어 평가·환류하여, 조직의 효율성을 제고시키려는 관리방식'이다.

(2) 목표관리(MBO)는 기본적으로 조직을 개방적 유기체로 이해하고 Y이론적 인간관과 자기실현적 인간관을 바탕으로 하며, 분권화 및 참여에 의한 관리를 선호한다. 따라서 목표관리(MBO)는 조직관리기법이지만 참여를 강조하는 예산기법으로 활용되기도 한다.

2 절차

조직목표의 설정 ⟶ 목표실행과 중간평가 ⟶ 최종평가와 환류

1. 조직목표의 설정
먼저 조직 내의 관리자와 구성원 모두가 참여하여 공동으로 목표를 설정한다. 이 때 설정되는 목표에는 구성원들이 공식적으로 수행하는 직무와 관계된 성과목표와 조직구성원들의 기술 및 자질향상을 위한 개인 개발 목표가 있다.

2. 목표실행과 중간평가
최종목표를 달성하기 위해 집행활동을 하는 과정에서 업무의 수행도를 중간점검한다. 중간평가의 결과는 초기에 합의된 조직목표에 환류시킨다.

3. 최종평가와 환류
목표를 달성하기로 한 예정기간이 끝나면 부하의 목표달성도와 달성방법을 확인하여 부하의 업적을 최종적으로 평가하고 이를 환류시킨다. 이를 통해 조직은 차기목표에 대한 지표를 재정립할 수 있고, 각 하위단위의 목표와 역할에 대한 새로운 방향을 수립한다.

3 특성

1. 참여적 관리
조직구성원들의 광범위한 참여에 의한 관리를 강조한다. 따라서 Y이론적·상향적 관리방식이라고 할 수 있다.

2. 자율적·분권적 풍토
구성원의 참여를 중시하는 분권적 관리기법의 일종이다.

3. 계량가능한 단기목표
추상적·질적·가치적·거시적·장기적인 목표(goal)가 아닌 미시적·결과적·계량적·단기적·가시적인 목표(objective)를 중시한다.

4. 평가와 환류 중시
최종 결과를 평가하고 개선책을 강구하는 환류 과정을 강조한다.

5. 통합적 관리전략
자발적 참여를 강조하여 조직목표와 개인목표를 조화시키려는 Y이론적 인간관에 입각하고 있다.

6. 결과지향적 관리방식
결정보다는 집행을(PPBS와의 차이), 과정보다는 결과를(OD와의 차이) 중시한다.

4 장단점

1. 장점(유용성)

(1) 조직의 효율성 향상
조직목표를 명확히 하여 조직활동을 목표달성에 집중시킴으로써 조직의 효율성 제고에 기여할 수 있다.

(2) 조직목표와 개인목표의 통합
구성원의 참여를 통해 조직의 목표를 설정하고 그에 따라 개인목표를 설정하므로, 자아실현적 인간관에 의한 조직목표와 개인목표의 통합을 구현할 수 있다.

(3) 사기앙양에 기여
참여적 방법에 의한 조직관리의 인간화를 통하여 조직발전 및 조직구성원의 사기앙양에 기여할 수 있다.

(4) 환류 과정의 중시
업적평가의 객관적 기준과 책임한계의 명확화로 환류기능이 강화될 수 있다.

(5) 다면평정의 기초 제공
목표달성에 대해 상급자와 공동평가를 하여 다면평정의 기초를 제공할 수 있다.

(6) 관료제의 약점 보완

자율적 책임제에 의해 관료제의 경직성을 보완하고 관리의 융통성을 제고할 수 있다.

(7) 성과 중심의 인사관리 가능

개인별 보상체계로 연계되어 연봉제 등 성과 중심의 인사관리를 가능하게 한다.

2. 단점(한계)

(1) 비신축성

유동적이고 복잡한 환경적 소용돌이 속에서는 행정환경의 급변으로 목표가 빈번히 수정되어 적용이 제약된다.

(2) 목표모형의 한계

체제모형(조직의 생존성까지 고려)이 아닌 목표모형(내부 목표달성 중시)이기 때문에 환경에 대한 적응이 곤란하다.

(3) 본질적 목표의 경시

기본적 · 장기적 · 질적 목표보다 사소한 단기적 · 양적 목표에 치중하고 있어 목표의 전환 소지가 있다.

(4) 과다한 시간 · 노력의 요구

운영에 서류작성 등 시간과 노력이 많이 소모되고 관리 절차가 복잡하다.

(5) 목표의 무형성

행정은 목표의 무형성으로 인하여 공적(功績)의 산출단위가 없으므로 목표의 명확한 설정과 성과의 계량적 측정이 곤란하다.

(6) 문화적 제약

행정계급제에서는 수직적 계층구조 및 권위적 성격으로 인하여 수평적인 권력부담이나 참여관리가 곤란하다.

(7) 절차 · 과정의 경시

결과 중심의 관리로 인하여 잘못된 절차나 과정을 묵인할 수 있다.

3. 장단점

장점	단점
· 조직의 효율성 제고 · 성과의 지속적 확인(환류) · 관료제의 역기능 보완(쇄신을 통한 조직 동태화에 기여) · 조직 목표의 명확화로 효율성 제고 · 조직 내 수직적 의사소통 활성화 · 조직원의 참여를 통한 조직 내 민주화 증진 · 목표에 의한 평가의 용이	· 장기적 · 질적 목표보다 단기적 · 양적 목표에 치중(목표의 전환 발생 가능) · 유동적이고 복잡한 환경하에서는 목표설정이 불확실해지기 때문에 효용이 제약됨 · 권위주의적 · 집권적 조직에서는 부하의 참여 곤란 · 운영에 시간과 노력이 과다하게 소모 · 목표의 명확한 설정과 성과 측정의 곤란 · 지나치게 세밀한 서류작업의 번거로움

2 총체적 품질관리(TQM)

1 의의

(1) 총체적 품질관리(TQM: Total Quality Management)란 ① 고객만족과 서비스의 질을 1차적 목표로 삼고, ② 최고관리층의 열의와 리더십을 기반으로 조직구성원의 폭넓은 참여와 효과적인 의사소통에 기초하여, ③ '끊임없이 변화하는 속성을 지닌 고객의 기대에 부응하기 위해 ④ 지속적인 개선과정을 유지하려는 광범위한 관리개선기법'을 말한다.

(2) 데밍(Deming)은 TQM을 산출의 질을 제고시키기 위한 과정에 대한 통계학적 통제기법이라 정의하였다.

2 내용

1. 고객이 서비스 품질의 최종점검자

행정서비스도 생산품으로 간주되며, 그 품질을 소수 전문가나 관리자가 아닌 고객이 직접 평가한다.

2. 서비스 질의 산출과정 초기정착 및 서비스의 변이성 방지

서비스의 질이 떨어지는 것은 서비스의 지나친 변이성에 기인하므로 서비스의 일관성을 유지해야 하며, 서비스의 질은 산출의 초기단계에 확정되므로 예방적 관리를 중시한다.

3. 전체 구성원에 의한 서비스 질의 결정 및 구성원의 참여 강조

(1) 서비스의 질은 구성원의 개인적 노력이 아니라 체제 내에서 활동을 하는 모든 구성원에 의하여 좌우된다. 따라서 개인별 성과급 체계가 적절하지 않는 경우가 있다.

(2) 실책이나 변화에 대한 두려움이 없는 구성원의 적극적인 참여가 중요하므로, 의사소통에 장벽이 없는 분권적·유기적 구조를 중시한다.

4. 투입 과정의 지속적인 개선

서비스의 질은 고객만족에 초점을 두므로 정태적이 아니라 계속적으로 변동되는 목표이며, 결과나 산출이 아니라 투입과 과정의 계속적인 환류와 개선에 주력해야 한다.

5. 조직의 총체적 헌신 요구

조직 전체의 총체적인 헌신이 쇠퇴하면 질은 급격하게 떨어지고 조직은 경쟁에서 뒤처지게 된다.

3 전통적 관리 및 목표관리(MBO)와 총체적 품질관리(TQM)의 차이

1. 전통적 관리와의 차이

구분	전통적 관리	총체적 품질관리(TQM)
고객요구 측정	전문가에 의한 측정	고객의 의사를 반영한 측정
자원통제	기준을 초과하지 않는 한 낭비를 허용	무가치한 업무·과오·낭비를 불허
품질관리	문제점을 관찰한 후 사후 수정	문제점에 대한 예방적 관리 중시
의사결정	불확실한 가정과 직관에 근거	통계적 자료와 과학적 절차에 근거
조직구조	통제에 기초한 수직적·집권적 구조 중시	수평적 구조 중시

2. 목표관리(MBO)와의 차이

구분	목표관리(MBO)	총체적 품질관리(TQM)
공통점	참여, 팀워크, 협력 중시, 민주성	
차이점	관리전략적 차원	관리철학적 차원
	·**내부지향성**: 개인·조직 단위의 내부적 관점에서 목표설정 ·목표지향 ·폐쇄적	·**외향적 관점**: 고객과의 관계 중시 (고객위주 행정) ·고객지향 ·개방적
	·양적 목표의 달성 ·결과 중시(성과지향) ·사후관리(평가·환류)	·**서비스의 질적 개선**: 관리 과정·절차의 개선 ·과정지향(가치관 태도의 변화) ·사전적·예방적 관리
	개인에게까지 세부적 목표 부여	집단·팀 중심 활동
	개별적 성과급 지급	·총체적 헌신 ·개별적 성과급 지급은 팀워크 저해로 보기 때문에 개별적 성과급을 지급하지 않음

4 공공부문 적용의 한계

총체적 품질관리(TQM)를 정부에 적용할 때에는 다음과 같은 한계가 있다.

(1) 정부서비스 질의 측정이 곤란하다.

(2) 정부 고객의 광범위성 때문에 적용이 어렵다.

(3) 정부조직의 문화적 차이 때문에 적용이 어렵다.

(4) 정부조직의 특성(최고관리자의 빈번한 교체, 유동적인 정치적 환경, 성과척도의 개발 및 평가상의 어려움)으로 인해 적용이 어렵다.

3 전략적 관리(SM)

1 의의 및 특징

1. 의의

(1) 전략적 관리(SM: Strategic Management)는 개방체제하에서 환경과의 관계를 중시하는 변혁적·탈관료적 관리전략이자, 조직의 새로운 지향노선을 제시하고 전략기술을 개발·집행하는 관리전략이다.

(2) 전략적 관리의 주된 목적은 조직과 그 조직이 처한 환경 사이에 가장 적합한 상태를 형성하는 것으로, 조직은 우선 장기적인 관점에서 자신의 대내적 '강점 및 약점'과 환경으로부터의 '위협 및 기회'를 분석하고 확인하며, 이러한 분석에 기초하여 미래에 대비한 최적의 새로운 전략을 수립하는 것이다(오석홍).

(3) 전략적 관리는 하버드 정책모형(Harvard policy model)의 핵심이다.

2. 특징

(1) 보다 나은 상태로 전진해 가려는 관리로, 장기목표를 지향하는 목표지향적·개혁적 관리체제이다.

(2) 조직의 변화에는 장기간이 소요된다는 장기적 시간관과 조직의 환경에 대한 이해를 강조한다.

(3) 환경뿐만 아니라 조직 자체의 역량 분석을 중시한다. 조직의 강점과 약점, 기회와 위협 등 조직 내외의 상황적 조건을 균형있게 분석한다.

(4) 부서별 활동을 분리하기 보다는 미래의 목표성취를 위한 전략을 개발·선택하고, 이를 위한 주요 조직활동의 통합·연계를 중시한다.

2 TOWS(SWOT)전략

1. 의의

대내적으로는 조직의 강점 및 약점(Strength & Weakness)과 대외적으로는 환경으로부터의 위협 및 기회(Threats & Opportunities)를 분석·확인하고, 이 분석결과에 기초하여 최적의 전략을 수립한다.

2. 전략

(1) WT전략(mini-mini)

약점과 위협을 모두 최소화하는 전략이다.

(2) WO전략(mini-maxi)

약점은 최소화(보완)하고, 기회를 최대화하는 전략이다.

(3) ST전략(maxi-mini)

위협에 능히 대처할 수 있는 조직의 강점에 기초를 두고, 강점은 극대화하고 위협을 최소화하는 전략이다.

(4) SO전략(maxi-maxi)

강점과 기회를 모두 극대화하는 전략이다.

(5) TOWS(SWOT)전략 정리

구분		환경	
		기회(O)	위협(T)
조직	강점(S)	SO 전략	ST 전략
		· 공격적 전략 · 강점과 기회를 살리는 전략	· 다양화 전략(차별화 전략) · 강점을 가지고 위협을 회피하거나 최소화하는 전략
	약점(W)	WO 전략	WT 전략
		· 방향전환 전략 · 약점을 보완하여 기회를 살리는 전략	· 방어형 전략 · 약점을 보완하면서 위협을 회피하거나 최소화하는 전략

3 평가

1. 효용

장기적 · 포괄적 안목으로 조직의 대응능력을 제고시킬 수 있다.

2. 한계

계획의 단기적 안목과 보수성, 미래예측능력의 한계, 관리자의 자율성이나 평가 · 환류가 제약되어 있는 전통적인 조직문화에서는 적용이 쉽지 않다.

4 그레이너(Greiner)의 위기대응전략

조직의 성장단계를 '창조 → 지시 → 위임 → 조정 → 협력' 5단계로 제시하고, 단계별 위기대응전략을 제시하였다.

1. 제1단계(창조의 단계)

(1) 소규모 신설조직단계로, 구성원 간 돈독한 비공식관계가 형성된다.

(2) 창의성을 성장동인으로 민간조직에서는 제품개발 · 시장개척이 중요하고, 공공조직에서는 미션 · 비전 제시가 중요하다.

(3) 이 단계에서는 리더십(창업자)의 위기가 온다.

2. 제2단계(지시의 단계)

(1) 리더십의 위기를 극복하기 위해 담당부서의 전문경영자에 의한 운영의 효율성에 초점을 둔다.

(2) 공식적 계층구조 및 기능별 구조·부문별 전문화와 표준화가 중시된다.

(3) 이 단계에서는 자율성의 위기가 온다.

3. 제3단계(위임의 단계)

(1) 자율성의 위기를 극복하기 위해 부서의 권한위임에 초점을 두고 조직성장을 추구한다.

(2) 이 단계에서는 지나친 자율성과 분권으로 인한 할거주의 등 통제력의 상실 위기(통제의 위기)가 온다.

4. 제4단계(조정의 단계)

(1) 분권적 경영위기를 극복하기 위해 효과적 조정기제를 바탕으로, 기능이나 조직의 통합에 초점을 두고 조직성장을 추구하게 되는데, 공식적인 제도와 절차를 다시 중시한다.

(2) 이 단계에서는 관료주의 및 형식주의(문서주의)의 위기가 온다.

5. 제5단계(협력의 단계)

(1) 문서주의 위기를 극복하기 위해 부서 간 협력을 바탕으로, 문제해결 및 혁신에 초점을 두고 조직성장을 추구한다.

(2) 팀조직이나 매트릭스 조직, 본부 인력의 감축, 사회적 자본 등이 나타난다.

(3) 이 단계에서는 불확실하지만 탈진(피로감)의 위기가 올 것으로 본다.

---

5 조직발전(OD)

1 의의

조직발전(OD)이란 행태과학적 지식과 기술을 활용하여 조직구성원의 가치관·신념·태도를 변화시키고, 조직의 전체적인 변화를 추구하는 계획적·복합적인 교육전략을 의미한다.

2 목적과 특징

1. 목적

조직발전(OD)는 경직적인 조직을 보다 적응적·효율적인 유기적 조직으로 혁신시켜, 전체 조직의 능력과 문화를 개선하기 위해 실시하는 것이다.

(1) 조직의 신축성과 적응성·창의성을 제고한다.

(2) 조직을 유지하고 통합한다.

(3) 조직의 문제해결 능력을 향상시킨다.

(4) 구성원들의 신념 및 가치관의 변화와 이에 따른 행태의 수정을 목적으로 하고 있다.

2. 특징

(1) 행태과학지식의 활용

OD는 행태를 바꿔서 조직을 개선시키자는 것이기 때문에 행태과학의 지식이나 기법을 활용하게 되며, 이 분야에 해박한 지식을 가지고 있는 전문가의 도움이 요청된다.

(2) 인간적 측면의 강조

행정개혁과 쇄신에서 가장 중요한 것은 건전하고 협동적인 인간관계의 형성이라는 점에 주안점을 두고 있다. 구조나 관리기법의 개선보다는 응집력 있는 인간관계의 형성에 역점을 둔다.

(3) 전체적 변화를 추구

조직을 하나의 체제로 보고 총체적인 체제의 개선을 궁극적인 목표로 삼으며, 개별적인 활동의 통합과 조정에 의하여 조직 전체를 개혁하고자 하는 것이다.

(4) 장기적·지속적·계획적·의도적 변동

자연적인 변동이 아니라 최고관리층에서 하위계층에 이르는, 전체적이고 통합적 목표와 계획을 수립하는 계획적·지속적·장기적·의도적인 변화 노력이다.

(5) 하향적 진행(변화 담당자의 개입과 하향적 변화)

조직발전의 전 과정에서 행태과학적 지식과 기술에 조예가 있는 상담자(OD전문가)가 참여하고, 최고관리층에 공식 지휘본부를 두며, 그의 참여와 배려하에 상위계층에서 하위계층으로 하향적으로 진행된다. 그러나 단순히 계층제를 통해서 인위적·일방적으로 실현되는 것이 아니라, 최고관리층과 하위계층이 협력하며 자율적인 참여를 강조한다.

(6) 자아실현인관에 기초

계획적·의도적·하향적으로 진행되지만, 구성원의 자율성과 참여에 의한 행태변화를 중시함으로써 OD는 근본적으로 자아실현인관 내지는 성장인관(Y이론)에 기초하고 있다고 볼 수 있다.

(7) 질적·가치적인 변화

양적 성장이 아니라 조직의 보다 바람직한 상태로의 질적·가치적인 변화를 위한 노력이다.

(8) 효과성과 건전성

궁극적인 목표는 조직의 효과성과 건전성(환경에 대한 적응과 생존)을 증진하는 것이다.

(9) 집단의 중시

OD에서는 개개인에 관한 정보가 매우 중요하나, 작업집단 내의 관계와 과정·업무수행방법·문화 등의 변화를 중시하므로 개인보다는 집단이 더 중요하게 다루어진다. 즉, 개인·집단·조직 중에서 집단이 가장 중시된다(오석홍).

◈ 핵심정리　MBO(목표관리)와 OD(조직발전)의 비교

구분	MBO(목표관리)	OD(조직발전)
기본 목적	· 단기적 목표 성취 · 관리기법상 변화 추구(결과지향적인 목표나 내용을 중시)	· 조직 전체의 발전을 통한 효율성 제고, 장기적 과정 · 전반적·기본적 변화 추구(실질적 내용보다는 과정을 중시)
추진 방향	· 상향적(구성원의 참여) · 지휘본부 없음	· 하향적(최고관리자의 개혁의지로 추진) · 통괄지휘본부 있음
주관자	내부인사(중간관리층 등 계선 중심)	외부전문가 참여
관련 기법	일반 관리기법(경영상 기법)	행태과학적 지식 활용(전문지식 필요)
목적·성향	단순한 목적(사기제고)	다각적 목적 (급변하는 환경에의 적응 능력)
관점	목표모형	체제모형(MBO보다 포괄적 전략)
계량화	계량화된 양적 목표를 중시	주관적·질적 의식의 변화 (계량화와 무관)
유사점	· **성장이론의 인간모형:** Y이론적 관리방식 – 대내적 민주성, 자아실현인, 조직목표와 개인목표의 조화, 능력발전·사기중시 · 조직의 내부갈등 문제를 부정적으로 보지 않고 갈등의 건설적 해결을 중시, 구성원의 총동원, teamwork·협력 강조 · **궁극적 목표:** 조직의 효과성 향상 · 평가·환류(feedback) 중시 · 조직의 변화와 쇄신을 추구하는 조직 동태화 전략, 관료제의 경직성 완화 · 최고관리층의 이해·지지 필요 ※행태적 요인에 치중하여 조직개혁을 도모하는 OD는 MBO에 선행하거나 또는 동시에 추진 시 MBO의 발전에 유용	

3 조직발전의 과정

조직발전의 과정은 문제인지와 조직진단, 개입의 3단계로 나누는 것이 보통이다. 조직발전의 각 단계는 상호 간에 긴밀하게 연결되어 있고 독립적인 것이 아니며 연속적·순환적으로 진행한다.

1. 문제의 인지 단계

조직의 실태를 파악하여 OD를 위한 자료를 수집한다.

2. 조직진단 단계

수집된 자료를 확인하고 분석하여 문제해결을 위한 대안과 실시계획을 수립한다.

3. 행동개입 단계

변화과정의 핵심으로, 조직발전의 기법을 동원하여 실제적인 행동에 돌입한다.

4 주요 기법

조직발전의 행동개입기법은 다양하다. 조직발전 프로그램은 감수성 훈련과 같은 개인 발전 위주로 개발되어 점차 팀 형성 프로그램과 같은 집단 차원으로 발전되었고, 최근에는 조직 전체에 대한 변화를 도모하는 프로그램들이 개발되고 있다.

1. 작업집단 발전(team building)

(1) 의의

작업집단 발전기법은 팀의 구성원들이 상호협조적인 관계를 형성하여 임무수행의 효율화를 도모할 수 있게 하려는 작업집단 개선기법이다.

(2) 종류

집단문제의 진단회의, 가족집단회의(직무배정과 상호갈등이 대상), 역할분석회의 등이 있다.

2. 감수성 훈련[1](실험실 훈련; sensitive training, T-group study)

(1) 의의

구성원의 가치관 변화를 위한 기법으로, '행태과학의 지식을 이용하여 자신·타인·집단에 대한 태도와 행동을 변화시키려는 것'이다.

(2) 내용

① 경험과 감성을 중시하고, 지식을 행동으로 옮길 수 있는 능력 배양에 역점을 둔다.
② 참여자들이 스스로 지각과 태도 및 행동을 반성하고, 그 영향을 평가할 수 있는 상황을 마련한다.
③ 외적 간섭과 기성질서의 영향이 최소화된 비정형적 상황 속에서 참여자들이 새로운 대안을 자유롭게 자율적으로 탐색하도록, 외부와 차단된 실험실에서 1~2주간 실시한다(감수성 훈련을 실험실 훈련이라고 부르는 것도 훈련자들이 외부와 차단된 장소에서 훈련을 실시하기 때문).

---

[1] 감수성 훈련
1. 12명 내외를 대상으로 한다.
2. 2주 정도 진행한다.
3. 환경과 단절되어 이루어진다(연수원 소집교육).
4. 함께 훈련받는 집단이 이질적으로 구성된다(12명 내외는 서로 모르는 사람들로 구성).

(3) 특징

① 행태과학적인 지식을 활용한다.

② 개방적인 대인 관계를 조성한다.

③ 타인에 대한 관심과 인식 능력을 증진시킨다.

④ 집단 간의 상호작용에 대한 이해를 증진시킨다.

(4) 한계

① 시간과 노력이 과다하게 든다.

② 성인의 태도 변화에는 한계가 있다.

③ 효과의 지속성이 의문시 된다.

5 조직발전의 성공요건과 한계

1. 성공요건

(1) 개혁을 요구하는 조직 내외의 압력이 있어야 하며, 개혁의 분위기가 조성되어야 한다.

(2) 최고관리층의 지지와 지원하에 장기적인 안목으로 추진되어야 한다.

(3) OD 전문가와 조직구성원 간의 긴밀한 협조관계가 있어야 하고, 모든 계층의 조직구성원이 조직발전에 대한 의욕을 가지고 자발적으로 참여할 수 있어야 한다. 조직발전을 수용하는 입장이 계층마다 다르면 조직발전은 실패하기 쉽다.

(4) 결과에 대한 적절한 보상제도가 마련되고 지속적인 평가가 뒤따라야 효과적이다.

(5) OD 훈련은 최고관리층부터 시작하여 하위계층으로 실시해야 한다.

(6) 보수문제를 다루는 인사담당자가 조직발전사업을 담당해야 한다.

2. 한계

(1) OD의 일반적 한계

① **구조적·기술적 요인의 경시**: 심리적 요인에 치중하여 구조적·기술적 요인을 경시하고 있다.

② **효과의 장기적 지속성 불확실**: 조직발전이 제대로 되었다 하더라도 시간이 지남에 따라 훈련과 학습의 효과가 감소하고, 새로운 행위자가 조직에 유입되는 등 효력이 상실될 가능성이 있다.

③ **편향적 인간관**: 조직발전은 권력·경쟁 요인을 경시하고, 동기부여에 의한 성장이론과 상호신뢰와 협력 등의 조직문화를 전제로 한다.

④ **사생활 침해 가능성**: 자유로운 의사소통 과정에서 사생활이 침해될 가능성이 있다.

⑤ **전문가 확보 곤란 및 외부전문가와의 불협화음**: 행태과학에 대한 전문가의 확보가 용이하지 않으며, 확보되더라도 조직구성원들과의 갈등·대립이 나타날 수 있다.

⑥ **과다한 시간·비용의 소모 및 복잡한 절차**: 장기간에 걸쳐 많은 시간과 비용이 투입되어야 하고 절차가 복잡하므로 실시하는 것이 용이하지 않다.

⑦ **집단지향성의 문제**: 집단적 과정을 중시하므로 조직의 생산성 향상에는 소홀해질 수 있으며, 의견 통일의 압력으로 다수의 의견이 타당성에 관계없이 받아들여짐으로써 올바른 문제해결에 지장을 줄 수 있다.

핵심 OX

01 OD는 구조적·기술적 측면을 강조한다. (O, X)

02 OD는 행태과학 지식을 활용한다. (O, X)

03 OD는 합리적 경제인을 전제로 한다. (O, X)

01 X OD는 인간의 심리적 요인에 치중하기 때문에 구조와 기술적 측면을 경시한다.

02 O

03 X OD는 자아실현인을 전제한다.

⑧ **문화적 갈등의 야기:** 가치관과 태도를 바꾸는 것이기 때문에 문화적 갈등이 나타날 수 있다.

⑨ **평가의 곤란:** OD의 효과는 장기간에 걸쳐서 나타나며, 외부효과의 영향을 분리하기 어려워 평가와 환류가 용이하지 않다.

(2) 행정조직에의 적용상 한계

① **수평적 관리의 곤란:** 권력적 · 수직적 요인의 작용으로 수평적 참여관리가 곤란해진다.

② **참여자의 다양성과 이질성:** 다양한 이해관계 · 가치체계를 가진 개인 · 집단을 대상으로 하기 때문에 OD의 효과를 저하시키게 된다.

③ **최고관리층의 빈번한 교체와 단기적 안목:** 최고관리층의 빈번한 교체와 짧은 재임기간은 단기적인 정책 성과에 치중하게 하므로, 장기적이고 일관적인 추진을 저해한다.

④ **법령상의 제약:** 규칙의 엄격한 준수가 요구되고 공무원의 신분과 보수 등은 법령에 근거를 두므로, 신축성을 확보하기가 곤란하여 조직발전의 변화 전략이 지연되거나 차단되기 쉽다.

⑤ **방어적 · 폐쇄적 대응:** 정부조직은 정치적 통제나 여론에 민감하기 때문에 조직진단자료가 왜곡될 수 있고, 특히 정책권자의 의도하에 하향적으로 실시되므로 상층부의 권력강화 수단으로 악용될 가능성도 있다.

> **6 균형성과관리(BSC)**

1 의의 및 특징

1. 의의

(1) BSC(Balanced Score Card)는 균형성과표 또는 통합성과관리라고도 하며, 미국 하버드대의 카플란과 노튼(Kaplan & Norton) 교수(1992)가 만든 경영성과관리 시스템이다. 이들은 그 동안의 성과평가가 재무적 관점만을 반영함으로써 조직이 소유하고 있는 인적자산과 같은 무형의 비재무적 가치를 경시하고 있음을 지적하면서, 이를 조직의 성과평가에 포함할 것을 주장하였다.

(2) 종래의 MBO가 상향적 · 미시적 · 개인적 관점의 성과관리라면, BSC는 하향적 · 거시적 · 고객지향적 관점의 새로운 성과관리 시스템이다.

2. 특징

(1) 우선 재무적 관점과 비재무적 관점의 균형을 강조한다.

(2) 단기적 목표와 장기적 목표 간의 균형을 강조한다.

(3) 과정과 결과의 균형을 추구한다.

(4) 내부의 관점과 외부의 관점 간의 균형을 강조한다.

(5) 과거, 현재, 미래가 조화되는 관점을 중시한다. 학습과 성장은 미래적 관점으로 이해된다.

2 4대 관점

1. 고객 관점

(1) 의의

정부는 사업을 하여 순익을 올리거나 매출액을 올리는 기업이 아니다. 따라서 성과 평가에 있어서도 재무적 관점보다는 국민이 원하는 정책을 개발하고 재화와 서비스를 제공하는지의 임무 달성과 직결되는 고객 관점이 중요하다. 그러나 공공기관은 고객의 범위가 명확하지 않은 경우가 많기 때문에 고객 관점을 적용하기가 어려울 것이다.

(2) 성과지표

고객만족도, 정책순응도, 민원인의 불만율, 신규 고객의 증감 등이 있다.

2. 재무적 관점

(1) 의의

고객 관점 다음으로 재정 차원의 재정민주주의 원리에 따라 재무적 관점을 고려한다. 국민이 요구하는 수준의 서비스의 질과 양을 충족시킬 수 있을 만큼의 재정자원을 확보해야 하고, 그 돈을 경제적으로 배분하고 집행해야 한다. 그러나 공공부문은 사명달성의 성과가 궁극적인 목적이므로 공공부문에서 재무적 관점은 목표가 아니라 제약조건으로 작용한다.

(2) 성과지표

전통적인 후행지표로, 매출, 자본 수익률, 예산 대비 차이 등이 있다.

3. 업무처리 관점

(1) 의의

정부부문에서 업무처리(과정) 관점은 결정시스템에서의 정책결정과정, 집행시스템에서의 정책집행 및 재화와 서비스의 전달과정, 시스템에 관한 내용을 포괄하는 넓은 의미로 이해할 수 있다.

(2) 성과지표

의사결정 과정의 시민참여, 적법적 절차, 커뮤니케이션 구조 등이 있다.

핵심 OX

01 BSC는 미시적·분권적이다. (O, X)

02 BSC는 결과보다는 과정을 중시한다. (O, X)

03 BSC는 하향적이다. (O, X)

01 X BSC는 거시적이고 하향적이다.
02 X BSC는 결과와 과정의 균형을 중시한다.
03 O

4. 학습과 성장 관점

(1) 의의

조직구성원들의 직무수행능력 · 직무만족 · 지식의 창조와 관리 · 지속적인 자기혁신과 성장 등이 중요한 성과 측면의 요소로, 학습과 성장 관점은 미래 업무 운영에 대한 근거를 제공하는 측면에서 미래의 관점으로 대체 · 설명되기도 한다.

(2) 성과지표

학습동아리 수, 제안건수, 직무만족도 등이 있다.

---

7 리엔지니어링(re-engineering)

1 의의 및 특징

1. 의의

리엔지니어링(re-engineering)이란 조직업무의 전반적인 과정과 절차를 축소 · 재정비함으로써, 가장 합리적인 방법으로 업무를 수행하려는 현대적 관리전략이다.

2. 목적

업무처리재설계는 비용 · 품질 · 서비스 · 속도와 같은 핵심적 성과에서 극적인 향상을 이루기 위하여, 업무 프로세스(절차)를 기본적으로 다시 생각하고 근본적으로 고치는 것이다.

3. 특징

(1) 기본적으로 다시 생각한다는 것

지금의 것을 무시하고 반드시 있어야 할 것에 집중한다는 것이다. 존재 이유가 분명하지 않은 활동은 배제한다.

(2) 근본적(급진적)으로 고친다는 것

점진적인 변화가 아니라 현존하는 모든 구조와 절차를 버리고 컴퓨터에 맞게 완전히 새로운 업무처리방법을 만들어 내는 것을 의미한다.

(3) 극적인 향상을 이룬다는 것

한계적 변화가 아니라 대규모의 개선을 추구하는 것으로, 낡은 것을 버리고 새로운 어떤 것으로 대체하여 업무처리 속도와 성과를 획기적으로 제고한다.

2 설계원리

1. 정보기술의 활용

정보기술은 자동화, 통합화, 매개물 제거 등을 통해 업무처리 재설계를 실질적으로 가능하게 하는 가장 기본적인 수단이자, 재설계된 프로세스를 다시 실행시키는 프로세스 도구(모형)로서의 역할을 한다.

2. 이음매 없는 조직

업무 절차의 최소화, 통제와 확인의 최소화, 분업의 최소화(분업의 부정), 서류전달점(handover point)의 축소를 실현하여 이음매 없는 조직(프로세스 조직)을 구현한다.

3. 고객이나 절차 중심(기능이 아닌)의 설계

고객에게 신속하게 서비스를 제공하는 원스톱(one-stop) 서비스처럼, 전적으로 고객의 편의를 위하여 운영된다.

4. 절차의 병렬화

연속적인 업무(절차)들을 병렬로 동시에 진행시킨다. 정보화 시대에는 전자결재 등을 통하여 모든 구성원들이 동시에 같은 정보를 습득할 수 있게 된다.

5. 정보수집창구의 단일화

정보를 '한 곳에서' '한번에' 수집하도록 한다. 조직 내 모든 기능의 소유자들을 한 곳에 모아 팀을 만들고, 이들로 하여금 처음부터 끝까지 서비스나 상품을 설계·생산하도록 한다.

6. 고객과 조직의 만남

고객과 조직이 한 곳에서 만날 수 있는 공간을 마련한다. 이를 위해 구성원들을 전문가가 아닌 컴퓨터상에서 온라인으로 지원을 받는 일반가로 만들고, 정보를 축적하는 부서들은 정보를 자유롭게 나누어 갖는 '절차 팀(process team)'으로 바꾸며, 구성원들이 다른 부서·고객의 장소·혹은 집에서 일할 수 있도록 융통성 있는 상황을 조성한다.

3 효용

번거롭고 엄격한 분업에 의한 단절, 즉 이음매나 경계·칸막이를 없애 업무처리의 속도와 성과를 제고시켜 줄 수 있다.

01 목표관리제(MBO)에 대한 설명으로 옳은 것만을 모두 고르면?

> ㄱ. 부하와 상사의 참여를 통해 목표를 설정한다.
>
> ㄴ. 중·장기목표를 단기목표보다 강조한다.
>
> ㄷ. 조직 내·외의 상황이 안정적이고 예측가능한 조직에서 성공확률이 높다.
>
> ㄹ. 개별 구성원의 직무 특수성을 반영하기 위하여 목표의 정성적, 주관적 성격이 강조된다.

① ㄱ, ㄴ

② ㄱ, ㄷ

③ ㄴ, ㄹ

④ ㄷ, ㄹ

02 총체적 품질관리(TQM)에 대한 설명으로 옳지 않은 것은?

① 품질관리가 서비스 생산 및 공급이 이루어지는 과정의 매 단계에서 이루어진다.

② 계획과 문제해결의 주된 방법은 집단적 과정이다.

③ TQM의 관심은 내향적이어서 고객의 필요에 따라 목표를 설정하는 것을 강조한다.

④ 산출물의 일관성 유지를 위해 과정통제계획과 같은 계량화된 통제수단을 활용한다.

03 SWOT분석에 대한 설명으로 옳지 않은 것은?

① 조직 내적 특성과 외부 환경의 조합에 따른 맞춤형 대응전략 수립에 도움이 된다.

② 조직 외부 환경은 기회와 위협으로, 조직 내부 자원·역량은 강점과 약점으로 구분한다.

③ 다양화 전략은 조직의 강점을 활용하여 위협을 회피하거나 최소화하는 전략이라고 볼 수 있다.

④ 기존 프로그램의 축소 또는 폐지는 약점과 기회를 고려한 방어적 전략이라고 볼 수 있다.

04 조직발전(OD)에 대한 다음 설명 중 적절하지 않은 것은?

① 조직발전은 구조, 형태, 기능 등을 바꾸고 조직의 환경변화에 대한 대응능력과 문제해결능력을 향상시키려는 관리전략이다.

② 심리적 요인에 치중한 나머지 구조적, 기술적 요인을 경시할 우려가 있다.

③ 외부의 전문가들이 참여하는 하향적 관리방식이다.

④ 감수성 훈련은 조직발전의 주요기법 중의 하나이다.

정답 및 해설

01 옳은 것은 ㄱ, ㄷ이다.

ㄱ. MBO는 상·하 조직구성원의 참여과정을 통해 조직의 목표를 설정하고, 업무수행 결과를 목표에 비추어 평가·환류하여 조직의 효율성을 제고시키려는 관리방식이다.

ㄷ. MBO는 안정적이고 예측가능한 환경하에서 적용하는 관리기법이다.

| 오답체크 |

ㄴ. MBO는 추상적·질적·가치적·거시적·장기적인 목표(goal)가 아닌, 미시적·결과적·계량적·단기적·가시적인 목표(objective)를 중시한다.

ㄹ. MBO는 계량화가 가능한 단기목표를 중시한다.

참고 정성적 목표: 양적 목표의 반대말로, 질적인 목표를 의미

02 TQM은 MBO 등과 달리 외향적(외부지향적)이므로, 고객의 필요에 따라 목표를 설정하고 품질도 평가한다.

| 오답체크 |

① 품질관리가 결과가 아닌 매 과정마다 이루어진다.

② 개인적 노력이 아니라 팀워크나 전체 구성원에 의한 집단적 노력, 총체적 헌신을 중시한다.

④ TQM은 결과가 아닌 과정에 대한 계량적 통제기법이다.

❶ 전통적 관리와 총체적 품질관리(TQM)의 비교

구분	전통적 관리	총체적 품질관리(TQM)
고객요구 측정	전문가에 의한 측정	고객의 의사를 반영한 측정
자원통제	기준을 초과하지 않는 한 낭비를 허용	무가치한 업무·과오·낭비를 불허
품질관리	문제점을 관찰한 후 사후 수정	문제점에 대한 예방적 관리 중시
의사결정	불확실한 가정과 직관에 근거	통계적 자료와 과학적 절차에 근거
조직구조	통제에 기초한 수직적·집권적 구조 중시	수평적 구조 중시

03 SWOT분석은 미국 하버드 대학에서 개발한 전략적 관리로, 조직 내부 역량은 강점(S)과 약점(W)으로, 조직 외부 환경은 기회(O)와 위협(T)으로 구분하여 이를 바탕으로 하는 미래지향적 관리모형이다. 방어적 전략은 약점과 위협을 모두 최소화하는 가장 소극적인 전략이다.

❶ SWOT분석

구분		환경	
		기회(O)	위협(T)
조직	강점(S)	SO전략 · 공격적 전략 · 강점과 기회를 살리는 전략	ST전략 · 다양화 전략(차별화 전략) · 강점을 가지고 위협을 회피하거나 최소화하는 전략
	약점(W)	WO전략 · 방향전환 전략 · 약점을 보완하여 기회를 살리는 전략	WT전략 · 방어형 전략 · 약점을 보완하여 위협을 회피하거나 최소화하는 전략

04 조직발전은 구성원의 행태를 바람직한 방향으로 계획적으로 변화시켜, 조직의 환경변화에 대한 대응능력과 문제해결능력을 향상시키려는 관리전략이다. 따라서 구조와 기능을 무시한다는 비판을 받는다.

| 오답체크 |

③ 외부의 행태주의 전문가가 참여하는 하향식 기법이다.

④ 감수성 훈련을 통해 행태를 변화시킨다.

정답 01 ② 02 ③ 03 ④ 04 ①

05 균형성과표(BSC)에 대한 설명으로 옳지 않은 것은? 2021년 지방직 9급

① 조직의 장기적 전략목표와 단기적 활동을 연결할 수 있게 한다.

② 재무적 성과지표와 비재무적 성과지표를 통한 균형적인 성과관리 도구라고 할 수 있다.

③ 재무적 정보 외에 고객, 내부 절차, 학습과 성장 등 조직 운영에 필요한 관점을 추가한 것이다.

④ 고객 관점에서의 성과지표는 시민참여, 적법절차, 내부 직원의 만족도, 정책 순응도, 공개 등이 있다.

06 공공부문의 성과관리를 강화하기 위해 균형성과표(BSC: Balanced Score Card)를 도입할 경우 중시해야 할 관점으로 옳지 않은 것은? 2018년 지방직 7급

① 공기업 재정운영의 효율성을 제고하기 위해 직원 보수를 조정한다.

② 공무원의 능력향상을 위해 전문적 직무교육을 강화한다.

③ 시민들의 행정서비스 만족도를 제고하기 위해 노력한다.

④ 상향식 접근방법에 기초해 공무원의 개인별 실적평가를 중시한다.

07 균형성과표(BSC)에 대한 설명으로 옳지 않은 것은? 2017년 지방직 9급(12월 추가)

① 학습과 성장 관점은 구성원의 능력개발이나 직무만족과 같이 주로 인적자원에 대한 성과를 포함한다.

② 무형자산에 대한 강조는 성과평가의 시간에 대한 관점을 단기에서 장기로 전환시킨다.

③ 고객 관점의 성과지표에는 고객만족도, 신규고객 증가수 등이 있다.

④ 내부프로세스 관점에서는 통합적인 일처리 절차보다 개별부서별로 따로따로 이루어지는 일처리 방식에 초점을 맞춘다.

08 균형성과표(BSC: Balanced Score Card)의 관점과 측정 지표가 바르게 연결된 것은? 2017년 사회복지직 9급

① 학습과 성장 관점 – 직무만족도

② 내부프로세스 관점 – 민원인의 불만율

③ 재무적 관점 – 신규 고객의 증감

④ 고객 관점 – 조직 내 커뮤니케이션 구조

09 균형성과표(BSC)의 성과지표에 대한 설명 중 옳지 않은 것은?

① 고객 관점에서의 성과지표에는 고객만족도, 정책순응도, 민원인의 불만율, 신규 고객의 증감 등이 있다.

② 내부프로세스 관점의 성과지표에는 의사결정 과정의 시민참여, 적법적 절차, 커뮤니케이션 구조 등이 있다.

③ 재무적 관점의 성과지표는 전통적인 선행지표로서 매출, 자본 수익률, 예산 대비 차이 등이 있다.

④ 학습과 성장 관점의 성과지표에는 학습동아리 수, 제안건수, 직무만족도 등이 있다.

정답 및 해설

05 시민참여·적법절차·공개 등은 내부프로세스 관점의 지표이며, 내부 직원의 직무만족도는 학습과 성장관점의 지표에 해당한다.

| 오답체크 |

①, ②, ③ 균형성과표(BSC)의 특성으로 옳은 지문이다.

06 균형성과표(BSC)는 상향식·미시적 접근법에 기초하여 공무원의 개인별 실적평가를 중시하는 목표관리(MBO)와 달리, 기관의 임무·비전 및 전략목표를 토대로 하는 하향적·거시적 성과관리 방식이다.

| 오답체크 |

① 균형성과지표 중 재무적 관점에 해당한다.

② 학습과 성장관점에 해당하는 옳은 지문이다.

③ 고객관점에 해당하는 옳은 지문이다.

07 내부프로세스 관점에서는 개별적인 일처리 방식보다는 통합적인 일처리를 중시한다.

| 오답체크 |

① 학습과 성장 관점의 측정지표는 인적 자원의 역량, 지식의 축적, 정보 시스템 구축, 학습동아리 수, 제안 건수, 직무만족도 등이다.

② 전통적인 재무적 관점과 무형의 인적자산인 비재무적 관점까지 균형 있게 평가하는 균형성과표(BSC)는 무형자산에 대한 평가가 장기적 시계를 가지고 평가된다는 측면에서 평가의 시간을 장기적 관점으로 전환시켰다.

③ 고객 관점의 성과지표는 고객만족도, 정책순응도, 민원인의 불만율, 신규고객의 증감 등이다.

08 직무만족도는 학습과 성장의 관점이므로, 옳은 지문이다.

| 오답체크 |

② 민원인의 불만율은 고객의 관점이다.

③ 신규 고객의 증감은 고객의 관점이다.

④ 조직 내 커뮤니케이션 구조는 내부프로세스 관점이다.

09 재무적 관점의 성과지표는 전통적인 후행지표이다. 후행지표란 경기변동에 뒤따라 변화하는 지표이며, 매출·자본수익률 등이 있다. 반면, 선행지표는 경기변동에 앞서 변화하는 지표를 말한다.

| 오답체크 |

① 고객 관점은 공공부문이 중시하는 대외적 지표로 옳은 지문이다.

② 내부프로세스 관점은 업무처리 관점의 과정 중심 지표로 옳은 지문이다.

④ 학습과 성장 관점은 미래적 관점의 대표적인 선행지표로 옳은 지문이다.

정답 05 ④ 06 ④ 07 ④ 08 ① 09 ③

찾아보기

찾아보기

기타

MEMO

송상호	약력	저서

약력
현 ㅣ 해커스공무원·군무원 행정학 강의
전 ㅣ 제일고시학원 행정학 강의
전 ㅣ KG패스원 행정학 강의
전 ㅣ 아모르이그잼 행정학 강의

저서
해커스공무원 명품 행정학 기본서
해커스공무원 명품 행정학 단원별 기출문제집
해커스공무원 명품 행정학 실전동형모의고사 1
해커스공무원 명품 행정학 실전동형모의고사 2
해커스군무원 명품 행정학 18개년 기출문제집
해커스군무원 명품 행정학 실전동형모의고사

2025 대비 최신개정판

해커스공무원
명품 행정학 기본서 | 1권

개정 9판 1쇄 발행 2024년 7월 4일

지은이	송상호, 해커스 공무원시험연구소 공편저
펴낸곳	해커스패스
펴낸이	해커스공무원 출판팀
주소	서울특별시 강남구 강남대로 428 해커스공무원
고객센터	1588-4055
교재 관련 문의	gosi@hackerspass.com
	해커스공무원 사이트(gosi.Hackers.com) 교재 Q&A 게시판
	카카오톡 플러스 친구 [해커스공무원 노량진캠퍼스]
학원 강의 및 동영상강의	gosi.Hackers.com
ISBN	1권: 979-11-7244-190-6 (14350)
	세트: 979-11-7244-189-0 (14350)
Serial Number	09-01-01

공무원 교육 1위,
해커스공무원 gosi.Hackers.com

ᴴ 해커스공무원

· 해커스 스타강사의 **공무원 행정학 무료 특강**
· **해커스공무원 학원 및 인강**(교재 내 인강 할인쿠폰 수록)
· 정확한 성적 분석으로 약점 극복이 가능한 **합격예측 온라인 모의고사**(교재 내 응시권 및 해설강의 수강권 수록)